Studien zur Geschichte und Kultur des Altertums. Neue Folge

1. Reihe, 1. Band

STUDIEN ZUR GESCHICHTE UND KULTUR DES ALTERTUMS

Neue Folge

1. Reihe: Monographien

Im Auftrag der Görres-Gesellschaft herausgegeben von

Heinrich Chantraine, Tony Hackens, Martin Sicherl u. Otto Zwierlein

1. Band

1984

Ferdinand Schöningh

Paderborn · München · Wien · Zürich

TORSTEN EGGERS

Die Darstellung von Naturgottheiten bei Ovid und früheren Dichtern

1984

Ferdinand Schöningh

Paderborn · München · Wien · Zürich

Gedruckt mit Unterstützung der Deutschen Forschungsgemeinschaft

CIP-Kurztitelaufnahme der Deutschen Bibliothek

Eggers, Torsten:
Die Darstellung von Naturgottheiten bei Ovid
und früheren Dichtern / Torsten Eggers. —
Paderborn; München; Wien; Zürich: Schöningh, 1984.
(Studien zur Geschichte und Kultur des Altertums: Reihe 1,
Monographien; Bd. 1)
ISBN 3-506-79051-X
NE: Studien zur Geschichte und Kultur des Altertums / 01

München · Wien · Zürich

Printed in Germany

Gesamtherstellung: Ferdinand Schöningh, Paderborn

ISBN 3-506-79051-X

MATRI

UXORI

Die vorliegende Studie bietet den geringfügig überarbeiteten Text meiner Dissertation „Nam modo qui nunc sum videor. Die Darstellung von Naturgottheiten bei Ovid und früheren Dichtern“, die am 8. Juli 1981 vom Fachbereich Geschichtswissenschaft der Universität Hamburg angenommen worden ist. Betreuer der Arbeit war Herr Prof. Dr. Otto Zwierlein, dem ich an dieser Stelle für seinen geduldigen Rat aufrichtig danken möchte. Der Mühe des Korreferats hat sich Herr Prof. Dr. Walther Ludwig unterzogen.

Mein Dank gilt ferner der Görres-Gesellschaft, insonderheit den Herren Professoren Dr. Martin Sicherl und Dr. Otto Zwierlein, für ihre Bereitschaft, das Werk in die „Studien zur Geschichte und Kultur des Altertums“ aufzunehmen; dem Verlag Ferdinand Schöningh, vor allem Herrn Gottfried Lehr, für seine ebenso präzise wie verständnisvolle Zusammenarbeit; und schließlich der Deutschen Forschungsgemeinschaft, die den größten Teil der Druckkosten übernommen und damit das Erscheinen des Buches in der vorliegenden Form ermöglicht hat.

Das mühevolle Ringen um geistesgeschichtliche Probleme hätte inmitten vielfacher gedankenloser Störungen durch eine Umwelt, die Wert und Wesen geistiger Leistung nicht zu fassen vermag, wohl kaum einen erfolgreichen Abschluß gefunden, wären die Widrigkeiten nicht durch Verständnis, Zuspruch und mancherlei Hilfe meiner nächsten Angehörigen — anfangs meiner Mutter, später meiner Frau — gemildert worden.

Hamburg, im Dezember 1982 Torsten Eggers

INHALT

EINLEITUNG

ERSTER TEIL

ZWEITER TEIL

EINLEITUNG

1. *Der Gegenstand und seine Bedeutung*

Ein wichtiger Weg zum Verständnis Ovids führt über die religionsgeschichtliche Interpretation. Sie ist freilich nicht als Erklärung bei Ovid behandelter Mythen gemeint, sondern als die Bestimmung seines Verhältnisses zu Mythos und Religion und damit als „Erfassung des Ovidischen in der Darstellung dieser Mythen, wobei die Anschauungen des Dichters in ihrer individuellen Spielart einer religionshistorischen Betrachtung für wert befunden werden“[1].

Die vorliegende Arbeit unternimmt den Versuch, eine kleine Strecke jenes Weges zu beschreiten. Gegenstand ist Ovids Darstellung von Göttern, die wesensmäßig so eng an eine räumlich begrenzte Naturerscheinung gebunden sind, daß ihre Identität oft innerhalb eines Spannungsfeldes schwankt, das olympische Übermenschen, menschengleiche Individuen, belebt gedachte und unbelebte Natur gleichermaßen umfaßt.

Die Bedeutung einer solchen Arbeit liegt für die Ovid-Philologie darin, daß allgemein das Verständnis der Persönlichkeit des Dichters gefördert sowie im besonderen die Problematik der Exilierung durch Augustus aus

---

[1] M. v. Albrecht Komm. 487. — Bis in die jüngste Zeit hinein sah die Forschung eine ihrer vornehmlichen Aufgaben darin, formale Kategorien zu bestimmen. Dabei ist R. Heinzes Ansatz (1919), demzufolge elegische (Fasti) und epische (Metamorphosen) Gattung klar voneinander zu scheiden seien, durch neuere Arbeiten zu Recht weitgehend revidiert worden. H. Tränkle 465 (1963) zeigt, wie erst die Art innerer Gestaltung bei Catull und dann in der römischen Elegie die Form, in der in den Metamorphosen Mythen erzählt werden (etwa die Schilderungen des Seelenzustandes), möglich gemacht hat. J. Stroux WdF 316 (1919) bemerkt, daß es für die von Ovid gewollte Verbindung des klassischen griechischen Epos mit der eleganten Erzählkunst der modischen Alexandriner kein literarisches Etikett gebe. W. Kraus WdF 114—115 (1966) sagt, der Dichter habe „alle Stilfarben hexametrischer Dichtung auf seiner Palette“. M. v. Albrecht Komm. 486 (1966) gelangt sogar zu der Feststellung, daß formgeschichtliche Fragen, im Sinne eines Entweder-Oder gestellt, an der individuellen Eigenart des betrachteten Dichters vorbeiführen und somit kein Weg zu ihm, sondern zu einer Kunsttheorie sind. — In diesem Zusammenhang sei ferner auf die Ausführungen von E. J. Bernbeck 128 (1967), E. J. Kenney (The Style of the Metamorphoses 116—117) (1973), H.-D. Voigtländer 197—198 (1975) sowie O. S. Due 81 (1974) hingewiesen, der zu dem Schluß kommt, “that this elusive poet shrewdly avoids the Scylla of trying to be an epic poet in the Vergilian sense of the word and the Charybdis of making parody”.

einem neuen Winkel beleuchtet werden kann[2]. Im weitesten Rahmen mag diese Studie einen bescheidenen Beitrag zur Geschichte religiösen Denkens überhaupt darstellen, in der Ovid keinen unbedeutenden Platz einnimmt[3]. Sie rechtfertigt sich durch das Fehlen systematischer Untersuchungen zur angedeuteten Thematik von selbst.

2. Skizzierung der Problematik

NAM MODO QUI NUNC SUM VIDEOR MODO FLECTOR IN ANGUEM
ARMENTI MODO DUX VIRES IN CORNUA SUMO.

So kommentiert Ovids Flußgott Achelous mit herausfordernder Selbstverständlichkeit die verschiedenen Gestalten, in denen man ihn antreffen könne. Dabei läßt der Dichter seinen plaudernden Verwandlungskünstler freilich gerade diejenigen Erscheinungsformen vergessen, die dem Leser der vorangegangenen 350 Verse noch besonders plastisch vor Augen stehen dürften: den reißenden Strom etwa oder die zornig aufbrausende Naturkraft, die ebenso wie der zuvorkommende Gastgeber, der seine Wandlungsfähigkeit durch jene einseitigen und irreführenden Worte (M. 8.881—882) erläutert, mit dem Anspruch aufgetreten waren, „Achelous" zu sein.

Die Formel *qui nunc sum* kann also nur beim ersten Hinsehen eindeutig scheinen. Tatsächlich birgt sich hinter ihr die Vielgestaltigkeit des Flußgottes, und hinter dieser wiederum das grundsätzliche Problem der Identität von Naturgottheiten: die Frage nach ihrem Wesen, der Verbindlichkeit ihrer Gestalt, dem Verhältnis zum lokalen Bereich, welchem sie entstammen. Durch eben solche Fragen ist die Aufgabe der vorliegenden Arbeit bereits exemplarisch skizziert.

Die folgende Untersuchung knüpft an die vielfach belegbare Tatsache, daß Ovid von jenen Gottheiten keine einheitliche Vorstellung vermittelt, sondern ihre Identität in verschiedenen Ebenen nebeneinander behandelt: Bald zeigt er mächtige, unabhängig planende und handelnde Götter, bald läßt er das Wesen derselben Gottheiten mehr oder weniger nebelhaft in ihrem Element aufgehen, bald erscheinen sie nur noch als topographische oder physikalische Phänomene. Oft stehen diese unterschiedlichen Beschreibungsweisen sogar so unvermittelt beisammen, daß die betreffende Stelle geradezu grotesk wirkt.

---

[2] Ein sehr förderlicher Beitrag in diesem Sinne ist das Kapitel „Der Fall Ovid" bei F. ALTHEIM II 254—262. ALTHEIM weist nach, daß gerade die Fasti in ihrer Behandlung des Göttlichen Anstoß bei den religiösen Reformern erregen mußten.

[3] Nämlich als „Dichter zwischen zwei Welten", wie H. FRÄNKEL ihn darstellt (S. 2—3, 18, 180 sowie andernorts).

Daraus ergibt sich für den Philologen eine Reihe von Fragen. Es ist zu klären, ob solche Darstellungen hohen Häufigkeitswert haben oder nur vereinzelt anzutreffen sind, ob es sich also um mehr zufällige Erscheinungen handelt oder ob der Dichter bewußt so verfahren ist, ob die Auffälligkeiten im Verbalen haften bleiben oder auch in die Handlungsschilderungen Eingang gefunden haben. Läßt sich ein planmäßiges Vorgehen Ovids wahrscheinlich machen, ist nach den Gründen zu fragen, die ihn zu dieser Art der Beschreibung von Gottheiten bewogen haben.
Stellt man diese Problematik in ihren weiteren literaturgeschichtlichen Zusammenhang, so sind zunächst die Darstellungsmöglichkeiten aufzuzeigen, welche die Dichter vor Ovid geschaffen und genutzt haben. Dabei ist zu prüfen, wie oft die poetischen Vorgänger des Sulmonensers ihr Augenmerk auf Naturgottheiten zu lenken pflegten, ob die Art ihrer Darstellung mit jener, die Ovid offenkundig bevorzugt hat, vergleichbar ist und worauf allfällige Unterschiede gründen. Vor dem Hintergrund dieser älteren Tradition wird deutlich werden, wo der Augusteer geneuert, was er weiterentwickelt, welche Vorstellungen er bewahrt hat.

3. Die Begriffe „Identitätsstufe“ und „Grundanschauung“

Man wird der antiken Vorstellung von Naturgottheiten kaum gerecht werden können, wenn man nur die Extreme Element und anthropomorpher Gott sieht. Die religionsgeschichtliche Forschung geht einesteils davon aus, daß das religiöse Denken Zwischenstufen durchlaufen hat, seit es Naturbereiche als göttlich begriff und bis es, durch das Verlangen nach Darstellbarkeit und konkreter Faßlichkeit in bildender Kunst und Mythos gefördert[4], zu menschenähnlichen Göttern fand[5].

Unmittelbar als göttlich empfundene Elemente waren für den Bildner visuell kaum umsetzbar, so daß die bildende Kunst nur eine sehr begrenzte Hilfestellung für ein nachvollziehendes Verständnis religiöser Vorstellungsinhalte zu geben vermag.
Für die Wortkunst gelten ganz andere Gesetze; vgl. die wichtigen Bemerkungen H. Herters, Ovidiana S. 49—74, bes. die Zusammenfassung S. 73—74 (ähnlich auch A. Gerber 242): Gerade dort, wo der bildenden Kunst natürliche Grenzen gesetzt sind, kann der Dichter direkt die mythische Wirklichkeit erfassen und den Leser auf ein wesentlich weiteres Feld von Vorstellungen führen.

[5] Im Rahmen dieser einführenden Übersicht kann die einschlägige religionshistorische Literatur nur exemplarisch behandelt werden. Weiterführende bibliographische Hinweise findet man besonders in den neueren der im Folgenden genannten Arbeiten (s. vor allem M. P. Nilssons Überblick GGR I 36—67 über Forschungsrichtungen, die sich verschiedenen Stadien religiösen Denkens zuwenden).
Ein bedeutender Versuch, das Werden persönlicher Gottheiten durch eine Reihe von Zwischenstufen zu erklären, ist H. Usener zu danken (zu seinem Ansatz vgl. unten Anm. 9 und 11). Um so schmerzlicher wird man es im Hinblick auf Naturgottheiten empfinden, daß Usener eine Deutung der Erscheinungsformen gerade dieser Göttergruppe nicht gegeben hat.

Andere Gelehrte, die derartige Übergangsstufen nicht oder nur bedingt als Stationen historischer Prozesse anzuerkennen bereit sind, weisen auf die griechischem Denken eigentümliche Fähigkeit hin, einer Naturerscheinung unterschiedliche Aspekte abzugewinnen, welche, legt man den Maßstab unseres heutigen Verständnisses an sie, einander zu widerstreiten scheinen[6].

F. MATZ 8 führt aus, daß die Griechen in der ganzen Natur übermenschlich und geheimnisvoll waltende Kräfte erblickt hätten, die ursprünglich gestaltlos gedacht und verehrt worden seien. Ähnlich beschreibt O. KERN I 20—21 als Vorstufe des Anthropomorphismus eine Zeit, „in der diese Naturwesen als etwas Unfaßbares auf das Gemüt des Menschen Eindruck machten“. Diese Epoche sei vorwiegend aus ihren Wirkungen rekonstruierbar, sie weise keine eigenen Zeugnisse auf. In eben dem Sinne sind auch U. v. WILAMOWITZ-MOELLENDORFFS berühmte Darlegungen GdH I 17—22 (vgl. dazu Anm. 9) zu verstehen. — Siehe ferner G. WISSOWA RuK (bes. S. 32—38) und F. PFISTER, Numen 1281.37—39.

Einen bedeutsamen Weg, solche Zwischenformen religiöser Vorstellung historisch zu erklären, hat F. SCHACHERMEYR in seinem Buch „Poseidon und die Entstehung des griechischen Götterglaubens“ gewiesen: Religiöses Gedankengut der eindringenden Indogermanen sei mit solchem der mediterranen Urbevölkerung zusammengetroffen; während im ägäischen Bereich ein primärer Anthropomorphismus zu beobachten sei, man seit Urzeiten mehr zu Leibhaftigkeit und Anschaulichkeit geneigt habe und der Weg vom Anthropopsychismus zum Anthropomorphismus sich als „von Anfang an bereits zu Ende gegangen“ (129) erweise, begegne bei den Einwanderern eine ausgesprochene Bilderfeindlichkeit — was „nicht zum wenigsten auf einen gewissen Mangel an anthropomorph gerichteter Phantasie zurückzuführen sein dürfte“ (122) —, Zurückhaltung vor dem Unvorstellbaren, ein Hang zur Abstraktion (Amorphismus) und eine gewisse Geringschätzung des anthropomorphen Prinzips (s. bes. S. 122, 128—131; zum Anthropopsychismus S. 110, vgl. auch die Anm. 11 der vorliegenden Arbeit).

Als grundlegend für das Verständnis frühgriechischer Gotteserfahrung muß H. HERTERS Aufsatz über „Dämonismus und Begrifflichkeit im Frühgriechentum“ gelten; er spricht dort S. 233 von einer „Urphase des dämonischen, aber noch amorphen Erlebnisses“, das später einerseits zur Gottheit anthropomorphisiert, andererseits aber auch zum reinen Begriff habe entwickelt werden können. Auf diese gewichtigen Erkenntnisse wird weiter unten (Anm. 6 und 9) noch einzugehen sein.

[6] W. F. OTTO, Der Dichter und die alten Götter 135—136, spricht davon, „daß dem griechischen Erleben und Denken eine Gegenständlichkeit eigen ist, von deren Kraft und Bestimmtheit wir uns nur schwer einen Begriff machen können, weil Religion, Philosophie und Wissenschaft uns zu einer ganz anderen Haltung der Welt gegenüber erzogen haben“.

Im frühen Griechentum findet H. HERTER, Dämonismus und Begrifflichkeit 233, „eine Schicht, die eine ganz andere gottschaffende Kraft besaß und viel näher am Dämonischen“ (verstanden als unmittelbar und unbestimmt „im Innern übermächtig aufwallendes Erlebnis“) „als am Begrifflichen war“; in dieser Erlebnisfähigkeit sieht HERTER die Keimzelle sowohl für spätere anthropomorphe Personifikationen als auch für die entsprechenden abstrakten Begriffe; dabei sei jene „wunderbare Labilität“, mit der die antiken Sprachen zwischen abstrakter und konkreter Vorstellung hin und her zu gleiten vermöchten, gewonnen und fortab bewahrt worden. (Dagegen ist für W. F. OTTO, Die Sprache als Mythos 287, die göttliche Person primär; die Sprache sei „in ihrem ursprünglichen Bestand durchaus mythisch“.)

Ein „Nebeneinander von persönlicher und appellativer Gebrauchsweise vieler Götternamen“, aber auch „die innere Einheit des Person-Bereichdenkens mit seinen mannigfaltigen Abstufungen durch die Akzentuierung bald der einen, bald der anderen Komponente“ wird von W. PÖTSCHER, Person-Bereichdenken 15—16, erkannt. Der Autor spricht vom „Wesen jenes synthetischen Erlebens . . ., das Ding und Person kennt, aber auch deren Einheit als das Universum eines Lebensbereiches erfaßt“ (16) und bemerkt grundsätzlich: „Altgriechische Auffassung konnte zwei Aspekte vereinen, die streng logisches Denken nicht in gleicher Weise zu bewältigen vermag“. (12).

So sei in geschichtlicher Zeit, hinfort durch eine Vielzahl weiterer Momente gefördert[7], ein recht breites religiöses Vorstellungsspektrum vorhanden gewesen[8], welches es den alten Völkern gestattet habe, Macht, Bewußtsein und äußere Gestalt von Naturgottheiten ganz unterschiedlich zu deuten.

Am nüchternsten werden Bereiche aus der natürlichen Umwelt von demjenigen Betrachter aufgefaßt, dem sie als rein stoffliche Phänomene erscheinen: Eine gewiß häufige Einschätzung, ist es doch kaum denkbar, daß jeder beliebige Baum oder Bach jederzeit dazu geeignet war, in seinem menschlichen Gegenüber religiöse Gefühle zu wecken. Aber auch bei gemeinhin als *numina* geltenden Elementen wird die Qualität „Göttlichkeit“ bisweilen hinter dem ausschließlich materiellen Aspekt zurückgetreten sein.

Eine Naturerscheinung kann sich für ihren Betrachter als eine so übermächtige Potenz erweisen, daß er von ihr sagt, sie sei θεός. Er prädiziert damit eine Macht, die menschlichem Zugriff entzogen ist, bekennt jenes

---

Vom Bemühen, moderne Psychologie im Sinne einer „humanistischen Seelenforschung“ für das Verständnis antiker religiöser Vorstellungen heranzuziehen, wird K. Kerényi geleitet, der in einem Aufsatz über Arethusa das Menschenantlitz der Quellgöttin durch das Zusammenwirken zweier Momente zu fassen sucht: „aus ihrem Naturkern, der ihrem knospenhaften Frauenwesen etwas unaussprechlich Elementisches, wie einen feuchten Glanz, verleiht, und aus dem Ideenkern, der das Element durch Menschenzüge verständlich macht“. (217—218). Die Idee des eigenen menschlichen Ursprungs — eine ort- und zeitlose Realität des Geistes —, die in produktiven tiefsten Schichten im Menschen vorhanden sei, werde durch Beobachtung örtlich bestimmter Realitäten der Natur — z. B. einer Quelle — angeregt, wobei der Einklang beider Realitäten eine mit menschlichen Gesichtszügen begabte Göttererscheinung offenbare.

[7] Hierfür sind vor allem zu nennen: eine weitgehende Duldsamkeit in religiösen Dingen (O. Kern I 2; W. F. Otto, Götter Griechenlands 149 und 151; R. M. Ogilvie 2—3); das Fehlen verbindlicher (etwa schriftlich fixierter) Glaubensinhalte; die Neigung, Überkommenes zu achten und zu bewahren; ein mehrfacher Wandel in der Dominanz bestimmter Göttergruppen (z. B. Sieg der Olympier: W. F. Otto, Die altgriechische Gottesidee 125—126 sowie Der Dichter und die alten Götter 111; Personifikationen verdrängen die anthropomorphen Olympier: O. Kern III 74—84, M. P. Nilsson, Kultische Personifikationen 39—40), wobei zuzeiten jene Zwischenstufen der Gottesvorstellung erheblich an Gewicht gewannen (vgl. auch H. Herter, Dämonismus und Begrifflichkeit 234); der Einfluß verschiedener philosophischer Systeme (Kern III 84—102) — für die augusteische Zeit ist besonders die Stoa als bedeutendste philosophische Bewegung im Rom des ersten vorchristlichen Jahrhunderts wichtig (Wissowa RuK 69—70; Kroll, Kultur 245—246; Ogilvie 19) —, der in ganz ähnlicher Weise eine Modifizierung der Extrembilder (Naturerscheinung : menschengestaltiger Gott) begünstigt haben dürfte (es ist daran zu erinnern, daß der Stoizismus göttliche Kräfte, die als Emanationen des Schöpfergottes in der Natur wirken, anerkennt: E. Zeller III. 1.324—327, M. Pohlenz, Stoa I 96—97; daß zudem die mythischen Götter allegorisch gedeutet werden: E. Zeller III. 1.330—343, M. Pohlenz, Stoa I 97—98).

[8] Über die Vielgestaltigkeit der griechischen wie der römischen Religion vgl. u. a. O. Kern I 2, W. Nestle, Griechische Religiosität II 18—36, R. M. Ogilvie 2—3. — Gleichzeitig sei hier — namentlich im Hinblick auf das Folgende — M. P. Nilssons grundsätzlicher Mahnung, ein logisches Nacheinander religiöser Vorstellungsformen nicht als historische Abfolge zu mißdeuten (GGR I 37), gedacht.

andersartige Leben, Wirken und Wollen als dem seinen überlegen[9]. Viele unmittelbare sinnliche Erscheinungen wie Quellen, Bäume, Flüsse oder Himmelskörper können so als göttlich erfahren werden, ohne daß sie dadurch zu individuellen Wesen würden[10].

Eine weitere, sehr wichtige Vorstellungsform ergibt sich, wenn einer Naturkraft bewußtes, planvolles Handeln zugeschrieben wird[11]. Mit der am Maß-

---

[9] In diesem Sinne hat U. v. Wilamowitz-Moellendorff GdH I 18—19 die Genese der oben behandelten Vorstellung anschaulich dargestellt (zum Naturgefühl des Griechen und vor allem des homerischen Menschen s. Wilamowitz, Komm. Eur. Her. 1232; Nestle, Griechische Religiosität I 27—29; Otto, Die altgriechische Gottesidee 121—122). Wie weit der Gebrauch des ursprünglichen Prädikatsbegriffes θεός gehen konnte, zeigt besonders eindrucksvoll der von Wilamowitz GdH I 18 (und vor ihm schon von Usener 290) zitierte Vers Eur. Hel. 560 ὦ θεοί· θεὸς γὰρ καὶ τὸ γιγνώσκειν φίλους.

Von der genannten Stelle bei Wilamowitz ausgehend hat K. Kerényi, um die Entstehung religiösen Denkens im hier geschilderten Sinne (vgl. dazu auch die folgenden Ausführungen im Haupttext) zu veranschaulichen, treffend den knappen Satz geprägt: „Auf dem Wege vom Geschehen zum Handelnden steht θεός.“ (Antike Religion 212). Als Gegenposition zu Wilamowitz’ Deutung von θεός sei genannt: Pötscher, Person-Bereichdenken (bes. S. 5—10).

Auch der Begriff *numen* soll einst prädikativen Charakter gehabt haben: Pfister, Numen 1290.45—1291.10 (nach dem Vorgange Wilamowitz’); gegen diese Interpretation wendet sich Pötscher, Numen (dort *passim*), skeptisch auch Latte 57; zu „*numen*“ siehe ferner C. Koch, Religio 111, und A. Wlosok 39—40. — Grundlegend über römische Gottesvorstellungen der Frühzeit handelt G. Wissowa RuK 23—32, dessen Darlegungen von G. Radke kritisch weiterentwickelt worden sind (s. Radkes Aufsatz über „Das Wirken der römischen Götter“); vgl. außerdem Otto, Rom und Griechenland (bes. S. 334—339: aufschlußreiche kontrastive Betrachtung!; daneben halte man: Die altgriechische Gottesidee 127; ähnlich: Vergil 356), sowie Ogilvie 13—14.

Mit Gefühlsgottheiten als einer besonderen Form „überwältigend mit übermenschlicher Gewalt hereinbrechende(r) Erscheinungen, die zum Götterglauben führen“ (227; eindrucksvoll an Phobos, S. 228—229, und Nemesis, S. 229—231, exemplifiziert) setzt sich H. Herter, Dämonismus und Begrifflichkeit, auseinander; die Lebendigkeit dieser Art religiösen Erlebens für alle Phasen des heidnischen Altertums wird von Herter S. 234 unterstrichen: „Wenn wir uns an die Rückläufigkeiten erinnern, in denen überwundene Entwicklungsstadien immer wieder aufleben, so können wir sagen, daß bei jedem religiösen Erlebnis eine Augenblicksgottheit geschaffen wird, wenn die Reflexion oder die Intuition nicht bis zu einem bestimmten göttlichen Erreger vordringt“. — Vgl. die schöne Darstellung W. F. Ottos über die Göttlichkeit sittlicher Regungen in: Der Dichter und die alten Götter, bes. S. 130—131.

Übrigens scheint mir H. Useners Prägung „Augenblicksgott“, mit deren Hilfe er die augenblickliche Empfindung der Kraft und Nähe einer Gottheit beschreibt, die hier behandelte Erfahrung von Naturerscheinungen durchaus zu treffen; einschränkend ist freilich anzumerken, daß Usener gerade der Göttergruppe, welche Gegenstand der vorliegenden Arbeit ist, nicht gedenkt (Götternamen 279—291).

[10] Von einer „Persönlichkeit“ der so erlebten Naturerscheinungen wird man auf dieser Stufe der Gotteserfahrung noch nicht sprechen dürfen. Eine umsichtige Behandlung der Frage, welche Kriterien mindestens anzusetzen seien, wenn einer Gottheit Personalität zuerkannt werden solle, findet man bei W. Pötscher, Person-Bereichdenken 19—21; er definiert dort S. 21: „Persönliche Götter sind also solche, die sich die Menschen als Bewußtseinswesen (Wissen, Wille) vorgestellt haben. Diese Eigenschaft kann sich unmittelbar oder durch eine deutlich anthropomorphe Gestalt der Götter äußern“. — Vgl. die folgende Anm. 11 sowie unten Anm. 22.

[11] So erlebte Naturgottheiten sind einerseits elementar gestaltet, andererseits mit den in Anm. 10 umrissenen Persönlichkeitsmerkmalen behaftet. Diese Vorstellungsform wird, wiewohl sie in

stab des Menschen entwickelten Fähigkeit zu Reflexion, Parteinahme und zielstrebiger Aktion geht dabei oft das Bestreben einher, in der elementaren Körperlichkeit anthropomorphe Züge zu sehen: im Wipfel des Baumes ein Haupt, im Bergwald Bart und Haar, in der Scheibe von Himmelskörpern ein Antlitz[12].

---

der antiken Dichtkunst eine wichtige Rolle spielt, von deren modernen Erklärern kaum berücksichtigt. Dabei hat schon A. GERBER vor nunmehr fast 100 Jahren in seinem Aufsatz über „Naturpersonification in Poesie und Kunst der Alten“ (1883), der nach dem Erscheinen von F. MATZ' „Die Naturpersonifikationen in der griechischen Kunst“ (1913) zu Unrecht immer stärker in Vergessenheit geraten ist, seinen Begriff „Personificirung oder Verleihen von Persönlichkeit“ hinreichend deutlich als „eine bloss menschliche Beseelung ohne gleichzeitige Verkörperung“ definiert (S. 243; vgl. ebendort S. 242: „Der Dichter kann den Dingen der sinnlichen Welt in ihrer natürlichen Gestalt menschliche Empfindung und zum Theil auch menschliche Thätigkeit leihen“.).

Einen treffenden Ausdruck für die Beschaffenheit von Naturkräften, die in der oben angedeuteten Weise als göttliche Wesen verstanden wurden, hat F. SCHACHERMEYR geprägt. In seinem eindrucksvollen Versuch, indogermanische Religiosität zu beschreiben und gegen die der ägäischen Autochthonen abzusetzen (vgl. oben Anm. 5), nennt er die Naturphänomene, in denen man „wohl göttliche Gewalten, aber noch keine menschengestaltigen Götter erblickt“ habe (110), anthropopsych: „Man schrieb ihnen wohl anthropopsyche Qualitäten, so Bewußtsein, Willen, menschliche wie allzumenschliche Empfindlichkeit zu, ließ sie nach eigenem Ratschluß spontan handeln, segnen, zürnen, ließ sie durch Gebet, Zauber und Ritus beeinflußt werden; im übrigen sah man aber in der Sonne eben doch die Sonne als Naturerscheinung, im Blitz eben den Blitz, in der Quelle eben die Quelle, und Gleiches galt von Sturm und Wolken, von den Gebirgen, den Strömen und dergleichen mehr“. (110). SCHACHERMEYRS ungemein nützlichen *terminus* „Anthropopsychismus“ greife ich dankbar auf und werde mich seiner in der folgenden Untersuchung des öfteren bedienen.

Nur am Rande sei bemerkt, daß USENERS Sondergötter kaum geeignet scheinen, den hier skizzierten Weg, Naturkräfte als persönliche Gottheiten (s. oben Anm. 10) zu begreifen, treffend nachzuzeichnen (Götternamen *passim*, bes. S. 75—77, 279—280, 301; USENER hebt auf Götter, die besondere Handlungen und Zustände repräsentieren, ab und kennzeichnet die Gruppe S. 77 mit den Worten: „Es sind schattenhafte gestalten, ... meinetwegen dämonenartige“.).

[12] Solche Benennungsweise von Teilen eines Naturphänomens darf, wie A. GERBER 244 zu Recht hervorhebt, nicht als Hinweis auf ein etwaiges gestaltliches Menschentum mißdeutet werden. Sie ist vielmehr durch metaphorisches Denken — meist sogar eines recht hohen Habitualisierungsgrades: LAUSBERG § 561; vgl. auch die von W. PORZIG 39—40 gesammelten sprachlichen Übertragungen von menschlichen bzw. tierischen Körperteilen auf Einzelheiten der umgebenden Landschaft — zu erklären.

Dem Sonderproblem, ob derartige Metaphern ursprünglich auf einem Vergleich gründen oder — zumindest teilweise — als urtümliche Relikte einer religiös-magischen Identifizierung — hierzu s. H. LAUSBERG § 558 — zu gelten haben, kann und soll im Rahmen dieser Arbeit ebensowenig nachgegangen werden wie der spekulativen Frage, ob und in welchem Umfang jene „Körperteil-Metaphorik“ einen denkbaren Prozeß der Anthropomorphisierung von Naturgottheiten vorbereitet oder gefördert haben könnte. Für unsere Zwecke mag die Beobachtung genügen, daß die beschriebene Ausdrucksweise oft mit der Vorstellung einer bewußt wirkenden Naturkraft gekoppelt ist.

Als Körperteile gedeutete lokale Details finden sich aber auch an zahlreichen Stellen antiker Dichtung, die einen religiösen Gehalt des übertragen benannten landschaftlichen oder kosmischen Phänomens als mehr oder minder unwahrscheinlich ausweisen (z. B. Verg. A. 5.848 *mene salis placidi vultum ... / ignorare iubes?*). Manche solcher Prägungen sind übrigens auf dem besten Wege, mindestens im Bereich der Poesie *verba propria* zu werden; so pflegen — um aus der Fülle nur einige Beispiele herauszugreifen — Dichter gern vom Haar eines Waldes oder Baumes

Andererseits kann die Naturkraft auch völlig menschengestaltig[13] gedacht werden, als Gott, der in seinem Element lebt und dessen Funktion und Lebenskraft bewirkt. Da ein solcher anthropomorpher Gott körperlich nicht mehr mit seinem Bereich identisch ist, kann er sich vom Element lösen und erscheint auch außerhalb dessen als handlungsfähig. Seine Bewegungsfreiheit ist dabei jedoch beschränkt, da der Bereich die Präsenz des Gottes erfordert[14].

Endlich sind Naturgottheiten denkbar, die ohne lokale oder funktionale Bindung agieren, völlig vermenschlicht in Aussehen und Charakter. Sie repräsentieren eine Betrachtungsweise, die somit als Gegenpol zu Naturerscheinungen anzusehen ist, welche ohne religiöse Empfindung wahrgenommen werden.

Auch die Palette des P. Ovidius Naso umfaßt, wenn er Naturgottheiten schildert, so manche Zwischentöne, und bei genauerer Betrachtung ergibt sich eine Skala von Vorstellungen zwischen den extremen Polen, der unsere Untersuchung Rechnung tragen muß. Die Punkte, die auf jener Skala greifbar sind, nenne ich Identitätsstufen[15]. In der Praxis wird die begriffliche Festlegung dieser Folge von Stufen, die durch Zunahme der Beseeltheit, Ausprägung eigener Körperlichkeit und wachsende Unabhängigkeit vom lokalen Ursprung gekennzeichnet ist, ausreichen:

1. Naturerscheinungen (geographische oder kosmische Phänomene verschiedener Art)
   — sie werden materialistisch betrachtet und als unbelebt empfunden.

(Cat. 4.11—12, Prop. 3.16.28, Ov. M. 10.103), von dessen Armen (Cat. 64.105, Ov. M. 14.630), vom Haupt eines Stromes (Tib. 1.7.23—24, Ov. M. 15.277) oder Berges (Hom. Il. 20.58, Verg. A. 4.249) und sogar von dessen Füßen (Hom. Il. 20.59) zu sprechen. Diese poetischen Ausdrucksmittel hat Ovid — rational deutend und anschaulich zugleich — bei der Schilderung zahlreicher Metamorphosen zu nutzen gewußt (z. B. M. 10.489—502: Myrrha wird zum Baum; M. 4.657—662: Atlas wird zum Gebirge — vgl. dazu Anm. 411).

Näheres zur Körperteil-Metaphorik wissend und willentlich handelnder Naturkräfte wird unten in den betreffenden Kapiteln anzumerken sein; an dieser Stelle mag ein Hinweis auf die Zusammenstellung im Anhang II (S. 268) genügen.

[13] Theriomorphe Epiphanien spielen in der Literatur, die im Folgenden zu untersuchen sein wird, keine Rolle. Lediglich einige Relikte wie Stierhörner der Flußgötter, deren tierische Stimme oder individuelle Verwandlungsmöglichkeiten (Achelous) werden zu vermerken sein.

[14] Die Vorstellung, daß derartige Gottheiten örtlich gebunden seien, kommt in der Notiz Serv. A. 7.47 (über die Flußnymphe Marica) deutlich zum Ausdruck: „*dii enim topici, id est locales, ad alias regiones non transeunt*".

Ein entsprechender Gedanke ist auch der Stelle Ov. M. 13.947—948 zu entnehmen: Glaucus, der soeben seine Metamorphose in einen Meergott erlebt, verläßt die Erde:

nec potui restare diu „repetenda" que „numquam / terra, vale!" dixi corpusque sub aequora mersi.

Er geht also davon aus, daß das Element, dem er nunmehr angehört, ihm eine Rückkehr ans Land nicht gestatten werde.

[15] In einigen Fällen (Übersichten, Anmerkungen) kürze ich der Einfachheit halber ab: IS, Mehrzahl ISS. Zahlen, die im Verlauf des Textes bei den Identitätsstufen angegeben werden, beziehen sich stets auf die nachfolgende Übersicht.

2. Naturkräfte
   — die Kräfte der Naturerscheinungen werden als κρείττονες erfahren und daher als göttlich empfunden.
3. Bewußt wirkende Naturkräfte
   — den Naturerscheinungen wird auf Grund ihrer Göttlichkeit die Fähigkeit zu bewußtem Denken und Handeln zugeschrieben; dabei werden im Element zuweilen anthropomorphe Einzelzüge erkannt.
4. Lokale Götter
   — die Naturkräfte sind so weit vermenschlicht, daß sie auch außerhalb ihres ursprünglichen Bereichs als handlungsfähig erscheinen; ihre Handlungen bleiben aber meist mit dem Bereich verbunden.
5. Verselbständigte Götter
   — Götter, die ohne unmittelbare Rückwirkung auf den ihnen zugeordneten Bereich handeln; von diesem sind meist nur Restattribute geblieben.

Eine grobe Gruppierung der soeben umrissenen Vorstellungsformen kann entweder nach dem Gesichtspunkt der äußeren Gestalt oder nach dem der selbstbewußten Persönlichkeit vorgenommen werden. Im ersten Falle stehen die Identitätsstufen 1 bis 3 als Repräsentanten elementarer Wesenheit den Identitätsstufen 4 und 5, die menschliche Körperbildung bezeichnen, gegenüber. Das zweite Gliederungskriterium sondert die Identitätsstufen 1 und 2, welche über keine eigentlichen Persönlichkeitsmerkmale verfügen, von den Identitätsstufen 3 bis 5, deren Vertretern die Fähigkeit eignet, überlegt zu denken und zu handeln sowie sich anderen sprachlich mitzuteilen[16]. Identitätsstufe 3 nimmt dabei eine bedeutsame Mittelstellung ein: Gottheiten, die auf dieser Stufe geschildert werden, haben durch ihre physische Gestalt an elementarer Existenz, kraft ihrer psychischen Artung aber gleichermaßen auch an menschlichem Dasein teil[17].

Die Identitätsstufen wollen nur ein praktischer Leitfaden für die folgenden Ausführungen sein. Sie sollen einerseits der Forderung, in der Literatur häufig begegnende differenzierte Vorstellungsformen von Naturgottheiten hinreichend deutlich zu beschreiben, genügen, andererseits aber so gefaßt sein, daß sie im Regelfall auf alle die sehr verschiedenartigen Gruppen von

[16] Eine Gottheit bedarf, um menschengleich reden zu können, der menschlichen Gestalt nicht; s. u. Anm. 157 und 163.

[17] Das gilt in beschränktem Maße auch für Naturgottheiten, denen man lediglich IS 2 zuerkennen wird, insofern diese als gewisser menschlicher Regungen fähig dargestellt sind (z. B. trauernde Bäume, lachende Erde u. ä.; eine Auswahl solcher Stellen ist unten im Kapitel II A 2 besprochen; vgl. ferner Anm. 22). Entscheidendes Kriterium für eine Sonderung der IS 2 von IS 3 ist der erkennbare Grad an individueller Persönlichkeit (vgl. dazu oben Anm. 10, s. auch Gerber 242 und 244—245).

Naturgottheiten anwendbar sind. Es war also die Mitte zu halten zwischen sachlich unzulässiger Simplifizierung und schwer überschaubarer Vielfalt. Daher sind Zwischenstufen jederzeit denkbar, und die Formulierungen können natürlich nur Näherungswerte geben.

Entsprechend seiner Bestimmung zur Textinterpretation erhebt der Begriff „Identitätsstufe“ keinerlei Anspruch, etwa die Stufen in der Entwicklung religiöser Betrachtungsweisen, welchen Volkes auch immer, diachron nachzuzeichnen. Er soll vielmehr lediglich das methodische Rüstzeug sein, das erforderlich ist, um die Vorstellungsmöglichkeiten, die antiken Autoren zu Gebote standen, namhaft zu machen. Synchron und an Werken der Literatur orientiert, ist religionshistorische Spekulation seine Aufgabe nicht.

Unter diesen Vorbehalten wird sich der Hilfsbegriff „Identitätsstufe“ allerdings als sehr nützlich erweisen[18]. Er vereinfacht die Nennung der jeweils betrachteten Erscheinungsform eines Gottes erheblich und überwindet das sachlich nicht ausreichende starre Prinzip des Entweder-Oder, das viele Interpretationen der Ovid-Forschung nachteilig kennzeichnet.

Es ist eine auffällige Eigenheit antiken Empfindens, daß die so unterschiedlichen Vorstellungsinhalte, welche den einzelnen Identitätsstufen anhaften, in vielen Fällen lediglich als mögliche Aspekte *einer* Identität gesehen wurden[19]. Ein bemerkenswerter Hang zu sprachlicher Unschärfe,

---

[18] Ein terminologisches Instrumentarium, das nicht nur der Vielfalt von Vorstellungsformen, die für die behandelte Göttergruppe kennzeichnend ist, Rechnung trägt, sondern auch den Vorzug hat, durch eine übersichtliche Definition sowohl gut prüfbar zu sein als auch begrifflich eindeutige Aussagen zu gewährleisten, finde ich nur bei A. Gerber. Er scheidet die „Personification“ — worunter er „menschliche Beseelung und Verkörperung eines Gegenstandes der sinnlichen oder unsinnlichen Welt“ (243) versteht: das entspricht IS 4/5 — von der „Personificirung“ — sie sei „eine bloss menschliche Beseelung ohne gleichzeitige Verkörperung“ (243), was zu IS 2/3 stimmen dürfte —. Bei dieser wird nochmals unterteilt: „Uneigentliche Personificirung“ liege dann vor, wenn dem Naturgegenstand „in Folge göttlicher Nähe, wunderbaren Gesanges oder gar nur im Affecte oder dadurch, dass er redend eingeführt ist, Persönlichkeit geliehen wird“ (244—245); damit sind häufige Situationen, in denen Naturgottheiten auf IS 2 dargestellt werden, umrissen. „Die eigentliche Personificirung tritt dagegen erst dann ein, wenn ein Naturgegenstand einer weder aus dem Gange der gewöhnlichen Weltordnung fallenden noch ihn selber direct berührenden Handlung gegenüber subjectiven menschlichen Antheil nimmt, und dieser Antheil vom Dichter besonders hervorgehoben wird“ (245). — Gerbers Sprachregelung ist indes mit einem grundsätzlichen Makel behaftet: Wenn Naturerscheinungen „personifiziert“ würden, wäre das ein künstlicher, der schöpferischen Willkür des Personifizierenden anheimgestellter Vorgang; es entsteht der Eindruck, daß etwas eigentlich Unbeseeltes beseelt werde (vgl. L. Deubners berühmte Definition RML III. 2068.35—38: „Personifikation ist in Ansehung des Objekts Beseelung des Unbeseelten, in Ansehung des Subjekts Hineintragen des Ich in das Nicht-Ich“.); antiken Naturgottheiten wird dadurch ein modernes Urteil aufgepfropft, das die verschiedenen, untereinander gleichberechtigten Arten religiösen Empfindens und Erlebens außer Acht läßt.

[19] Vgl. die oben Anm. 6 zitierten Ausführungen W. Pötschers; s. auch die folgende Anm. 20, ferner unten Anm. 27 sowie 65.

ür den Eigennamen ebenso wie Gattungsbezeichnungen zeugen, dürfte :rheblich zu dieser Denkweise beitragen[20]. Hier steht also der Anspruch larauf, die Naturgottheit sei in sämtlichen wählbaren Existenzformen ein ınd dasselbe Wesen, der offenkundigen Verschiedenheit ihrer Identitäts-tufen gegenüber.

ɅIit den Identitätsstufen sind alle fakultativen Erscheinungsformen von Naturgottheiten skizziert. Diese Erscheinungsformen können sachlich :ueinander in Beziehung gesetzt werden. Ein solches Verfahren liegt in rielen Fällen nahe[21]. Sobald ein Gott wesensmäßig von seinem Element ;elöst ist, impliziert die Kontaktfähigkeit, die er damit gegenüber seiner \ußenwelt gewonnen hat, auch die ihm zugehörige Naturerscheinung. \ndererseits schließt die Vorstellung der bewußt wirkenden Naturkraft :ine profan-materielle Auffassung des Elementes ebenso aus wie die eines ınthropomorphen Gottes, sieht sie doch göttliche Macht und Gestalt in *iner* Erscheinung verkörpert.

;omit zeichnen sich zwei Grundpositionen ab, die ein antiker Betrachter Naturgottheiten gegenüber beziehen kann. Die eine beruht auf dem Vor-tellungsinhalt der Identitätsstufe 3[22]. Sie läßt die polaren Identitätsstufen las göttliche Wesen der Naturerscheinung nicht treffen und lehnt Men-chengestalt wie materielles „Substrat" gleichermaßen ab. Man könnte von

---

) So tragen alle ISS des größten griechischen Stromes den Individualnamen Achelous — eine Benennungsweise, die man immerhin noch erwarten mag. Für heutiges Empfinden befremdlich virkt hingegen, daß beim Appellativum ebensowenig differenziert wird: auch *amnis* gilt für :de beliebige IS (ganz entsprechend griechisch ποταμός). Wer für die Vorstellungsformen ‚Lokalgottheit" oder „Flußgott" Ausdrücke wie *deus loci*, *deus fluvii*, ποταμοῦ θεός o. ä. erwar-:t, wird von den antiken Autoren in der Regel enttäuscht: Dergleichen exakte Terminologie egegnet — von erklärenden Ausführungen späterer Grammatiker einmal abgesehen — in der)ichtung des klassischen Altertums nur in ganz seltenen Ausnahmefällen.

Ait dem oben genannten Beispiel ist bereits der Problemkreis „uneigentliche Benennung" be-reten (*amnis* zielt eigentlich auf Vorstellungsformen, die vom Elementaren bestimmt sind; das Vort wird aber — „uneigentlich" — auch für anthropomorph gedachte Wesen — eben Fluß-‚ötter — gebraucht). Ihm ist der I. Teil der vorliegenden Arbeit, auf den hiermit verwiesen sei, ;ewidmet.

Vege, die die geistigen Fundamente dieser Denkweise zu verstehen lehren, haben vor allem I. Herter, Dämonismus und Begrifflichkeit (bes. S. 233—234), und W. Pötscher, Person-Bereichdenken (bes. S. 14—16 und 24—25), aufgezeigt.

Wenn z. B. ein Flußgott seinen Fluß verläßt, er dessen Strömung ändert, ein Berggott seinen Berg besteigt, der Sonnengott sein Leuchtgerät (Schild oder Strahlenkranz) in Position bringt . ä.

In einer Reihe von Fällen wird man auch IS 2 als Inhalt eines religiösen Erlebnisses — dabei twa Useners „Augenblicksgott" entsprechend — dieser Grundposition zuzuordnen haben. 'ür die Literatur ist hier besonders an jene Stellen zu denken, an denen Dichter Naturphäno-nenen die Fähigkeit verleihen, Geschehnisse anteilnehmend — freudig bewegt oder trauernd — u begleiten.

S 2 wird aber auch recht häufig in analytisch dargestellten Handlungen verwendet; man wird ie überall dort erkennen dürfen, wo ein Element im Sinne und zum Frommen des ihm präsi-ierenden Gottes verfährt.

einer „ganzheitlichen“, „synthetischen“ oder „integrativen“ Grundanschauung sprechen.

Die zweite Grundanschauung ist „analytisch“[23]. Sie hält Naturbereiche und anthropomorph vorgestellte Gottheiten für klar voneinander trennbar und kann darum beide[24] in einem Handlungsablauf zusammentreffen oder auch beziehungslos nebeneinander wirken lassen. Die Untersuchung im II. Teil wird zeigen, daß die analytische Anschauung für den Gott meist Identitätsstufe 4, oft auch Identitätsstufe 5 verwendet, während als vom Elementaren bestimmte Vorstellung in der Regel Identitätsstufe 1, in wenigen Fällen Identitätsstufe 2 mit jenen korrespondiert.

Selbstverständlich läßt sich bei weitem nicht zu jeder Erwähnung einer Naturgottheit in antiker Literatur eine „eindeutige“ Aussage über die Identitätsstufe machen, an die der Dichter beim Schreiben gedacht hat. Das ist schon auf Grund der Kürze vieler solcher Erwähnungen nicht möglich. Beträchtliche sprachimmanente Schwierigkeiten kommen hinzu. Zum einen entspricht nicht jeder gemeinten Identitätsstufe ein sprachlicher Ausdruck, der sie eindeutig und zweifelsfrei bezeichnete. Dieses Privileg kommt nur den extremen Identitätsstufen zu. Doch selbst bei ihnen wird das Verständnis dadurch kompliziert, daß, zweitens, mit Benennungsvertauschungen jederzeit gerechnet werden muß[25]. In der Dichtung, namentlich der lateinischen, begegnet dieser Vorgang ungemein häufig.

Dennoch gibt es in zahlreichen Fällen Anhaltspunkte, die es zumindest erlauben, eine Identitätsstufe als prävalent anzusehen. Diese Fälle stellen die Regel dar[26]. Wenn im Folgenden Identitätsstufen genannt werden, braucht also nicht mehr besonders darauf hingewiesen zu werden, daß meist deren Prävalenz gemeint ist. Dieses Prinzip wird sich in der Praxis als ausreichend und angemessen erweisen[27].

---

[23] Diese umschreibenden Hilfsbegriffe können nicht voll befriedigen, da sie von der Priorität der jeweils anderen Grundanschauung auszugehen scheinen (in dem Sinne, daß die eine gegebene Extreme zusammenfasse, die andere eine gegebene Einheit trenne). Dagegen sei nochmals betont, daß es für den Zweck dieser Studie nur auf synchrone Gleichrangigkeit von Vorstellungsweisen und Grundanschauungen ankommt. Der mangelnden sachlichen Exaktheit der Termini steht als Vorteil deren bequeme Durchsichtigkeit gegenüber.

[24] Hier liegt also eine „legitime“ Opposition von Identitätsstufen, in denen die elementare Komponente überwiegt (IS 1 und 2), und solchen, die anthropomorph bestimmt sind (IS 4 und 5), vor. Die Abgrenzung derartiger regulärer Oppositionen von absichtsvollen Konfrontationen wird in der Einleitung zum II. Teil zu behandeln sein. Zu dem zwar häufig gebrauchten, nichtsdestoweniger aber unzureichenden Begriff „Doppelnatur“ s. u. Anm. 65.

[25] Darüber wird im I. Teil in gebotener Ausführlichkeit zu handeln sein.

[26] Die Bestimmbarkeit der Identitätsstufen ist vom unmittelbaren Kontext abhängig. Je umfänglicher dieser ausfällt und je eindeutiger die sinntragenden Aussagen — meist die Prädikate — sind, desto sicherer läßt sich die vom Dichter intendierte Identitätsstufe ermitteln.

[27] Die Schilderung der Identitätsstufen bei Ovid ist ohne Zweifel ganz aus dem Geiste heraus zu verstehen, aus dem H. Fränkel das Phänomen der fließenden Identität erklärt hat. Dennoch erscheint es nicht sinnvoll, Fränkels Begriff auch auf die Naturgottheiten auszudehnen

4. Die zu untersuchenden Gottheiten

Die vorliegende Arbeit setzt sich mit Naturgottheiten auseinander. Damit ist ein Begriff genannt, der genauerer Erläuterung bedarf: Als „Naturgottheiten" sollen im Folgenden alle diejenigen Gottheiten gelten, die gleichermaßen analytisch wie integrativ erlebt werden können; die Anspruch darauf erheben, daß ihre Identität alle Erscheinungsformen vom Ausgangselement über verschiedene Zwischenstufen bis zum anthropomorphen Gott wesensmäßig in sich vereinigt; die entsprechend, je nach Bedarf, auf unterschiedlichen Identitätsstufen dargestellt werden können; deren Individualname für all diese Identitätsstufen gleich lautet[28]; deren elementare Körperlichkeit hinreichend deutlich begrenzt ist[29]; die schließlich entweder dem Boden verhaftet[30] oder aber — was die in höheren

---

Während Fränkel die Fähigkeit des Ichs, auf ein anderes überzugehen oder mit ihm zu verschmelzen, sowie die Möglichkeit der Trennung vom Ich im Auge hat — alles Vorgänge, die mehr oder weniger an Ausnahmesituationen gebunden sind (auch die beiden Naturen des Hercules; erst der Flammentod macht die „Spaltung der Individualität" relevant; vgl. Ovid — Ein Dichter zwischen zwei Welten 88—89) —, vereinigen die Naturgottheiten grundsätzlich alle denkbaren Identitätsstufen in sich, so daß sowohl der Gläubige die Komplexität dieser Götter empfinden als auch der — infolge von Erfordernissen der Erzählung oder auf Grund individueller Interessen — analytisch vorgehende Dichter sich die jeweils für seinen Zweck passende Identität wählen kann. Diesen Unterschied halte ich für so gravierend, daß ich Fränkels Begriff, obwohl der ja seinerseits bereits so verschiedenartige Fälle wie Am. 1.7.60 und M. 9.250—253/262—270 in sich vereinigt (s. Ovid — Ein Dichter zwischen zwei Welten 21—22 und 88—89) und sich insofern durchaus erweitern ließe, nicht auf Naturgottheiten ausdehnen möchte. Beide Komplexe aber — fließende Identität und Identitätsstufen der Naturgottheiten — sind durch ähnliche Züge in Persönlichkeit und Künstlertum Ovids zu verstehen (Einfühlungsvermögen, Aufgeschlossenheit gegenüber logischen Konsequenzen, Freude am Ungewöhnlichen; vgl. dazu unten S. 222 mit Anm. 553), beide verdienen als Wege zu Ovid im Sinne M. v. Albrechts (Komm. S. 485—493, zu Fränkel dort S. 488—489) die Aufmerksamkeit der Philologie.

Zum Problem der "wavering identity" verweise ich auf Fränkels Überblick (Ovid — Ein Dichter zwischen zwei Welten 270), der weiteres erschließt.

[28] Eine Eigenart, welche die Naturgottheiten mit den „Personifikationen von Abstracta" (über sie ist weiter unten gehandelt) teilen; zur Benennung dieser sogenannten Abstracta bemerkt H. Herter, Dämonismus und Begrifflichkeit 233, die antiken Sprachen hätten sich „überhaupt eine wunderbare Labilität bewahrt, mit der sie zwischen der abstrakten und der konkreten Vorstellung hin und her gleiten". — Vgl. ferner oben Anm. 20.

[29] Dieser Umstand ist geeignet, die Individualisierung des jeweiligen Naturphänomens mindestens zu fördern; für die Körperteil-Metaphorik, die integrativer Grundanschauung in aller Regel anhaftet, muß er geradezu als Voraussetzung gelten. — Sonderfälle, die der Bereitschaft des Lesers, einer Naturerscheinung feste Grenzen zuzugestehen, viel abverlangen, wird man in Ländern und vor allem der Erde selbst (aber wohl auch in Auroras diffuser Wirkungsfläche) sehen müssen: Überschaubarkeit wurde offensichtlich nicht als konstitutives Kriterium für Naturgottheiten erachtet.

[30] O. Schultz 3 führt aus, daß „jeder durch bestimmte Grenzen sich absondernde Teil der Erdoberfläche als solcher, d. h. jeder Fluß, jedes Land, jeder Berg, ja jede Gegend" habe als Ortsgottheit (zu diesem Begriff s. Schultz 2—3) gedeutet werden können. Ähnlich ist, F. Matz 8 zufolge, „das Haften am Ort" charakteristisch für jene „in der ganzen Natur . . . übermenschlich . . . waltende(n) Kräfte"; in diesem Sinne auch Kruse, RE XIII.1, 1123.4—17.

Sphären beheimateten Gottheiten anlangt — an eine geregelte Bahn gebunden sind.

Obwohl einzelne Naturgottheiten in ihrer Beschaffenheit stark voneinander abweichen[31], heben sie alle sich doch verhältnismäßig scharf von zwei anders gearteten Göttergruppen ab: erstens von den sogenannten Personifikationen[32], zum anderen von jenen Gottheiten, die hier — vergröbernd zwar, da die Schar keineswegs homogen ist — als „Olympier" bezeichnet werden sollen.

„Personifikationen von Abstracta" sind, da lokaler Bindung bar, ja nicht einmal auf materieller Grundlage beruhend, deutlich von Naturgottheiten unterschieden. Nur der analytische Standpunkt vermag ihnen gerecht zu werden, lebt ihr Wesen doch in den Extremen: Menschliche Bedürfnisse, Erfahrungen, Verhaltensweisen u.ä.[33] stehen menschengestaltigen Göttern als ihrem Pendant gegenüber. Eine Zwischenform ist zwar denk-

---

[31] Ganz unterschiedliche Qualitäten sind in dieser Gruppe von Gottheiten vereint, wie schon ein beiläufiger Blick zeigt: Dynamische Erscheinungen (Wasserläufe) stehen neben statischen, feste neben flüssigen, Überschaubares gesellt sich zu Unermeßlichem, Fernes (Gestirne) zu Nahem, leuchtende Himmelskörper sind hier ebenso vertreten wie matte Bodenflächen, vorübergehende oder zyklisch wiederkehrende Phänomene (astraler Natur, zuweilen aber auch Flüsse) ebenso wie ständig verharrende.

[32] F. W. Hamdorf 1 spricht zu Recht von einem „fragwürdige(n) Begriff" (vgl. das Dictum des von ihm Anm. 2 zitierten Harder, Festschrift für B. Schweitzer 195: „haarsträubender Verlegenheitsterminus"), der vermuten lasse, göttliche Personen würden „notwendig durch rationalistische Konstruktion" geschaffen. Allerdings bringt Hamdorf seinerseits keinen angemesseneren Ausdruck bei, der den unbefriedigenden *terminus* zu ersetzen vermöchte.
Die Terminologie schwankt erheblich; das gilt auch für eine begriffliche Abgrenzung der „Personifikationen" von den Naturgottheiten. Da nun einerseits der Mannigfaltigkeit der hier vertretenen Götter (vgl. auch die folgende Anm. 33) gerecht zu werden ist und da andererseits ein befriedigender *terminus* nicht zur Verfügung steht, wird man sich im Interesse einer (wenn auch irreführenden) Anschaulichkeit und allgemeinen Verständlichkeit L. Deubners Oberbegriff „Personifikationen abstrakter Begriffe" (RML III, 2068.34) zu eigen machen (seine Definition von „Personifikation": 2068.35—51). — F. Stoessl erklärt Personifikation als Verlebendigung von konkreten Dingen der Umgebung und von abstrakten Begriffen (RE XIX.1, 1043.24—55), behandelt dabei jedoch Naturgottheiten ebensowenig wie Deubner. Dagegen trennt Kruse in seinem Artikel über Lokalgötter „göttliche Personifikationen" (!) „der Flüsse, Häfen, der Quellen und Bäche, der Länder, Gegenden, Inseln . . ." (RE XIII.1, 1123.4—1124.23) von „Abstraktionen" (ibid. 1120.35—1123.3); beide Gruppen aber werden der Einheit „Lokalgötter" (Definition: 1111.12—1111.39) untergeordnet. Wieder anders O. Schultz 2, für den „Lokalgottheiten" nur eine spezielle Verwendungsart von „Ortsgottheiten", die im wesentlichen unseren Naturgottheiten entsprechen, bezeichnen. — Die Liste terminologischer Wirrungen ließe sich leicht fortsetzen.

[33] Die reiche Vielfalt dieser Göttergruppe ermißt man am besten aus L. Deubners berühmtem Artikel über „Personifikationen abstrakter Begriffe" (RML III, 2068.34—2169.31; alphabetisches Register dort 2164.47—2169.30). — Aus der Fülle ovidischer „Personifikationen" sei besonders auf Invidia (M. 2.760—808), Fames (M. 8.784—822) und Somnus (M. 11.592—649) hingewiesen: Diese drei Gottheiten stellt der Dichter ihrem Bereich in ähnlich auffälliger Weise gegenüber (s. M. 2.784, 8.819, 11.621), wie er analytisch dargestellte Naturgottheiten in Konflikte mit ihrem Element zu stürzen beliebt (darüber unten, II. Teil, B).

bar[34] — zumindest für eine frühe Zeit muß sie sogar für sehr wahrscheinlich gelten[35] —, bleibt aber in jedem Falle auf die Qualität eines amorphen Erlebnisses beschränkt[36]; insofern läßt sie sich mit integrativ gesehenen Naturgottheiten kaum vergleichen.

Die jenen „Abstracta" entsprechenden Götter sollen, obgleich sie nicht oder nur lose in der stofflichen Natur wurzeln[37], dann ausnahmsweise in die Behandlung einbezogen werden, wenn sie bestimmte Sachverhalte zu klären oder in förderlicher Weise zu verdeutlichen helfen. Das gilt insonderheit für Probleme der Benennung; in diesem Punkt nämlich stehen die Naturgottheiten den „Abstracta" sehr nahe: Beiden Gruppen ist eine ähnliche Neigung zur indirekten Metonymie gemeinsam.

Betrachtet man schließlich die Olympier und die ihnen nahestehenden

---

[34] Wichtige Aufschlüsse über die Frage, welcher Art zu denken und zu fühlen diese Gottheiten entstammen mögen, findet man bei W. Pötscher, Person-Bereichdenken (bes. S. 24), und bei H. Herter, Dämonismus und Begrifflichkeit *(passim)*; erhellend auch W. F. Otto, Der Dichter und die alten Götter 130—139; speziell für Rom vgl. G. Wissowa RuK 52—55, des weiteren K. Latte 234 und 300 („lebendige Erfahrung"). — Jene Zwischenstufe umfaßt etwas, das man „das konkrete, als übermächtige Kraft im Innern wirkende und empfundene Erlebnis" nennen könnte.

Einen nützlichen Überblick darüber, wie diese Gottheiten in Rom verehrt und verstanden wurden, gibt L. R. Lind, Roman Religion and Ethical Thought: Abstraction and Personification (1973).

„Drei Stufen der Verlebendigung" von Seelenlosem unterscheidet F. Stoessl, RE XIX.1, 1044.47—57. Er stellt zwischen den „reinen Begriff" bzw. die „leblose Sache" einerseits und die Gottheit andererseits als ein drittes „das personifizierte Konkretum oder Abstraktum, dem allerhand Merkmale der Persönlichkeit verliehen werden, gedacht als menschlich lebende, tätige oder leidende Person".

[35] Wiederum ist auf H. Herters grundlegende Ausführungen über „Dämonismus und Begrifflichkeit" zu verweisen; durch sie müssen einige ältere Ansätze, die die Genese von „Personifikationen" zu erklären suchen (z. B. Usener 364—375; Deubner, RML III 2068.35—65 und 2069.31—2070.20; Stoessl, RE XIX.1, 1043.24—1044.16), als wesentlich ergänzt bzw. überholt angesehen werden.

[36] Ganz anders die Identitätsstufe 3 von Naturgottheiten: Das Element selbst ist hier göttlicher Körper, dessen Einzelheiten oft gar als Gliedmaßen gedeutet werden (Körperteil-Metaphorik; s. o. Anm. 12). — Die Synthese zwischen elementarer Gestalt und anthropopsychen Zügen ist jenen anderen, im Bereich des Immateriellen wurzelnden („abstrakten") Wesen naturgemäß verwehrt.

[37] Grenzfälle, die man den Naturgottheiten ebenso wie den „Abstracta" zuschlagen mag, fassen wir z. B. in jenen als göttlich empfundenen Städten und Ländern, bei denen lokale — (Naturgottheiten!) — und politisch-ideelle — („Abstracta"!) — Züge sich mischen; vgl. hierzu auch A. Gerber 247—248 und F. Matz 5.

Beiwege noch ein gern genanntes Charakteristikum, das freilich nicht nur — wie man manchen Publikationen glaubt entnehmen zu sollen — einer bestimmten Göttergruppe, sondern — zumindest potentiell — allen antiken Gottheiten eignet: der formende Einfluß des Bereichs auf den zugehörigen anthropomorphen Gott. So läßt man „Personifikationen ... das sein ..., was sie bewirken" (Herter, Dämonismus und Begrifflichkeit 233): Somnus ist schläfrig, Invidia neidzerfressen; menschengestaltige Naturgottheiten tragen Wesenszüge ihres elementaren Korrelats (vgl. Schultz 3, Wilamowitz GdH I, 24—25): Flußgötter sind blau, Lucifer hat einen leuchtenden Teint; und auch Olympier sind mit Eigenschaften ausgestattet, die dem Gegenstand ihres Waltens entsprechen: Mars erscheint gewappnet, Venus voll berückender Reize. Anthropomorphe Götter neigen mithin allgemein dazu, in ihrem Aussehen und Verhalten stark von dem Bereich geprägt zu sein, den sie vertreten.

Götter, so fallen die Besonderheiten in Art und Umfang ihres Wirkens, die zu verstehen uns W. F. Otto so eindrucksvoll gelehrt hat[38], rasch ins Auge. Zwar finden sich auch unter diesen Gottheiten einige, die stark mit der Welt des Stofflichen verbunden sind[39]. Die jeweiligen Bereiche jedoch erscheinen entweder lokal kaum begrenzbar oder quantitativ recht verschwommen[40]: allein dies ein schlechter Nährboden für mittlere Identitätsstufen. Ein zweites kommt hinzu: Man empfand den betreffenden Gott als einem Element zugeordnet, über das er waltet, mit dem er aber nicht identifiziert werden kann[41]. Daher fehlt hier die für Naturgottheiten kennzeichnende Folge von Identitätsstufen. Dennoch mögen in Einzelfällen auch solche „Olympier" integrativ erlebt worden sein[42]. Wiederum gilt, daß die Norm, welche drei Gruppen sachlich voneinander zu sondern rät, partielle Überschneidungen nicht ausschließt.

Auch die olympischen Gottheiten sollen überall dort, wo sie logisch auffällige Relationen zwischen einem Gott und seinem Bereich zu erhellen

---

[38] Olympische Gottheiten seien dem Gläubigen nicht nur Genii einzelner Naturkräfte; vielmehr fasse er in jeder von ihnen einen besonderen Ausdruck der Welt, Sinn und Geist einer bestimmten Wirklichkeit: Otto, Götter Griechenlands 160—166 (vgl. id., Rom und Griechenland 343). Hamdorf 3 erwägt, man könne „auch die Vorstellung von den olympischen Göttern, verfolgt man sie nur weit genug zurück, mit Naturerscheinungen oder Begriffen verbinden"; ähnlich Schultz 2. Derlei Spekulationen überschreiten indes die dieser Arbeit gewiesenen Grenzen.

[39] Etwa Poseidon, Hephaistos, Demeter oder Dionysos; ihre Machtsphäre enge sich auf ein fest umschriebenes stoffliches Gebiet ein; daher seien sie des wahren Glanzes homerischer Geistigkeit nicht teilhaftig; die Olympier hingegen als die Träger göttlicher Vollkommenheit gehörten dem Lichtreich des Zeus an: W. F. Otto, Götter Griechenlands 156—158. — Zur Notwendigkeit, innerhalb der Gruppe, die im weiteren Sinne für „olympisch" gilt, zu differenzieren, s. R. Pettazzoni 78; er handelt von Demeter und Dionysos als einer besonderen Fraktion unter den Olympiern und geht den sozialen Gründen für ihre Stellung nach (s. auch U. v. Wilamowitz GdH I 313).

[40] So z. B. Wein, Öl, Getreide, Blumen, Feuer, Meer (dazu Gerber 267); man könnte von „Sammelbereichen" sprechen, die einer individuellen Ausgestaltung nach dem Muster von Identitätsstufen deshalb wenig günstig sind, weil ihnen — anders als der Identitätsstufe 1 bei Naturgottheiten — der Charakter des elementaren Einzelwesens fehlt.

[41] Das mag in einer Frühzeit, über die zu mutmaßen hier nicht der Ort ist, durchaus anders empfunden worden sein. Wichtig für unsere Zwecke ist die existentielle Andersartigkeit von Gott und Bereich, die in antiker Dichtung beobachtet wird und die auch im Bewußtsein der Römer gelebt hat, wie Quint. 8.6.23 (ganz ähnlich Auct. Her. 4.32.43) bezeugt, wenn er typische Vertreter der olympischen Gruppe als *inventores* charakterisiert. Die genannten Stellen zeigen gleichzeitig, daß im metonymischen Gebrauch (s. I. Teil B) eine Identifizierung von Gott und Element nicht vorliegt (zum Problem vgl. unten Anm. 68). Der Gott gilt als Schöpfer (z. B. Bacchus) oder Initiator (z. B. Mars) seines Bereiches, nicht als mit diesem wesensgleich — eine Scheidung, die sich folgerichtig im sprachlichen Ausdruck widerspiegelt (man vergleiche: *ignis* : Volcanus, *vinum* : Bacchus, *mare* : Neptunus gegenüber *somnus* : Somnus, *invidia* : Invidia, *sol* : Sol, *Achelous* : Achelous; s. auch oben Anm. 20 und 28).

[42] Denkbar wäre das — zumal, wenn man sich die Popularität naturphilosophischer Deutungen vor Augen hält (vgl. oben Anm. 7) — z. B. beim Feuer (Hephaistos/Volcanus): Preller-Robert 174, Otto, Götter Griechenlands 157, Pötscher, Person-Bereichdenken 14, Nilsson I 529, Latte 129; nicht leicht wiegt jedoch andererseits Wilamowitz' Urteil: Hephaistos sei zwar Herr des Feuers, aber nie das Feuer selbst (GdH I, 19—20).

vermögen, Eingang in unsere Untersuchung finden. Sie werden manchen förderlichen Beitrag auf dem weiten Feld uneigentlicher Benennung leisten. Ansonsten aber scheint es aus sachlichen wie aus praktischen Gründen geboten, allen jenen Göttern, denen die antike Dichtung üblicherweise nur die extremen Identitätsstufen[43] zubilligt, die Aufnahme in eine Arbeit über Naturgottheiten zu versagen.

Nach diesem Blick auf heterogene Göttergruppen sollen abschließend die unterschiedlichen Gattungen der Naturgottheiten in einer kurzen Synopse vorgestellt werden. Dabei beschränken wir uns auf diejenigen Repräsentanten, denen antike Autoren reicheren Anteil am Gedichteten zugestanden haben[44]. Gewisse Gottheiten finden wir nicht auf allen Identitätsstufen, die für sie denkbar wären, geschildert. Hier wirken sich mehrere Umstände nachteilig aus: Das literarische Quellenmaterial ist begrenzt, die bildende Kunst vermag kaum Interpretationshilfen zu geben, und in zahlreichen Fällen verhindern sprachimmanente Schwierigkeiten (s. u. S. 36 bis 37) eine gesicherte Deutung der betrachteten Textstelle. — Folgende Naturbereiche hat diese Arbeit zum Gegenstand:

1) Flüsse

   Die am häufigsten, z. T. sehr ausführlich dargestellten Naturgottheiten; alle Identitätsstufen kommen vor[45]; Stiergestalt nur ganz ausnahmsweise erwähnt[46].

---

[43] Im Interesse terminologischer Einheitlichkeit scheint es sinnvoll, den Begriff „Identitätsstufe" auch dort zu verwenden, wo nur die polaren Vorstellungen lebendig sind: Identitätsstufe 1 gilt dann für den Bereich (z. B. *somnus*, *vinum*), Identitätsstufe 5 für den anthropomorphen Gott (z. B. Somnus, Bacchus). Diese Regelung dient ausschließlich der Bequemlichkeit; rasche und klare Orientierung ist ihr Zweck.

[44] In unserer Untersuchung finden u. a. keinen Raum: Länder, da diese in der zugrundegelegten Literatur stets als Naturerscheinungen (IS 1) behandelt werden; Winde, die schlechterdings nur physikalische Phänomene sind und infolgedessen jener materiellen Körperlichkeit, auf der das Wesen von Naturgottheiten beruht, ermangeln („Nicht mehr als Gespenster waren wohl die Winde, die man kaum Götter nennen kann": O. Kern I 46); die „plebejischen" Götter des Landes und der See, welche nicht den Charakter von Naturgottheiten im oben S. 23—24 beschriebenen Sinn besitzen.

[45] Die Auffassung, daß in der älteren griechischen Literatur die integrative, in der hellenistischen und besonders der römischen Dichtkunst dagegen die analytische Grundanschauung herrsche (so A. Gerber 273 und 283—284, O. Schultz 33), ist äußerstenfalls tendenziell richtig (vgl. unten S. 106). Für die bildende Kunst, die freilich auf Menschen- oder Tiergestalt (mit Einschränkungen; natürliche Tiere waren so wenig darstellbar wie hydromorphe ISS: Lehnerdt, RML I.2, 1489.23—60) angewiesen ist, mag der angedeutete Abstand größer sein: Wasserkörper mit der „spezifische(n) Eigenschaft des Fließens" (O. Schultz 34) hier, aus dem Fluß hervortauchende Götter dort (O. Schultz 34, O. Waser 2784.65—2785.14). Zu den Bildmonumenten s. bes. F. Matz 90—117; vgl. ferner F. W. Hamdorf 10—16 (allgemeiner Überblick, vor allem über Kulttatsachen und bildende Kunst; mit neuerer Literatur).

[46] Siehe oben Anm. 13. — Zu antiken Erklärungen der Stiergestalt s. u. Anm. 534; weitere Stellen führt O. Waser 2780.22—35 an. — Über Stier- und Mischgestalten: M. P. Nilsson GGR I 238—239; moderne Deutungen der tauromorphen Epiphanien: Preller-Robert 548 bis 549, F. Matz (bes. S. 100), U. v. Wilamowitz GdH I 147.

Behandelt in den Kapiteln II A 1, 2; II B 1, 2, 3, 4, 6, 9, 10, 12, 13, 14, 17, 20, 22, 28, 32.
Verwandlungen (die Stellenangaben in dieser Übersicht beziehen sich stets auf Ov. M.): Acis (13.885—897): IS 4 neben IS 1, vgl. Kap. II B 13; Alpheus' Metamorphose (5.637—638) ist nicht vergleichbar, s. Kap. II B 22.

2) Quellen
Oft genannte, zuweilen ausführlich geschilderte göttliche Wesen[47]; alle Identitätsstufen nachweisbar.
Behandelt in den Kapiteln II A 2; II B 5, 15, 16, 18, 19, 21.
Verwandlungen: Arethusa (5.632—636): IS 3 und 4, vgl. Kap. II B 5; Hyrie (7.380—381), Byblis (9.657—665), Egeria (15.547—551): IS 1[48]; eine Sonderstellung nimmt Cyane (5.425—437) ein, s. Kap. II B 21.

3) Inseln
Zusammen mit den Bergen einzige Repräsentanten der Gattung „Länder und Landschaften"[49]; nur drei sichere Belege für höhere Identitätsstufen (nämlich IS 3 und 4).
Behandelt in den Kapiteln II A 2 sowie II B 8.

4) Berge
Als persönliche Gottheit nur in der Gestalt des ovidischen Tmolus zu belegen (IS 3 im Wechsel mit IS 4)[50]; ISS 1 bis 3 für Körperteil-Metaphorik gut geeignet.
Behandelt in Kapitel II B 11.
Verwandlung: Atlas (4.657—662): IS 1[51].

---

[7] Zu ihrem Status als Göttinnen sowie zur Frage ihrer Lebensdauer: H. Herter, Nymphai, 1530.2—57; s. auch U. v. Wilamowitz GdH I 182. Zur Gruppierung in Nymphenklassen: H. Herter, Nymphai, 1532.1—1533.5. Noch immer lesenswert ist übrigens die Darstellung bei Preller-Robert 551—553, wo vor allem auf die Eigennamen der Quellnymphen eingegangen wird.

[48] Die Qualität „Göttlichkeit" besitzt nach vollzogener Verwandlung von den Genannten nur Arethusa; den anderen scheint eine Existenz im Stofflichen (IS 1) beschieden, in jenem Bereich also, der zwischen Leben und Tod anzusiedeln ist (vgl. dazu die Bemerkungen W.-H. Friedrichs WdF 367—368); zumindest fehlt jeder Hinweis auf eine höhere Identitätsstufe. — Bei Hyrie, Byblis, Egeria und auch bei Cyane dient ein Tränenstrom einerseits als Motiv für die Auflösung, andererseits als physische Brücke zwischen Einst und Jetzt. — Im Hinblick auf das Phänomen der Körperteil-Metaphorik verdienen vor allem die Einzelheiten der Transformation, von der Cyane ereilt wird, Beachtung.

[49] Die Gründe für eine solche Zurückhaltung vor höheren ISS hat A. Gerber 248—249 treffend charakterisiert: „Da der Erdboden an sich nämlich dem Griechen zu abstract gewesen sein dürfte, um ihn zu personificiren, und da ein Land, ja selbst eine Insel sich einmal in der Natur nicht als ein leicht übersehbares Ganzes und dann nicht als eine Einheit, sondern als eine Vielheit darstellen, so zog man es vor, dort, wo man überhaupt personificirte, die Einzelheiten der Landschaft, wie Berge, Flüsse, Bäume, Blumen, menschlich zu beseelen".

[50] Nach A. Gerber 301 sind göttliche Berge der griechischen Mythologie fremd (dagegen: F. Matz 118); auch in Rom sei ihre Darstellung bis hin zu Ovids Tmolus nicht gewagt worden (Gerber 307). Sicher ist jedenfalls, daß die vorovidische Poesie uns kein Zeugnis für einen Berggott bewahrt hat. Das offenkundig mangelnde Interesse für diese Art von Gottheiten erklärt F. Matz 118 dadurch, daß die Naturerscheinung „Berg" als bei weitem nicht so eindrucksvoll empfunden worden sei wie etwa ein Fluß. — Siehe auch U. v. Wilamowitz GdH I 91—92.

[51] Die Gestaltwandlung des Atlas zeigt beispielhaft, wie elementare Details geeigneter Naturphänomene nach menschlichem Maß gedeutet werden konnten (und können), s. u. Anm. 411.

5) Erde

Naturerscheinung, in der — offenbar infolge ihres allumfassenden Charakters[52] — kaum je die individuellen Züge einer persönlichen Gottheit gesehen wurden; nur in ganz seltenen Fällen auf IS 3 dargestellt, nirgends anthropomorph erscheinend[53]; Körperteil-Metaphorik für IS 1 gebräuchlich, wohl aber nur von Ovid für eine höhere Identitätsstufe genutzt.

Behandelt in den Kapiteln II A 2 und 3.

6) Bäume

In der Dichtung selten auf höheren Identitätsstufen (3—5) dargestellte Naturgottheiten[54]; integrative Grundanschauung kommt vor; die analytische Sehweise ist infolge mancher Spekulationen über das Verhältnis zwischen Nymphe und Baum uneinheitlich ausgebildet: die Hamadryade konnte als in ihrem Baum wohnend gedacht werden (IS 4)[55], sie konnte aber auch außerhalb seiner leben (IS 5), dann entweder durch ein sympathetisches Verhältnis an ihn gebunden[56] oder aber nur emotional an seinem Gedeihen teilnehmend[57]; recht oft auf IS 2 erscheinend; ihr Erscheinungsbild begünstigt detaillierte Körperteil-Metaphern.

Behandelt in den Kapiteln II A 2 und II B 29.

Verwandlungen: Daphne (1.548—552), Heliades (2.348—366), Dryope (9.351—358), Cyparissus (10.136—140), Myrrha (10.489—500), matres Edonides (11.70—84)[58].

Eine weitere Metamorphose (Rhodope und Haemus 6.87—89) ist nur flüchtig erwähnt und lehrt nichts von Belang. Bei Niobes Verwandlung (6.303—312) jedoch erleben wir, wie die Funktion einzelner Körperteile erstarrt; hier kommen wir jenen Entsprechungen zwischen Menschlichem und Elementarem wieder näher. — Einen Überblick über weitere Versteinerungen in Ovids Metamorphosen gibt G. LAFAYE, Les métamorphoses d'Ovide et leurs modèles grecs, 247—248.

[52] So A. GERBER 248—249 (zitiert oben in Anm. 49) und U. v. WILAMOWITZ GdH I 200—201. Die Seltenheit literarischer Darstellungen wird man mit PRELLER-ROBERT 633 aber auch durch die thematische Ausrichtung der meisten poetischen Werke, namentlich der Epen, erklären dürfen.

[53] Gute Übersicht bei A. GERBER 246—248, dessen wohlbedachtes Urteil sich sehr günstig gegen die weitverbreitete Neigung abhebt, aus unzureichenden Kriterien vorschnell ein menschengestaltiges Äußeres der Gottheit zu folgern (so z.B. E. KUHNERT, Gaia 1569.68—1570.5). — Eine Sonderstellung nehmen die verschiedenen Kosmogonien ein, auf die hier jedoch nicht eingegangen werden kann; s. dazu EITREM, Gaia 470.38—472.68; in diesem Zusammenhang sind auch die Ausführungen M. P. NILSSONS, GGR I 459—461, zu vergleichen.

[54] Zum Problem der Göttlichkeit von Bäumen (Baumkultus) s. WILAMOWITZ GdH I 122—123, NILSSON GGR I 209—212 und BÖMERS Überblick zu Ov. M. 8.722—724. — Über Hamadryaden handelt grundlegend H. HERTER, Nymphai, 1541.14—1542.67.

[55] Diese Vorstellung (IS 4) scheint in unseren Texten oft mit der integrativen (IS 3) zusammenzufließen. Die Dichter haben offenbar nicht entscheiden können oder wollen, ob der Baum Körper der Gottheit oder nur deren ständiger Aufenthaltsort war. Überhaupt müssen wir damit rechnen, daß Fragen dieser Art von Autoren wie Ovid durchaus als müßig erachtet worden sind. Das darf nicht verwundern, ist doch jene Alternative (IS 3 oder IS 4) z. B. für die letalen Folgen des Angriffs, den Erysichthon gegen die Eiche (Ovid) bzw. Pappel (Kallimachos) führt, letztenendes ohne Belang.

[56] So bereits in einer berühmten Einlage des Großen Aphrodite-Hymnus: h. Hom. 5.257—272; dazu H. HERTER, Nymphai, 1541.36—53.

[57] Der *locus classicus* für diese Anschauung ist Call. Del. 79—85; vgl. unten Anm. 187.

[58] An den aufgeführten Metamorphosen läßt sich vorzüglich ablesen, wie weit die Entsprechungen reichen konnten, die zwischen der Gestalt eines Menschen und der eines Baumes herge-

7) Himmelskörper

Oft genannte, aber recht selten als handelnd eingeführte Naturgottheiten (Sol, Luna, Lucifer); ihre besondere elementare Formung läßt die mit dem Kriterium „Bewußtheit“ ausgestatteten Identitätsstufen folgendermaßen erscheinen[59]: IS 3: das Gestirn wird unter dem Einfluß der Körperteil-Metaphorik regelmäßig als astrales Antlitz gedeutet[60]; IS 4: die menschengestal-

---

stellt wurden. Man muß solche Stellen im Gedächtnis haben, wenn man z. B. Ovids Erzählung von Tellus oder von Tmolus, aber auch Vergils Beschreibung des Atlas liest: alles Episoden, die die Möglichkeiten metaphorischer Vermenschlichung von Naturphänomenen ausgiebig nutzen. Im Hinblick darauf sind die folgenden Einzelheiten von grundsätzlicher Bedeutung. Ich notiere:

Haar — *fron(d)s* : *crines* (Daphne), *frondes* : *crinis* (Heliades, *fron(d)s* : *capilli* (Dryope), *horrida caesaries* (!) : *capilli* (Cyparissus).
Gesicht — *cacumen* : *ora* (Daphne).
Arme — *rami* : *bracchia* (Daphne, Heliades, matres Edonides), *magni rami* : *bracchia* (Myrrha).
Finger — *parvi rami* : *digiti* (Myrrha).
Schultern — *robora* : *umeri* (matres Edonides).
Brust — *robora* : *pectus* (matres Edonides).
Hüfte — *robora* : *femur* (matres Edonides).
Beine — *stipes* : *crura* (Heliades).
Waden — *lignum* : *surae* (matres Edonides).
Füße — *radices* : *pes* (Daphne), *radix* : *pedes* (Heliades, Dryope).
Zehen — *radix* : *pedum digiti* (matres Edonides).
Nägel — *radix* : *ungues* (Myrrha).
Knochen — *robur* : *ossa* (Myrrha).
Mark — *medulla* : *medulla* (Myrrha).
Blut — *suci* : *sanguis* (Myrrha).
Haut — *cortex* : *pellis* (Myrrha).

Bei allen Genannten wird man davon auszugehen haben, daß sie nach Abschluß des Verwandlungsprozesses auf IS 1 gedacht sind (s. o. Anm. 48). Damit gilt für sie, was H. Herter, Nymphai, 1542.62—64 (ähnlich auch U. v. Wilamowitz GdH I 33) für die Mehrzahl ihrer Artgenossen formuliert hat: „Es ist im wirklichen Glauben schwerlich je so gewesen, daß jeder Baum mit einer Nymphe in Verbindung gebracht wurde“.

Andere Metamorphosen — so Philemon und Baucis, Lotis (sie auch nach längst vollzogener Verwandlung noch anthropopsych) sowie der *Apulus pastor* (dem wir die hübsche Parallele *bacae amarae* : *asperitas verborum* entnehmen: 14.525—526) — lehren keine konkreten körperlichen Entsprechungen und bleiben daher unberücksichtigt. Es sei auf G. Lafayes nützlichen Überblick über weitere Verwandlungen in Pflanzen verwiesen (Les métamorphoses d'Ovide et leurs modèles grecs 247).

[59] Gerade angesichts der ungemein bunten, von den Dichtern großzügig kontaminierten Vorstellungsformen zu astralen Gottheiten (für Ovid s. bes. Kap. II B 7) erscheint es vorteilhaft, die existentiellen Besonderheiten, die allen Naturgottheiten eignen, konkret für Gestirnsgötter zu durchdenken und zu beschreiben (vgl. die Anmerkungen 60—62). — Im Folgenden steht Helios-Sol, der „gegenüber den anderen Himmelserscheinungen durchweg als der Hauptgott auftritt“ (O. Jessen, Helios, 61.3—5), stellvertretend für die übrigen, durchweg ganz entsprechend aufgefaßten Gestirne.

[60] Zum Sonnengesicht, als welches die göttliche Naturkraft sich Beobachtern im Altertum darbot, und auch zur IS 3 anderer Gestirnsgottheiten ist unten in Anm. 358 einiges Material aus Ovid angeführt.

Über eine aufschlußreiche Parallelerscheinung in der bildenden Kunst handelt K. Schauenburg (*passim*; s. bes. seine Seiten 10—11, 25—26 sowie 29—30); er beschreibt (S. 11) die Hauptmerkmale des voll entwickelten Sonnengesichts folgendermaßen: „Ein als volles Rund

tige Gottheit selbst strahlt einen natürlichen Glanz aus[61]; IS 5: dem Gott stehen Hilfsmittel illuminierender Qualität zur Verfügung, derer er sich entledigen und die er sogar ausleihen kann[62].
Behandelt in den Kapiteln II A 2 (Luna); II B 7, 23, 24 (Sol), 25 (Lucifer), 30 (Sol), 31 (Luna-Trivia).

8) Morgenrot

Fast ausschließlich entweder auf IS 1 oder auf IS 4/5 dargestellt[63]; integrative Grundanschauung offenbar nur von Ovid genutzt.
Behandelt in den Kapiteln II B 26 und 27.

5. *Ziel der Arbeit*

Die vorliegende Studie soll untersuchen, in welcher Weise Ovid — als individueller Künstler wie als Erbe literarischer Traditionen — die Identitätsstufen von Naturgottheiten handhabt. Im Zentrum unserer Aufmerksamkeit stehen dabei diejenigen Schilderungen, die verschiedene Seinsformen dieser Götter innerhalb eines Handlungszusammenhangs in Beziehung zueinander treten lassen. Das Ziel der Arbeit liegt somit vornehmlich in der Erhellung von Art, Zahl und Zweck solcher Konfrontationen.

Neben jenem zentralen Anliegen ist auf einige weitere Probleme einzugehen: auf Formen der Benennung etwa oder auf Textstellen, die nur *eine* Identitätsstufe der handelnden Naturgottheit ins Blickfeld rücken. Die diesbezüglichen Ausführungen wollen jedoch in erster Linie als Vorstudien zum oben skizzierten Hauptziel, als dessen sachliche und terminologische Wegbereiter verstanden sein. Anspruch auf erschöpfende Behandlung erheben sie nicht.

---

gegebener Kopf" sei „ringsum von Strahlen umrahmt ... Wesentlich ist, daß der Kopf ohne Hals wiedergegeben wird. Je flacher — bei einem Relief — das scheibenartige Gesicht geformt ist, desto stärker ist das Typische des Sonnengesichts betont. Formal bedeutet es ein Aufgehen des Kopfes in der Sonnenscheibe".

Daneben begegnet als Sonderform aber auch der Gedanke, die Sonne sei das Auge des Gottes (Rapp, Helios, 1997.30—56, Jessen, Helios, 86.56—87.9; für Ovid s. u. Anm. 362).

Im Zusammenhang mit solchen Vorstellungen sei noch auf die Allsichtigkeit hingewiesen, welche dem Sonnengott gemeinhin zuerkannt worden ist; dazu O. Jessen, Helios, 58.67—59.20 und 73.33—44 sowie F. Bömer zu Ov. M. 1.769; diese Eigenschaft des Helios hat übrigens H. Fränkel, Noten 1.519 f., schön erklärt.

[61] Hier fassen wir als das entscheidende Kriterium für IS 4 die enge Bindung an den Bereich; zu der beschriebenen Vorstellung s. Jessen, Helios, 87.21—43, vgl. auch Rapp, Helios, 2000.61 bis 2001.30. — Diese Bindung kann aber aus einem anderen Aspekt auch als lokale Schranke, die den Gott an seine Himmelsbahn fesselt, aufgefaßt werden; s. dazu E. Ehnmark 34, allgemein auch O. Kern I 94.

[62] Das entspricht dem für IS 5 kennzeichnenden Merkmal: Der Gott ist in seinem Wesen ganz vom Elementaren gelöst. Die verschiedenen Hilfsmittel und Gerätschaften, über die Ovids Gestirnsgottheiten verfügen, sind unten in Anm. 353 (vgl. auch Anm. 352) zusammengetragen.

[63] Dabei gelten die oben zu Helios-Sol ausgeführten Vorstellungen sinngemäß (Rosse, Wagen, Strahlenkrone); vgl. die schöne Übersicht bei Preller-Robert 440—441.

Die hauptsächlichen poetischen Vorgänger Ovids werden vor allem deshalb in die Untersuchung einbezogen, weil ihre Erzählungen geeignet sind, Eigenarten des Sulmonensers schärfer zu konturieren.
Sollte diese Arbeit dazu beitragen, die schillernde Mannigfaltigkeit in Leben und Wirken ovidischer Naturgottheiten zu dokumentieren sowie die Komplikationen beim Zusammentreffen unterschiedlicher Identitätsstufen zu illustrieren, so hätte sie ihre Aufgabe erfüllt.

6. Umfang der Arbeit

Für die Untersuchungen des zentralen II. Teils dieser Arbeit habe ich neben allen unbestritten echten Werken Ovids (Am., Her., MF, AA, RA, M., F., T., Ib., P.)[64] die folgenden römischen Autoren durchmustert: Horaz, Vergil, Properz, Tibull, Catull, Lucrez, Lucilius, Terenz, Plautus sowie die bruchstückhaft überlieferten Dichter, deren Fragmente E. H. Warmington in Band 1 und 2 seiner Sammlung vereinigt hat.
Im Bereich der griechischen Literatur wurden Ilias, Odyssee, hymni Homerici sowie die erhaltenen Hauptvertreter des Hellenismus (Kallimachos, Apollonios Rhodios, Theokrit) eigens durchgearbeitet. Hier waren wichtige Vorbilder Ovids zu vermuten. Bei sonstiger Dichtung — namentlich Drama und Lyrik — habe ich mich hingegen auf Stichproben beschränkt.
Den lexikalischen Ausführungen des I. Teils, denen im Rahmen dieser Arbeit bestimmte Grenzen zu weisen waren, liegen folgende Texte zugrunde: Abschnitt 1.1: Ov. (M. und F.), Hor. (opera omnia), Verg. (Buc., G., A.); Abschnitte 1.2, 1.3 sowie 2: alle oben genannten römischen Autoren.

7. Zur Einbeziehung der Ovid-Forschung

Der Stand der Forschung zu unserem Problem kann nur kurz skizziert werden. Genauere Angaben finden sich, soweit anregende Hinweise zu verzeichnen waren, jeweils an den behandelten Stellen.

---

[64] Die Elegie Nux halte ich mit H. Fränkel und anderen Forschern für unecht. Eine ausführliche Behandlung der Argumente würde hier zu weit führen. Ich verweise auf Fränkels Anm. 435 sowie auf W. Kraus WdF 156—157 (mit weiterer Literatur). Gegen Ovids Autorschaft fällt neben stilistischen Bedenken, auf die besonders A. G. Lee, Ovidiana 457—471 (mit einer schönen Würdigung des reizvollen kleinen Werks ebendort S. 471), eingeht, vor allem das Fehlen antiker Zeugnisse ins Gewicht.
Das in seiner Echtheit umstrittene Fragment Halieutica (vgl. J. A. Richmonds Ausgabe London 1962; dagegen W. Kraus WdF 150—151) hat kein Material zur Untersuchung beitragen können.

Die Darstellung von Naturgottheiten ist als Ovidianum erkannt und von zahlreichen Forschern angesprochen worden. Freilich fehlt bislang eine systematische Behandlung des Gegenstandes, die eine Gesamtübersicht, welche diese Bezeichnung tatsächlich verdiente, gäbe und vor allem das Dilemma der unscharfen „Doppelnatur", auf die man allenthalben stößt, überwände[65].

Angesichts der Dürftigkeit dessen, was in der wissenschaftlichen Literatur zum Thema vorliegt — Naturgottheiten werden innerhalb anderweitiger Fragestellungen berührt oder aber nur exemplarisch gestreift —, beruht meine Exegese der im Folgenden behandelten Textpartien fast ausschließlich auf eigenen Beobachtungen. In der Art der Betrachtung und in der Zusammenstellung des Materials wird man das meiner Kenntnis nach Neue sehen dürfen, das die vorliegende Arbeit zum Problem der ovidischen Darstellung von Naturgottheiten beiträgt. Daß sie dessenungeachtet einer Reihe von Arbeiten für manche nützliche Anregung verpflichtet ist — ich nenne nur das bereits klassische Ovid-Buch H. Fränkels — versteht sich von selbst. Ich werde die entsprechenden Arbeiten *suis locis* anführen. Dagegen werde ich auf eine Auseinandersetzung mit mehr oder minder unverbindlichen Impressionen, wie man sie zu unserem Thema immer wieder liest, getrost verzichten[66].

---

65 Der Begriff „Doppelnatur" wäre allenfalls dann zulässig, wenn er auf Stellen angewendet wird, an denen wirklich nur die polaren Identitätsstufen als gemeint erwartet werden dürfen. Für olympische Gottheiten (s. o. S. 25—26) und besonders für „Personifikationen von Abstracta" (s. o. S. 24—25) könnte man ihn insofern ohne Schaden nutzen.
Was indes die Göttergruppe anlangt, die im Mittelpunkt der vorliegenden Arbeit steht (s. o. S. 23—24), so bezeichnet der Begriff „Naturgottheit" selbst sehr viel besser die Eigenart eines Gottes, verschiedene Identitätsstufen in sich zu vereinigen, als das grobe Instrument der „Doppelnatur", dem wesentliche Erscheinungsformen entgehen, das kann. Es handelt sich eben z. B. um nur *einen* Achelous, den Ovid vorgefunden hat, von dem aber *mehrere* — und zwar mehr als zwei — Vorstellungen existieren. So hätte, um nur ein Beispiel herauszugreifen, K. Dursteler 30—31 sich bei der Diskussion der Verse M. 8.595—610, in der er die ganz abwegige Meinung von H. Magnus, Achelous sei hier durchgehend menschengestaltig zu denken, zu widerlegen trachtet, leichter getan und an Überzeugungskraft gewonnen, wenn er nicht so eng gefragt (S. 30: „War Achelous in diesen Versen Gott in menschenähnlicher Gestalt oder Fluß? Wem sollen wir recht geben?") und entsprechend unzureichend geantwortet hätte (bald sei an den Fluß, bald an den Gott in menschlicher Gestalt zu denken: das bekannte Entweder-Oder). So jedoch bleibt Dursteler trotz der richtigen Beobachtung von Ovids Inkonsequenz (s. dazu unten S. 247—248 mit Anm. 545) eine überzeugende Lösung (‚die ich in der Identitätsstufe der bewußt handelnden Naturkraft sehe,) schuldig.

66 Eine solche Auseinandersetzung müßte fruchtlos bleiben. — Da mit dieser Studie über Naturgottheiten auf weite Strecken philologisches Neuland zu betreten ist, scheinen manche anders orientierten Arbeiten zu Ovid nur selten oder auch gar nicht auf. Ihr Fehlen berechtigt weder dazu, auf Unkenntnis, noch, auf mangelnde Wertschätzung zu schließen.

8. Art des Vorgehens

Der folgenden Untersuchung fällt die Aufgabe zu, das Belegmaterial, nach übergeordneten Gesichtspunkten gegliedert, anzuführen und zu interpretieren. Dabei soll der I. Teil sich mit den Problemen der Benennung von Gottheiten befassen, während es dem II. Teil obliegt, Wahl und Verwendung von Identitätsstufen zu untersuchen. Beide Teile sind jeweils in zwei Abteilungen (A und B) gegliedert, wobei Abteilung A auf die schlichten, als „normal" erwarteten Fälle eingeht und Abteilung B sich mit komplizierteren Darstellungsformen auseinandersetzt[67]. Innerhalb der einzelnen Abschnitte soll das Augenmerk jeweils zunächst auf Ovid, dann auf seine Vorgänger gelenkt werden. Kurze Zusammenfassungen am Ende des I. und II. Teils (A und B) sind dazu bestimmt, Ovids Eigentümlichkeiten gegen frühere Darstellungen abzusetzen.

Die Interpretation ist nicht immer unproblematisch und zwingt darum stets zu vorsichtigem Abwägen. Oft gleicht sie einer Gratwanderung zwischen nur Möglichem und Wahrscheinlichem. Unklare Fälle berechtigen zu keinerlei Schlüssen, die über die Wertung der Tatsache der Unklarheit selbst hinausgehen. Sie sollen als nicht entscheidbar exemplarisch erwähnt, ansonsten aber beiseite gelassen werden. Der Hinweis auf ihre Existenz und relative Häufigkeit gehört zur Dokumentation.

---

[67] Nicht ganz korrekt wäre es, wollte man in dieser Scheidung den Normalfall (A) vom Gesuchten, Künstlichen (B) abgesetzt sehen. Immerhin wirken viele Metonymien durchaus „normal", und auch die Konfrontation von Identitätsstufen ist nicht in jedem Fall mutwillige Spielerei.

Erster Teil

Gegenstand des Ersten Teils ist die Analyse der Ausdrucksmittel, derer Ovid und frühere Dichter sich bedient haben, um Götter und die ihnen zugehörigen Bereiche sprachlich darzustellen. Einem solchen Unterfangen kommt deswegen hohe Bedeutung zu, weil Götternamen, aber auch Appellativa, in antiker Literatur durchaus nicht das bedeuten müssen, was sie zu bedeuten vorgeben. In dieser semantischen Labilität wirkt eine alte Art antiken Denkens nach, das auf integrativem Empfinden beruht[68].

---

[68] Dieses Denken gründet in einer Erlebnisfähigkeit, die — wie B. SNELL, Der Aufbau der Sprache 150—151, ausgeführt hat — im Wirken eines Phänomens dessen Göttlichkeit erkennt. Darauf hebt auch E. HEDÉN 27 ab: „Dem primitiven Glauben war das Ereignis und die göttliche Wirksamkeit ein- und dasselbe". W. F. OTTO, Die Sprache als Mythos 286, erkennt eine „mythische Qualität des Wortes, in dem die Dinge mit ihrem höheren Sein gegenwärtig sind"; die Dinge seien „im Wort alle mit dem Göttlichen eng verbunden" *(ibid.)*. Von einer „Tendenz des antiken Menschen, Vorgänge oder Zustände substantiell zu denken", spricht W. PÖTSCHER, Numen 373. Sehr anschaulich erklärt PÖTSCHER „die Doppelverwendung des Wortes Mars für den Gott und für den Kampf" (*ibid.* 360) aus einer Weltschau, die die Dinge um sich herum als persönliche Wesen erlebe; so sei der Gott Mars der persönliche, der Kampf der sachliche Aspekt eines und desselben Phänomens, das verschieden akzentuiert sein könne (*ibid.* 363). Etwas zurückhaltender äußert sich W. KULLMANN 53; er nimmt ein nahes Assoziationsverhältnis von Gott und Wirkungsbereich an, das bei intensivem Erleben oder Vorstellen einer sachlichen Begebenheit deren Identifizierung fördere. — Vgl. ferner W. F. OTTO, Der Dichter und die alten Götter 136, der auf die Unübersetzbarkeit ungewöhnlicher metonymischer Wendungen und damit auf eine gewichtige Interferenz zwischen antiken und modernen Sprachen hinweist, H. HERTER, Dämonismus und Begrifflichkeit *(passim)*, sowie W. PÖTSCHER, Person-Bereichdenken 14 und 17.

Durch diese Eigentümlichkeit mögen philosophische Allegorisierungen der Götter, wie insonderheit die Stoa sie übte (s. E. ZELLER III.1, 333—343; U. v. WILAMOWITZ GdH II 297; O. KERN III 100), wesentlich gefördert worden sein. Andererseits zeigen gerade solche Deutungen, daß in klassischer Zeit olympischer Gott und Funktionsbereich längst deutlich voneinander getrennt worden waren.

Die oben umrissene Art des Denkens darf freilich nur sehr bedingt auf die Zeiten übertragen werden, denen die hier untersuchte Dichtung angehört; differenzieren muß man bei den Autoren (Homer steht jener Erlebnisfähigkeit gewiß noch wesentlich näher als etwa die Alexandriner oder Ovid), vor allem jedoch bei den Göttern (in der olympischen Gruppe hat man den Gott sprachlich und sachlich klar von seinem Bereich geschieden, s. o. Anm. 41). Sieht man von den Naturgottheiten ab (zu den „Personifikationen" s. o. S. 24—25), so wirkt das alte Erlebnisdenken in aller Regel nur mehr in Metonymien, die eben zum poetischen Inventar gehören, fort. — Vgl. oben bes. die Anmerkungen 6, 20 und 41.

Wenn im Folgenden fast ausschließlich von polaren Identitätsstufen die Rede ist, so liegt das daran, daß integratives Erleben über gesonderte — „eigentliche“ (s. u.) — appellativische Benennungen nicht verfügt. Die auf mittleren Identitätsstufen (besonders IS 2 und 3) gedachten Gottheiten erborgen ihr sprachliches Gewand von den extremen Vorstellungen, vom Gott oder von der Naturerscheinung. Ein integrativ geschauter Fluß (Baum) heißt z. B. entweder, das Element akzentuierend, *amnis (arbor, quercus)* oder, der göttlichen Persönlichkeit Rechnung tragend, *deus (nympha, hamadryas)*. Sprachliche Synthese der sachlich „synthetischen“ (integrativen) Grundanschauung sieht das Lexikon nicht vor.

Die Beschränkung auf Stellen, an denen wir analytische Sehweise vermuten dürfen, hat aber auch praktische Gründe. Zum einen können Bedeutungsübertragungen, die zwischen ganz unterschiedlichen Wesenheiten vollzogen werden, auf besonders eindrucksvolle Art deutlich machen, welche Distanzen der semantische Tausch zu überbrücken vermag. Zweitens gestattet das beabsichtigte Verfahren, den Kreis der untersuchten Gottheiten zu erweitern[69]. Dadurch wiederum läßt sich, drittens, eine Reihe anschaulicher Benennungsmuster, die auch manchen Interpretationsschritt innerhalb des zentralen II. Teils fördern können, zusammenstellen.

Noch aus einem vierten Grund soll unser Augenmerk zunächst den extremen Identitätsstufen gelten. Bei kürzeren Erwähnungen, denen keine oder nur spärliche Details beigegeben sind, wird der Leser nämlich in aller Regel, heute wie zur Zeit Ovids, entweder die unbelebte Naturerscheinung oder aber einen menschengestaltigen Gott vor sich sehen. Identitätsstufe 3 hingegen bedarf, um als solche erkannt zu werden, ausführlicherer Angaben, welche den einerseits anthropopsychen, andererseits elementaren Charakter des dargestellten Naturphänomens deutlich machen. Der dementsprechend aufwendigere Interpretationsprozeß läßt es geraten scheinen, alle mit Identitätsstufe 3 verbundenen Probleme jeweils dort, wo die erforderlichen Handlungsanalysen vorzunehmen sind, also *suo loco* im II. Teil, zu konzentrieren.

Der Erfolg einer Analyse der verbalen Mittel hängt davon ab, ob es gelingt, das Verhältnis zwischen Gesagtem und Gemeintem zu bestimmen. Findet der Leser einen mehrdeutigen sprachlichen Ausdruck, so verschafft er sich über die außersprachliche Wirklichkeit, die jenem entspricht, dadurch Klarheit, daß er sich am Kontext orientiert. Der Kontext zwingt in der Mehrzahl der Fälle zu einer eindeutigen Sinnauffassung.

---

[69] In die Untersuchungen dieses I. Teils sollen alle S. 23—27 genannten Göttergruppen einbezogen werden.

)a nun jedoch — wie oben bereits angedeutet — die Nomina oft von hrem habituellen Nennwert[70] gelöst und in einen anderen semantischen 3ereich verschoben, kurz: wenig verläßlich sind, kommt vor allem dem /erbum als dem gedanklichen Koordinator eines Sinnabschnitts ent-cheidende Bedeutung zu. In der Regel gilt der Grundsatz, daß das Ge-chehen einen sicheren Schluß auf die intendierte Gestalt des Handelnden :rlaubt[71]. Auch beschreibende Teile — so z. B. Attribute — können hilf-eich sein. Meist aber dechiffriert das Prädikat die Benennungen der Akteure.

'reilich ist eine sorgsame Prüfung des Zusammenhangs allemal angezeigt, ann doch das Prädikat zuweilen, etwa wenn es metaphorisch verwendet vird[72], Anlaß zu Fehldeutungen geben[73].

Jberall dort jedoch, wo innerhalb eines Satzzusammenhangs die haupt-ächlich sinntragenden Glieder ambivalent sind und auch kein sonstiger Iinweis eine bestimmte Deutung nahelegt, ist uns die Möglichkeit ge-ıommen, Verläßliches über das Gemeinte auszusagen, und nur in Aus-ıahmefällen kann ein größerer Sinnabschnitt klärend wirken. So gibt z. B. ine Angabe der Tageszeit wie Ov. M. 2.417

ulterius medio spatium SOL altus habebat

:einen Aufschluß darüber, ob *SOL* die Sonne auf ihrer Bahn oder den onnengott auf seinem Wagen meint oder ob die Gottheit integrativ ver-tanden sein will[74]. Prädikat und Attribut sind neutral und lassen alle ge-ıannten Auffassungen als sinnvoll scheinen, ein größerer Kontext, der hilf-eiche Anhaltspunkte böte, fehlt. Die Analyse der sprachlichen Mittel tößt hier an ihre natürliche Grenze.

) So wird z. B. der Eigenname Bacchus von seinem habituellen Nennwert „Gott Bacchus" elöst und dem neuen Nennwert „Wein" zugeordnet.

Als zweifelsfreie Kriterien dafür, daß der betreffende Gott anthropomorph gedacht ist, haben . B. Zeugung oder Elternschaft zu gelten (abweichend offenbar nur der Strymon im pseudo-uripideischen Rhesos, s. u. S. 85—86). Auch Liebe deutet auf IS 4/5; zwar werden verliebte Iaturgottheiten zuweilen integrativ dargestellt, doch dient IS 3 dann fast ausnahmslos zur Ver-nschaulichung eines Zustandes (vgl. II. Teil B, 5. Abschnitt), kaum je einer Handlung.

Namentlich in poetischen Texten begegnen verbale Metaphern, die leblose Gegenstände be-:bt scheinen lassen, häufig (s. H. Lausberg § 559 c: diese Metaphernrichtung „erstrebt die 'ersinnlichung und damit die lebendige Vereindringlichung der Aussage"); Näheres dazu bei). Zwierlein, Waltharius-Epos 161—162.

So schließt z. B. F. Bömer, Komm. zu Ov. M. 1.276, aus Formulierungen wie etwa Lucr. .386—387 *(tantum suppeditant amnes ultraque minantur | omnia diluviare ex alto gurgite ponti)* auf ine „Personifikation" von *amnis*, worunter er offenkundig — das jedenfalls lassen die gleich-ıngig genannten Stellen Ov. M. 1.575 oder 5.623 vermuten — einen anthropomorphen Fluß-ott versteht. Indes: *quod procul a vera nimis est ratione repulsum.* Das formale Indiz *minantur* hat ier zu einer Fehldeutung verführt.

Die Zahl der unentscheidbaren Fälle ist gerade bei den astralen Gottheiten sehr hoch; zu Ielios siehe auch W. Pötscher, Person-Bereichdenken 16—17.

A. Die eigentliche Benennung

Wie ganz allgemein in der Sprache, so benennt auch im Bereich de
Identitätsstufen ein sprachlicher Ausdruck — oft auch mehrere syno
nyme — ein genau bestimmtes, eindeutiges Ding der außersprachliche
Wirklichkeit. Diese Art einer festen Zuordnung des benennenden Aus
drucks zum Benannten soll hier als „eigentliche Benennung" bezeichne
werden[75]. Sie entspricht der Norm, die die Angehörigen einer Sprach
gemeinschaft durch Übereinkunft geschaffen haben und derer sie sic
bewußt sind.

Eigentliche Benennungen lassen sich in direkte eigentliche Benennunge
und in indirekte eigentliche Benennungen gliedern.

1. *Direkte eigentliche Benennungen*

Unter direkten eigentlichen Benennungen sollen die Individualnamen de
Götter und der ihnen entsprechenden Bereiche verstanden werden. Zwe
Gruppen lassen sich unterscheiden:

a) Diejenigen Fälle, in denen die individuelle Benennung für den Got
eine andere ist als die für seinen Bereich, z. B. *Neptunus* und *mare*
Bacchus und *vinum*[76]. Absolut gesehen vermitteln diese Benennunge
völlige Klarheit über die außersprachliche Wirklichkeit. Im Kontex
kann diese Eindeutigkeit verlorengehen, wenn mit metonymische
Gebrauch zu rechnen ist. Der sprachlichen Trennung der Identitäts
stufen bei dieser Gruppe entspricht das wirkliche Zuordnungsve
hältnis von Gott und Bereich[77].

b) Diejenigen Fälle, in denen die individuelle Benennung des Gottes un
die des Bereichs gleichlauten[78], z. B. *Sol* und *sol*, *Achelous* und *Achelou*
Die gemeinte Identitätsstufe ist nur über den Kontext zu bestimme

---

[75] Man könnte auch vom *verbum proprium* sprechen. Terminologisch ergäben sich jedoch, w
die Übersicht bei H. Lausberg § 533 deutlich macht, gewisse Schwierigkeiten, wenn dies
proprietas (κυριολογία) folgerichtig die (recht weitgefaßte) *improprietas* im Sinne antiker Rh
torik gegenübergestellt werden soll. Dem vorliegenden Zweck wird daher durch einige ei
fache, durchsichtige Termini besser entsprochen. Mit dieser Begriffswahl strebe ich zugleic
eine größtmögliche Übersichtlichkeit über die Vielfalt der Benennungstypen, die für Funktion
bzw. Ausgangsbereiche der untersuchten Gottheiten verwendet werden, an.

[76] Andere Benennungen, z. B. *merum* neben *vinum* oder Lyaeus neben Bacchus, müssen für d
Zwecke dieser Ausführungen als Synonyma und mithin ebenfalls als direkte eigentliche B
nennungen gelten, auch wenn eine diachrone Betrachtung der Wörter Unterschiede aufzeig
Wesentlich für die Beurteilung Ovids ist lediglich, daß er *merum* und *vinum*, Lyaeus und Bacch
und Liber, *mare* und *pontus* und *freta* usw. unterschiedslos gebraucht.

[77] S. Einleitung, 4. Abschnitt, Seite 25—26.

[78] Man darf hinzufügen: Die direkte Benennung aller Identitätsstufen ist homonym.

Die Frage nach metonymischem Gebrauch ist bei direkter Benennung gegenstandslos. Der sprachlichen Übereinstimmung der Identitätsstufen entspricht die Neigung zu mehr oder weniger latenter Wesenseinheit[79].

2. *Indirekte eigentliche Benennungen*

Unter indirekten eigentlichen Benennungen sollen Gattungsnamen, kontextabhängige sowie allgemein charakterisierende Benennungen verstanden werden[80]. Beispiele: Ein beliebiger Fluß ist ein *amnis* bzw. *flumen*, der entsprechende Gott ein *deus* oder *numen*; als *pater*, *frater* oder *cognatus alicuius* ist er mit anderen verwandt, bezüglich seiner Stellung mag er *dominus* sein, *rex* oder *rusticus*, allgemein *corniger*, in besonderen Fällen etwa *victor* oder *adiutor* u. a. Es handelt sich also durchgehend um Appellativa bzw. Periphrasen[81], doch wird es sich als sinnvoll erweisen, auch Pronomina den indirekten eigentlichen Benennungen zuzurechnen.

B. Die uneigentliche Benennung

Wird zur Bezeichnung einer bestimmten Identitätsstufe die Benennung der entsprechenden gegensätzlichen Identitätsstufe verwendet, so soll dieser Vorgang „uneigentliche Benennung" heißen. Das benennende Wort verliert seinen habituellen, als Norm anerkannten Bedeutungsinhalt zugunsten eines okkasionellen, höchstens begrenzt als Norm (z. B. in der Dichtersprache) geltenden Gegenwerts in der außersprachlichen Wirklichkeit. Diese vom benennenden Ausdruck neu gewonnene sachliche Entsprechung ist kontextabhängig, da sie absolut durchweg nicht die sprachliche Norm darstellt. Eine uneigentliche Benennung ist nur auf dem Wege der Interpretation[82] nachweisbar: Nur eine möglichst große Sicherheit über das Gemeinte läßt entscheiden, ob ein Wort eigentlich oder uneigentlich gebraucht wird.

---

[79] S. Einleitung, 4. Abschnitt, S. 23 (Naturgottheiten) und S. 24 („Personifikationen von Abstracta").

[80] Also Antonomasien (LAUSBERG §§ 580—581): Ein Appellativum ode r eine Periphrase ersetzt den Eigennamen (*species pro individuo*, mit möglicher Umkehrung: LAUSBERG § 581).

[81] Dabei ist zu beachten, daß die den unter A.1 in Gruppe a) genannten Göttern entsprechenden Bereiche *(mare, vinum, seges, ignis, bellum)* in der Regel als Begriffe schlechthin und damit nur direkt benennbar angesehen werden müssen. Daneben findet sich appellativer Gebrauch, so daß dieselben Benennungen auch als indirekt zu gelten haben.

[82] Oft sind die Fälle so evident, daß die Interpretation, die zur Erkenntnis der Metonymie führt, unbewußt vorgenommen wird.

Benennungen können sowohl von Begriffen als auch von gedanklichen Zusammenhängen entlehnt und auf die gegensätzliche Identitätsstufe übertragen werden. In aller Regel ist dieser Tausch einseitig: Der Gott bezeichnet sein Element, bzw. die Aussage über einen Gott meint dessen Bereich[83].

1. *Entlehnung der Benennung eines Begriffes (Metonymie)*

1.1 Direkte uneigentliche Benennung

Eine direkte uneigentliche Benennung läßt sich überall da nachweisen, wo die Benennung des Gottes von der seines Bereichs abweicht. Wie die Antike diese „mythologische Metonymie" verstand[84], erhellt aus dem von H. Lausberg zusammengetragenen Material[85]. Die Erscheinung ist namentlich in der Poesie ungemein häufig[86].

Wie sehr sie als offensichtlich unabdingbare dichterische Eigentümlichkeit angesehen wurde, zeigt Lucr. 2.655—680 (660); die Göttermetonymie, sagt er dort, sei statthaft (genannt werden Neptunus, Ceres und Bacchus), solange man *re vera* (659) sich der *turpis religio* enthalte. Von diesem Zugeständnis des Philosophen an den Dichter macht er denn auch selber Gebrauch[87]. Man wird also aus der Tatsache, daß sie verwendet wird, nicht auf die Religiosität des Autors schließen dürfen.

---

[83] *haec (sc. metonymia) inventas ab inventore et subiectas res ab obtinentibus significat ... quod fit retrorsum durius* (Quint. 8.6.23): Das ist wohl glaublich, jedenfalls sind überzeugende, durch einen zwingenden Kontext legitimierte Beispiele für eine solche Umkehrung bemerkenswert rar (etwa Ov. Her. 12.193 und M. 1.768—769).

[84] Daß *venus* neben *Venus* nicht etwa als eigentliche Benennung aufgefaßt wurde wie *amor* neben *Amor*, erklärt sich, wie bereits gezeigt (S. 24—26), durch das unterschiedliche Verhältnis der jeweiligen Identitätsstufen zueinander, hier als Verkörperung des Bereichs durch den Gott, dort als Zuordnung. Daß die Sprechenden so empfanden, wird durch die bei Lausberg § 568 zusammengestellten Belege (für Venus Quint. 8.6.24, Isid. 1.37.9) klar erwiesen.

[85] Lausberg § 568, 1 b) „Gottheiten für ihren Funktionsbereich". Auch die „Umkehrung" (*per inventum inventorem* Isid. 1.37.9) und Erweiterung zur Allegorie (ibid.) sind erwähnt (dazu unten B. 2).

[86] Zu verschiedenen stilistischen Nuancen s. Quint. 8.6.24.

[87] 2.472 *Neptuni corpus acerbum* „Meerwasser", ebenso 6.1076 *Neptuni fluctus*, 4.589 *silvestris Musa* und 5.1398 *agrestis Musa* „ländliches Lied (Musik)"; für *venus* als „körperliche Liebe, sexuelle Lust" seien erwähnt: 2.437, 4.1071, 4.1073, dazu als nicht eindeutig entscheidbare Grenzfälle 4.1107, 1113, 1128, 1148, 1172.

Über die weite Verbreitung direkter uneigentlicher Benennung bis in die Alltagssprache hinein s. O. Gross 311—313 (dort S. 315—316 auch Hinweise zum Gebrauch, den Cicero von diesem Stilmittel gemacht hat). Über Lukrez' Gewissenskonflikt schreibt Gross S. 316: „Lucretium non effugit usum metonymicum nominum deorum cum philosophia sua pugnare, cum dei secundum Epicureorum opinionem non in rebus praesentes potentesque, sed a rebus ita secreti sint, ut vis eorum ad res non pertineat".

Andererseits könnte besonders reichlicher oder sparsamer Gebrauch einen Anhaltspunkt für derartige Schlüsse bieten, ebenso die Wahl ungebräuchlicher bzw. die Einführung neuer Göttermetonymien; Gleiches gilt ferner für etwaige Besonderheiten im Umfeld der verwendeten Begriffe: Das Zusammenspiel von quantitativen und qualitativen Auffälligkeiten ist geeignet, entweder unmittelbar oder durch Vergleich mit Art und Umfang sonstiger Benennungs- und Darstellungsverfahren Erkenntnisse über das Verhältnis des Autors zu der von ihm geschilderten Götterwelt zu vermitteln.

Verschiedene denkbare Teilresultate sind zu werten und einander gegenüberzustellen. So wäre einer überdurchschnittlichen Häufigkeit direkter uneigentlicher Benennung zwar nur ein gewisser Hang zum besonderen oder gewählten Ausdruck zu entnehmen, sofern keine anderen Beobachtungen modifizierend hinzuträten; ist direkte Metonymie aber durchschnittlich oft oder gar spärlich anzutreffen, wäre, bei gleichzeitiger Häufigkeit indirekter uneigentlicher Benennungen[88], eine Tendenz zum Geistreicheren[89], wo es um göttliche Funktionsbereiche geht, offenbar.

Weiteren Aufschluß vermitteln Neuerungen sowie die Art der Verwendung direkter Metonymien. Bemerkenswert zahlreiche Neuschöpfungen bekundeten zumindest des Dichters Interesse an der Mehrung stilistisch höherer sprachlicher Mittel. Treten in ihrem Gebrauch zusätzliche Eigentümlichkeiten in Erscheinung, sind, wie für alle anderen Göttermetonymien auch, weiterreichende Folgerungen möglich. Ein Autor, der feierliche, pathetische direkte uneigentliche Benennungen in die Sphäre des allzu Gewöhnlichen, Niedrigen zieht, der handelnde Gottheiten in grotesker Weise mit metonymisch verwendeten Götternamen verquickt, gerät in den begründeten Verdacht, mythische Götter der Lächerlichkeit anheimgeben zu wollen.

Es bedarf mithin, will man das Verhältnis eines Dichters zur traditionellen Göttermetonymie beschreiben, einer ganzen Reihe von Daten, die Aufschluß über Zahl und individuelle Eigenheiten der Verwendung geben. Wichtige Informationen hierzu können einer Arbeit von A. O. GROSS, De metonymiis sermonis Latini a deorum nominibus petitis, entnommen

---

[88] Die Häufigkeit solcher Benennungen darf hier im Vorgriff für Ovid festgestellt werden. Die folgenden Kapitel sollen darüber näher unterrichten.

[89] Ggf. — je nach Kontext — mit dem Ziel einer witzigen oder grotesken Pointe; oft im Bestreben, dem Publikum sprachlich Anspruchsvolles zu bieten. Die Tropen sind Rätselrede (LAUSBERG § 556) — was für indirekte uneigentliche Benennungen natürlich in besonderem Maße gilt — und befriedigen durch nachvollziehendes Lösen komplizierterer vordergründig verhüllter Sachverhalte. Eben das vermag die direkte Göttermetonymie kaum zu leisten.

werden[90]. Seine Angaben über die Einführung neuer Göttermetonymien sind offenbar verläßlich, Beobachtungen zum Umfeld der Benennungen jedoch mehr zufällig und das Urteil über quantitative und qualitative Verwendung, bar sowohl prüffähigen Zahlenmaterials als einer Differenzierung „gewagten Gebrauchs" *(audacia)*, zu pauschal und darum irreführend. Zudem läßt so manche Rubrizierung wägende Behutsamkeit missen: Kaum entscheidbare Grenzfälle (Genetiv-Verbindungen) werden vorschnell eingereiht, Allegorien grundsätzlich den Metonymien zugeordnet[91].

Zunächst sei die Bedeutung metonymischer Neuprägungen gewertet. Offenbar muß als eine Tatsache gelten, daß fast alle bedeutenden römischen Dichter sich bewogen fühlten, den Ausdrucksreichtum für göttliche Funktionsbereiche um weitere direkte uneigentliche Benennungen zu mehren (Cat.: Gross S. 317, Verg.: S. 318—319, Hor.: S. 319, Prop.: S. 319, Ov.: S. 320, Luc.: S. 322, Sen.: S. 323 usw.). Hier kann Ovids — zahlenmäßig zudem bescheidener (Gross S. 320; vgl. Anm. 91) — Beitrag nicht als Indiz für eine etwaige Vorliebe direkter Metonymien angesehen werden.

Wesentlich gewichtiger scheint demgegenüber die Behauptung zu sein, Ovid zeichne sich *frequenti metonymiarum usu* (Gross S. 320 und, soweit ich sehe, *communis opinio*; vgl. Anm. 91) vor allen Älteren aus. Die Richtigkeit dieser überschlägigen Häufigkeitsberechnung klingt angesichts des gewaltigen Œuvres des Dichters — immerhin über 34000 Verse — durchaus glaubhaft. Doch schon ein Vergleich mit dem sehr unterschiedlichen

---

[90] Wenn ich im Folgenden Gross' Arbeit in einigen wesentlichen Punkten als unzureichend betrachten muß, sollen doch die unbestreitbaren Verdienste des Verfassers nicht unerwähnt bleiben. Zu nennen sind der historische Überblick (S. 313—336), die übersichtliche Auflistung metonymisch verwendeter Götternamen (337—410) mit einer Gliederung, die nach sauberer Sonderung verschiedener Benennungstypen strebt, sowie ein reiches Material, das von Homer bis zum 5. Jahrhundert n. Chr. reicht und sogar Prosagebrauch einschließt.

[91] Diese Mängel machen es dem Benutzer kaum möglich, im literarischen Vergleich Präferenzen einzelner Autoren gegeneinander abzuwägen und daraus Schlüsse auf die Eigenart der betrachteten Dichter (u. U. eben auch auf ihr Verhältnis zur Sphäre des Religiösen) zu ziehen. Nur kurz sei dies gestreift: Obwohl Gross bestrebt scheint, Ovid als Neuerer auf metonymischem Gebiet darzustellen, führt er selbst (S. 319) für Vergil neun Götternamen an, die dieser erstmals uneigentlich verwendet habe (dazu vier auf einen neuen Inhalt angewandte: dabei fehlt z. B. noch Diana A. 11.582 und der wohl nur den Bereich bezeichnende Genetiv in A. 11.652), wohingegen Ovids Neuschöpfungen denkbar spärlich ausfallen (Gross S. 320 nennt Ianus, Diana „Mond", Calliope, dazu zwei Erweiterungen des Gebrauchs). Und wenn er Ovid alle anderen lateinischen Dichter „cum frequenti metonymiarum usu, tum translationum audacia" (S. 320) übertreffen läßt, kann ich ihm nur die *audacia* glauben. Gross versteht darunter nämlich in erster Linie indirekte uneigentliche Benennungen, die in der Tat anders zu beurteilen sind (s. u. Abschnitt 1.2). Was den *frequens usus* betrifft, so steht zu vermuten, daß Gross ihn absolut meint (die absolute Häufigkeit ist bei Ovid natürlich hoch). Das aber hat, wie oben zu zeigen ist, praktisch keinen Aussagewert.

Umfang der Werke jener Autoren, die üblicherweise unmittelbar nebeneinandergestellt werden, sollte zur Vorsicht mahnen. Absolute Zahlen sind ganz offensichtlich inkommensurabel.

Wie stark derartige Fahrlässigkeiten die tatsächlichen Verhältnisse verfälschen können, mag ein Beispiel zeigen. Wer Gross und anderen folgt, wird in Ovids Metamorphosen und Fasti acht direkte uneigentliche Benennungen für „Meer" zählen[92]. Horaz hingegen, für den sich sechs solcher Metonymien feststellen lassen, scheint eine geringere Neigung zur traditionellen Göttermetonymie für „Meer" gehabt zu haben.

An diesem Punkt rät nun die folgende Überlegung zu einer Korrektur des Auswertungsverfahrens: Ein bestimmter Bedeutungsinhalt (z. B. „Meer") muß überall dort, wo er im Werk behandelt werden soll, benannt werden; der Autor ist gezwungen, an jeder Stelle, an welcher er die außersprachliche Wirklichkeit „Meer" vorzuführen wünscht, einen sprachlichen Ausdruck zu wählen. Wenn man nun feststellt, wie oft er zu eigentlicher und wie oft zu uneigentlicher Benennung greift[93], hält man mit diesem Verhältnis, das sich mathematisch durch einen Quotienten darstellen und damit vergleichbar machen läßt, die individuelle Neigung des Autors zur Göttermetonymie in Händen.

Solch eine relative Kollation offenbart für das gewählte Beispiel ein wesentlich abweichendes, nunmehr jedoch sachgerechtes Ergebnis: Den 6 direkten Metonymien bei Horaz stehen nur 125 eigentliche Benennungen gegenüber, während das Verhältnis für Ovid 494 : 8 (5) beträgt. Während also Horaz jedes 21. Vorkommen des Inhaltes „Meer" metonymisch benennt, erhält bei Ovid nur jede 62. (99.) Erwähnung sprachlich eine uneigentliche Fassung.

Mithin wäre grundsätzlich zu fordern, die Untersuchungen Gross' durch eine Arbeit zu ergänzen, die feststellt, wie oft für einen bestimmten Bedeutungsinhalt (z. B. „Meer") das *verbum proprium*[94] und wie oft die

---

[92] O. Gross, aber auch heutige Gelehrte wie etwa F. Bömer, zählen M. 1.14, F. 5.731 und 6.733 als Metonymien. Man sollte jedoch, sofern möglich, Allegorien als solche (an-)erkennen (unentscheidbare Grenzfälle etwa bei ambivalentem Prädikat; dazu vielleicht F. 5.731, kaum 6.733).

[93] Dem Einwand, die Begriffswahl werde maßgeblich von rational weniger kontrollierbaren Umständen wie etwa dem Verszwang bestimmt, ist mit Mißtrauen zu begegnen. Er geht von der Voraussetzung aus, poetologische Prozesse seien leicht durchschaubar und überantwortet so des Dichters Schaffensvorgang gefährlicher, der Sache nicht zuträglicher Spekulation. Unsere Beobachtung wird wohl niemals Werkstatt und Notizblock des untersuchten Dichters erreichen.

[94] Im weiteren Sinne (vgl. Anm. 76), also *mare* ebenso wie *undae*, *fluctus*, *freta*, auch wenn nicht alle Begriffe streng synonym sind (z. B. wird *unda* erst durch συνεκδοχή gleichbedeutend mit *mare* u. a.; vgl. die schöne Übersicht über die mannigfaltigen Deutewerte griechischer Benennungen für „Meer" bei Preller-Robert 553—554); auch die Götternamen sind für unsere Zwecke gleichrangige Benennungen (Neptunus wie Nereus, Doris, Amphitrite usw.).

Metonymie gesetzt wird. So weittragenden Zielen sieht sich die vorliegende Abhandlung, der es ja nur um eine halbwegs verläßliche Einschätzung der Affinität, die Ovid zur direkten uneigentlichen Benennung gegenüber anderen Benennungs- und Darstellungsformen gehabt hat, geht, in keiner Weise verpflichtet. Allerdings schien es angezeigt, zumindest anhand einiger Stichproben zu prüfen, wie attraktiv die traditionelle Göttermetonymie für den Dichter gewesen sein mag, und ob er von diesem Stilmittel tatsächlich häufiger als andere Gebrauch gemacht hat.

Geprüft wurden Horaz (opera omnia), Vergil (Buc., G., A.) und Ovid (M. und F.) auf die Inhalte Feuer, Wein, Meer, Brot/Getreide, Öl(baum), Krieg/Kampf und Liebe hin[95]. Hier eine Zusammenstellung der Häufigkeitsquotienten, die Ovid im Mittel nur durchschnittlich beteiligt und keineswegs herausragen sieht: Feuer: Hor. 36, Verg. 31, Ov. 43; Wein: Hor. 9, Verg. 3, Ov. 15; Meer: Hor. 21, Verg. 116, Ov. 99; Brot/Getreide: Hor. 14, Verg. 13, Ov. 9; Öl(baum): Hor. —, Verg. 40, Ov. 11[96]; Krieg/Kampf: Hor. 25, Verg. 15, Ov. 13; Liebe: Hor. 5, Verg. 8, Ov. 5 (jeweils auf volle Zahlen gerundet).

Was schließlich die Auffälligkeiten in der Art des Gebrauchs direkter Metonymien angeht, so gilt für sie in besonderem Maße das oben Angemerkte: Nur eine ausführliche Einzelstudie könnte das Material in angemessener Weise zugänglich und vor allem nachprüfbar machen. Ich muß mich an dieser Stelle damit bescheiden, den Eindruck, den mir die Lektüre der genannten Autoren vermittelt hat, dahingehend zusammenzufassen, daß sich so manches, was zumindest uns Moderne sonderbar dünkt, bei allen dreien, vor allem aber Vergil und Ovid, findet.

---

[95] Damit hoffe ich eine repräsentative Stichprobe bieten zu können. Der Grund dafür, daß direkte Metonymien z. B. für Gestirne nicht untersucht wurden, ist in der Homonymie der vorherrschenden Benennung zu suchen (alle Identitätsstufen heißen unterschiedslos *SOL* oder *LUNA* usw.). Wenngleich daneben Ersatzausdrücke wie *lux*, *iubar*, *dies* (*verbum proprium* nur für die außersprachliche Wirklichkeit Sonne) oder andererseits Phoebus, Titan (entsprechend für den Sonnengott) begegnen, ist doch infolge der Mehrheit unentscheidbarer Benennungen eine quantitative Bestimmung eigentlicher und metonymischer Ausdrücke sinnlos. —
Näheren Aufschluß über Einzelheiten der Untersuchung gibt der Anhang I (S. 255—267); dort bin ich auch auf die hauptsächlichen Schwierigkeiten dieser umfangreichen lexikalischen Kleinarbeit, semantische Eingrenzungen, Kennzeichnung der Stellen, die für Metonymie ungeeignet scheinen, u. a. eingegangen. Mit der Beschreibung wichtiger Grundsätze und der exemplarischen — wenngleich notgedrungen stark gestrafften — Durchführung des Zahlenvergleichs auf relativer Basis soll gleichzeitig eine Anregung für weitere Forschung gegeben werden, die, vom *benannten Inhalt* ausgehend, Verläßlicheres zur Erkenntnis der Begriffswahl von Autoren beitragen kann als Daten, die lediglich einzelne *benennende Ausdrücke* quantitativ gegeneinanderhalten.

[96] Die Resultate bei diesem Vorstellungsbereich sind mangels Anzahl verzerrt: Insgesamt nur zwei Metonymien konnten verzeichnet werden. Bei keinem der anderen Begriffe waren die quantitativen Verhältnisse für eine Häufigkeitsberechnung so ungünstig.

So dürften gewisse Anwendungsweisen befremden, von denen die folgenden Beispiele eine kleine Probe geben sollen: *adolere penatis* (Verg. A. 1.704), *femineo Marte* „im Kampf mit einem Weibe" (Ov. M. 12.610), *caeco Marte* „in planloser Gegenwehr" (Verg. A. 2.335) sowie „unter Sichtbehinderung" (Verg. A. 9.518), *in mero mollita Ceres* „in Wein eingeweichtes Brot" (Ov. F. 2.539), *pressum Calibus ducere Liberum* (Hor. c. 4.12.14), *aetas Lucinam iustosque pati hymenaeos* „gebär- und paarungsfähiges Alter (der Rinder!)" (Verg. G. 3.60)[97].

Auch Konfrontationen von uneigentlich gebrauchten Götternamen mit handelnden Gottheiten muten seltsam an. Sie sind aber rar und scheinen im allgemeinen gemieden worden zu sein. Von dem runden Dutzend bemerkenswerterer Stellen, die ich notiert habe, betreffen zwei Drittel Ovid. Die Ausnahmestellung der Erscheinung auch bei ihm sollte indes vor allzu weitreichenden Schlüssen bewahren. Zur Illustration mag hier ein kurzer Hinweis auf Verg. Buc. 6.15 (dem Silenus macht noch der Bacchus von gestern zu schaffen) und auf Ov. F. 5.521 (bei der Bewirtung von Iuppiter, Neptunus und Mercurius durch Hyrieus steht Lyaeus auf dem Tisch) genügen[98].

Die vorstehenden Ausführungen haben trotz ihres notwendigerweise skizzenhaften Charakters deutlich gemacht, daß Ovid mit seinem Gebrauch der mythologischen Metonymie quantitativ nicht aus dem Rahmen fallen dürfte. Auch Besonderheiten qualitativer Art scheinen das Maß des Üblichen nicht zu übersteigen.

Ovids offenbar ganz „normales" Verhältnis zur direkten uneigentlichen Benennung der Funktionsbereiche von Göttern darf auch dann nicht ver-

---

[97] Ähnlich die Venus der Tierwelt: Verg. G. 2.329, 3.64, 3.97, 3.137, 3.210; Hor. c. 2.5.4; ferner attributive Präzisierungen wie *exigua Ceres* (Verg. A. 7.113), *dona laboratae Cereris* (Verg. A. 8.181).

Es darf allerdings nicht vergessen werden, daß derartige Metonymien bei den Römern weit verbreitet, ja sogar in die Umgangssprache eingedrungen waren (Gross 311). Wir müssen also damit rechnen, daß unser modernes Urteil antikem Empfinden nicht ganz gerecht wird: Was wir bestaunen, mag seinerzeit als (relativ?) normal empfunden worden sein (vgl. aber die folgende Anm. 98).

[98] Der komische Effekt entsteht durch die — immerhin naheliegende — Reinterpretation des uneigentlich gemeinten Götternamens. Drei weitere Beispiele: Die Nymphe Cyrene übergießt nach einem Gebet an Oceanus *ardentem Vestam* mit Nektar (Verg. G. 4.384), Apollo verschiebt *spem Veneris* auf die Nacht (Ov. M. 11.306) und Semele spricht zu Iuppiter vom *foedus Veneris* des Gottes mit seiner Gemahlin Iuno (Ov. M. 3.294).

Daß dergleichen Begriffskoppelungen wenigstens zuweilen als lächerlich angesehen wurden, zeigt die Komödie: Plaut. Amph. 341 fragt Mercurius den Sosia, der eine Laterne trägt: „*quo ambulas tu, qui Volcanum in cornu conclusum geris?*" — Eine schier unglaubliche Metonymienhäufung grotesken Ausmaßes bei Naev. fr. inc. 30 a—c W. (= S. 148): „*cocus edit Neptunum, Cererem / et Venerem expertam Vulcanom Liberumque absorbuit*" (!) („Fisch, Brot, gekochtes Gemüse und Wein"); die Komik liegt offen zutage (man achte auf den zweideutigen Bezug zwischen den göttlichen Eheleuten!).

wundern, wenn man weiß, daß — wie noch zu zeigen sein wird — seine witzigen Wort- und Gedankenspiele sich immer wieder die Naturgottheiten im weiteren Sinne als eines ihrer bevorzugten Ziele wählen. Die direkte Göttermetonymie hat nur eine einfache Funktion, die in der Vertauschung der Benennung besteht, die habituelle Bedeutung des eingetauschten sprachlichen Ausdrucks (des Götternamens) geht verloren und schwingt als durchsichtige Bezeichnung nur noch assoziativ mit, während sie für den Zusammenhang in aller Regel keine Rolle mehr spielt[99], insofern den Intellekt des Publikums wenig fordert und jenes dem raffinierten Dichter angelegene englobement genießend Verstehender herzustellen kaum geeignet ist[100]. Sie erscheint darum als diejenige uneigentliche Darstellungsform von Identitätsstufen, die für Ovid am wenigsten reizvoll war.

1.2 Indirekte uneigentliche Benennung auf unmittelbarem Wege

Wird eine indirekte eigentliche Benennung einer Identitätsstufe gebraucht, um die entsprechende andere in der Wirklichkeit gemeinte Identitätsstufe wiederzugeben, so liegt sprachlich eine indirekte uneigentliche Benennung vor. Solche „erweiterten Metonymien" haben den Reiz, im einzelnen Fall individueller zu sein und in einem Wort doppelte Information bringen zu

---

[99] Das Gegenteil läßt sich nur in wenigen Fällen nachweisen. Zu erwähnen ist Ov. M. 2.377—378:
fit nova Cygnus avis nec se caeloque Iovique | credit ut iniuste missi memor ignis ab illo.
Iovi ist hier einerseits Synonym zu *caelo*, wie die enge Verbindung durch *-que* nahelegt, und damit metonymisch gebraucht. Andererseits ist *Iovi* aber eigentliche Benennung für Iuppiter als Urheber der Furcht des Vogels, wie v. 378 ausführt; Cygnus will sich weder dem Himmel, den zu durchqueren seinen Freund das Leben kostete, noch Iuppiter anvertrauen, der, wie die Erfahrung mit Phaethon gelehrt hat, Blitze aus heiterem Himmel schleudern kann. Die eigentliche Ausgangsbedeutung muß berücksichtigt werden, da die begründende Apposition v. 378 sie voraussetzt.
Allerdings kann die Stelle auch anders gedeutet werden. Man sieht dann in *Iovi* lediglich die Metonymie und legt sich auf das Hendiadyoin fest. Als weitere Metonymie wäre *ab illo* zu betrachten: Es wiederholt das metonymische *Iovi* — der Leser hat es bereits als „Himmel" verstanden —, das nun, da in v. 378 zweifelsfrei Iuppiter gemeint ist, seinerseits metonymisch gebraucht wird. Durch diese Doppelmetonymie ist die eigentliche Bedeutung des in v. 377 uneigentlichen *Iovi* wieder hergestellt. Die Ambivalenz von *Iovi* wirkt sich dann erst in *ab illo* aus, und zwar durch den Zwang des Sinnzusammenhanges, für die kraft Metonymie in v. 377 gemeinte und durch das Pronomen in v. 378 sprachlich genannte Identitätsstufe des Bereichs die des Gottes verstehen zu müssen. Schließt man sich dieser zweiten Betrachtung an, muß man die Stelle zur Gruppe der indirekten uneigentlichen Benennungen (1.2) ziehen.
Ob man die Ambivalenz nun als primär oder als sekundär ansieht, von Bedeutung ist in jedem Fall die Tatsache, daß durch *Iovi* zwei Identitätsstufen angesprochen werden.

[100] Zu diesem letzten Punkt vgl. die Abschließenden Bemerkungen zum I. Teil. — Eine Tendenz, direkte uneigentliche Benennung, die zu Vergils Zeit schon viel von ihrem Glanz eingebüßt habe, zunehmend durch Metonymienhäufung bzw. kompliziertere Ausdrucksweisen zu überbieten, stellt O. Gross 318—319 fest. Diese Beobachtung ist auch für Ovid wichtig: Der poetische Wettbewerb mag die Bevorzugung der ungewohnteren, beliebig variablen indirekten Metonymien gefördert haben.

können[101]. Oft werden so Sachverhalte mit geringstem Aufwand in Erinnerung gebracht oder eingeführt. Indirekte uneigentliche Benennung geschieht entweder unmittelbar oder über ein Attribut. Dieser Fall, der auch direkte uneigentliche Benennungen einschließt, wird im Abschnitt 1.3 zu untersuchen sein, jener ist Gegenstand der folgenden Ausführungen.
Vorab jedoch zwei Bemerkungen zum weiteren Verfahren: Im nächsten und auch in allen folgenden Kapiteln des I. Teils wird auf einen relativen Zahlenvergleich, wie er oben im Kapitel 1.1 exemplarisch durchgeführt wurde, verzichtet. Eine solche Untersuchung würde angesichts des schier unübersehbaren Materials die dieser Arbeit gewiesenen Grenzen sprengen, ist doch der I. Teil nur als terminologischer und phänomenologischer Wegbereiter des zentralen II. Teils gedacht. Ich begnüge mich hier, faute de mieux, mit einer ungefähren quantitativen Abschätzung.
Ferner habe ich mich dazu entschieden, jene nicht seltenen Fälle, in denen das Gemeinte mehr oder minder dunkel bleibt, unberücksichtigt zu lassen. Dieser Verzicht ist mit einem Vorteil verbunden: Die mit Gewinn deutbaren Textstellen erhalten exemplarischen Charakter.
Wenden wir uns nun den auf unmittelbare Weise gewonnenen indirekten Metonymien zu.
Eine indirekte uneigentliche Benennung ist dann unmittelbar, wenn das benennende Wort von sich aus im Kontext als uneigentlich anzusehen ist. Es ist sinnvoll, nach möglichen Erzählsituationen in drei Gruppen zu gliedern.

a) In einfacher Aussage

In den Metamorphosen erzählt Ovid, wie sich für König Midas, dem Bacchus die Gabe verliehen hatte, daß alles, was er berührte, zu Gold wurde (M. 11.100—105), beim Essen (119—124) die schädliche Wirkung seines Wunsches ebenso wie beim Trinken (125—126) zeigt, als er

miscuerat puris auctorem muneris undis. (M. 11.125)

Auctor muneris ist nur durch den Kontext verständlich; *munus* ist die Gabe, die Midas sich hatte wünschen dürfen *(muneris arbitrium* 101*)*[102], deren *auctor* ist Bacchus, der freie Wahl ermöglicht hatte. Hat man den *auctor*

[101] Bisweilen ist sie spärlich, so daß die antonomastische Metonymie dann einer direkten uneigentlichen Benennung wenig voraus hat.

[102] Ich halte es für abwegig, an elliptisches *munus* = *munus Bacchi* (was eine häufige Umschreibung für „Wein" ist) zu denken. Das würde folgende Gedanken nach sich ziehen: Der *auctor* des *munus Bacchi* = Wein ist natürlich Bacchus, der Geber des Weines muß nun wieder metonymisch als Wein verstanden werden. Eine witzlose Abundanz: Ein Begriff (Bacchus = *vinum*) wird durch einen anderen *(auctor muneris Bacchi* = *auctor vini)* erklärt, der das Bedeutungsziel *(Bacchus* = *vinum)* bereits enthält. Man würde Ovid eine einfältige Spielerei ohne Kontextbezug zutrauen.

muneris durch den Handlungszusammenhang als Bacchus identifiziert, muß nun im Gedankenzusammenhang des Verses die Metonymie erkannt werden. Das ist eine nicht geringe Anforderung, deren Lösung dem Leser intellektuelle Befriedigung verschafft. Neben dieser Wirkung gelingt Ovid eine Reminiszenz an den, der das Geschenk gegeben hat und bald wieder nehmen wird. Ganz unübersehbar aber ist der groteske Effekt, den der Dichter gerade durch seine Konsequenz erzielt. Er geht von der allgemein geübten Praxis der direkten Metonymie aus (Bacchus = Wein), nimmt die sprachliche Gleichsetzung der Identitätsstufen in der Sache wörtlich[103] und benennt durch eine im Kontext sinnvolle Charakterisierung *(auctor muneris)*. Ovids Wahl des Ausdrucks ist durch den Sprachgebrauch völlig legitimiert, doch schafft sie eine Diskrepanz zwischen der zugrundeliegenden und klar ersichtlichen eigentlichen Bedeutung und dem kraft Metonymie Gemeinten, die das Verhältnis des Gottes zum Wein *ad absurdum* führt[104].

In erster Linie durch das Streben nach gelehrtem Ausdruck, das für die Invektive Ibis so kennzeichnend ist, wird die Formulierung des folgenden Wunsches zu erklären sein:

filius et Cereris frustra tibi semper ametur
destituatque tuas usque petitus opes. (Ib. 417—418)

Der Sohn der Ceres ist Plutos, der wiederum für den gemeinten „Wohlstand" steht[105].

Hypermestra erzählt in der 14. Epistula Heroidum, wie ihre Stammutter Io in Gestalt einer Kuh zum Fluß ihres Vaters findet:

adstitit in ripa liquidi[106] *nova vacca parentis.* (Her. 14.89)

---

[103] Sachlich ist bei Bacchus ja Zuordnung zum Element (Auct. Her. 4.32.43 *id, quod fit, ab eo, qui facit* und Isid. 1.37.9 *per inventorem id quod inventum est*), nicht dessen Verkörperung verstanden worden, wie oben bereits ausgeführt wurde (S. 25—26).

[104] G. M. H. Murphy (Komm. z. St.) erkennt hier zu Recht ein ovidisches "theological joke".

[105] Erwähnt sei als Gegenstück der auf Verwandtschaftsbezeichnungen beruhenden Metonymie für den nicht-göttlichen Bereich die Formulierung *Asiam Cadmique sororem (= Europam)* P. 4.10.55. — Vgl. auch M. 2.839.

[106] Neben *liquidi* ist, wenngleich schlechter, auch *liquida* überliefert. Es mag überraschen, daß die Junktur *liquida ripa* ohne Fehl ist, sucht man doch die in diesem Fall erforderliche Bedeutung „(ufernahes) Wasser" für *ripa* bislang in den Lexika vergeblich. Diese Verwendung des Wortes muß indes durch O. Zwierleins überzeugende, auf reichhaltiges Belegmaterial gestützte Erörterung (Versinterpolationen 207—208) als zweifelsfrei erwiesen gelten. Von der Semantik aus läßt sich gegen *liquida (ripa)* also nicht argumentieren.
Bedenklich stimmt allerdings ein anderer Umstand. So muß man es für unwahrscheinlich halten, daß Ovid vier auf *-a* auslautende Wörter hintereinander stellt, von denen die beiden ersten je langes *-a* in der Arsis haben. Das wäre ein grober Verstoß gegen die Regeln der Euphonie (trotz der gelegentlichen Ausnahmen, die E. Norden Komm. S. 405—407 anspricht) und eine ungewöhnliche Wortstellung dazu: A a b B und nachklappendes C ohne Attribut. Liest man

Der Sinn zwingt, *parentis* als uneigentliche Benennung anzusehen, wie *in ripa* und die Beifügung *liquidi*[107] deutlich machen: Io bleibt am Ufer des Inachus stehen. Nun gibt aber die Wahl des uneigentlichen *parentis*, dessen eigentliche Bedeutung durch seine sprachliche Gestalt ja stets offenkundig bleibt, eine zwiefache Information. Zum einen erfüllt das Wort seine Funktion als Sinnträger innerhalb des Gedankens und bezeichnet den Fluß Inachus, zum anderen zeigt es, daß dieser Fluß als Gott der Vater der Frau ist. Darin liegt für Ovid Vorteil und Reiz zugleich: Ein Ausdruck hat eine sinnvolle Doppelfunktion, die Schranken eigentlicher Benennung sind aufgehoben, der Dichter demonstriert die Austauschbarkeit der Identitätsstufen.

Ähnlich nennt Ovid, als er P. 2.10 Stationen gemeinsamer Reisen mit Macer erwähnt, den berühmten Quell Arethusa einfach mit dem Appellativum *nymphe*[108] (P. 2.10.27—28). Die Aufzählung geographischer Namen ab v. 21 läßt nur uneigentliche Deutung zu, der Gedanke etwa an eine Erscheinung der Nymphe ist hier absurd. Die Metonymie aber ermöglicht es dem *poeta doctus*, an die (von ihm selbst M. 5.577—641 ausführlich erzählte) Geschichte von Alpheus und Arethusa zu erinnern[109].

Medea meint, als sie Iason beschwört, sie wieder zu sich zu nehmen, Her. 12.193 den Sonnengott, wenn sie schreibt:

per superos oro, per avitae lumina flammae.

Zunächst ruft sie alle Götter an, dann aber Sol, was für sie ganz naheliegend ist, denn der ist ihr Großvater. Sie denkt nicht an die elementare

---

liquidi, so ergibt sich die Rahmung c b B C, der Wohlklang ist gewahrt, der Sinn ist verständlich, und man hat im folgenden Vers 90

cornuaque in patriis non sua vidit aquis

in ähnlicher Sperrung auch eine Parallele in der Zuordnung der Wörter, die in eigentlicher Bedeutung Träger der jeweiligen Identitätsstufen sind: *liquidi* (IS 1) zu *parentis* (IS 4) wie *patriis* (IS 4) zu *aquis* (IS 1), und zwar chiastisch zueinander. Man wird in dieser kunstvollen Ordnung zu Recht die Absicht des Dichters sehen dürfen.

Den Fehler kann die Umgebung auf *-a* ebenso begünstigt haben wie die Unfähigkeit des Schreibers, das Ovidianum zu begreifen, daß Attribut und Bezugswort, die im eigentlichen Sprachgebrauch unterschiedliche Identitätsstufen meinen, zusammengestellt werden.

[107] *liquidi* alleine würde als Indiz nicht ausreichen, vgl. die unter 1.3 besprochenen Möglichkeiten.

[108] So dürfte man zu lesen haben. Das überlieferte *nymphae* wäre dann eine nachträgliche Verbesserung des richtigen, phonetisch nicht mehr unterschiedenen *nymphe*, wohl unter dem Einfluß von *quae*. Ein einmal eingedrungenes *nymphae* zog in jüngeren Handschriften den Heilungsversuch *nympha est* nach sich.

Zu *nymphe* entschließt sich Owen. Willige greift einen Vorschlag Heinsius' auf und schreibt *nymphen*. Damit ist das Distichon in die v. 23 beginnende Periode einbezogen (abhängig von *vidimus* 23), sicher die eleganteste Lösung, aber paläographisch wohl die schwierigste.

[109] Poetischer Schmuck wie der v. 24 dem Aetna „zugrunde" liegende Gigans. Solche mythologische Deutung dient auch der Anschaulichkeit, vgl. dazu unten Abschnitt 2, wo auf den allegorischen Sinn des attributiven Relativsatzes v. 27—28 eingegangen wird (s. S. 60—61).

Identität des Himmelskörpers, sondern an die des verwandten Gottes, verwendet aber einen Ausdruck, der ohne das orientierende *avitae* nur zur Sonne paßt. Hier dient die eigentliche Benennung des Bereiches dazu, den Gott zu bezeichnen.

Umgekehrt steht wieder der Gott für die Wärmekraft der Sonne, als AA 2.85 das Wachs der Flügel des Icarus schmilzt (*. . . cera deo propiore liquescit*).

Geschlossenheit im eigentlichen Ausdruck weist der Anfang von Am. 2.9, jener Elegie, in der Ovid von Cupido die Entlassung aus dessen Kriegsdienst erbittet, aus:

o numquam pro me satis indignate Cupido,
o in corde meo desidiose puer (Am. 2.9.1—2)

Es gibt formal keinen Unterschied zwischen beiden Versen, was den Anruf an den Gott betrifft: In beiden wird der Knabe Cupido angesprochen. Der Einheitlichkeit eigentlicher Benennung steht aber die Unterschiedlichkeit der Identitätsstufen gegenüber, die der Inhalt der Aussage bedingt. An den Gott wendet sich v. 1, wie *indignate* zeigt, v. 2 dagegen meint die Liebe, die der Gott erregt hat und immer wieder erregt (*in corde meo*). Die Elegie lebt ja von dem Widerspruch, daß Ovid, der sich *Amor* untergeordnet hat, ihn als *dux* anerkennt und ihm als *miles* dient, nichtsdestotrotz von *amor*, Liebe[110], getroffen wird. Einerseits kann Ovid also die beiden Identitätsstufen als Leitmotive des Gedichtes bereits in den Eingangsversen anklingen lassen, andererseits wahrt der ausschließliche Bezug auf Amor als den Dienstherrn die Einheitlichkeit der Beschwerde.

Schon auf der Grenze zur Allegorie steht eine Zeitbestimmung wie F. 3.403—404:

cum croceis rorare genis Tithonia coniunx
coeperit et quintae tempora lucis aget.

Der Vorgang des Tauens betrifft die Morgenröte, die die frühe Tageszeit kennzeichnet und deshalb dichterisch den Tau erzeugt. *Tithonia coniunx* muß dann eine Metonymie sein. Nun kommt aber ein weiterer Zug

---

[110] Diejenigen, denen es nicht so geht wie Ovid, nennt v. 15: *sine amore viri* und *sine amore puellae*. In Ovids Innerem ist dagegen *amor* zu finden (v. 2). Die Synthese beider die Elegie beherrschenden Identitätsstufen bringt v. 23. Ovid bezeichnet sich dort als *qui totiens merui sub AMORE puellae*, wobei weder inhaltlich noch sprachlich klar entschieden werden kann, welche Identitätsstufe anzusetzen ist. Beide möglichen Vorstellungen sind ineinander verschränkt, dem Interpreten bleibt lediglich, sie gleichzeitig und als gleichberechtigt zu betrachten.
Zu den Schwierigkeiten, die v. 1 en détail aufgibt, s. F. Munaris kritischen Apparat sowie F. W. Lenz zu Am. 2.9.1.

hinzu, der die Göttin benennt und hier wohl nicht als uneigentlich zu gelten hat, nämlich ihre *croceae genae*. Ovid hat die Metonymie also erweitert, so daß nur das eigentlich benannte Prädikat *(rorare coepit)* der völligen Allegorie noch den Weg versperrt[111].

Unmittelbares Nebeneinander von Identitätsstufen findet sich Her. 16. 207—208. Paris führt aus, er werde Helena keinen Atreus als Schwiegervater bescheren, vor dessen Greuel die Sonne auf ihrer Bahn umkehrte: *clara fugantem / lumina* neben *qui trepidos . . . vertat equos*. Ähnlich ist die Zusammenstellung F. 5.15—16. Bei der Ordnung der Welt nach dem Chaos streben die Himmelskörper in die Höhe. Genannt sind *sol*, *stellae* und *lunares equi*. Innerhalb der sachlichen Schilderung von Naturvorgängen taucht also statt eines schlichten „*luna*" die mythologische Bezeichnung auf. Man wird die *lunares equi* hier metonymisch zu verstehen haben wie im vorigen Beispiel die *trepidi equi*. In beiden Fällen handelt es sich um poetische Variationen, bei denen im Gegensatz zu den weiter oben angeführten Stellen der Gewinn eines wesentlichen zusätzlichen Informationswertes nicht verzeichnet werden kann.

Aus der römischen Dichtung vor Ovid notiere ich:

Verg. G. 1.396 (*fratris radii* „Sonne"), A. 1.636 (*munera laetitiaeque dii* „Wein"; s. R. G. Austins Kommentar z. St.), A. 9.336—337 (*multus deus* „Wein" oder „Schlaf"), A. 9.721 (*bellator deus* „Kampfgeist").

Cat. 36.7 (*tardipes deus* „Feuer"), 61.29 (*nympha* „Quell"; ebenso Prop. 2.32.15, 3.16.4, 3.22.26; für die griechische Literatur vgl. H. Herter, Nymphai 1534.52 bis 64, s. dort auch 1535.37—42).

Für Weiterungen dieser Benennungsart seien *exempli gratia* genannt: Hor. c. 3.29.17 (*Andromedae pater* „Sternbild Kepheus"), Cat. 64.290—291 (*soror / flammati Phaethontis* „Pappel[n]") und 65.14 (*Daulias* „Nachtigall").

b) Bei Aufeinanderfolge zweier Aussagen

Bei der Verbrennung des Achilles heißt es M. 12.614:

arserat; armarat deus idem idemque cremabat.

Der Dichter macht zwei Aussagen *(armarat — cremabat)* und gibt durch ausdrücklichen Hinweis vor, daß deren Subjekt dasselbe sei. Ovid konnte von seinen Lesern erwarten, daß sie wußten, welcher Gott Achilles' Waffen geschmiedet hat. Hatte man in „*deus*" also Vulcanus erkannt, so mußte man ihn auf Grund des „*idem*" auch als Subjekt zu *cremabat* verstehen und schließlich den Wechsel zum Bereich „Feuer" vollziehen. Die in den beiden Aussagen gemeinten Identitätsstufen sind also unterschiedlich, der sprachliche Ausdruck gleich: Eine Spielerei, die den Reiz

[111] An IS 3 — die gerade der Morgenröte gut zu Gesichte steht; s. u. Kap. II B 26 und 27 — wird man mit Blick auf die Formulierung *Tithonia coniunx* kaum denken wollen.

hat, an der jeweils richtigen Stelle die jeweils richtige Identitätsstufe verstehen zu müssen.

Eine ähnliche Verflechtung von Aussagen, deren Subjekt sprachlich gleich ist, deren Bedeutungsinhalt aber wiederum unterschiedliche Identitätsstufen trifft, findet sich F. 2.655—656. Dort geht es um den *communis TERMINUS*[112] zwischen zwei Anrainern. Der werde, so führt Ovid aus, mit dem Blut eines Lamms besprengt (655) — man muß den Stein für gemeint halten —, doch beklage er sich nicht, wenn man ihm nur ein Ferkel schlachte (656). Diese Aussage gilt dem Gott. Die Wirkung solcher Verse wird auf den Leser je nach dessen Verhältnis zu Göttern wie Terminus unterschiedlich sein[113]. Wem das *numen* des göttlichen Grenzsteins suspekt ist, der wird glauben, in der metonymischen Wendung eine augenfällige Verdeutlichung der Absurdität solcher Göttlichkeiten sehen zu dürfen. Wir können vermuten, daß Ovid ähnlich gedacht hat. Beweisen läßt sich das für unsere Stelle nicht.

Aus früherer Dichtung weiß ich für diesen auffälligen Benennungstyp nur eine überzeugende Parallelstelle zu nennen: Hor. Sat. 2.2.124 (*ac venerata Ceres, ita culmo surgeret alto* — „Göttin Ceres“: „das Korn“).

c) In Gesprächssituation

Bleiben wir bei der eben erwähnten Fasten-Stelle. In den Versen 659 bis 678 folgt ein Preis- und Bittgedicht an Terminus, das den Opfernden in den Mund gelegt ist. Darin wird Terminus in seiner Funktion als Ordnung und Frieden stiftender Stein angesprochen:

tu populos urbesque et regna ingentia finis. (F. 2.659)

Die Anrede gilt dem Gott, die Aussage dem Stein, mithin ist das Personalpronomen uneigentlich gebraucht. Mag der Fall auch ungewöhnlich scheinen, er steht keineswegs vereinzelt. Einige Distichen zuvor spricht Ovid den Gott *ex persona poetae* an:

te duo diversa domini de parte coronant
binaque serta tibi binaque liba ferunt. (F. 2.643—644)

Gemeint ist auch hier *Terminus* als Stein oder Pfahl, denn die werden bekränzt. Die Pronomina stehen wiederum metonymisch.

Leander, der die 18. Epistula Heroidum schreibt, erinnert sich, schwimmend Luna angerufen zu haben (59—74). Sie solle ihm günstig sein und

---

[112] Man kann in *terminus* ebenso eine direkte wie eine indirekte Benennung sehen, den Grenzstein schlechthin wie die entsprechende Gattung.

[113] Fraglos hat frommes Denken den sachlichen und den persönlichen Aspekt miteinander verquicken und beide als Einheit — *numen* — empfinden können. — Zur Göttlichkeit des Terminus s. bes. die Ausführungen W. Pötschers, Numen 370—371, der ebendort auch die Opfer für den Stein deutet.

nöge an Endymion denken — (das kann nur der Göttin gelten) —; auch
r, Leander, sei auf dem Wege zu einer Göttin. Hero sei nämlich soviel
chöner als andere Mädchen,

quantum, cum fulges radiis argentea puris,
concedunt flammis sidera cuncta tuis. (Her. 18.71—72)

eander denkt bei diesem Vergleich an die Lichtgestalt des Mondes, er
pricht aber die Göttin an. Wenn Luna das nicht sehe, so fährt Leander
ach dem Distichon 71—72 fort,

si dubitas, caecum, Cynthia, lumen habes. (Her. 18.74)

Es ist nicht eindeutig zu entscheiden, was Ovid hier gemeint hat. Wahr-
cheinlich hat er sich bewußt doppeldeutig ausgedrückt. Einerseits ist an
lie Göttin zu denken: Sie müßte geradezu blind sein, wenn ihr Heros
Schönheit entgangen wäre. Das wäre eigentlich ausgedrückt. Anderer-
eits kann auch der Mond ein *caecum lumen* haben, denn die Bedeutung
„dunkel, finster" ist für *caecus* nicht selten. Leander meint dann: Wenn du
Hero keine alle anderen überstrahlende Schönheit einräumst, muß ich
neinen gerade angestellten Vergleich (71—72) analog deinem Urteil für
inen Irrtum halten, sogar du hast dann nur ein *caecum lumen*, eine stumpfe
Leuchtkraft, bist nur ein Licht unter vielen. Diese Aussage wäre meto-
ymisch auf die angeredete Luna zu beziehen. — Daneben scheint mir
ber auch integrative Grundanschauung erwägenswert. Man hätte dann,
weil die Reflexion v. 62—65 eindeutig auf Identitätsstufe 5 zielt, einen
Wechsel der Identitätsstufe anzunehmen, so daß jenes schöne Stimmungs-
bild Her. 18.59—78 dem 5. Abschnitt des II. Teils (B) zuzuordnen wäre.

Am 3.6 reflektiert der Erzähler über einen Bach, der im Sommer ausge-
rocknet ist:

quis te tum potuit sitiens haurire viator? (Am. 3.6.97)

Der Angeredete, welcher — wie unten in Kapitel II B 2 ausführlich zu
zeigen ist — auf Identitätsstufe 3 erscheint, wird durch *te* insofern uneigentlich genannt, als hier der Fluß nicht mehr sein kann denn durstigen
Wanderern willkommener Trank. Somit hat das Pronomen zweifache
Funktion: Es vermag dem hartherzigen Opponenten (IS 3) ebenso zu entsprechen wie dem labenden Element (IS 1).

Zu Beginn der Remedia amoris muß Ovid das neue Werk vor *Amor* ver-
teidigen. Es solle nur im extremen Notfall helfen, so sagt Ovid, er selbst
liebe auch jetzt und habe früher doch immerhin die Ars amatoria ge-
schrieben:

quin etiam docui qua possis arte parari. (RA 9)

Der Dichter redet Amor an, doch spricht er dabei von *amor* als dem Gegenstand der Ars amatoria.

In einem Gebet an Robigo heißt es:

at tu ne viola Cererem, semperque colonus
absenti possit solvere vota tibi. (F. 4.931—932)

Der Bauer soll ihr seine Gelübde einlösen können (*vota tibi solvere;* die Göttin ist gemeint und genannt), und zwar in ihrer Abwesenheit *(absenti tibi)*, was doch wohl bedeuten soll: ohne daß sie = Rost die Saaten befällt; *absenti* bezieht sich auf die Naturerscheinung. Dem *tibi* fällt eine Doppelaufgabe zu. Zum einen bezeichnet es die Göttin, der das Gelübde eingelöst wird. Hierbei ist *tibi* eigentliche Benennung. Zum anderen bezeichnet es den Rost, dessen Ausbleiben der Bauer wünscht. Dieser Gebrauch des Pronomens ist metonymisch.

Eine Stelle, in der eine kühne uneigentliche Verwendung des Personalpronomens ziemlich groteske Wirkung zeitigt, findet sich Am. 3.1[114]. Die personifizierte Elegie, deren Körperlichkeit beschrieben[115] und für ihre Rede vorausgesetzt wird, führt aus, sie habe oft an der Tür gehangen und sich nicht gescheut, sich von jedem Vorübergehenden lesen zu lassen (53—54; Elegia meint die auf ein Wachstäfelchen geschriebene Elegie); sie habe sich[116] am Busen einer Magd versteckt gehalten, bis der strenge Wächter einmal fortgegangen sei (55—56); schließlich werde sie, dem Mädchen als Geburtstagsgeschenk geschickt, von diesem zerbrochen und ins Wasser geworfen (57—58)[117]. An dieser Stelle tritt die logische Unmöglichkeit einer absoluten Gleichsetzung von extremen Identitätsstufen in besonders krasser Weise zutage. Das Gesagte ist offenkundig unangemessen, ja lächerlich; das Gemeinte erschließt sich aber erst in einem zweiten, berichtigenden Denkschritt. So ist durch den sprachlichen Ausdruck für eine Irreführung der Leser gesorgt: Ihnen muß zunächst das absurde Bild der versteckten, zerbrochenen und ertränkten Erzählerin vor Augen stehen[118]. Die Einladung dazu, den Gedanken wörtlich zu nehmen,

[114] Eine lesenswerte Interpretation, in der die Absicht des Dichters gut herausgearbeitet ist, hat E. Reitzenstein WdF 227—232 dieser Elegie gewidmet.

[115] Ov. Am. 3.1.6—9 *(capilli, pes, forma, vestis, vultus)* und 33—34 *(ocelli, dextra)*.

[116] Am. 3.1.55—56 ... *ego me memini* ... / ... *delituisse*; mit *ego* meint die redende Elegia sich selber in menschlicher Gestalt, mit *me* die materielle Form des dichterischen Erzeugnisses.

[117] Natürlich aus Ärger über das nur ideelle Geschenk, wie P. Brandt und F. W. Lenz z. St. richtig bemerken. In v. 59—60 spricht Elegia dann wieder von sich als der elegischen Muse, die als erste den Dichter inspiriert habe.

[118] Dem Widerspruch zwischen genannter Person und gemeinter Wachstafel gesellt sich als ein zweites Spannungsmoment derjenige zwischen individueller Gottheit und Gattung (die Elegie kann in beliebiger Zahl und an jedwedem Ort auftreten).

der doch nur metonymisch sinnvoll ist, hat zur Zeit Ovids gewiß ebenso erheiternd gewirkt wie heute[119].

Ein Blick auf frühere römische Dichter erweist diese Art uneigentlicher Benennung als ausgesprochen rar. Einzig Verg. Buc. 10.4—5 (angeredet: Göttin Arethusa?, Aussage betrifft: das Quellwasser auf seinem unterirdischen Weg?) wäre eine überzeugende Parallele, wenn die Stelle nicht ebensogut auf integrative Grundanschauung hin gedeutet werden könnte. Entfernt vergleichbar sind ansonsten allenfalls einige Schilderungen, die einen Gott reden oder angeredet werden, die Aussage aber seiner Statue gelten lassen (Verg. Buc. 7.31—32, 35—36; Hor. Sat. 1.8.1—4, c. 4.1.19—20)[120].

1.3 Uneigentliche Benennung mit Hilfe eines Attributs

Ein Attribut kann eine eigentliche Benennung zusätzlich zu einer uneigentlichen machen und ihr damit eine Doppelfunktion zuweisen[121]. Die folgenden Beispiele — nach äußeren Merkmalen in vier Gruppen geteilt — sollen das verdeutlichen. Betroffen sind sowohl indirekte als auch direkte Benennungen.

a) Einfaches adjektivisches Attribut

Die Abwesenheit der Ceres beim Raub ihrer Tochter motiviert Ovid in den Fasti dadurch, daß er Arethusa die Göttinnen zu geselligem Beisammensein einladen läßt:

frigida caelestum matres Arethusa vocarat. (F. 4.423)

Natürlich kann nur die Nymphe Arethusa eine Einladung aussprechen. Das Epitheton *frigida* bezieht sich aber auf die Quelle, nicht auf die

[119] Nur kurz erwähnt seien die Verse, in denen Ovid den Gott Ianus über den Torbogen ausfragt und dabei das Personalpronomen *tu* benutzt (F. 1.277) bzw. Ianus vom Bogen als von sich selbst spricht (F. 1.282).

[120] Die soeben unter 1.2 b und c behandelten Fälle mögen dadurch, daß der sinnentscheidende Begriff nur einmal genannt, jedoch in zwei Gedanken vorausgesetzt wird, an das recht vielgestaltige σχῆμα ἀπὸ κοινοῦ erinnern. Es bleibt freilich der Unterschied in der Form (der Begriff wird für die zweite Aussage nicht ausgelassen, sondern durch ein Pronomen ersetzt; anders nur Hor. Sat. 2.2.124, s. o.) und die inhaltliche Besonderheit (Wechsel der Identitätsstufe); s. dazu U. v. Wilamowitz, Komm. zu Eur. Her. Bd. 3 S. 62 (= zu v. 237), und vor allem F. Leo, Analecta Plautina I (= Ausgewählte Kleine Schriften I) 71—122.

[121] O. Gross 303 beschreibt diesen Benennungstypus so: „Quae translatio saepe non eiusmodi est, ut cogitatio dei plane evanuerit resque, cui deus praeest, sola intellegatur. Potius saepissime nomen dei eo modo ad rem transfertur, ut simul et de deo et de re cogitetur. Quaedam notionum dei et rei, cui deus praeest, confusio saepenumero iam ita oritur, ut deo adiectivum non deo, sed rei conveniens addatur, quamquam poeta non rem, sed deum ipsum animo cogitat".
Die hier behandelten Attribute haben also eine weiterreichende Funktion als die sogenannten „Aktualisierungsattribute" (s. H. Lausberg § 581; Typ: *mea venus*, wobei *venus* nur metonymisch zu fassen ist; *mea* unterstreicht, „aktualisiert" die Uneigentlichkeit seines Bezugswortes).

Nymphe. Das Subjekt *Arethusa* hat also die Funktion, die Handlungsträgerin auf einer anthropomorphen Identitätsstufe vorzuführen, zugleich aber Gegenstand einer Charakteristik ihres Bereiches, eben der Quelle, zu sein. Diesen — gewissermaßen parenthetischen — Nebengedanken, der ein Umdenken auf die andere Identitätsstufe erfordert[122], steuert das Attribut bei.

Ebenso bittet Syrinx, als sie fliehend zum Ladon kommt, ihre Schwestern um Verwandlung. Die Schwestern sind auf einer höheren Identitätsstufe stehend zu denken, weil Syrinx in ihrer Bitte die Handlungsfähigkeit der Nymphen voraussetzt. Sie habe, so berichtet Mercurius,

ut se mutarent, liquidas orasse sorores. (M. 1.704)

Der Zusammenhang bestimmt die *sorores* als eigentlichen Ausdruck. Das Attribut dagegen weist auf deren Quellnatur hin.

Von Iuturna, der Tochter des Tiberis, die vor Iuppiters Liebe flieht, sagt Ovid, sie habe sich im Gesträuch versteckt oder

nunc in cognatas desiliebat aquas. (F. 2.588)

Sie taucht also einfach im Wasser unter. Durch „*cognatas*“ weist Ovid darauf hin, daß das Wasser des Flusses auf der polaren Identitätsstufe als Flußgott mit Iuturna verwandt ist. Das Attribut trägt den Nebengedanken, für den *aquas* metonymisch zu verstehen ist[123].

Ganz entsprechend irrt Io durch *cognata flumina* (Her. 14.101), wird Orithyia Gattin *gelidi tyranni* (M. 6.711)[124], ist Diana durch *fraternis flammis* ermattet (M. 2.454): Die Sonnenhitze hat sie müde gemacht, und Sol-

---

[122] Das Kriterium der Eigentlichkeit entfällt bei Arethusa, weil ein Unterschied in der Benennung der Identitätsstufen nicht besteht. Allerdings zwingt der Kontext, die eine Benennung Arethusa auf zwei gemeinte Identitätsstufen zu beziehen. Das ist gedanklich der gleiche Vorgang wie bei der uneigentlichen Benennung, wo — um es auf eine Kurzformel zu bringen — eine sprachliche Ausgangsform einer inhaltlichen Zielvorstellung gegenübersteht; beide können nur durch Transformation der Identitätsstufe miteinander in Einklang gebracht werden. Nun läßt sich bei Arethusa lediglich nicht entscheiden, welche Identitätsstufe sprachlich als Ausgangsform betrachtet werden soll, während sachlich jene Transformation erforderlich ist. Diese Erwägungen scheinen es mir zu rechtfertigen, daß die vorliegende Stelle in diesem Abschnitt nicht übergangen wird.

[123] Ich halte es nicht für korrekt, das Attribut, das nur durch ein Substantiv inhaltliches Leben erhalten kann, als „metonymisch“ zu bezeichnen. Es bewirkt doch vielmehr den inhaltlichen Wechsel der Identitätsstufe seines Bezugswortes, es ist nicht selbst uneigentlich, sondern macht das im Hauptgedanken eigentlich gebrauchte Substantiv im Nebengedanken zu einer uneigentlichen Benennung.

[124] Die Beifügung „*gelidus*“ geht auf den Charakter des frostigen Nordwinds. In den Übersetzungen von G. Lafaye („du roi des frimas“) und von H. Breitenbach („des eisigen Fürsten“) kommt das gut zum Ausdruck.

Phoebus-Apollo ist, so schmückt Ovid die Stelle aus, Bruder der Luna-Phoebe-Diana[125].

Lateinischer Dichtung aus vorovidischer Zeit ist eine ganze Reihe von Parallelstellen zu entnehmen:

Hor. c. 1.4.7—8 *(Volcanus ardens)*, c. 1.7.12 *(Albunea resonans)*, c. 3.4.73 *(iniecta Terra)* sowie als Sonderfall c. 1.3.2—3 (*fratres Helenae*, *lucida sidera*; das adjektivische Attribut wird durch eine Apposition vertreten).

Verg. A. 2.387—388 *(prima Fortuna)*, A. 2.418—419 *(spumeus Nereus)*, A. 5.738 und bes. 5.835—836 *(Nox umida)*, A. 6.141—142 *(pater omnipotens clarus)*.

Prop. 1.1.33—34 *(nostra Venus)*, 1.9.23 *(nullus Amor)*, 2.24.22 *(tuus Amor)*, 3.19.14 (Tyro und Enipeus: *quae voluit liquido tota subire deo*; die Raffinesse dieses Verses liegt in der pikanten Ambivalenz aller sinntragenden Ausdrücke: der Geliebte ist ebenso zweideutig benannt wie der Wunsch Tyros).

Cat. 66.44 *(progenies Thiae clara)*[126].

b) Einfaches substantivisches Attribut

In der Elegie Am. 2.9 bittet Ovid den Gott Amor, seine *militia* beenden und in den Ruhestand treten zu dürfen, der er doch

qui totiens merui sub AMORE puellae. (Am. 2.9.23)

Das *merere* läßt zunächst an die bekannte *militia*-Metapher denken: Der Dichter dient als Soldat im Lager Amors, der sein *dux* ist. Andererseits kann der attributive Zusatz *puellae* nur *amor* als Liebesleidenschaft meinen, die je nach Objekt (hier der Gen. obi. „*puellae*") verschieden ist, während Amor als Dienstherr des Liebenden für einmalig und individuell zu gelten hat. Die spezifizierende Kraft des Attributs schafft einen so starken Widerspruch zu der Vorstellung vom Gott Amor, daß die attributive Aussage sich nicht mehr als erläuternder Nebengedanke, der eine Zusatzinformation gibt, auffassen läßt, sondern gewissermaßen rivalisierend neben die vom Prädikat nahegelegte Auffassung tritt. Es entsteht der Eindruck logischer Unentwirrbarkeit, Ovids *brevitas*[127] führt zu einer komisch anmutenden Überlagerung der zugrundeliegenden Gedanken: Dienst unter Amor, der als *amor* ein *amor puellae* gewesen ist.

---

[125] Vergleichbar Ib. 212: Mercurius, der übrigens seinerseits metonymisch für den Planeten steht, wird dort als Sohn der *lucida Maia* bezeichnet; das Attribut weist auf die spätere Verstirnung der Geliebten Iuppiters hin. Hier vertritt die Metamorphose den Wechsel der Identitätsstufen, der für die oben behandelten Fälle kennzeichnend war.

[126] Nicht hierher zähle ich die Verwendung des Attributs *caeruleus* für Wassergottheiten (z. B. Prop. 2.9.15, Tib. 1.5.46), da diesen Göttern auch dann, wenn sie anthropomorph dargestellt sind, gern bläuliche Färbung zugedichtet wird (vgl. etwa Ovids Acis M. 13.895).

[127] Das ist die Doppelfunktion, sowohl IS 1 als auch IS 5 in zwei verschiedenen Gedanken bezeichnen zu müssen, die Ovid dem „*AMOR*" zumutet.

Aus früherer Dichtung weiß ich nur zu nennen: Verg. A. 3.331 (*scelerum Furiis agitatus Orestes*[128]).

c) Erweitertes Attribut[129]

Für ihre Deutung des Monatsnamens Mai beginnt Calliope zu Anfang des fünften Fasten-Buches mit der Hochzeit der Eltern Maias:

> *duxerat Oceanus quondam Titanida Tethyn,*
> *qui terram liquidis, qua patet, ambit aquis.* (F. 5.81—82)

Der attributive Relativsatz charakterisiert das Weltmeer, wie *ambit* zeigt[130]. Somit gilt der Hauptsatz dem verehelichten Gott, der Nebensatz seinem Element[131].

Ganz ähnlich kennzeichnet ein Relativsatz den Morgenstern. Ceyx, Sohn des Lucifer, meint aber den Vater seines Bruders, wenn er sagt, Daedalion sei

> *... illo genitore creatus*
> *qui vocat auroram caeloque novissimus exit.* (M. 11.295—296)

Als vorovidische Metonymien dieser Spielart seien angeführt:

Verg. G. 4.371—373 (Eridanus)[132], A. 5.721 (Nox), A. 12.76—77 (Aurora).

Tib. 2.5.75—76 (Sol).

Cat. 64.30 (*Oceanusque, mari totum qui amplectitur orbem*; vgl. die oben besprochene Ovid-Stelle sowie Anm. 130).

---

[128] Zur Denkweise, die dieser Junktur zugrunde liegt, sei auf den Kommentar von Conington-Nettleship verwiesen (weiteres Material ebendort).

[129] Ein erweitertes Attribut liegt F. 5.112 vor, wo der Aufgang des Sternbildes Capella erwähnt wird:

> *stella est (sc. videnda) in cunas officiosa Iovis.*

Die Aussage der Beifügung betrifft die Ziege als Amme Iuppiters, sie ist Gegenstand des attributiven Nebengedankens. Der Hauptgedanke meint das Sternbild, ihm entspricht der sprachliche Ausdruck (*stella*). Somit hat *stella* für das Attribut metonymische Bedeutung, zwar hier nicht im Sinne eines Wechsels der Identitätsstufe, aber doch als Notwendigkeit, die Ausgangsgestalt der Ziege anstelle ihrer verwandelten Erscheinung, also des Gestirns, zu verstehen.

[130] Zu dem berühmten (aber vielleicht nicht unmittelbaren) Vorbild Aisch. Prom. 138—140 (τοῦ περὶ πᾶσάν θ' εἱλισσομένου/χθόν' ἀκοιμήτῳ ῥεύματι παῖδες/πατρὸς 'Ωκεανοῦ) s. u. Anm. 196.

[131] In der Einleitung zum II. Teil wird gezeigt werden, daß man in der Regel nicht berechtigt ist, aus einem Instrumentalis wie *liquidis aquis* zu schließen, der Gott lenke sein Element. Vielmehr handelt es sich um einen häufigen Pleonasmus (vgl. H. Lausberg § 502).

[132] Die Verse lauten:

> *et gemina auratus taurino cornua vultu*
> *Eridanus, quo non alius per pinguia culta*
> *in mare purpureum violentior effluit amnis.*

Allerdings würde der Zusammenhang (s. bes. v. 366—373) es auch rechtfertigen, wenn man der elementaren Gestalt Priorität gäbe.

d) Adverbiale Bestimmung

In sehr vielen Fällen werden die Benennungen für kosmische Gottheiten, insbesondere Aurora und Sol, durch Ordinalia oder semantisch verwandte Adjektive (*proximus*, *crastinus* u. a.) näher bestimmt und als Terminbezeichnungen verwendet. Wenn z. B. Actaeon zu seinen Gefährten am Abend sagt, die Jagd solle fortgesetzt werden,

> ... *altera lucem*
> *cum croceis invecta rotis aurora reducet.* (M. 3.149—150)

so meint er damit, daß am folgenden Morgen weiter gejagt werden solle. Die Terminbezeichnung kann dabei ihrerseits eindeutig metonymisch sein, so in dieser Datumsbestimmung für den 6. März:

> *sextus ubi Oceano clivosum scandit Olympum*
> *Phoebus et alatis aethera carpit equis.* (F. 3.415—416)

Die gemeinte Wirklichkeit wird durch das Ordinale bzw. das entsprechende Adjektiv zweifelsfrei bestimmt. Die Himmelskörper sind gemeint, sie stehen wiederum metonymisch als Symbole der Zeiten (Tag, Morgen, Abend usw.), mit denen sie naturgesetzlich verbunden sind. Die zusätzlichen — im weitesten Sinne adverbialen — Bestimmungen wie *alatis equis* oder *croceis invecta rotis*[133] sind nun in bezug auf das Gemeinte — also die Terminbezeichnung — Träger schmückender Nebengedanken, für die wiederum der Gott logisches Subjekt ist. Für die Stelle F. 3.415—416 heißt das: Der Hauptgedanke nennt den Gott und meint den Tag (= Metonymie); der Nebengedanke denkt den im Satzgefüge als Subjekt genannten Gott und meint auch den Gott. Wenn er aber den Gott denkt, nimmt er eine Reinterpretation der für den Hauptgedanken inhaltlich als gültig erkannten Identitätsstufe vor: Dort stand Phoebus uneigentlich für „Tag", hier muß eine Rückdeutung auf den Gott vorgenommen werden[134].

Diese recht komplizierten Verhältnisse ergeben sich durch das Streben nach verschiedenartigsten Kombinationen von Vorstellungen und Einzelzügen, das der *variatio* dient. Es findet sich namentlich in den Fasti häufig, in denen besonders viele Daten anzugeben waren[135].

---

[133] Die Grenze zum erweiterten Attribut ist fließend. Der Frage der Abgrenzung soll hier nicht besonders nachgegangen werden, da es sich dabei um ein rein formales Gliederungskriterium handelt.

[134] Sprachlich normal ist für den Vorgang der Metonymie der *an sich uneigentliche Ausdruck*. Hier liegt der Metonymie ein *durch Vorverständnis des Hauptgedankens uneigentlich aufgefaßter Ausdruck* zugrunde, der — absolut betrachtet — für den Nebengedanken der eigentliche Ausdruck ist.

[135] Für diesen Abschnitt seien genannt F. 4.713—714, F. 1.461, mit Übergreifen auf das Prädikat (also schon halb allegorisch) F. 2.73—74, F. 5.159—160.

Eine adverbiale Bestimmung, die formal zum konzessiven Nebensatz erweitert ist, findet sich in Leanders Brief an Hero. Leander wendet sich direkt an Boreas, der das Meer aufpeitscht und wohl noch schrecklicher wüten würde, wenn er nicht selber Liebe erfahren hätte (Her. 18.39—40):

tam gelidus quod sis, num te tamen, improbe, quondam
ignibus Actaeis incaluisse negas? (Her. 18.41—42)

Der Nebensatz meint den kalten Wind, die Aussage des Hauptsatzes gilt dem Gott und dessen Liebe zu Orithyia. Der Gegensatz zwischen eisigem Nord und Liebesglut des Gottes ist natürlich sehr wirkungsvoll, und zwar eben deshalb, weil beide „Temperaturen" unterschiedlichen Identitätsstufen gelten und damit eigentlich inkommensurabel sind[136].

Aus früherer Dichtung verdient Verg. A. 4.584—585 erwähnt zu werden. Eine Reihe ähnlicher, aber in jeweils einer Aussageebene nicht verläßlich deutbarer Stellen (z. B. Verg. G. 4.544 und 552, A. 5.64—65 und 104—105 oder Prop. 1.10.8) ließe sich anfügen.

2. *Entlehnung eines Gedankens (Allegorie)*

Die Möglichkeiten uneigentlicher Benennung sind nicht auf einzelne Begriffe oder Begriffsgruppen innerhalb eines Gedankens beschränkt. Es kommt vor, daß Sinnzusammenhänge oder Handlungsabläufe auf Grund ihrer sprachlichen Gestalt der einen Identitätsstufe zu gelten scheinen, vom Inhalt her aber sinnvoll nur auf die andere Identitätsstufe bezogen werden können. In diesem Fall ist der gesamte Gedanke uneigentlich gemeint[137]. Wie bei den Metonymien stehen ein vordergründiger, scheinbar gemeinter und ein wirklich gemeinter Sinn einander gegenüber. Jener ist das sprachliche Mittel, das zu diesem führen soll. Zur Kenntnis des wirklich Gemeinten führt die Interpretation des Kontextes. Sie hebt den Hauptgedanken der Ernst-Ebene (Lausberg § 893) gegenüber dem Nebengedanken der Spiel-Ebene (Lausberg, *ibid.*) hervor.

Kommen wir noch einmal zur Arethusa, die Ovid als Ziel einer Reise nennt (s. o. S. 49):

nec procul hinc nymphe, quae, dum fugit Elidis amnem,
tecta sub aequorea nunc quoque currit aqua. (P. 2.10.27—28)

---

[136] Zum Motiv des Temperaturgefälles bei verliebten Naturgottheiten s. u. Kap. II B 12 und 23.

[137] Es scheint mir sinnvoll, mit H. Lausberg § 571 von einer Allegorie zu sprechen, zu der die Erweiterung der mythologischen Metonymie führen kann. Über Allegorien handelt Lausberg § 895—901. Er nennt für die Gedanken-Tropen die gemeinte außersprachliche Wirklichkeit „Ernst-Ebene, in der die wahre *voluntas* gemeint ist", während er den uneigentlichen sprachlichen Ausdruck der „Spiel-Ebene, in der eine andere *voluntas* vordergründig gemeint ist" (§ 893), zuweist. Die Allegorie steht zum gemeinten Ernst-Gedanken ebenso in einem Vergleichsverhältnis wie die Metapher zum Einzelwort.

Unbestritten dürfte sein, daß Ovid den Quell meint: Ihn hat er mit Macer besucht. Der sprachliche Ausdruck ist aber — fast — ganz mythologisch: Die Nymphe, bereits zu Wasser zerflossen, flieht unterirdisch vor dem Alpheus und kommt auf Sizilien als Quell zum Vorschein; so hatte Ovid schon M. 5.639—641 erzählt. Daß der Dichter mit dieser Charakteristik den Quell beschreiben will, zeigt das *nunc quoque*. Einst sei die verwandelte Nymphe Arethusa, wie das bekannte Aition lehre, unterirdisch von Elis nach Sizilien geflohen, und diesen Weg lege der Arethusa-Quell seitdem bis auf den heutigen Tag zurück. Das *nunc quoque* gehört der Ernst-Ebene an, man könnte in ihm das „Relikt" eines vordem eigentlich formulierten Gedankens sehen. Die Nymphe flieht heute nicht mehr vor Alpheus, aber das Wasser fließt — nach antikem Glauben — noch immer jene lange Strecke unter dem Meer hindurch. — Übrigens zielt die vordergründige Aussage der Allegorie weiter als nur auf eine reizvolle Verschlüsselung des wirklich Gemeinten um ihrer selbst willen. Das rastlose, hastige Sprudeln der Quelle wird durch das Motiv der Flucht sehr anschaulich erklärt, indem ein zwingender Grund für die Eile aufscheint. Beide Aussageebenen ließen sich aitiologisch gut miteinander verbinden[138], und nicht zuletzt wird Ovid bestrebt gewesen sein, zugleich seine mythologische Gelehrsamkeit auszubreiten.

Eine Reihe weiterer Allegorien sei nur kurz erwähnt. Amphitrite, die M. 1.13—14 ihre Arme um die Erde streckt, steht für das Meer, dessen Fluten das Festland umgeben. — Ein Mädchen solle, um zu gefallen, lieber trinken als essen; Amor passe gut zu Bacchus (AA 3.762), was in dem Zusammenhang AA 3.757—762 nur allegorisch zu verstehen ist. — Medea kommt in dem inneren Kampfe mit ihrem Gefühl für Iason an einen Punkt, wo die Liebe bereits rationalen Erwägungen zu unterliegen scheint (M. 7.73): . . . *et victa dabat iam terga Cupido.* — Zeigt jemand eine freundliche Miene, dann, so sagt der Dichter allegorisch, sei das für Amor ein Vorspiel, das er bald schon lasse, um spitzere Pfeile hervorzuholen (AA 3.515—516). — Der Gedanke, Cupido sei unstet und wetterwendisch und „viel mehr ein Spiel des Windes" (LENZ) als seine Flügel[139], wird ebenfalls in erster Linie als uneigentlich zu gelten haben (Am. 2.9. 49—50). — Ebenso steht es mit der Bemerkung, Venus wolle ihre *sacra* verschwiegen wissen (AA 2.607—610). — Entsprechend muß auch die Feststellung verstanden werden, Amor und Venus dürften keinen Sold

[138] Den Grund dafür, daß die Quelle heute so fließt, nennt der Mythos, der erzählt, warum sie einst so zu fließen genötigt wurde.

[139] Eine unvollständige Allegorie, da sowohl in der vordergründigen als auch in der wirklich gemeinten Sinnebene die Flügel des Gottes verstanden werden müssen.

verdienen (Am. 1.10.19—20), da sie *imbelles dei* seien[140]; Ovid leitet die Unnatürlichkeit bezahlter Liebe über die Götterallegorie ab. — Wenn Elegia von sich sagt

rustica sit sine me lascivi mater Amoris (Am. 3.1.43)

wird sie kaum die Göttin Venus meinen[141], sondern vielmehr die Liebe (*mater Amoris* wiederum indirekte uneigentliche Benennung), die durch die Elegie kultiviert wird[142].

Ein Blick auf die römischen Autoren vor Ovid zeigt, daß der beschriebene Gedanken-Tropos gern verwendet wurde. Genannt seien:
Hor. c. 1.4.13—14, 1.17.22—24; c.s. 29—32.
Verg. Buc. 1.27—30, 6.2; G. 2.282—283, 2.325—327; A. 1.294—296.
Prop. 3.6.34. — Lygd. 3.6.57 *(Naida Bacchus amat)*.
Die Liste ließe sich erweitern.

Abschließende Bemerkungen zum I. Teil

Überblickt man die Untersuchung des I. Teils, so fällt zunächst auf, wie vielfältige Wege Ovid findet, Gottheiten uneigentlich zu benennen. Dabei ist die schlichte direkte Göttermetonymie nur durchschnittlich häufig vertreten. Sie war für Ovid gewiß am wenigsten reizvoll. Mehr Freude hat er offenbar immer dann an uneigentlichen Benennungen gehabt, wenn sie flüchtiges Lesen erschweren oder sich mit ihnen eine besondere Wirkung erzielen ließ.
Unter den Gründen für die Benennungspraxis Ovids kommt der Befriedigung intellektueller Bedürfnisse hervorragende Bedeutung zu. Die Gedankengänge, die nachvollzogen werden müssen, sind z. T. recht kompliziert. Ovid verlangt von seinem Leser, zwei in einen sprachlichen Ausdruck gepreßte Aussageebenen voneinander trennen, die Information beider aufnehmen und außerdem deren Funktion im Zusammenhang

---

140 Die Folgerung ist allegorisch gemeint, wie der Kontext zeigt, während der Prämisse die Entsprechung in der Ernst-Ebene fehlt (sie wäre zum mindesten nur gewaltsam konstruierbar).

141 Anders F. W. Lenz z. St.; er verweist auf das Am. 3.12 entwickelte Motiv, „daß es die Dichter sind, die die Taten der Götter und Heroen erfinden und gestalten".

142 Nur am Rande soll die bekannte Bacchus-Amor-Szene AA 1.231—236 (man wird aber auch 229—230 und 237—244 stärker berücksichtigen müssen, als das bisher geschehen ist) erwähnt werden. Eine überzeugende Interpretation dieser schwierigen Stelle ist bislang nicht gefunden. Manches hat E. J. Kenney ClQ 1959, 244—246, sicher richtig gesehen, doch gelingt ihm eine befriedigende Lösung besonders der Verse 235—236 ebensowenig wie F. W. Lenz (Komm. z. St.). Ernst- und Bildebene sind nicht klar voneinander zu scheiden, so daß ich mich Kenneys Urteil, Ovid sei es nicht gelungen, „das innerlich Gesehene ganz klar auszudrücken" (Lenz), anschließen muß. Lenz hält die Dunkelheit für gewollt und dem Zwielicht des Gelages angepaßt.
Allegorischen Sinn haben auch die Aussagen, die in der Epistel P. 3.3 über Amor gemacht werden. Sie gelten der Harmlosigkeit von Ovids Ars amatoria.

richtig gewichten zu können (Scheidung von Hauptgedanken und Nebeninformation)[143].

Als weiterer wichtiger Grund für den bevorzugten Gebrauch verschiedenartiger Metonymien ist der Gewinn zusätzlicher Information zu nennen. Da neben dem kraft Metonymie (oder Allegorie) Gemeinten die vordergründige Bedeutungsebene des sprachlichen Ausdrucks vermöge dessen absolutem eigentlichem Wert verständlich und präsent bleibt, übernimmt dieser eine semantische Doppelfunktion. Er trägt den Hauptgedanken und fügt diesem eine zusätzliche Information bei, die etwas Neues oder Wissenswertes mitteilt oder an Bekanntes erinnert. Solche Hinweise und Reminiszenzen können sich direkt auf den Kontext beziehen oder allgemeiner Art sein, etwa zum Zweck poetischer Ausschmückung (der Autor kann sich als *poeta doctus* zeigen).

Fernerhin fallen die zahlreichen grotesken Effekte auf, die durch die sachliche Diskrepanz zwischen den Aussagen von Spiel- und Ernst-Ebene entstehen. So mancher Gott erleidet auf diese Art Einbußen seiner Würde, die Göttlichkeit anderer wird gar völlig *ad absurdum* geführt.

Zu erwähnen bleibt schließlich, daß Kürze im Ausdruck und kompositorische Vorteile (Nennung zweier Motive bei gleichzeitiger Einheit der Apostrophe z. B. Am. 2.9) ebenfalls eine Rolle spielen. Viele Fälle sind vor allem durch das Bemühen um poetische Variation zu erklären, das besonders die kosmischen Götter (Häufigkeit der Nennungen von Daten und Tageszeiten!) betrifft.

Methodisch hat sich die oben durchgeführte Spezifizierung des Phänomens der Uneigentlichkeit als nützlich erwiesen: Sie ließ einerseits die Vielfalt metonymischer Benennungen, die für Ovids Werk so bezeichnend ist, deutlich werden; zum zweiten erleichterte sie einen fruchtbaren Vergleich mit den poetischen Gepflogenheiten anderer Dichter. Ein weiterer Vorteil unseres Verfahrens besteht darin, daß man mit dem verwendeten terminologischen Instrumentarium auch komplizierte uneigentliche Benennungsweisen knapp und eindeutig beschreiben kann.

---

[143] Gewiß geschieht das bei den meisten Lesern eher intuitiv und nicht über den Weg analytischer Reflexion, den der Philologe zu beschreiten hat. Doch wie dem im Einzelfall auch sei: Die Texte rechnen mit einem Publikum, das imstande ist, gleichzeitig verschiedene Sinnebenen zu beobachten.

Vgl. auch H. Lausbergs Bemerkung (§ 556): „Die Zumutung des Verständnisses an das Publikum bedeutet die Aufforderung zur aktiven (verständnisentschlüsselnden) Teilnahme des Publikums an der Schöpfung des Werkes. Damit erkennt der Dichter das Publikum als dem Dichter und der Dichtung ebenbürtig an: damit geht das Werk in das Publikum ein".

Zweiter Teil

Nach der sprachlichen Analyse des I. Teils, in der untersucht wurde, wie Ovid die jeweils gemeinte Identitätsstufe eines Gottes oder eines Funktionsbereichs benennt, welche Wirkungen er damit erzielt und welche Absichten er verfolgt, soll nun eine Handlungsanalyse vorgenommen werden, deren Aufgabe es ist zu zeigen, welcher Identitätsstufen Ovid und frühere Dichter sich bedient haben, wenn es galt, Naturgottheiten eine aktive Rolle am Geschehen zu übertragen[144]. Dabei soll denjenigen Schilderungen, innerhalb derer unterschiedliche Identitätsstufen in Beziehung zueinander treten, besondere Aufmerksamkeit gelten.

Der II. Teil ist das Kernstück der vorliegenden Arbeit. Entsprechend dem I. Teil zerfällt er in zwei Abteilungen (A und B). Er umfaßt eine Reihe von Einzelinterpretationen, die — ausgenommen einzig die diachrone Synopse in II A 2 — jeweils zu geschlossenen Kapiteln zusammengefaßt sind. Die Fülle des in Abteilung B (Konfrontation von Identitätsstufen) vereinigten Materials ließ dort eine zusätzliche Gliederung in fünf Abschnitte sinnvoll scheinen.

Da der II. Teil sich mit der Interpretation meist längerer Episoden auseinanderzusetzen hat, ist vor allem er die geeignete Heimstatt für eine Behandlung der mit integrativer Grundanschauung verbundenen Problematik; bedarf es doch, um Identitätsstufe 3 überzeugend nachzuweisen, stets eines Kontextes, der die Verbindung elementarer Körperlichkeit mit anthropopsychen Eigenschaften hinreichend deutlich macht. Außerdem sollen im II. Teil alle ausführlichen Schilderungen von Naturgottheiten, die sich bei Ovids Vorgängern finden, ebenso eingehend untersucht werden wie die des Dichters aus Sulmo. Wenn dennoch in erster Linie von Ovid zu reden sein wird, so liegt das schlicht an der Tatsache, daß er Identitätsstufen wesentlich häufiger miteinander konfrontiert als sämtliche Dichter, deren Werke auf uns gekommen sind, vor ihm.

---

[144] Die Informationen, die von Benennungen (I. Teil) vermittelt werden, nähern sich zuweilen qualitativ den Handlungsschilderungen (II. Teil); das gilt insonderheit für die oben unter I B 1.3 behandelten Stellen (vor allem für erweiterte Attribute). Andererseits bleiben sie dabei in aller Regel bloß beschreibender Natur, statisch, keinem Wechsel unterworfen, von keiner aktuellen Handlung berührt.

Vorab ist jedoch die Frage zu umreißen, wann überhaupt der Begriff Konfrontation sinnvoll verwendet wird. Denn ohne Zweifel gibt es recht unterschiedliche Wege, auf denen Identitätsstufen zusammengeführt werden können, so daß eine qualitative Gradation solchen Aufeinandertreffens angezeigt scheint. Zunächst seien jene ganz neutralen Passagen erwähnt, die sich damit begnügen, einen anthropomorphen Gott neben seinem Element zu nennen, ohne zwischen beiden einen Handlungsbezug herzustellen. Sodann sind diejenigen Stellen zu bedenken, welche, ebenfalls analytischer Grundposition verhaftet, einen mittelbaren oder unmittelbaren Kontakt zwischen den beteiligten Identitätsstufen schildern; freilich müssen die entsprechenden Situationen als durch analytische Sehweise legitimiert gelten; man könnte von naheliegender, „normaler" Opposition der polaren Seinsformen sprechen. Dagegen heben sich dann, drittens, die Szenen ab, an denen Identitätsstufen einander ohne Rücksicht auf die Einheitlichkeit der einmal gewählten Grundanschauung ablösen. Bei solchen willkürlichen Konfrontationen im engeren Sinne treten fast zwangsläufig jene Ungereimtheiten zutage, denen das besondere Interesse dieser Arbeit gilt.

Schließlich ist noch eines vierten konfrontierenden Verfahrens zu gedenken. So stehen Gott und Bereich sich formal an Stellen wie der folgenden gegenüber:

donec ab Iliaca placidus purgamina Vesta
detulerit flavis in mare Thybris aquis. (Ov. F. 6.227—228)

Dennoch ist es nicht nur nicht beweisbar, es ist auch recht unwahrscheinlich, daß der Flußgott anstehende Transportaufgaben an sein Element delegiert habe. Dergleichen begegnet ungemein häufig: Ein Quell läßt sein Wasser sprudeln, Sol dörrt die Erde mit seinen Strahlen, da rauschen die Wellen eines großen Flusses. Wir haben hier Pleonasmen vor uns, die das handelnde Subjekt durch einen zweiten Begriff, der als abgewandelter Satzteil (Objekt, instrumentale Bestimmung, periphrastischer Genetiv[145]) erscheint, wiederholen. Solche Pleonasmen dienen zuweilen der Anschaulichkeit[146], doch sind sie meist funktionslos. Sie dürfen keinesfalls zu dem vor-

[145] Vgl. dazu bes. H. Lausberg § 502—503 (Pleonasmus), § 580—581 (Antonomasie) und § 589—598 (Periphrase). Über Genetivverbindungen des Typs „*flumen Acheloi*" handelt F. Bömer, Komm. zu Ov. M. 2.78; er vermutet in solchen Fügungen eine Sonderform des Genetivus definitivus.

[146] Darum poetischer Sprache willkommen, wenngleich keinesfalls auf sie beschränkt. Der Leser hat ein plastischeres Bild vor Augen, wenn ein Fluß *rapidis undis* einherströmt, als wenn er einfach *rapide* flösse. Die *undae* lösen die Bewegung in eine Vielzahl kleinerer Bewegungsmomente auf, deren jedes als *rapida* gekennzeichnet ist. Der Eindruck reißender Kraft wird somit verstärkt.
Die *adiectio* kann dem *ornatus* dienen oder ein *vitium* sein (Pleonasmus im engeren Sinne); s. dazu H. Lausberg § 502—503.

eiligen Schluß verleiten[147], Gott und Element seien als jeweils selbständiges Wesen gedacht, deren eines auf das andere einwirke.
Überblickt man alle diese Gegenüberstellungen unterschiedlicher Seinsformen, so empfiehlt es sich, für das Folgende alle jene Fälle, in denen entweder die handlungstragende Identitätsstufe gewechselt wird oder aber zwei Identitätsstufen einer Naturgottheit Kontakt miteinander aufnehmen („Oppositionen"), als Konfrontationen im weiteren Sinne zusammenzufassen. Ihnen wird die Abteilung B des vorliegenden II. Teils gewidmet sein. Für Abteilung A bleibt somit alles, was im Sinne der Identitätsproblematik als konfliktfrei gelten darf.

A. Konzentration auf nur eine Identitätsstufe

Zunächst sollen Handlungsschilderungen untersucht werden, für die der Dichter jeweils eine Identitätsstufe wählt und diese konsequent bewahrt, mithin ein Zusammentreffen unterschiedlicher Identitätsstufen meidet. Hierher gehören vor allem die integrativen Darstellungen, die *a priori* keine sonstigen Seinsformen neben sich dulden. Aber auch auf analytischer Sehweise gründende Bilder tätiger Naturgottheiten sind in diese Abteilung einzureihen, sofern sie entweder die komplementäre Identitätsstufe unbeachtet lassen oder aber diese nur nennen, ohne einen konkreten Handlungsbezug herzustellen.
Innerhalb der folgenden Abteilung II A verdienen zwei Episoden, und zwar die Auftritte des iliadischen Skamandros sowie der Tellus Ovids, besondere Aufmerksamkeit. Beide sind ausführlich erzählt, aus beiden läßt sich manches Grundsätzliche lernen, beide haben als anschauliche Muster kompromißlos integrativer Grundposition exemplarischen Wert. Ihnen gehören die rahmenden Kapitel (II A 1 und 3). Weitere Schilderungen werden in einer Übersicht vorgestellt (Kapitel II A 2). Dabei sollen die von Identitätsstufe 3 getragenen Szenen in den Mittelpunkt rücken, weil sie modernem Denken am fernsten stehen und eben darum einer Erläuterung am ehesten bedürfen.

1) *Skamandros* Hom. Il. 21.7—384

Die nachstehende Übersicht über einige wichtige Handlungsschilderungen, welche, ein Zusammentreffen verschiedener Identitätsstufen der beteiligten Naturgottheiten meidend, der einmal gewählten Grundanschauung ge-

[147] Über weitere Gefahren der Fehldeutung war bereits in der Vorrede zum I. Teil, auf die hiermit verwiesen sei, zu handeln.

treulich folgen, soll der homerische Skamandros anführen. Das 21., μάχη παραποτάμιος überschriebene Buch der Ilias bietet die älteste längere literarische Darstellung einer Naturgottheit, die uns überliefert ist. Zusätzliche Bedeutung kommt der Episode dadurch zu, daß der Dichter[148] durch seine ausführliche und anschauliche Erzählweise dem Interpreten reiches Material an die Hand gibt. Schließlich vermag die Auseinandersetzung mit einer oft begegnenden abweichenden Deutung der Gestalt des Skamandros exemplarisch zu zeigen, welche Schwierigkeiten sich dem Betrachter auftun, der es unternimmt, die Vorstellungen antiker Dichter dort nachzuvollziehen, wo das Geschehen von Naturgottheiten bestimmt wird.

Die Kampfhandlung verlagert sich zu Beginn des 21. Gesanges ganz an den Skamandros. Achilleus drängt die Hälfte der flüchtenden Troer in den Fluß (7—16), wo er alsdann ein gräßliches Blutvergießen unter ihnen anrichtet (17—26). Nachdem er, des Mordens müde, zwölf Feinde für ein späteres Sühneopfer gefangengenommen und seinen Gefährten übergeben hat (26—32), wendet er sich wieder zum Fluß und trifft dort auf des Priamos Sohn Lykaon, den er tötet und mit höhnischen Worten in den Strom wirft (33—135): Nicht einmal der Fluß (ποταμός 130), dem die Troer doch so oft geopfert haben, werde diese vor seiner, des Peliden, mordenden Rache bewahren (130—132).

Diese Worte Achills erregen den Zorn des Flusses[149] (ποταμός 136), dessen Empfindungsvermögen hier erstmals ins Blickfeld gerückt wird (136); Skamandros erwägt, wie er Achilleus Einhalt gebieten und die Troer retten könne (137—138).

Bereits die nächste Gelegenheit nimmt der Flußgott daraufhin wahr, die troische Partei zu unterstützen. Als Achilleus auf Asteropaios, dessen Großvater der Stromgott Axios ist (141), trifft, beseelt Xanthos (146) den Führer der Paioner mit Mut, zornig über das Gemetzel, das der Grieche

---

[148] Auf das Problem unterschiedlicher Schichten, die in unseren Iliastext eingeflossen sind, kann im Rahmen dieser Arbeit ebensowenig eingegangen werden wie auf die damit verbundene Verfasserfrage. Der Einfachheit halber gehe ich im Folgenden davon aus, daß alle überlieferten Verspartien der Ilias einem Dichter zuzuschreiben seien: Homer. Wichtig ist für meine Zwecke nur, daß die behandelten Textteile als verhältnismäßig sehr alt zu gelten haben und seit hellenistischer Zeit kanonische Geltung besaßen.

Auch einige z. T. beträchtliche inhaltliche Schwierigkeiten, welche sich innerhalb der Skamandros-Episode finden, können hier nicht behandelt werden, zumal jene Anstöße auf die Beurteilung der Frage, welche Identitätsstufe des Gottes anzusetzen sei, kaum Einfluß haben; ein Hinweis auf Ameis-Hentze zu v. 217, zu v. 227 und 228 und zu v. 233, auf E. Hedén 23 sowie auf W. Leaf in seiner Einleitung zu Φ (S. 383—384) und zu v. 223 mag an dieser Stelle genügen.

[149] μᾶλλον ist, wie Ameis-Hentze z. St. richtig ausführen, steigernd als „immer mehr“ zu fassen: „Erzürnt war er schon vorher über die vielen Troer, die Achill in seinem Strome tötete: 146 f., dieser Zorn wurde jetzt gesteigert durch Achills übermütige Worte 130 ff.“.

m Fluß angerichtet hat (145—146). Asteropaios unterliegt jedoch, und der ieger läßt ihn am Strome liegen, wo Fische sich an die Leiche machen 200—204).

chills Nachruf auf den Getöteten (184—199) scheint in diesem Zuammenhange bedeutsam: Ausgehend von der Überlegenheit des Zeus iber alle Flüsse wird ein entsprechendes Kräfteverhältnis für Nachkommen les Olympiers einerseits sowie der Naturgottheiten auf der anderen Seite efolgert (190—191)[150]. Auch der große Fluß neben ihm (ποταμὸς μέγας 92) könne des Asteropaios Geschick nicht mehr wenden (192—193). Die olgende Tötung weiterer Paioner — sieben von ihnen werden namentich genannt (209—210) — veranlaßt den gereizten[151] und physisch belrängten[152] Strom, sich tätig handelnd in das Geschehen einzuschalten. Jach seiner Fähigkeit zu fühlen (136, 146, 212), zu planen (137) und einen Schützling durch göttlichen Impuls aufzurichten (145)[153] tritt nun eine Stimme, die eine Verständigung mit Menschen möglich macht, in Erscheinung (212—213): Skamandros fordert den Helden auf, das Genetzel im Flusse einzustellen und statt dessen das freie Feld als Kampflatz zu wählen (214—221).

ehr wichtig sind an dieser Stelle die Formulierungen, deren der Strom ich bedient, um seine eigene Identität zu benennen; die Mahnung, auf as Flußbett als Schlachtfeld zu verzichten, liest sich so (v. 217):

ἐξ ἐμέθεν γ' ἐλάσας πεδίον κάτα μέρμερα ῥέζε.

kamandros macht keinen Unterschied zwischen anthropomorpher Identiitsstufe und zugeordnetem Element: Seine Identität wird offenbar interativ gesehen. Die folgende Begründung, der geregelte Flußlauf ins Meer

---

[150] Achilleus streicht triumphierend heraus, daß sich dieses Kraftgefälle ganz konkret an ihm s Abkömmling des höchsten Gottes und dem unterlegenen Paionen als Enkel des Stromes xios beweise.

[151] Skamandros muß sich namentlich durch die übermütigen Worte des Achilleus 130—132 Reaktion des göttlichen Stromes: 136—138) sowie 184—199 herausgefordert fühlen. Daß in Zorn gegen den Peliden schon vor der Tötung Lykaons schwelte, zeigt μᾶλλον in Vers 136 . o. Anm. 149).

[152] Das aktive Eingreifen des Flußgottes in v. 212 ist bestens motiviert: Als Parteigänger der roer (s. Υ 40) muß er Achilleus' Wüten mindestens seit Beginn des Buches Φ, wo das Gehehen sich zum Strome verlagert, mit Argwohn verfolgen; die verbalen Ausfälle des Helden . o. Anm. 151) sind geeignet, des Skamandros Mißmut noch erheblich zu steigern; schließlich zwingt die physische Beengung eine klärende Reaktion: Scharen Erschlagener hemmen sein ementarstes Bedürfnis, hindern den Abfluß ins Meer. Dieses wichtige Motiv klingt 146—147 , 218—220 wird es von Skamandros selbst in aller Deutlichkeit genannt, steht sodann 235—38 im Vordergrund und wirkt noch in der veränderten Situation 301—302 und 325 nach.

[153] Zur (ursprünglich magischen) Übertragung von besonderen Eigenschaften und Fähigkeiten, ie Götter zugunsten auserwählter Menschen vorzunehmen fähig sind, s. W. Kullmann 68—81 nsere Stelle 21.145 ist dort auf S. 73 besprochen).

drohe durch die Menge stauender Leichen zu erliegen, stützt diese Auffassung (v. 218—220):

πλήθει γάρ δή μοι νεκύων ἐρατεινὰ ῥέεθρα,
οὐδέ τί πῃ δύναμαι προχέειν ῥόον εἰς ἅλα δῖαν
στεινόμενος νεκύεσσι, σὺ δὲ κτείνεις ἀιδήλως.

Weitere Belege dafür, daß Homer seinen Fluß als mit Fühlen und Wollen begabtes Element gesehen hat, vermittelt der Fortgang der μάχη παραποτάμιος überall dort, wo Skamandros aktiv am Geschehen beteiligt ist. Als Achilleus plötzlich in den Strom hinabspringt, reagiert dieser mit ungestümem Aufbrausen (v. 234):

. . . ὁ δ' ἐπέσσυτο οἴδματι θύων.

Der Fluß wirft die Toten ans Land (235—237). Das bewegte elementare Geschehen wird von der lebhaften daktylischen Bewegung des Verses 235 rhythmisch nachvollzogen[154] und akustisch durch den Vergleich mit einem brüllenden Stier (237) vergegenwärtigt[155]. Zugleich läßt der Strom den überlebenden Troern seinen Schutz angedeihen (238—239); nun kann er sich ganz den nötigen Maßnahmen gegen den lästigen Peliden hingeben.

---

[154] Darauf machen AMEIS-HENTZE z. St. mit Recht aufmerksam.

[155] Durch diesen Vergleich wird das Tosen der aufgebrachten Naturgewalt sinnlich greifba wiedergegeben. Zieht man die Bestimmung μεγάλῳ ὀρυμαγδῷ 256, welche den nachstürmen den Verfolger nochmals akustisch kennzeichnet, hinzu, wird vollends deutlich, daß Home offenkundig daran gelegen war, den brausenden Aufruhr des zornig Schwellenden auch hörba zu machen. Das Bild vom brüllenden Stier ist geeignet, sowohl die urtümlich-unartikulierte dumpf-kehlige Klangfarbe als auch die ungehemmte Lautstärke aufgewühlter Wassermassen zu malen. Die Vermutung, das Bild habe für den Dichter durch Kunsttradition, vorhomerische Epos oder einfach seine volkstümliche Verbreitung nahegelegen, ändert — von der prinzipiel zu erwägenden Möglichkeit subjektiver Neuschöpfung einmal abgesehen — nichts daran, da es ob seiner Anschaulichkeit die betrachtete Stelle hervorragend illustriert.
Wer den Vergleichscharakter des μεμυκὼς ἠύτε ταῦρος auf Grund der Häufigkeit tauromor pher Flußdarstellungen leugnet, beschreitet einen Irrweg. Der Ursprung solcher Stiergestalte mag zwar im wesentlichen auf jenen stimmlichen Vergleich zurückgehen*, die Folgerung je doch, mit der Gleichsetzung beider sei die frühere Form des Vergleichs fürderhin nicht meh praktikabel, entbehrt jeder Grundlage. Man wird daher die Behauptung, Skamandros sei ir Vers 237 als Stier vorgestellt (so offenbar AMEIS-HENTZE zu 237; M. P. NILSSON GGR I 23 zieht Stiergestalt der „Metapher" *(sic)* vor!), getrost als interpretatorische Sonderbarkeit ve nachlässigen dürfen; dies um so mehr, als die Konjunktion ἠύτε semantisch eindeutig ist un die Identifizierungstheorie sich auf keinerlei weitere Textstellen stützen kann.

* Dazu PRELLER-ROBERT I 548: „Die Veranlassung zu diesem Bilde bot ohne Zweifel di Natur des Stieres, sein Gebrüll und sein wilder und wühlender Lauf mit den stürmischen Be wegungen, da die Flüsse in Griechenland und den übrigen Gegenden griechischer Bevölkerun meistens Bergströme sind, die namentlich in der Regenzeit ihr Bett leicht verlassen und groß Verheerungen anrichten".
LEAF's kurze Notiz zu v. 237 ist wohl in eben diesem Sinne zu verstehen.
Vgl. ferner WASER 2780.10—15.
WILAMOWITZ GdH I 147 Anm. 2 mit richtiger Einschätzung unserer Stelle Φ 237: „Das is nicht eine Erinnerung an die Stiergestalt, die Homer nicht kennt, sondern das Brüllen lehr woran die Menschen wahrnahmen, daß der brüllende Fluß ein göttlicher Stier war".

Ein δεινὸν κυκώμενον κῦμα (240) beraubt Achilleus des festen Halts; er entwurzelt eine Ulme, staut mit ihr den Fluß, schwingt sich ans Ufer und sucht fliehend das freie Feld zu gewinnen (242—248). Der elementar gewaltige Gegner (θεὸς μέγας 248) bleibt dem Helden jedoch, „dunkel wogend", auf den Fersen (248—249):

> . . . οὐδέ τ'ἔληγε θεὸς μέγας, ὦρτο δ' ἐπ' αὐτῷ
> ἀκροκελαινιόων . . .

Einen flußgestaltigen Verfolger schildert auch der Vers 256:

> . . . ὁ δ' ὄπισθε ῥέων ἕπετο μεγάλῳ ὀρυμαγδῷ.

Den Eindruck integrativer Sehweise der handelnden Naturgottheit bewahrt der anschauliche Vergleich vom Wasser, das bei der Bewässerung von Pflanzungen und Gartenanlagen in die Kanäle geleitet wird und in diesen mit erstaunlicher Geschwindigkeit voranschießt (257—262); die Anwendung auf das epische Geschehen läßt des Dichters Vorstellung vom Skamandros besonders deutlich werden: Der wogende Fluß holt Achilleus ein, so schnell er auch laufen mag; denn der Fluß ist Gott, und Götter sind den Menschen ja überlegen (v. 263—264):

> ὣς αἰεὶ 'Αχιλῆα κιχήσατο κῦμα ῥόοιο
> καὶ λαιψηρὸν ἐόντα· θεοὶ δέ τε φέρτεροι ἀνδρῶν.

Auch wenn im Folgenden (265—271) Skamandros den Peliden zu Fall zu bringen trachtet — er überspült ihn von oben, prallt gegen die Knie und entreißt den Sand unter des Gegners Füßen —, findet sich kein Anhaltspunkt für eine Scheidung zwischen anthropomorpher Gottheit als Willensträger und dem Wasser als ausführendem Organ. Gleiches gilt für die Schilderung der Attacke 303—307, die den von Athene Gestärkten (304) nicht entscheidend zu treffen vermag, sowie des Ansturms 324—327, der den Myrmidonen endlich zu Boden gerissen sieht und Here zu einer Gegenmaßnahme veranlaßt (328—341), welche die elementare Existenz des Skamandros unmittelbar bedroht.

Als eindrucksvolles Zeugnis für eine Naturgottheit, die auf Identitätsstufe 3 vorgestellt wird und sich selbst ganz entsprechend schildert, mögen noch einige Worte des Stromes, die er seinem Bruder Simoeis zuruft, die gegebenen Belegstellen vervollständigen. Das Los des unterlegenen Peliden sieht der Gott so (v. 318—321):

> . . . κὰδ δέ μιν αὐτὸν
> εἰλύσω ψαμάθοισιν ἅλις χέραδος περιχεύας
> μυρίον, οὐδέ οἱ ὀστέ ἐπιστήσονται 'Αχαιοὶ
> ἀλλέξαι· τόσσην οἱ ἄσιν καθύπερθε καλύψω.

Skamandros gibt hier also vor, Handlungen zu beabsichtigen, die nur vom Wasser — oder eben von einem flußgestaltigen Gott — bewerkstelligt werden können.

Die Wahrscheinlichkeit, Homers Vorstellung vom Xanthos richtig gedeutet zu haben, wird von den abschließenden Ereignissen der Skamandros-Episode gestützt, die, als Folge von Hephaistos' wirkungsvollem Eingreifen, einen vollständigen Umschwung herbeiführen und den Strom schließlich zwingen, von seiner Unterstützung der trojanischen Partei zu lassen.

Hephaistos entfacht ein Feuer, das zunächst die Leichen im Feld verbrennt (342—349); alsdann wendet er die Flamme gegen den Fluß, dessen Uferbewuchs in Brand gerät (350—352) und dessen Fischwelt gequält wird (353—355); zuletzt brennt Skamandros selbst (356 καίετο δ' ἲς ποταμοῖο) und bittet Hephaistos um Einhalt, wobei er es sogar über sich gewinnt, sich für „künftig neutral" zu erklären (356—360).

Auf welche Weise die Flammen dem Flußgott zusetzen, erläutert ein recht sinnfälliges Bild: Wie im Kessel zerlassenes Fett unter einem starken Feuer kocht, so kocht Skamandros, von Glut bedrängt (362—365). Hitze läßt den Strom stocken (366): Die Körperlichkeit des Flusses wird angegriffen; wiederum ist es das Element, das man sich als sinnlicher Eindrücke und bewußter Handlungen fähig, mithin als unmittelbar göttliche Wesenheit vorzustellen genötigt sieht.

Die Episode findet ihren Abschluß darin, daß der bedrängte Flußgott für den Fortgang des Krieges Here strikte Neutralität zuschwört (369 bis 376) und dafür seiner Qual enthoben wird. Hephaistos löscht das gewaltige Feuer (381), und die Wasser fließen wieder ihrem Bett zu (382), des Xanthos Ungestüm hat sich gelegt (383).

Auf die insgesamt problemlose Deutung der Gestalt des Skamandros fällt indessen der Schatten ernsten Zweifels, wenn man die Formulierung des Verses 213 näher betrachtet. Dort wird gesagt, der Strom wende sich ἀνέρι εἰσάμενος an Achilleus. Dieser Wortlaut hat wiederholt als Begründung für die Auffassung gedient, der Pelide kämpfe bei Homer gegen einen menschengestaltigen Flußgott[156].

---

[156] Ich begnüge mich mit einer Auswahl wichtiger Darstellungen; Menschengestalt des Skamandros nehmen für Φ 213 bzw. die ganze μάχη παραποτάμιος folgende Autoren an: A. GERBER (1883) 256, 269 und 271 (sieht Xanthus Φ 213 in einer aus dem Fluß hervorragenden menschlichen Gestalt mythologisch individualisiert, ansonsten nehme er als natürlicher Fluß mithandelnd am Kampfe gegen die Griechen teil), LEHNERDT (1886—1890) RML I.2, 1487.17 bis 20 und 1488.32—33 (seiner Meinung nach haben Flüsse bei Homer stets menschliche Gestalt), O. WASER (1909) RE VI.2, 2775.53—55 sowie 2780.17—18 (beruft sich an beiden Stellen auf Φ 213), E. WÖRNER (1909—1915) RML IV, 981.36—37 („in menschlicher Gestalt erscheinend [v. 213 ἀνέρι εἰσάμενος]"), F. MATZ (1913) 14—15 (ihm ist die Problematik freilich sehr

Zwar wird die Behauptung, Skamandros sei im Buch Φ auf Identitätsstufe 4 gedacht, oft gewagt, doch stützt sie sich meist auf die allzu schmale Basis des Verses 213, ohne die restlichen 377½ Verse in ihre Deutung einzubeziehen (Ausnahme: F. Matz; vgl. Anm. 164). Wo so wenig Substanz ist, kann eine fruchtbare Auseinandersetzung kaum stattfinden. Daher empfiehlt es sich, als Sachwalter jener These zu denken und eine Position zu skizzieren, die, von ἀνέρι εἰσάμενος in Vers 213 ausgehend, das Ganze im Auge hat. Eine solche Position ist in zwei Varianten denkbar, für beide spricht mindestens ein erwägenswertes Moment.

1) Zum einen läßt sich behaupten, Skamandros sei im 21. Buch der Ilias durchgehend anthropomorph vorgestellt. Der Dichter habe auf diese Gestalt des Flußgottes in Vers 213 ausdrücklich hingewiesen, sie bleibe für die übrige Erzählung gültig. Das Wasser, das den Helden bedrohe (v. 234, 240, 248, 256, 263, 268—269, 306, 324—327), handle auf Geheiß des Gottes, dessen Verfügungsgewalt über das ihm unterstellte Element keinem Zweifel unterliegen könne. Was den integrativen Charakter zahl-

---

wohl bewußt; s. u. Anm. 164) und 90—91 (hier unter geringeren Vorbehalten; in Φ 213 sei der künstlerische Ursprung der Personifizierung unverkennbar), O. Kern (1926) I 91 (spricht von der „... anthropomorphen Gestalt der Flußgötter, wie sie durchgehends in der Ilias erscheint, ...“), Joh. Schmidt (1927) RE 2. R. III. 1, 431.34—35 („in menschlicher Gestalt [v. 213 ἀνέρι εἰσάμενος]“), E. Ehnmark (1935) 34 ("The river is here represented as an anthropomorphic god [213]"), P. Chantraine (1954), Entretiens Fond. Hardt I 58 („sous forme humaine“), W. Pötscher (1959), Person-Bereichdenken 14 („in der Gestalt eines Mannes“), M. P. Nilsson GGR I (3. Aufl. 1967) 238 (er läßt die Benennungsproblematik und die weitere Schilderung, die „ihre Großartigkeit durch die Veranschaulichung des Aufruhrs des Elementes“ erhalte, immerhin nicht unerwähnt), E. G. Schmidt (1967) Der Kleine Pauly 2.586.40—42 (beruft sich ausdrücklich auf Il. 21.213), H. v. Geisau (1975) Der Kleine Pauly 5.221.10—11 („in menschlicher Gestalt [21, 213]“).

Die Übersetzer schließen sich an; als Beispiele seien herausgegriffen: J. H. Voss (1793): „Wenn nicht zürnend geredet des Stroms tiefstrudelnder Herrscher, Der in Menschengestalt aufruft' aus tiefem Gestrudel“; P. Mazon (1947): „si, courroucé, le fleuve aux tourbillons profonds ne lui eût parlé, sous les traits d'un homme, et n'eût fait entendre sa voix du fond de son tourbillon“; L. Segalá (1956): „transfigurado en hombre“; H. Rupé (2. Aufl. 1961): „Hätte der tiefe reißende Fluß nicht im Zorne geredet und in Menschengestalt aus der wirbelnden Tiefe gerufen“.

Breves esse laborant, obscuri fiunt e. g. C. F. v. Nägelsbach 161 („Xanthos erscheint dem Achill Φ.213 im Strudel ἀνέρι εἰσάμενος, spricht aber ohne weiteres als Flußgott (207)“), U. v. Wilamowitz GdH I 90 („handelnder Gott“; dagegen spricht Wilamowitz IuH 88 vom Fluß, der Willen und Seele habe, aber ganz als Element gedacht sei; allenfalls Stiergestalt sei dem Dichter vor Augen gestanden), F. W. Hamdorf 12 („Zornig erregt er seine Fluten gegen Achilleus“).

Obwohl die Verfasser sich meistenteils ausdrücklich auf Il. 21.213 berufen, um die menschliche Gestalt des Flußgottes zu belegen, dürfte Il. 20.7 einen wesentlichen Einfluß auf ihre Deutung gehabt haben. In der Einleitungsszene zu Buch 20 kann Skamandros tatsächlich nur auf IS 5 gedacht werden: Alle Götter versammeln sich auf Geheiß des Zeus in dessen δῶμα (6 und 10; der v. 5 als Zeus' Aufenthaltsort genannte Olympos ist gemeint), und kein Fluß außer dem Okeanos fehlt bei diesem Rat (7). Hier zwingt der Zusammenhang dazu, den Strom anthropomorph zu sehen: Ein Fluß von elementarem Äußerem wäre nicht fähig, die Wolkenregion des Olympos zu erklimmen.

reicher Formulierungen anlange (z. B. στεινόμενος νεκύεσσι 220, ὦρτο δ' ἐπ' αὐτῷ/ἀκροκελαινιόων 248—249, usw.), so sei die Gleichsetzung des fühlenden und wollenden Gottes mit dem physisch beeinträchtigten oder kämpfenden Element lediglich sprachlicher Natur; hier lägen uneigentliche Benennungen des im I. Teil, Abschnitt B 1.2 c behandelten Typs vor: Der Gott spreche zwar von „sich", meine jedoch kraft Metonymie das ihm zugehörige Flußwasser.

2) Die zweite Interpretationsmöglichkeit geht ebenfalls von der Menschengestalt aus, welche durch Vers 213 gegeben sei. Metonymien des soeben angedeuteten Ausmaßes anzunehmen sei man jedoch keinesfalls gezwungen. Die Episode werde von der Identitätsstufe 3 des Skamandros beherrscht, und nur in jenem Vers 213 sei der Dichter nicht konsequent gewesen und habe geglaubt, dem Myrmidonen einen körperlich greifbareren[157] Widersacher entgegenstellen zu sollen. Mithin sei innerhalb der μάχη παραποτάμιος der erste Identitätsstufenwechsel antiker Literatur im Rahmen einer einheitlichen Handlungsfolge nachweisbar: Identitätsstufe 3 löse Identitätsstufe 4 ab, die analytische Augenblicksaufnahme „ἀνέρι εἰσάμενος" werde im Folgenden durch integrative Darstellung der Naturgottheit ersetzt.

Beide Betrachtungsweisen, die mit menschlicher Gestalt des Flußgottes rechnen, können für sich beanspruchen, die Formulierung ἀνέρι εἰσάμενος, deren Sinn eindeutig scheint, auf natürlichste Art erklärt zu haben. Andererseits stoßen sie — und das gilt vor allem für die unter 1) skizzierte Variante — auf nicht unbeträchtliche Bedenken.
Nimmt man konsequent analytische Darstellung Homers an, so ist man genötigt, eine Fülle von Formulierungen uneigentlich zu verstehen[158];

---

[157] Vielleicht, weil die Gesprächssituation einen „lokalisierbaren" Partner für Anrede und Gegenrede erfordert habe, vielleicht auch, weil dem Dichter eine Reminiszenz an den menschengestaltigen Besucher der Götterversammlung (Il. 20.7 und 40) erwünscht gewesen sei.
Die Schwierigkeiten der kurzfristigen anthropomorphen Epiphanie können durch solche Argumente freilich kaum ausgeräumt werden. Göttern ist es, wie W. Kullmann 102—105 zeigt, möglich, ohne daß ihre Gestalt ins Blickfeld träte, ganz oder vornehmlich akustisch gegenwärtig zu sein, ihre Göttlichkeit kann allein durch ihre Stimme anschaulich werden: Auch Skamandros bedarf also nicht zwingend eines Auftritts in Menschengestalt. An den Beginn des 20. Gesanges brauchte gewiß nicht auf Kosten einheitlicher Darstellung innerhalb der μάχη παραποτάμιος erinnert zu werden: Des Gottes Sympathie mit der trojanischen Seite ist ohnedies für jeden Hörer selbstverständlich.
Das grundsätzliche Problem, dem die Verfechter dieser Interpretation sich gegenübergestellt sehen, nämlich die Dauer der anthropomorphen Erscheinung in zufriedenstellender Weise beschreiben zu müssen, sei hier nur gestreift.

[158] Das wäre für eine Reihe einfacherer Metonymien zwar unbedenklich, muß doch die Antonomasie ποταμός für die gemeinte Wirklichkeit „Flußgott" als dermaßen reguläre Benennung gelten, daß man geradezu von einem *terminus technicus* (ποταμός „Flußgott") sprechen kann (das Wort steht zur Bezeichnung der IS 5 Il. 20.7, der IS 4 Il. 21.143, 185 und 186 sowie Od. 11.238 von der Liebe der Tyro zu ποταμοῦ ... Ἐνιπῆος θείοιο, der IS 3 oder 4 Il. 21.190 und

metonymischer Ausdruck wäre dann außer für des Dichters Schilderungen auch für eine Reihe von Aussagen anzunehmen, die Skamandros in direkter Rede von sich selbst macht. Doch nicht nur die große Zahl un-

---

191; für IS 3 wird es unter 29 einfachen appellativischen Benennungen innerhalb des Handlungsabschnitts Il. 21.136—384 immerhin 13mal verwendet, wohingegen θεός nur 3mal begegnet*); auch einfache adjektivische Attribute brauchen nicht als störend empfunden zu werden, da es sich um stereotype Ausdrücke handelt, die offenbar als so selbstverständlich zu ποταμός und dessen möglichen Äquivalenten gehörig betrachtet wurden, daß man ihrer auch dann nicht entraten mochte, wenn eine höhere IS darzustellen war (z. B. Ἀξιὸς εὐρυρέεθρος 141, ποταμὸς βαθυδίνης 143, Ἀξιὸς εὐρὺ ῥέων 157, ποταμὸς εὐρὺ ῥέων 186, dazu Ἀξιός, ὃς κάλλιστον ὕδωρ ἐπὶ γαῖαν ἵησιν 158 (attributiver Relativsatz; ganz ähnlich Od. 11.239 vom Enipeus): alle auf IS 4 zu beziehen; für den auf IS 3 zu denkenden Skamandros sind festzuhalten ποταμὸς βαθυδίνης 212, 228 und 329, εὐρὺ ῥέων ποταμός 304, Ξάνθος δινήεις 332).

Dagegen kann ich es nicht über mich gewinnen, für die konkrete Situation geprägte Wendungen, die im Gegensatz zu den oben erwähnten habituellen Metonymien individuellen Charakter tragen, sämtlich als uneigentlich zu betrachten. So weitgehende Rätselrede wäre in den homerischen Gedichten ohne Parallele, bis zu Ovid wüßte ich überhaupt nichts Vergleichbares zu nennen. Viel näher liegt es, des Dichters Ausdrucksweise im eigentlichen Wortsinn zu verstehen. Bemüht man sich darum, wird alles Gesagte, ob nun der körperliche Bereich des Fühlens und Handelns, oder ob der mentale Bereich des Wollens und der seelischen Regung im Vorder-

* Die Verteilung der einzelnen Benennungen innerhalb des Abschnitts 21.136—384, für den grundsätzlich Prävalenz der IS 3 angenommen werden kann, ist so zu belegen (pronominaler Ausdruck bleibt außer Betracht):

1. Einfache Benennungen
   a) Eigennamen
      Ξάνθος 146, 332, 337, 383
      Σκάμανδρος 223, 305
   b) Appellativa
      ποταμός 136, 144, 192, 206, 212, 228, 270, 274, 282, 291, 304, 329, 349
      θεός 248, 264, 380
      ῥέεθρα 244, 354, 361
      ῥόος 147, 241, 303
      δίνη 246, 353 (pl.)
      κῦμα 240, 382
      ὕδωρ 202, 300, 345
2. Periphrastische Benennungen (die Identität des Handelnden wird sprachlich in zwei Aspekte gegliedert)
   κῦμα διιπετέος ποταμοῖο 268, 326
   ῥέεθρα ποταμοῖο 352
   ἲς ποταμοῖο 356
   τοῦ (sc. Σκαμάνδρου) ῥέεθρα 365
   τοῦ (sc. Σκαμάνδρου) ὕδωρ 365 (kann auch als einfache Benennung aufgefaßt werden)
   κῦμα ῥόοιο 263
3. Grammatische Periphrasen (ein Appellativum wird — inhaltlich abundant — einem gegebenen Handlungsträger zugeordnet)
   a) Verbindung mit dem Redenden: ῥέεθρα 218, ῥόον 219, ἐμὸν ῥόον 369 (die Übersetzung „ich" oder „mich" würde die poetische Kraft mindern, den Sinn aber nicht verfälschen).
   b) Verbindung mit dem Angeredeten: ἐμπίπληθι ῥέεθρα 311, πάντας δ' ὀρόθυνον ἐναύλους 312, ἵστη μέγα κῦμα 313.
   c) Zu einer handelnden 3. Person gestellt: πάντα δ' ὄρινε ῥέεσθρα 235, κόρυσσε δὲ κῦμα ῥόοιο 306; so als Ortsbestimmung βαθέης δ' ἐκφθέγξατο δίνης 213, ζωοὺς δὲ σάω κατὰ καλὰ ῥέεθρα 238, κρύπτων ἐν δίνῃσι 239, ῥέεθρα 382 (als Ziel des κῦμα 382).

eigentlicher Benennungen hätte als mißlich zu gelten. Auch der befremdliche Umstand, daß keinerlei eigentliche Formulierung beigebracht werden kann, die uns etwa darüber belehrte, daß der Flußgott sein Element beauftragte, lenkte, leitete, vermehrte o. ä.[159], bedürfte erläuternder Auskunft.

Die Annahme eines Wechsels der Identitätsstufen, wie sie oben unter 2) umrissen wurde, wird von der widrigen Last der Benennungsproblematik nicht beschwert. Verlegenheiten erwachsen indes auch diesem Erklärungsversuch. Gilt Identitätsstufe 4 lediglich für einen kurzen Moment vor der Rede, die Skamandros in elementarer Gestalt — also auf Identitätsstufe 3 — an den Peliden richtet, so ist die Plötzlichkeit, mit der das Menschenbild zugunsten des anthropopsychen Flusses verdrängt wird, rätselhaft; die Funktion der kurzen Sichtbarkeit des Mannes Skamandros wäre zu erläutern. Wenn aber Rede (214—221) und Gegenrede (222—226), möglicherweise einschließlich der Worte an Apollon (229—232), noch dem menschengestaltigen Gotte gehören sollen, stellt sich die sprachliche Schwierigkeit solcher Aussagen wie ἐξ ἐμέθεν γ' ἐλάσας (217) und στεινόμενος νεκύεσσι (220) von neuem ein. Schließlich ist die Uneinheitlichkeit,

---

grund steht, unmittelbar faßlich, und sinnvoll fügt es sich ineinander als Beschreibung der IS 3, des anthropopsychen Flusses. Glaubt man Homer, was er sagt, sind folgende Aussagen ganz natürlich:

ἐξ ἐμέθεν γ' ἐλάσας 217, στεινόμενος νεκύεσσι 220, ὁ δ' ἐπέσσυτο οἴδματι θύων 234, πάντα δ' ὄρινε ῥέεθρα κυκώμενος 235, ὦσε δὲ νεκρούς / πολλούς, οἵ ῥα κατ' αὐτὸν ἅλις ἔσαν 235—236, τοὺς ἔκβαλλε θύραζε 237, οὐδέ τ' ἔληγε θεὸς μέγας, ὦρτο δ' ἐπ' αὐτῷ / ἀκροκελαινιόων 248—249, ὁ δ' ὄπισθε ῥέων ἕπετο μεγάλῳ ὀρυμαγδῷ 256, θεοὶ δέ τε φέρτεροι ἀνδρῶν 264 (Bezug auf κῦμα ῥόοιο 263), οὐδὲ Σκάμανδρος ἔληγε τὸ ὃν μένος 305, κόρυσσε δὲ κῦμα ῥόοιο / ὑψόσ' ἀειρόμενος 306—307, κὰδ δέ μιν αὐτὸν / εἰλύσω ψαμάθοισιν ἅλις χέραδος περιχεύας / μυρίον 318—320, τόσσην οἱ ἄσιν καθύπερθε καλύψω 321, ἐπῶρτ' Ἀχιλῆι κυκώμενος ὑψόσε θύων / μορμύρων ἀφρῷ τε καὶ αἵματι καὶ νεκύεσσι 324—325, φῆ πυρὶ καιόμενος, ἀνὰ δ' ἔφλυε καλὰ ῥέεθρα 361, οὐδ' ἔθελε προρέειν, ἀλλ' ἴσχετο 366; die Beispiele ließen sich vermehren.

Mißtraut man dem eigentlichen Wortsinn, obwohl er zu einer einwandfreien Interpretation führt, und glaubt, eine hinter dem sprachlichen Ausdruck verborgene von Homer intendierte Wirklichkeit entrollen zu müssen, sind Metonymien ungewöhnlichen Ausmaßes und ebenso vielfältiger wie komplizierter Struktur in Kauf zu nehmen. Ich zweifle, daß dem frühen Epos solchermaßen gerecht zu werden ist.

[159] Es sei hier nochmals darauf hingewiesen (vgl. o. S. 66—67), daß gelegentliche Aufspaltung eines Begriffes in Subjekt und Objekt dem Bereich sprachlicher Abundanz (die durchaus vermehrter Anschaulichkeit dienen kann) zuzuordnen ist, inhaltliche Schlüsse aus solcher Ausdrucksweise mithin als unzulässig zu gelten haben. Die Formulierung πάντα δ' ὄρινε ῥέεθρα z. B. berechtigt ebensowenig dazu, unterschiedliche Beteiligte (Gott : Fluß) anzunehmen wie etwa Junkturen in der Art von *aliquis corpus levat* (statt *se levat*).

Ähnliches gilt für die Ausdrücke, die den Ausgangspunkt der Stimme angeben (213, 356): Sie kann für IS 3 nur aus der Wassertiefe kommen, wohingegen der Auffassung, v. 213 lege Menschengestalt des Flusses fest, gerade aus den Mitteilungen, Skamandros sei 1) als Mann sichtbar, dabei dringe 2) seine Stimme aus tiefem Strudel hervor, die miteinander zu vereinbaren wären, neue Schwierigkeiten erwachsen. Vgl. P. Cauer 395.

die der Wechsel der Identitätsstufen mit sich bringt, überhaupt störend, da ein einleuchtendes Motiv für jenes sprunghafte Verfahren Homers sich nicht namhaft machen läßt.

Demgegenüber ist die Deutung, die den Skamandros in dem betrachteten Textabschnitt ausschließlich nach integrativer Grundanschauung dargestellt sieht, von derartigen interpretatorischen Klippen frei. Weder Unregelmäßigkeiten in der Bedeutung handlungstragender Ausdrücke noch das unmotivierte Umspringen von Identitätsstufe 4 auf Identitätsstufe 3 beeinträchtigen das Sinnverständnis. Die unterschiedslose Benennung für Bewegungen des Wassers wie für geistige Regungen und sprachliche Äußerungen der Gottheit entspricht genau dem Vorstellungsinhalt, der mit „Identitätsstufe 3" umschrieben ist: Ein Element erscheint als mit Fühlen, Wollen, Planen begabt, es kann sich äußern, kann handeln, gilt für göttlich; der Körper dieser Gottheit ist aber mit der Naturerscheinung identisch.

Auf Identitätsstufe 3 gründet somit die zwangloseste Interpretation der Skamandros-Episode. Man würde sich ohne Zögern für diese Auffassung entscheiden, wenn ihr nicht die Aussage ἀνέρι εἰσάμενος zu widerraten schiene. Es ist daher zu prüfen, ob Vers 213 tatsächlich nur auf eine völlig anthropomorphe Erscheinung des Flusses, wie bislang vorausgesetzt, bezogen werden kann.

Betrachtet man die Verse 212—213 im größeren Zusammenhang des epischen Geschehens, so wird deutlich, daß sie einen Einschnitt markieren. Die oben durchgeführte Untersuchung des Handlungsverlaufs hat gelehrt, daß Skamandros schon zuvor emotional (136, 146 und unausgesprochen wohl auch 184—199), einmal gar durch göttlichen Kraftimpuls (145), durchaus beteiligt war. Jetzt aber soll der Kampf eine neue Qualität bekommen. Skamandros ist zu aktivem Eingreifen und zum Einsatz der wirkungsvollsten Mittel, die ihm zu Gebote stehen, entschlossen. Bevor er nun seine elementare Wucht gegen Achilleus lenkt, tritt er aus der bis dahin geübten Reserve und stellt seine Forderungen; stiller Zorn und passive Parteinahme werden durch das Mittel der Rede auf ein neues Niveau geführt, das die spätere Kulmination (240—271, 305—327) bereits vorzeichnet.

Die Verse 212—213 sind also dadurch wichtig, daß sie Skamandros zu einem tätigen Gegner wachsen lassen, der seine Interessen durch ein entschiedenes Wort zu vertreten weiß. Stellt man die Prägung ἀνέρι εἰσάμενος in diesen Kontext, erscheint ihr Sinn in neuem Licht. Offenbar war es dem Dichter wichtig, daß der vormals stumme Zeuge des Kampfgeschehens sich seinem Kontrahenten — über alle Unterschiede des Wesens hinweg — verständlich machen kann. Man wird damit rechnen müssen, daß die

Junktur die menschliche Stimme — als wichtigste Voraussetzung für die Mitteilung an einen Menschen — betonen soll. Demnach wäre zu paraphrasieren: Der Fluß redete im Zorn *wie ein Mensch*[160].

Homer mag guten Grund gesehen haben, die Menschenstimme des Flußgottes zu betonen. Zum einen wird es dem Verständnis der Hörer entgegengekommen sein, wenn des Skamandros Fähigkeit, sich des Mittels zwischenmenschlichen Gedankenaustausches zu bedienen, hervorgehoben wurde: Man darf nicht vergessen, daß Naturgottheiten bei Homer ansonsten keinerlei aktive Rolle zu spielen beschieden ist, sie also einen Fremdkörper im Götterapparat bilden und somit eher eines erläuternden Wortes bedürfen als die dem Hörer selbstverständlichen Olympier. Sodann ist zu bedenken, daß der Fluß zuvor über das Stadium wägenden Planens (137) nicht hinausgekommen und stumm geblieben ist: Die entscheidende Steigerung seiner Anteilnahme am Geschehen präzise anzugeben war daher durchaus sinnvoll. Endlich ist ein Flußgott, der auf Identitätsstufe 3 erscheint, auch anderer stimmlicher Äußerungen fähig (μεμυκὼς ἠύτε ταῦρος 237)[161], die aber dem elementaren Ursprung verhaftet und für Mitteilungen im humanen Bereich ungeeignet sind, so daß eine Abgrenzung beider Sphären angezeigt scheinen mochte.

Dazu ist zu bemerken, daß die Ausdrücke des Gleichseins und Sichangleichens, die bei Götterepiphanien so häufig anzutreffen sind, offenbar in der Regel „eine äußerliche Anpassung zum Zwecke der Sinnestäuschung"[162] bezeichnen. Mehrfach wird „ausdrücklich betont . . ., die Anpassung beziehe sich nur auf die Stimme"[163]. Umgekehrt kann nicht ausgeschlossen werden, daß bei vielen Erwähnungen, die ausdrücklicher

---

[160] Es wäre zu erwägen, ob man im Interesse inhaltlich klaren Bezuges die Interpunktion (üblicherweise wird ἀνέρι εἰσάμενος parenthetisch in Kommata eingeschlossen) ändern sollte. Damit würde der prädikative Charakter des Ausdrucks betont. Sowohl eine Bindung an προσέφη 212 als auch an ἐκφθέγξατο 213 scheint mir denkbar, entsprechend wäre das jeweils trennende Komma zu streichen.

[161] Das Tosen des aufgewühlten Elements, im Vergleich mit dem Brüllen eines Stieres lebendig gestaltet, ist als naturgegebene Normalform vokaler Möglichkeiten eines Flusses zu fassen. Vgl. oben Anm. 155.

[162] W. Kullmann 98; zu vergleichen ist sein Kapitel „Göttliche Epiphanie" S. 83—111, das S. 99—105 eine sehr nützliche Übersicht über Erscheinungsformen der Götter enthält (Hauptgliederung nach maskiertem Erscheinen und Auftreten in eigentlicher Gestalt).

[163] W. Kullmann 98—99 mit Belegstellen aus der Ilias. Auch andernorts ist das „Göttliche primär vom Akustischen her zu erfassen" (104), die genaue Bestimmung von Art und Umfang einer etwaigen Anpassung fehlt dort, wie Kullmann S. 102—105 zeigt. Unsere Stelle wird von ihm in der Rubrik jener Passagen, „wo der Gott sich unverwandelt nur einem einzelnen offenbart" (101), so charakterisiert: „Zwiegespräch und Kampf des Achill mit dem Skamander. Der Gott bleibt unter Annahme der menschlichen Stimme (das ist hier mit „sich angleichen" gemeint) Element". (102). Diese Auffassung hat übrigens bereits P. Cauer 395 (vgl. auch U. v. Wilamowitz IuH 88) in einer Besprechung von Φ 213 überzeugend vertreten (die Art des Vorganges verschiebe sich zur Eigenschaft des Handelnden).

präzisierender Bestimmungen nach dem Muster limitativer Akkusative wie πάντα (Φ.600), δέμας (καὶ φωνήν X.227) oder φωνήν (Υ.80) ermangeln, der Bezug auf die Stimme sinngemäß richtig ergänzt würde. Der ausdrückliche Zusatz φωνήν wäre jedenfalls gerade an einer semantisch so eindeutig ausgerichteten Stelle wie v. 212—213 — die Verse enthalten gleich zwei Verba der sprachlichen Mitteilung! — keinesfalls erforderlich.

Wägt man also die verschiedenen Interpretationsmöglichkeiten gegeneinander ab, verdient die Auffassung, der Flußgott erscheine im Buche Φ durchgehend auf Identitätsstufe 3, den Vorrang vor möglichen alternativen Deutungen, welche eine Epiphanie des Skamandros in Menschengestalt ins Spiel bringen. Der integrative Ansatz meidet eine Reihe nicht unerheblicher sprachlicher und inhaltlicher Schwierigkeiten und vermag überdies die Handlung zwanglos zu erklären. Gerade durch die elementare Gestalt der bewußt handelnden Naturgottheit gewinnt die Szene ihre Großartigkeit[164]. Der vermeintliche Anstoß des ἀνέρι εἰσάμενος erklärt sich bei näherer Betrachtung als erläuternde Bestimmung des verbalen Geschehens (προσέφη 212, aufgenommen in ἐκφθέγξατο 213).

Man wird somit die Skamandros-Episode als frühestes Zeugnis für die ausschließlich integrative Darstellung einer Naturgottheit verstehen dürfen. Die Beschränkung auf Identitätsstufe 3 ermöglichte dem Dichter das grandiose Bild jener elementaren Wesenheit, deren Wollen und Handeln sich in ursprünglicher Wucht ergießt. Die Einheitlichkeit der integrativen Grundposition bleibt in dem gesamten Abschnitt[165] gewahrt.

---

[164] Das hat F. Matz 14—15 zu Recht hervorgehoben: „Der Fluß selbst, seine wirklichen Wassermassen führen den Kampf mit Achill; denn wenn es einmal (v. 212) heißt, daß er ἀνέρι εἰσάμενος den Helden aus den Fluten anredet, so kann das, falls der Vers wirklich ursprünglich ist, nur als momentane Erscheinung gedacht sein, wie sie unter dem Einfluß der vielen Sagen von menschengestaltigen Flußgöttern nahelag. Auf jeden Fall scheint aber dieser Vers der Großartigkeit der ganzen Szene überhaupt nicht recht angemessen".

Übrigens weist W. Leaf in seinem Kommentar darauf hin, daß die Zeile in der Tat verdächtigt worden ist, und zwar von Heyne (Matz scheint auf ihn Bezug zu nehmen), „quod otiosus est, et quod in fine ingrata repetitio est: βαθυδίνης et δίνης.". (Ferner ist zu bedenken, daß der Vers in manchen Hss. fehlt — was freilich auch durch das Homoioteleuton zu v. 212 verursacht sein könnte —, und die Syntax nur stimmig wird, wenn man das mangelhaft bezeugte δ' aufnimmt). So hält auch E. Schwartz, dem Überlieferungsbefund einer Reihe von Hss. folgend, Vers 213 für unecht und setzt ihn in seiner zu Recht geschätzten kritischen Ausgabe (München 1923) in Tilgungsklammern. Eine Athetese scheint mithin durchaus erwägenswert.

Eine mit Matz' Position vergleichbare Gesamteinschätzung findet sich bei P. Cauer 395 („Prachtvoll anschaulich ist das Wüten des Flusses beschrieben; und er selbst ist der Gott . . ."), dem auch das Verdienst zukommt, προσέφη . . . ἀνέρι εἰσάμενος durch „er sprach wie ein Mensch" angemessen wiedergegeben zu haben.

[165] Die Darstellung des Skamandros auf IS 5 zu Anfang des 20. Buches (s. dazu oben Anm. 156 fin.; vgl. auch U. v. Wilamowitz IuH 81) ist räumlich weit von unserer Szene entfernt. Unterschiedliche Sehweisen von Naturgottheiten innerhalb des Werkganzen sind aufschlußreich, da sie zeigen, daß der betreffende Verfasser oder Bearbeiter (Übersicht über die verschiedenen Positionen in der modernen Homerkritik bei Schmid-Stählin S. 133—147) nicht geneigt ist,

2) *Übersicht über den Gebrauch einzelner Identitätsstufen*

Viele weitere Naturgottheiten, für deren Handeln gleichfalls nur je eine Identitätsstufe gewählt und gewahrt ist, ließen sich dem homerischen Skamandros zur Seite stellen. Ihre Auftritte sind indes meist wesentlich kürzer und nie von einem so prallen Leben durchpulst, wie die soeben betrachtete Szene aus der Ilias es bot. Grundsätzlich Neues lehren diese Gottheiten nicht. Daher scheint es rätlich, sowohl die Darstellung zu straffen als auch aus der Fülle zu wählen, wo immer die Quellen überreich fließen. Ziel ist eine knappe Übersicht, die wenigstens in groben Zügen Art und Zahl der Episoden, in denen der Gottheit nicht mehr als eben eine Identitätsstufe zugemutet wird, erkennen läßt. Das Material soll dabei so angeordnet sein, daß die einzelnen Identitätsstufen jeweils diachron durchmustert werden.

Keiner näheren Behandlung bedürfen freilich diejenigen Passagen, welche sich ganz nüchtern damit begnügen, einer Naturerscheinung Identitätsstufe 1 zuzuweisen[166]. In solchen Fällen ist es dem Autor lediglich um eine konkrete Ortsangabe zu tun: exakt, gewissermaßen neutral, wahrscheinlich ohne religiöse Emotion, sicher sonder ehrfürchtigen Schauders; dominant wohl in allen Gattungen der Literatur.

Während jenen auf Identitätsstufe 1 beschränkten Schilderungen ein Hauch von Prosa anhaftet, begegnet Identitätsstufe 2 meist in Zusammenhängen überaus poetischen Charakters. Sie bestimmt die Seinsform von Naturphänomenen, welchen gemeinhin nicht mehr als eine Statistenrolle bei großen Ereignissen zugedacht ist: Fluß und Quell, Baum und Strauch, Berg und Gestirn bilden die Kulisse, vor der Größeres geschieht. Doch wiewohl ihnen bloß beschieden ist, fremdes Tun teilnahmsvoll zu begleiten, sind eben sie es, die mancher Stelle zu hoher dichterischer Schönheit verhelfen.

Einen frühen Vers, der von freudiger Bewegung einer Naturerscheinung zu künden weiß, finden wir im homerischen Hymnus auf den Delischen Apollon. In dem Augenblick, da der Gott geboren wird, μείδησε δὲ γαῖ' ὑπένερθεν (118). Das Glück dieser großen Stunde malt sich im befreienden Lächeln der Erde, die als erste von dem göttlichen Kind berührt wird (119)[167]. —

---

sich an ein Dogma zu binden. Grundsätzliche Aufgeschlossenheit für einander widerstreitende Vorstellungsinhalte ist freilich in der Regel ganz anders zu werten als inkonsequente Darstellung, die analytische und integrative Anschauung im Rahmen einer einheitlichen Handlungsfolge aufeinanderprallen läßt — ein Verfahren, für das spätere Dichtung, namentlich Ovid, noch so manches Beispiel bringen wird.

[166] Die große Zahl jener Passagen, die ein hinreichend sicheres Urteil über die intendierte Identitätsstufe nicht zulassen (vgl. S. 36—37), bleibt von vornherein außer Betracht.

[167] Vgl. U. v. Wilamowitz IuH 447—448: „Die Kreißende hält sich an der Palme, sinkt in die Knie, und die Erde lächelt dem Knäblein entgegen, das sie aufnehmen soll. Wie schön ist auch hier die Erde zwar beseelt, so daß sie lächeln kann, aber sie ist nicht die Person Gaia".

Ähnliche Schilderungen sind in antiker Poesie durchaus verbreitet[168]. Besonders zahlreich begegnen sie namentlich in Vergils bukolischer Dichtung. Ovid ist zurückhaltender[169], doch danken wir ihm manches eindrucksvolle poetische Bild, das eben auf jener mitlebenden und mitleidenden Natur beruht[170]. Einige Beispiele mögen das illustrieren.

Der Beginn des elften Buches der Metamorphosen ist dem Tod des Orpheus gewidmet. Tiere und Felsen, Baum und Fluß trauern um den Gemordeten, der sie so oft durch seinen Gesang zu bezaubern vermochte:

te maestae volucres, Orpheu, te turba ferarum,
te rigidi silices, tua carmina saepe secutae
fleverunt silvae; positis te frondibus arbor
tonsa comas luxit; lacrimis quoque flumina dicunt
increvisse suis, obstrusaque carbasa pullo
naides et dryades passosque habuere capillos. (Ov. M. 11.44—49)

---

[168] Weitere Beispiele bei A. Gerber 272 und F. Matz 15; manche der dort verzeichneten Stellen sind — im Sinne unserer Thematik — mehr peripheren Charakters, andere entziehen sich einer verläßlichen Zuordnung zu IS 2 oder IS 3. — Zum Phänomen selbst vgl. E. Norden Komm. zu Verg. A. 6.440 f.
Im einzelnen notiere ich 1) freudige Bewegung von Naturgottheiten: Call. Dian. 44 (Fluß), Cat. 31.13 (See), Verg. Buc. 5.58—64 (Wald und Flur, Berge); 2) deren Trauer: Theocr. 7.74—75 (Berg, Bäume), Verg. Buc. 5.21—35 (Bäume, Flüsse, Berge), Verg. Buc. 7.56 (Flüsse), Verg. Buc. 10.13—15 (Pflanzen, Felsen), Verg. G. 4.461—463 (Berge, Land, Fluß), Verg. A. 7.759—760 (Wald, See); 3) Empfänglichkeit für Musik (von jenen Stellen, die lediglich einem Widerhall Ausdruck geben und somit wohl IS 1 zufallen, sehe ich ab): Call. Ap. 18—24 (Meer, Fels), Apoll. Rhod. 1.26—31 (Berge, Flüsse, Bäume), Verg. Buc. 6.27—28 sowie 70—71 (Bäume) und 82—83 (Fluß), Verg. Buc. 8.4 (Flüsse), Verg. G. 4.510 (Bäume), Prop. 2.13.5 (Bäume), Hor. c. 1.12.7—12 (Wälder, Flüsse, Bäume), Hor. c. 1.24.13—14 (Bäume), Hor. c. 3.11.13—14 (Wälder, Flüsse).
Die Grenze zur bloßen Metapher ist freilich rasch überschritten; das lehren Stellen wie Apoll. Rhod. 4.1171—1173: Bei Eos' Aufgang lacht das Ufer ringsum; H. Fränkel (Noten, zu 4.1170 bis 75) paraphrasiert: „Das junge Licht ließ den Schaumstreifen längs des Strandes aufschimmern". Diese ἠιόνες wird man kaum in den Rang von Naturgottheiten erheben wollen.
Hingewiesen sei ferner auf die Rolle der Erde in jener gespenstischen Hochzeitsnacht, die Aeneas und Dido mitsammen verbringen (Verg. A. 4.166; dazu bes. W. Fauth 60—61); auf die Naturerscheinungen, die von schlimmer Zukunft künden (Verg. G. 1.471—483); auf *undae* und *nemus*, die des Aeneas Schiffe samt deren funkelnder Wehr bestaunen (Verg. A. 8.91—93; wobei dieser reizvolle Aspekt der Tiberwellen — vgl. die schöne Würdigung der Verse bei Durand-Bellessort — sich deutlich gegen jene Anschauungen abhebt, die der Epiphanie und dem Wirken des Thybris v. 31—89 zugrundelagen; dazu Kap. II B 10).
Alle diese Beispiele lassen ermessen, wie weit und vielgestaltig (aber auch: wie schwer zu begrenzen) das Feld solchermaßen belebt gedachter Natur ist.

[169] Ein Zug, den — aus anderem Blickwinkel — M. v. Albrechts Vergleich zweier Versionen der Io-Sage bestätigt: Ovids Neigung zur Beseelung der Natur ist weniger ausgeprägt als die des Valerius Flaccus (v. Albrecht, Io 144—145).

[170] C. P. Segal, Landscape 82—85, setzt Vergils Naturbilder von denen Ovids, dem es lediglich um rhetorische Kontrastwirkung zu tun sei, ab. Die Beobachtung als solche ist gültig, sofern man keine wertenden Schlüsse aus ihr zieht. Kontraste können durch die Thematik vorgegeben sein: Ovid ist kein Bukoliker.

Diese Deutung von Naturvorgängen — der Verlust der Blätter bei sommergrünen Bäumen[171] und das Schwellen von Flüssen bei Regen oder Schneeschmelze[172] — verfehlt gerade im Rahmen einer Darstellung des thrakischen Sängers ihre Wirkung sicher nicht: Er bewegte die Natur, sie ist bei seinem Tod bewegt. Sein Wirken scheint wider im Gram derer, die einst begeistert lauschten[173].

Wie die Bäume beim Tode des Orpheus trauern, so beklagt der Wald auch den Tod der Phyllis. Hätte Phyllis nicht die Einsamkeit gesucht, die sie zum Selbstmord trieb,

non flesset positis Phyllida silva comis. (Ov. RA 606)

Dem entspricht völlig AA 3.38. — Noch eine vierte Stelle sei angefügt. Im 15. Brief der Heroides deutet Sappho das Abwerfen des Laubes als eine Geste der Trauer. So beschreibt sie zunächst, wie der Wald, den sie — nunmehr von Phaon verlassen — wieder aufgesucht hat, in der glücklichen Zeit an der Seite des Geliebten beschaffen war:

invenio silvam, quae saepe cubilia nobis
praebuit et multa texit opaca coma. (Ov. Her. 15.143—144)

Jetzt aber erscheinen ihr alle verwaisten Orte einstiger Freude traurig:

quin etiam rami positis lugere videntur
frondibus et nullae dulce queruntur aves. (Ov. Her. 15.151—152)

Zunächst sieht man den Wald in sommerlicher Fülle, mit schattigem Laub, nach der Zeit des Glücks wird er als herbstlich kahl und trauernd geschildert, die Bäume erscheinen als Naturgottheiten, die der Anteilnahme fähig sind.

Während Identitätsstufe 2 Gottheiten widerspiegelt, die als Individuen sehr blaß bleiben, zudem recht regelmäßig in — mehr oder minder homo-

---

[171] Dahinter steht, wie Haupt-Ehwald zu v. 46 bemerken, auch der Brauch, die Haare zu Ehren geliebter Toter abzuschneiden.

[172] Betrachtern, die die Natur als von Gottheiten belebt empfinden, ist es, wenn sie einen Fluß über das gewohnte Maß wasserreich sehen, möglich zu sagen, der Flußgott weine. Dichtern gerät diese Vorstellung zum poetischen Motiv. Ovid hatte sich seiner bereits M. 1.584 bedient. Dort war es dazu ausersehen, das Maß des Jammers, dem Inachus sich hingibt, physisch überfließen zu lassen (s. Kap. II B 4). Der atmosphärisch-emotionale Abstand zu M. 11.47—48 ist kraß.

[173] Wie schön und folgerichtig die Stelle ist, zeigt ein Vergleich mit Versen, die die Wirkung seines Gesanges auf die Natur wiedergeben: M. 10.86—105 (der berühmte „Katalog der Bäume", dessen engen inneren Zusammenhang mit der Erzählung V. Pöschl in seiner Studie WdF 393—404 überzeugend dargetan hat; vgl. dort bes. S. 400: die heraneilenden Bäume spiegeln in ihrer Bewegung den Zauber der Musik) schildert, wie die verschiedenartigen Bäume zu Orpheus kommen; Tiere und Vögel sind 10.143—144 erwähnt; Felsen folgen ihm 11.2; 11.10—13 fällt ein gegen ihn geschleuderter Stein, noch in der Luft vom harmonischen Gesang besiegt, dem Sänger zu Füßen; sein *theatrum* sind Vögel, Schlangen, Wildtiere (11.21).

genen — Gruppen auftreten, rückt bei Schilderungen, welche Identitätsstufe 3 als Wiedergabeform nutzen, die göttliche Persönlichkeit, ihr Wille, ihre Überlegung, ihr planvolles Handeln in den Vordergrund. Von Naturgottheiten, denen diese anschaulicheren Züge gegeben sind, soll im Folgenden die Rede sein.

Neben dem Skamandros ist in den homerischen Gedichten noch ein weiter, namenloser Strom auf Identitätsstufe 3 dargestellt *(Hom. Od. 5.441—453)*. Ihm treibt Odysseus zu, als er nach bestandenem Seesturm vergeblich gegen die starke Brandung vor der Phaiakeninsel Σχερίη gekämpft, endlich aber doch seichteres Wasser gewonnen hat. Das Flehen des erschöpften Helden gilt der Naturkraft, deren Gunst die ersehnte Landung zu fördern vermag. Der Fluß hört sich ἄναξ gerufen (445 und 450) und den unsterblichen Göttern zugerechnet (447). Wenn Odysseus dabei von den Knien des Stromes spricht, —

σόν τε ῥόον σά τε γούναθ᾽ ἱκάνω πολλὰ μογήσας (449)

— so hat das übertragenen Sinn und ist für die physische Gestalt des Angerufenen ebensowenig bedeutsam wie die Periphrasen (ῥόος 449 und 451, κῦμα 451). Die Gottheit willfährt dem ermatteten Schwimmer, indem sie die Wellen ihres Mündungsbereiches sänftigt: Odysseus erreicht das rettende Ufer. — Alle diese Einzelheiten deuten auf integrative Grundanschauung, wohingegen einer Interpretation, die den Gott in Menschengestalt auf das Element einwirken sähe, klare Anhaltspunkte fehlten.

In ähnlicher Weise bleibt die Quelle Telphusa, von deren Bemühungen, ihrem Areal den Apollonkult fernzuhalten, der dritte homerische Hymnus weiß, auf Identitätsstufe 3 beschränkt *(h. Hom. Ap. 244—276 und 375 bis 387)*. Die Naturgottheit erscheint im Wechselgespräch mit dem Olympier, sie kann diesen durch listige Worte gar dazu bewegen, daß er seine Orakelstätte verlegt. Später freilich wird Telphusa zur Strafe für ihr eigennütziges Denken von Apollon überbaut. — Auch hier ist schlechterdings keine Andeutung darauf zu finden, daß Telphusa sich etwa innerhalb oder außerhalb ihres Elementes bewegte, also ein Wesen wäre, welches man im Sinne der analytischen Grundposition von seinem Quell unterscheiden müßte.

Die homerische Delos, gleichfalls dem Großen Apollon-Hymnus zugehörig, darf als Gegenstück zur Darstellung des Kallimachos, über die weiter unten zu handeln sein wird (s. Kap. II B 8), nicht unerwähnt bleiben *(h. Hom. Ap. 49—90 und 135—139)*. Während jedoch der hellenistische Dichter seine Leserschaft durch ein raffiniertes Wechselspiel von Identitätsstufen zu unterhalten sucht, sehen wir die ältere Fassung schlicht integrativer

Denkweise verhaftet[174]. Dem Chier ist die Insel ein göttliches Wesen, das man betreten und dessen Bodenertrag man messen kann, das aber auch die Fähigkeit besitzt, im Gespräch Meinungen auszutauschen und Gefühle nach Menschenart zu hegen. So wird an drei Stellen ausdrücklich vermerkt, daß Delos sich freue, wobei einmal sehr schön die innere Wallung im goldenen Glanz des Inselbodens widerscheint (135—136)[175]. Die Sorge der Naturgottheit gilt ihrem Ruf ebenso wie ihrem elementaren Inselkörper. Man sieht diese Verbindung menschlicher Psyche und geomorpher Physis wohl am deutlichsten in den Versen, in welchen Delos ihre Furcht ausmalt, Apollon könnte sich als launischer Herrscher erweisen und seinen kargen Geburtsort voll stolzer Verachtung demütigen:

> μή ὁπότ' ἂν τὸ πρῶτον ἴδῃ φάος ἠελίοιο
> νῆσον ἀτιμήσας, ἐπεὶ ἦ κραναήπεδός εἰμι,
> ποσσὶ καταστρέψας ὤσῃ ἁλὸς ἐν πελάγεσσιν.
> ἔνθ' ἐμὲ μὲν μέγα κῦμα κατὰ κρατὸς ἅλις αἰεὶ
> κλύσσει . . . (71—75)

Der Gott würde dann, des Felseneilands überdrüssig, ein anderes Land aufsuchen, um dort in Pracht zu residieren; ihr aber wäre ein jämmerliches Los bestimmt:

> πουλύποδες δ' ἐν ἐμοὶ θαλάμας φωκαί τε μέλαιναι
> οἰκία ποιήσονται ἀκηδέα χήτεϊ λαῶν. (77—78)

Auch dem Sänger des 30. homerischen Hymnus, der die Allmutter Erde preist, scheint es an keiner Stelle in den Sinn gekommen zu sein, die gefeierte Gottheit anthropomorph zu denken (*h. Hom. 30 = in Tellurem*). Alle Aussagen stimmen zu der segensreichen, fruchtbaren Naturerscheinung; besonders augenfällig wird das in den Anfangsversen 1—5, aus denen folgendes Beispiel angeführt sei:

> ἐκ σέο δ' εὔπαιδές τε καὶ εὔκαρποι τελέθουσιν. (5)

---

[174] So auch F. MATZ 14: „Die Beseelung ist hier sehr weit gebracht: Leto redet die irrende Insel an und diese gibt ihr Antwort (51 ff. 61 ff.); dabei behält sie aber alle ihre örtlichen Eigenschaften". U. v. WILAMOWITZ IuH 444 vermerkt, daß Delos immer die Insel bleibe: „Es wäre ganz verfehlt, eine Nymphe, ein Mädchen, an ihrer Stelle zu denken, wie es später die bildende Kunst darstellen muß. Delos ist das Felseneiland, ganz wie im echten Φ Skamandros keine Menschen- oder Stiergestalt hat, sondern der Fluß bleibt". Kallimachos' Neuerungen bei der Gestalt der Inselgottheit hebt schon A. GERBER 248 zutreffend von der Delos des Rhapsoden ab.

[175] Zunächst bei dem Anerbieten, Geburtsinsel des großen Gottes zu werden (61: χαῖρε); sodann, nachdem Leto geschworen hat, Phoibos werde wirklich auf Delos seinen Tempel bauen (90: χαῖρε); schließlich, als Apollon geboren ist (137: γηθοσύνῃ). Zu χρύσῳ . . . ἅπασα βεβρίθει s. U. v. WILAMOWITZ IuH 449—450.
Daß Delos auch bewußt sehen kann, zeigt Vers 136 (καθορῶσα).

Ein solches Zusammenwirken von göttlicher Persönlichkeit (Rühmung, Gebet!) und elementarer Körpergestalt führt geradezu zwingend auf Identitätsstufe 3.

Eine der sonderbarsten Schilderungen, die antike Dichtung je einem Flußgott hat zuteil werden lassen, liegt uns in der unter dem Namen des Euripides überlieferten Tragödie Rhesos vor (*Ps.-Eur. Rhes. 346—354*)[176]. Erstaunlich ist dabei nicht, daß der Anonymus[177] die integrative Grundposition gewählt hat, wohl aber, daß er diese Grundposition sprachlich präzise angibt, und vor allem, daß seine hydromorphe Naturgottheit sich als zeugungsfähig erweist: Eine Muse, die den Strymon durchschwimmt, wird von diesem schwanger. Der Chor troischer Wächter singt uns darüber:

> Στρυμών, ὅς ποτε τᾶς μελῳ-
> δοῦ Μούσας δι' ἀκηράτων
> δινηθεὶς ὑδροειδὴς κόλπων
> σὰν ἐφύτευσεν ἥβαν. (351—354)

Es gibt offenbar keine Parallele zu dieser seltsamen Vaterschaft[178]. Zwar werden andernorts wassergestaltigen Flußgottheiten durchaus Gefühle zuerkannt, und namentlich Ovid weiß des öfteren auch von erotischen Empfindungen solcher Götter[179], doch scheint man gemeinhin darüber einig, daß Zeugung und Geburt eines Menschen nur Eltern möglich sei, die ihrerseits über Organismen menschlichen Zuschnitts verfügen. So mahnt die Rolle des Strymon einerseits, genealogische Angaben nicht allzu selbstverständlich auf anthropomorphe Identitätsstufen zu beziehen; andererseits läßt die Ausnahmestellung der Verse immerhin noch einen recht hohen Grad an Wahrscheinlichkeit zugunsten jenes Interpretationsver-

---

[176] Auf diese Stelle bin ich durch A. Gerber 271 aufmerksam geworden; bei ihm findet sich ebendort auch eine Notiz über die Bezeichnung von Wasser als „Körper des Flusses".

[177] Ich schließe mich den schwerwiegenden Bedenken, die A. Lesky und andere Gelehrte gegen die Autorschaft des Euripides geltend gemacht haben, an; eine Übersicht über wichtige Literatur zur Echtheitsfrage gibt Lesky 705—706.

[178] Hom. Od. 11.238—240 könnte zwar in die Richtung der „Euripides"-Stelle deuten, doch kommt durch Poseidons Eingreifen (241—253) alles anders als zunächst erwartet. Diese Wendung nimmt uns die Möglichkeit, das aktive Handeln des Flußgottes, das Aufschluß über die intendierte IS hätte geben müssen, zu beurteilen.

[179] Vgl. besonders die Kapitel über Achelous (II B 1), Alpheus (II B 22) und Inachus (II B 28). Dem Strymon am nächsten kommt Ovids Alpheus, doch gelangt der nicht ans Ziel. So bleibt uns verborgen, ob Ovid das Ineinanderfließen der Gewässer zu einer fruchtbaren Begegnung hätte werden lassen.
Auch die anderen Stellen, an denen der Verfasser des Rhesos den Fluß erwähnen läßt, geben keinen Anlaß, an einer durchgehend integrativen Darstellung zu zweifeln: v. 919—920 berichtet die Muse selber von ihrer unverhofften Hochzeit, und v. 926—928 übergibt der Vater seinen Sohn Quellnymphen zur Erziehung. Eindeutig dem anthropomorphen Bereich zugehörige Wesenszüge oder Verhaltensmerkmale scheinen geflissentlich gemieden.

fahrens, welches im geschlechtlichen Vollzug ein Indiz für die Menschengestalt der Beteiligten sieht, bestehen (vgl. oben Anm. 71).

Auf ein Sonderproblem ganz anderer Art trifft der Leser des kallimacheischen Streitgesprächs zwischen Lorbeerbaum und Ölbaum *(Call. Iamb. 4)*. Die redenden Bäume sind einerseits fraglos individuelle Naturwesen[180], andererseits wollen sie aber auch Gattung sein, mithin die Identität aller artgleichen Bäume in sich vereinigen. Man halte Aussagen wie „ich werde sogar Kampfpreis" (33) oder „die Dorer schneiden mich" (34) neben den konkreten Handlungsrahmen. Das ist artifizielle Miniatur, Fabel, sehr fern schon von jenem Ambiente, in dem mythische Naturgottheiten zu wirken pflegen.

Aus dem Bereich römischer Poesie verdient eine hübsche Pointe bei Horaz Erwähnung *(Hor. Sat. 1.8)*. Priapus erzählt, wie zu Beginn der Nacht (*simul ac vaga luna decorum | protulit os* 21—22) in seiner Nähe zwei Hexen auftauchen, die ihrem schauerlichen Gewerbe frönen wollen. Kaum sind die beiden zu Unterweltsbeschwörungen übergegangen, geschieht Grausiges. Da habe man beobachten können, wie

> . . . *Lunamque rubentem,*
> *ne foret his testis, post magna latere sepulcra.* (35—36)

Der Witz zielt auf das aller Welt leuchtende astrale Antlitz: Luna scheut sich, solche Greuel anzuschauen; sie wird schamrot und verbirgt sich hinter den großen Grabmonumenten am Esquilin. Hier fassen wir einen komischen Effekt, der uns später noch mehrfach beschäftigen wird[181]. Seine Wirkung beruht darauf, daß die Färbung oder das Verhalten von Naturphänomenen als psychosomatische Reaktion integrativ zu denkender Naturgottheiten gedeutet werden.

Vergils Aeneis entnehmen wir als Beispiel für die Handhabung von Identitätsstufe 3 das Verhalten des Tiberstromes *(Verg. A. 9.124—125)*, der gerade Zeuge jener wunderbaren Metamorphose geworden ist, bei der Aeneas' Schiffe sich zu Nymphen wandelten. Tib. Donatus hat den Vorgang treffend charakterisiert: „*retardatus enim potentissimus Tiberis ex hi*

---

[180] Ihnen sind die in Anm. 10 beschriebenen Persönlichkeitsmerkmale nicht abzusprechen. Die Bäume ihrerseits hat man als Masken für unterschiedliche Charaktere zu nehmen: Plumpe Eitelkeit streitet wider vornehme Zurückhaltung. Siehe dazu auch B. SNELL, Entdeckung des Geistes 360.

[181] Vgl. unten die Kapitel II B 23 bis 28 (= 5. Abschnitt). Die motivische Verwandtschaft zu Hor. Sat. 1.8.35—36 ist zweifellos sehr eng. Entscheidend für die Einordnung in dieses Kapitel ist jedoch der Umstand, daß sich kein zwingendes Indiz für irgendwelches Handeln in Menschengestalt, das Lunas Verhalten v. 35—36 hätte vorausgehen müssen, nennen läßt.
Andere bewußte bzw. wissende Reaktionen von Himmelskörpern sind recht häufig. Ein Hinweis auf Verg. G. 1.430—431, 466—467 und Ov. M. 10.448—449 mag an dieser Stelle genügen.

quae in favorem navium gesta sunt in fluctus maris non audebat exire.“ Aller Beteiligten bemächtigt sich ehrfürchtiges Staunen:

> *... cunctatur et amnis*
> *rauca sonans revocatque pedem Tiberinus ab alto.* (124—125)

Das Geschehen gründet auf integrativer Sicht: Tiberinus ist bewußter Beobachter, seine Verwirrung manifestiert sich im verhaltenen Rauschen und im Stillstand des Elements[182]. Vergil nutzt hier eine andere Identitätsstufe als in der Rahmenhandlung der großen Epiphanie des Flußgottes zu Beginn des 8. Buches[183] (s. unten Kap. II B 10).

Ein weiterer Fluß, dessen Existenz wir auf Identitätsstufe 3 denken müssen, begegnet uns in Gestalt des flüchtenden Nilus *(Ov. M. 2.254—256)*. Ovid hebt ihn aus der langen Reihe jener Wassergottheiten, denen die Folgen des Weltbrandes zu schaffen machen[184], dadurch hervor, daß er für drei Verse bei ihm verweilt:

> *Nilus in extremum fugit perterritus orbem*
> *occuluitque caput, quod adhuc latet; ostia septem*
> *pulverulenta vacant, septem sine flumine valles.* (254—256)

Der Reiz dieser Darstellung beruht eben auf integrativer Grundanschauung: In den rein elementaren Aspekt des Geschehens, also den Schwund des Nilwassers, sind Züge verwoben, die den Fluß als bewußte Wesenheit erscheinen lassen. Da trocknet nicht einfach atmosphärische Hitze das Flußbett aus, da schreitet die Dürre nicht einfach nilaufwärts voran, da versiegt nicht einfach die Quelle: Vielmehr packt den Gott heilloser Schreck, er sucht das Weite und verbirgt sein Haupt[185]. Physikalische Vorgänge und menschliches Fühlen werden motivisch gekoppelt[186] und in einem Aition vereint, das durch seine groteske Komik

---

[182] “The sound as well as the stopping being a sign of alarm”, bemerken Conington-Nettleship zu unserer Stelle; für die Wendung *pedem (fere i. q. gradum) revocare* weisen dieselben Kommentatoren darauf hin, daß Lucr. 5.272 und Hor. iamb. 16.48 fließendem Wasser gleichfalls *pedes* geben.

[183] Richtig eingeschätzt bereits von Conington-Nettleship z. St.: “This does not agree with the conception of river-gods, who are separable from their waters.”

[184] Zunächst werden die Nymphen, deren Quellen und Seen verdampft sind, als ihre Gewässer beweinend beschrieben (v. 238—240); für sie gilt die analytische Grundposition. Ein Katalog bedeutender Flüsse schließt sich an (v. 241—259); sie dürften als elementare Flußkörper gedacht sein, wenngleich ein Attribut *senex* (für Peneos, v. 243) sowie die Formulierung *mediis Tanais fumavit in undis* (v. 242) — sicher nicht ohne Absicht — eher das Bild von göttlichen Herren erstehen lassen, die im kochenden Wasser dampfen und schwitzen.

[185] Die Nilquellen waren im Altertum unbekannt. — Durch mythisches Geschehen wird hier (ähnlich wie in der Pointe P. 2.10.27—28; dazu oben S. 60—61) eine naturkundliche Besonderheit erklärt.

[186] Insofern die elementare Reaktion durch das Empfinden der Gottheit *(perterritus)* erhellt. Der Verbindung von hydromorphen und anthropopsychen Eigenarten dient auch die Wahl

bestícht: Die Gottheit macht sich, in zweifachem Sinne, aus dem Staub und steckt den Kopf in den Sand; und bis heute hat der verschreckte Fluß es nicht gewagt, sein Haupt wieder ans Licht zu heben. All das ist denkbar, ist durch Identitätsstufe 3 gewissermaßen legitimiert, und doch wirkt es amüsant überzeichnet: Allzu Menschliches klingt in jenem materiellen Prozeß an.

Vor nicht unerhebliche Schwierigkeiten sieht der Interpret sich meist gestellt, wenn in antiken Texten die Rede auf Hamadryaden kommt[187]. Jene Eiche indes, die, obwohl der Ceres heilig, von Erysichthon in frevelndem Übermut gefällt wird (*Ov. M. 8.741—779*), darf man mit einiger Zuversicht auf integrativer Sehweise gegründet wähnen. Zunächst ist zu bedenken, daß die Nymphe den Angriff auf ihr Leben nicht hindern, ja ihren Baum offenkundig gar nicht verlassen kann. Ihr ist also — im Gegensatz zu ihren Schwestern — Identitätsstufe 5 verwehrt[188]. Die Frage, ob in der Eiche ein anthropomorphes Wesen wohnt, dem dort grundsätzlich zu verharren beschieden ist, oder ob man die *Deoia quercus* als dendromorphe

---

des ambivalenten *caput*. Ovid liebt es, Naturphänomene mit menschlichem Maße zu messen. Besonders die im folgenden Kapitel behandelte Gestalt der Tellus wird diese Neigung des Dichters illustrieren.

[187] Zum religionsgeschichtlichen Problem s. o. Anm. 54.
Kallimachos hat, wenn man das den spärlichen Angaben entnehmen darf, für seine Darstellung des von Erysichthon vollzogenen Frevels (Call. Cer. 37—41) als Seinsform des Baumes — ebenso wie Ovid — IS 3 gewählt (ἃ πράτα πλαγεῖσα κακὸν μέλος ἴαχεν ἄλλαις 39; dazu Demeters Reaktion ᾄσθετο Δαμάτηρ, ὅτι οἱ ξύλον ἱερὸν ἀλγεῖ 40).
Analytische Grundanschauung liegt hingegen der Episode Call. Del. 79—85 zugrunde. Dort heißt es von der Nymphe Melie: ἥλικος ἀσθμαίνουσα περὶ δρυός 81; deutlich werden zwei Wesen geschieden. Die Frage, ob der Gottheit und ihrem Baum die gleiche Lebenszeit zugemessen sei, läßt der Dichter von den Musen zugunsten eines affektiven Verhältnisses (84—85) beantworten. — Ähnlich (allerdings im Sinne sympathetischer Bindung!) wird schon h. Hom. 5 = in Venerem 264—272 zu verstehen sein; s. H. Herter, Nymphai, 1541.36—53.
Auch die Geschichte, die bei Apollonios Rhodios (2.476—483) Phineus über den Vater des Paraibios erzählt, scheint auf analytischer Sehweise zu gründen. Dieser habe das Flehen einer Nymphe, μὴ ταμέειν πρέμνον δρυὸς ἥλικος, ᾗ ἔπι πουλὺν / αἰῶνα τρίβεσκε διηνεκές (479 bis 480), mißachtet und die Eiche gefällt. Wie in Kallimachos' Delos-Hymnus wird der Baum sehr bezeichnend ἧλιξ genannt.
Bei der Erzählung wiederum, die Ovid der Hamadryade Sagaritis widmet, ist ein Wechsel der Grundposition als wahrscheinlich anzunehmen: s. u. Kap. II B 29.

[188] Diese Schwestern erscheinen zweifellos auf IS 5, wenn sie v. 777—779 im Trauerzug vor Ceres treten. Das ist in Anbetracht der Bezeichnung *germanae* merkwürdig. Denn entweder handelt es sich um wesensgleiche Schwestern, also Hamadryaden; in diesem Falle wählte Ovid je nach dramatischem Zweck eine andere IS (IS 5 für die entsetzten Schwestern, IS 3 für deren hilflos sterbende Artgenossin), ohne daß die damit verbundenen erheblichen existentiellen Unterschiede irgendwie motiviert würden. Oder soll man aus der Beweglichkeit jener „*dryades*" (777) schließen, daß sie, obwohl als Schwestern bezeichnet, einer anderen Nymphenklasse, nämlich den Dryaden*, deren Existenz nicht individuell an einen Baum gebunden ist, angehören?

* Die terminologischen Schwierigkeiten, die aus Servius' Normierungsversuch einerseits und unbekümmerter Benennungspraxis andererseits erwachsen, sind für die Sache unwesentlich; s. dazu H. Herter, Nymphai, 1541.53—67.

Gottheit zu sehen hat, dürfte durch einen bedeutsamen Umstand zugunsten von Identitätsstufe 3 entschieden werden. Erysichthon selbst rechnet nämlich mit der Möglichkeit, daß er nicht nur einen geweihten Baum schändet, sondern sich sogar an einer Göttin vergeht:

„*non dilecta deae solum, sed et ipsa licebit*
sit dea, iam tanget frondente cacumine terram." (755—756)

Das Folgende gibt ihm offenbar recht, die Eiche ist *dea*[189]. — Auch das Bleichwerden des Baumes, das als psychosomatische, durch den Schock begründete Erscheinung zu gelten hat[190], spricht für die Annahme integrativer Sicht. — Keine Bedeutung für die Interpretation mag ich dem Blut, das dem angeschlagenen Stamm entfließt, zumessen[191]. Allerdings weckt die Eigenbeschreibung der Getroffenen wieder gewisse Zweifel:

„*nympha sub hoc ego sum Cereri gratissima ligno* / . . ." (771)

Das scheint Identitätsstufe 4 gemäß. Zwar könnte man die Unstimmigkeit dadurch zu beseitigen suchen, daß man auf periphrastischen Ausdruck verweist[192], ein Rest an Unsicherheit aber bleibt[193].

Wenden wir uns nun denjenigen Darstellungen zu, die sich auf anthropomorphe Naturgottheiten — also IS 4 und IS 5 — konzentrieren, dabei aber, soweit es den geschilderten Handlungsverlauf angeht, deren Elemente nicht ins Blickfeld treten lassen. Da diese Szenen in aller Regel frei von interpretatorischen Schwierigkeiten sind, mag jeweils eine kurze Nennung genügen.

Identitätsstufe 5 wird man für die Flußgötter wie für die Nymphen[194], die sich bei Zeus auf dem Olympos einfinden, anzusetzen haben (Hom. Il.

---

[189] In diesem Sinne auch A. S. Hollis zu v. 755—756. Unglücklich dagegen W. S. Andersons Auffassung (zu v. 755—756), Erysichthon sei bereit, "to attack Ceres herself".

[190] Hier folge ich W. S. Andersons glänzender Bemerkung zu v. 759 (geringes Verständnis für integrative Anschauung freilich auch bei ihm). F. Bömer (zu v. 758) erklärt zu oberflächlich: „Poetischer Topos: Die Natur strahlt das Leiden der Gottheit wider".

[191] Es ist nicht ungewöhnlich, daß im Mythos Bäume (mit denen es natürlich stets eine besondere Bewandtnis hat) bluten; ein Hinweis auf Verg. A. 3.28 und 33 sowie Ov. M. 2.360 und 9.344 mag hier genügen.

[192] Man wird die Angabe *sub hoc ligno* nicht pressen dürfen. Dryope, die gewiß zur Naturerscheinung „Baum", nicht zu einer innerhalb des Baumes wohnenden Gottheit, geworden ist, sagt ganz ähnlich: *latet hoc in stipite mater* (M. 9.379). Andere Stellen, die nicht im Sinne analytischer Grundanschauung mißdeutet werden sollten: M. 2.362, 9.347—348, 9.376 (Sinn: unter mir, die ich Baum bin; ein Besitzverhältnis wäre abwegig, der pathetischen Erzählung überdies ganz ungemäß).

[193] Grundsätzlich ist natürlich auch die Möglichkeit zu erwägen, daß Ovid sich um die Einheitlichkeit seiner Darstellung wenig sorgt und die IS nach Belieben wechselt, oder daß er gar nur eine verschwommene Vorstellung vom Wesen seiner Hamadryade besaß. Für die erste Annahme gibt es keine zwingende Grundlage; die zweite freilich könnte sehr wohl mit einer gewissen Sorglosigkeit im Detail, die Ovid eigen ist, übereinstimmen.

[194] Sie werden als „Bewohnerinnen" (νέμονται 8) von Hainen, Quellen und Auen charakterisiert.

20.7—9). Auch die Nymphen, die in Kirkes Haus zu Diensten stehen[195] (Hom Od. 10.348—351), sind anthropomorphe Wesen. Der Auftritt des Okeanos[196] in Aischylos' Προμηθεὺς δεσμώτης[197] sei erwähnt, ebenso Deianeiras Erzählung von ihrem Freier Acheloos (Soph. Trach. 9—21), dessen drei Gestalten — keine von ihnen ist elementar[198] — der armen Umworbenen vor Angst und Abscheu den Wunsch nach einem frühen Tod eingeben.

Hierher gehört ferner, was Theokrit zum Ruhme der Kos kündet (Theocr. 17.58—71). Die Inselgottheit wird v. 58—59 als Amme des Ptolemaios eingeführt. Nachdem der Knabe geboren, jauchzt Kos vor Freude (64) und nimmt das Baby auf den Arm (65). Sie spricht zu ihm und erbittet sich und den Nachbarinnen eine ähnliche Ehre, wie Delos sie durch Apollon widerfahre (66—71). Namentlich Vers 65 wird als sicheres Indiz für Identitätsstufe 4 zu gelten haben:

φᾶ δὲ καθαπτομένα βρέφεος χείρεσσι φίλῃσιν (Theocr. 17.65)

Die weiteren Aussagen widersprechen dieser anthropomorphen Auffassung nicht. Ein zwingender Grund, integrative Grundposition zu erwägen, ist kaum auszumachen[199].

Schließlich sei des Penios gedacht, den Catull nach Chiron als zweiten göttlichen Gast bei der Hochzeitsfeier von Peleus und Thetis eintreffen läßt (Cat. 64.285—293). Der Flußgott hat das heimische Tempe-Tal verlassen und naht mit einer Reihe verschiedener Bäume, die er offenbar am Ufer seines Wirkungsbereiches ausgegraben hat (288) und nun — ein schmuckvoll grünendes Geschenk — um den Palast herum pflanzt. Catull ermöglicht seiner Naturgottheit diesen Ausflug, ohne dabei dem elemen-

---

[195] Der Dichter weiß — ganz ähnlich wie in Il. 20.8—9 — von ihrer „Herkunft" (γίνονται 350) aus Quellen, Hainen und Flüssen. Vgl. H. Herter, Nymphai, 1529.59—64. — C. F. v. Nägelsbach 91 erkennt in der Formulierung jenes Verses 350 wohl mit Recht den Rest einer Spur, die auf ehemals integrative Sehweise führt.

[196] Das Element wird in einer Frage, die Prometheus an Okeanos richtet, ἐπώνυμον ῥεῦμα (300) genannt (also nur Namensgleichheit!). Zuvor schon hatte er die Okeaniden, analytische Sehweise durch sprachlichen Ausdruck zu einer Einheit raffend, als Töchter eines Vaters, der den Erdkreis mit nieruhendem Strom umfließe, begrüßt (138—140); zu dieser Art der Benennung s. o. I. B 1.3 c.

[197] Ich folge, wenngleich nicht ohne Skepsis, der heute herrschenden Auffassung, die in Aischylos den Autor der Prometheus-Trilogie sieht. Eine abgewogene Beurteilung der Echtheitsfrage findet man bei A. Lesky 293—294, der auch die wichtigste Literatur nennt (bes. S. 308—309).

[198] Soph. Trach. 11—14. Die menschliche Gestalt erfährt hier eine tauromorphe Modifikation: ἀνδρείῳ κύτει / βούπρῳρος (12—13).

[199] Auch im Werk des Ovid findet sich eine handelnde Inselgottheit (Ov. M. 6.189—191, Rede Niobes). Die Kürze der Stelle läßt jedoch eine Entscheidung über die gemeinte Identitätsstufe nicht zu. Wir erfahren lediglich, daß Delos, im Meere treibend, die irrende Latona voll Mitleids angesprochen und aufgenommen habe.

taren Korrelat weitere Aufmerksamkeit zu schenken. Die Schilderung beschränkt sich auf Identitätsstufe 5.

Unserer Übersicht über den Gebrauch einzelner Identitätsstufen soll sich ein kurzer Hinweis auf jene recht seltenen Stellen anschließen, welche, auf analytischer Sehweise gründend, den Gott und sein Element nebeneinander nennen. Im Gegensatz zu den in Abteilung B dieses II. Teils behandelten Szenen, wo die Identitätsstufen innerhalb einer Handlungsfolge aufeinanderstoßen, geht es hier um Erwähnungen, die nüchtern die funktionale oder regionale Zusammengehörigkeit der anthropomorphen und der elementaren Vorstellungsform anzeigen. Statt von Konfrontationen (II B) soll im Folgenden von Oppositionen der Identitätsstufen die Rede sein.

In diesem Zusammenhang seien nochmals die weiter oben besprochenen Angaben bei Homer (Il. 20.8—9 und Od. 10.350—351) genannt. Die Nymphen, deren Klage um heimatliche Wohn- und Wirkungsbereiche Ovid seiner Schilderung des Weltbrandes eingegliedert hat (Ov. M. 2.237—240), gehören hierher[200]. Ebenso klar wird in dem Gebet, das der Hirt an Pales richten soll, zwischen *fontes* und *fontana numina* unterschieden:

tu dea, pro nobis fontes fontanaque placa
numina . . . (Ov. F. 4.759—760)

— einerseits soll das Quellwasser, das das Vieh zuweilen trüben mag (757—758), geglättet, andererseits die jeweils zugehörige Naiade besänftigt werden[201]. Einen Unterschied zwischen der körperlichen Erscheinung der Nymphen als *puellae* und dem frischen Wasser, welches sie spenden, macht Phaedra, als sie Hippolytus schreibt, wenn er auf ihre Wünsche eingehe, sollten u. a.

sic tibi dent nymphae, quamvis odisse puellas
diceris, arentem quae levet unda sitim. (Ov. Her. 4.173—174)

Soviel zu dieser Art, Identitätsstufen nebeneinanderzustellen. Lehrreicher sind indes die Fälle, die in einen größeren Handlungskontext eingebettet sind. Dort ergeben sich aus unterschiedlichen Rollen und Bezügen mannigfache reizvolle Verwicklungen, die zu untersuchen der Abteilung B des II. Teils vorbehalten ist.

---

[200] Ov. F. 2.603—604 ist ebenfalls hier einzuordnen. — Viele Fälle, so z. B. F. 3.275—276, entziehen sich einer verläßlichen Deutung.

[201] Es wäre verfehlt, *fontes* etwa mit dem Gott Fons (über ihn s. G. Wissowa RuK 221—222) in Zusammenhang zu bringen. Das *numen* der Quelle sieht auch Wissowa RuK 222, Anm. 3, durch Ovids Formulierung „*fontana numina*“ bezeichnet; „*fontes*“ zielt offenkundig auf IS 1.

3) Tellus Ov. M. 2.272—303

In Tellus haben wir die einzige ausführlich beschriebene Naturgottheit Ovids vor uns, deren Darstellung mit hoher Wahrscheinlichkeit allein auf der integrativen Grundposition beruht. So schließt sich der Kreis unserer Betrachtungen, der mit einer exemplarischen Untersuchung des — gleichfalls integrativ geschilderten — homerischen Skamandros begann, nicht ohne dabei einige Besonderheiten hervortreten zu lassen, welche den Älteren von seinem poetischen Nachfahren trennen: Die Ausgestaltung der jeweils handlungstragenden Identitätsstufe 3 ist doch recht unterschiedlich. Grund dafür mag einerseits Ovids Streben, religiöse Denkformen figürlich sichtbar zu machen, sein; daneben darf jedoch die Andersartigkeit der Naturerscheinungen nicht übersehen werden: Das fest umgrenzte Element Tellus war als solches weit eher geeignet, über Metaphern die Bildung körperlicher Einzelzüge zu begünstigen, welche z. T. bereits auf Identitätsstufe 4 weisen.

Eben diese weitgehende Schilderung körperlicher Details hat die Erklärer der Tellus-Szene dazu ermuntert, die Naturgottheit mindestens stellenweise anthropomorph zu sehen. Unsere Untersuchung muß daher zwei Gegenpositionen berücksichtigen und deren Argumente wägen:

1) Zum einen wird behauptet, Tellus sei menschengestaltig gedacht und trete in grotesker Weise zu ihrem Bereich in Beziehung. Folgte man dieser Auffassung, würde die Episode besser unten im Abschnitt II B: 2 behandelt.

2) Die zweite Position meint zu erkennen, daß Ovid die Identitätsstufe der Tellus wechsele. Demzufolge wäre unsere Szene nach II B: 1 (mit Querverweis in II B: 2) zu stellen.

Fast mehr noch als die Erkenntnisse zur Gestalt der Tellus dies tun, schwankt die ästhetische Beurteilung der Episode zwischen Prädikaten wie „empörend“ (E. Kuhnert, RML I.2, 1584.20), „geschmacklos“ (Haupt-Ehwald zu v. 303), „gefährlich nahe an der Grenze des Lächerlichen“ (A. M. Betten 41) einerseits und „einem befreienden Lachen schon recht nahe“ (E. Doblhofer, Ovidius urbanus 89) auf der anderen Seite.

Vor einem Blick auf die Einzelheiten, die Ovid von seiner Erdgöttin mitteilt, soll kurz auf die Frage eingegangen werden, in welchen Umrissen sich die Gestalt dieser wahrhaft umfassenden Gottheit bei integrativer Betrachtungsweise abzeichnet. Ohne Zweifel hat Ovid eine bereits ausgeprägte Metaphorik, die dadurch, daß Dinge im Innern und auf der Oberfläche der Erde mit Teilen des menschlichen Organismus verglichen wurden, entstanden war, seiner Darstellung zugrundelegen können. Dem

Dichter eröffnete sich hier die Möglichkeit, derartige Metaphern figürlich zu beleben und konkret auszugestalten. So lag für die Schilderung gerade der Naturgottheit Tellus Identitätsstufe 3 besonders nahe.

Trägt man nun die Metaphern, durch welche das Naturphänomen Erde poetisch gedeutet wird, zusammen, läßt sich aus ihnen etwa folgendes Gesamtbild formen[202]. Die ganze Erdentiefe ist der Allmutter fruchtbarer Leib; er birgt Knochen, Körpersäfte, Höhlungen[203]. Hingegen bietet sich der sichtbare Teil des vom Meer umschlossenen Erdrunds als ein Antlitz — oder, κατὰ συνεκδοχήν, als ein Haupt — dar[204]; in ihm wiederum mag man

---

[202] Ein schlüssiges Gesamtsystem präzise aufeinander abgestimmter Metaphern darf freilich nicht erwartet werden. Man braucht sich nur auf die Beschaffenheit des Erdkörpers, die menschlicher Gestalt weit ferner steht als etwa ein Baum, zu besinnen: So entzieht sich z. B. das Haar der Erde einem strengen Vergleich mit dem des menschlichen Hauptes, und nicht anders ist es um die Lokalisierung von Augen, Mund oder Hand bestellt. Dennoch sind diese Bilder für uns unmittelbar verständlich. Wir müssen nur bereit sein, dem Dichter hier ebenso einen gewissen Freiraum zuzugestehen, wie wir es mit größerer Selbstverständlichkeit andernorts zu tun pflegen. Im Rahmen solcher poetischer Lizenz aber ist Ovids Metaphernmosaik durchaus akzeptabel. — Eine Wertung der integrativen Form, die der Gottheit für die betrachtete Episode M. 2.272—303 beschieden ist, darf erst nach sorgfältiger Analyse des vom Dichter Gewollten und des von ihm Erreichten versucht werden.

Zur qualitativen Besonderheit der IS 3 charakterisierenden Metaphorik s. u. Anm. 208; vgl. auch Anm. 231.

[203] Das Innere (der „Schoß") der Erde als *viscera*: M. 1.137—138 *nec tantum segetes alimentaque debita dives / poscebatur humus, sed itum est in viscera terrae* (weiteres Material bei Bömer z. St. sowie zu M. 1.393); ganz ähnlich das Bild vom fruchtbaren Mutterleib: M. 1.419—421 *fecundaque semina rerum / vivaci nutrita solo ceu matris in alvo / creverunt.*

Gestein als *ossa*: M. 1.393—394 (Deucalion errät den Sinn des Orakelspruchs, den Themis v. 381—383 gegeben) *magna parens terra est : lapides in corpore terrae / ossa reor dici; iacere hos post terga iubemur.*

Gute Einsicht in diejenigen Einzelteile, die offenkundig als vergleichbar empfunden wurden, gewähren Verwandlungen. Vgl. im ersten Metamorphosen-Buch den Übergang von feuchten, erdigen Säften zu Fleisch (407—408); harten, festen Stoffen zu Knochen (409); Wasseradern zu Blutbahnen (410).

[204] Es scheint mir kaum möglich, an der vorliegenden Stelle zweifelsfrei zugunsten einer der beiden denkbaren Bedeutungen „Antlitz" und „Haupt" (*pars pro toto*; so häufiger, z. B. Ov. M. 4.242, 10.498, 11.255) zu entscheiden (s. auch oben Anm. 202; *os* 303 wird man als „Haupt", *ora* 284 eher als „Antlitz" fassen müssen). Wichtiger jedenfalls ist die Erkenntnis, daß dieses Gesicht (oder Haupt) als der weitflächige Ansatz verstanden sein will, von dem ausgehend man sich jene wahrhaft unübersichtliche Naturerscheinung metaphorisch gegliedert zu denken hat; von oben gesehen, tritt es reliefartig hervor; darunter schließt sich, auf Meeresniveau, der Hals als einfassender Rand (*collo tenus arida* 275); darunter wiederum der Rumpf: *viscera* (274), Erdinneres (Leibeshöhlung: 303).

In einem anderen Bild wird die sichtbare Erde als weit sich wölbende Brust (auch als Rücken) gedeutet; der Übersicht Eitrems (Gaia, RE VII, 473.29—59) entnehme ich die poetischen Beinamen βαθύστερνος, εὐρύστερνος, βαθύκολπος, πλατύνωτος. — Solche Vorstellungen konnte Ovid an unserer Stelle M. 2.272—303 natürlich nicht verwenden.

Als Beispiel für den Einfallsreichtum, der bei Bildung derartiger Metaphern gewaltet hat, sei Lucrez genannt, dem wir 5.487 einen *salsus de corpore sudor* entnehmen (Salzwasser als Schweiß der Erde gedeutet); manchen ähnlichen Vergleich könnte die Ungunst der Überlieferung unserem Wissen vorenthalten.

Einzelheiten wie Haar, einen Hals oder Augen erkennen[205]. Betrachter, denen es vergönnt wäre, jene gewaltige elementare Gottheit aus luftiger Höhe anzuschauen, sähen also nur deren weitflächiges Gesicht bzw. Haupt; unter diesem aber wüßten sie Hals und Körper der Riesin.

Ovid schildert im 2. Buch der Metamorphosen, wie Phaethon, den Abenteuerlust taub gegen besseren Rat hatte werden lassen, alle Kontrolle über sein Gespann verliert. Nachdem der Dichter zunächst innerhalb jener Bezirke, die von den Rossen irrend durchstürmt werden, verweilt hat, wendet er sich nun nach einem kurzen Blick auf die rauchenden Wolken (209) der Erde zu: Höhergelegene Orte geraten in Brand, der Boden wird rissig, Wasseradern versiegen (210—211). Es folgen zahlreiche Einzelheiten der Feuerkatastrophe, die über alles Irdische hereinbricht[206]. Schließlich kehrt die Erzählung, an den v. 210—211 gegebenen Überblick knüpfend, zur leidenden Erde — der Gesamtheit aller betroffenen Teile — zurück (272). Deren Rede leitet die Wende ein[207]. Der letzte Akt des Phaethon-Dramas wird auf der Himmelsbahn entschieden, wo Iuppiters Blitzschlag den jugendlichen Sonnensohn ereilt.

Die drei einleitenden Verse (272—274) zeigen Tellus als die Masse allen festen Landes, das vom Meer umgeben ist und in dessen Tiefen die Quellen sich zurückgezogen haben:

alma tamen tellus, ut erat circumdata ponto,
inter aquas pelagi contractosque undique fontes,
qui se condiderant in opacae viscera matris, (272—274)

Im Vers 274 wird das Erdinnere als *viscera matris* gedeutet. Das kann Metapher sein[208]. Noch fehlt ein Hinweis, der dazu zwänge, in der Ge-

[205] Korn als Haar der Erde (283): Tib. 2.1.47—48 *rura ferunt messes, calidi cum sideris aestu / deponit flavas annua terra comas.* (K. F. Smith z. St.: "Mother Earth has her hair cut, i. e. of course, the grain is reaped."); ähnlich Ov. Am. 3.10.11—12.
Hals (275) und Augen (284) der Erde sind, soweit mir bekannt, sonst nirgends erwähnt; beide Prägungen leuchten indes unschwer ein (vgl. Anm. 204 und 220).
Die *fauces* (282) haben ambivalenten Charakter; Beispiele für die lokale Verwendung des Wortes: 1) schmale Landenge: Cic. Agr. 2.32.87; 2) Schlund/Krater eines Vulkans: Lucr. 6.639 und 6.697; 3) Flußbett: Verg. G. 4.428; Schlund der Erde: Cic. ND 2.37.95.

[206] Die Herrschaft des Feuers über die mächtigsten Berge und Ströme ist mit besonderem Nachdruck in zwei langen Katalogen herausgearbeitet; auch die großen Bereiche Unterwelt und Meer werden gestreift; zum Aufbau der Schilderung des Weltbrandes s. A. M. Betten 33.

[207] Zur kompositorischen Funktion der hier behandelten Szene s. A. Rohde 22—23; er würdigt die Rolle der Tellus: „quae secundas agens partes tamen non nullius in narratione est momenti. Tellus enim omne malum Iovi exponit, qui eius verbis commovetur, ut Phaethontem inhibeat". (23).

[208] Man muß unterscheiden: 1) Sprachliche Ausdrücke, die dem Humanbereich entstammen, können auf lokale Naturerscheinungen (IS 1) übertragen werden. Diese Art metaphorischen Zuwachses im Lexikon einer Sprache ist ein ganz normaler Vorgang, zuweilen als gelungene Neuschöpfung bewundert (etwa der Eiche „Astgeweih" in Oskar Loerkes „Ohne falsche

schilderten eine bewußt wirkende Naturgottheit zu sehen, noch muß der Leser wähnen, Ovid plane einen geographischen Exkurs. Dieser Eindruck wird erst durch v. 275 als irrig erwiesen: Tellus spürt die physische Not und beginnt, bevor sie sich zu ihrer mahnenden Rede an den höchsten Gott gedrängt fühlt, körperlich auf den Weltbrand zu reagieren:

> *sustulit omniferos collo tenus arida vultus*
> *opposuitque manum fronti magnoque tremore*
> *omnia concutiens paulum subsedit et infra,*
> *quam solet esse, fuit . . .* (275—278)

Angesichts der bedrohlichen Lage wird man die Bewegung der Erde als bewußte Schutzmaßnahme, die Handelnde entsprechend als mit Fühlen und Wollen begabt aufzufassen haben. Veranschlagt man ferner das kosmische Ausmaß der Tellus, von dem die vorangegangenen Verse zu berichten wußten, dürfte die Erscheinungsform jener Gottheit durch Identitätsstufe 3 am angemessensten beschrieben sein[209].

Aufschlußreich ist ein Blick auf die sprachliche Gestaltung der Verse 275—278. Die einzelnen Begriffe sind so gewählt, daß sie der elementaren Körperlichkeit der glutgeplagten Göttin gerecht zu werden vermögen: Zu den *viscera matris* (274) gesellen sich nunmehr Antlitz (bzw. Haupt) und Hals; wir sehen die riesige Fläche des Erdengesichts, preisgegeben der allzu nahen Sonne, ausgedörrt bis zum tiefergelegenen Körperansatz, den das Meer feuchtet. Einen weiteren verläßlichen Schluß auf die integrative Sehweise des Autors gestattet das Attribut *omnifer*[210];

Zeugen"), meist jedoch längst vollzogen, altvertraut, kaum bewußt zur Kenntnis genommen (z. B. Berg-„Rücken", Land-„Zunge"). Als eine solche Metapher — wahrscheinlich geringen Habitualisierungsgrades; s. Bömer zu M. 1.138 — wird man auch Ovids Wendung *viscera matris* (274) zunächst auffassen.

2) Ein Sonderfall liegt indes vor, wenn jene metaphorischen Deutungsmöglichkeiten auf integrativ betrachtete Naturphänomene angewandt werden. Hier dient die Metapher einem beseelten Individuum, das Bild besinnt sich auf seinen menschlichen Ursprung, es gewinnt sein eigentliches Leben zurück. IS 3 läßt Gestalt und Funktion zu einer lebendigen Einheit verschmelzen: Die Vegetation *ist* das (versengte) Haar, Seen *sind* die (verrußten) Augen der Naturgottheit Erde. Wir werden hier von Metaphern besonderer Qualität sprechen dürfen. — Vgl. oben Anm. 12.

[209] Jetzt (v. 275) mag man *tellus* (v. 272) als *Tellus* reinterpretieren, wenn Personalität (IS 3—5, s. o. Anm. 10) das Kriterium für Großschreibung in modernen Editionen sein soll. Auch die *viscera* (v. 274) erscheinen nun in anderem Licht (vgl. die vorstehende Anm. 208).

[210] Einst hat man es gedruckt („vulgo olim" merkt H. Magnus an; so z. B. Petrus Burmanns Ausgabe Amsterdam 1727), heute fristet es sein Dasein nur mehr in den *adnotationes criticae.* Allgemeiner Gunst erfreut sich dafür *oppressos,* das allein im Marcianus Florentinus 225 (= M) erscheint (von zweiter Hand ist übrigens bessernd *omniferos* hinzugesetzt); und obwohl die Ansichten darüber, wie diese Lesart semantisch zu deuten sei, auseinandergehen (es gibt für sie „in ähnlicher Verwendung keine vergleichbare Stelle bei Ovid": Bömer z. St.; van Proosdij erklärt „sc. *aestu*"; Breitenbach übersetzt „bekümmertes Antlitz", Rösch „gesenktes Haupt", Lafaye „son visage oppressé"; Siebelis-Polle paraphrasieren „niedergedrückt durch die Glut

es kündet in aller Klarheit vom Maß jener *vultus*[211]. Auch die Ambivalenz des Verbums *subsidere* — es kann einem Menschen ebenso wie

---

und den Aschenregen", und HAUPT-EHWALD lassen Tellus „das bekümmerte, von Angst bedrückte Antlitz" erheben), scheint sie modernen Herausgebern immerhin befriedigend genug, um auch auf Kosten besser überlieferter Varianten die Wortwahl Ovids zu repräsentieren; *oppressos* schreiben A. RIESE (1871), H. MAGNUS (1914), R. EHWALD (ed. maior 1915 und ed. minor 1922), G. LAFAYE (1928 und 5. Aufl. 1969), B. A. VAN PROOSDIJ (1951), W. S. ANDERSON (1977): Die Einhelligkeit überrascht.

Allerdings sei gleich vorab bemerkt, daß das spärlich bezeugte Partizip *oppressos* durchaus guten Sinn gibt: Das Haupt der Gottheit ist von Rauch und Hitze „bedrängt" (es wäre gleichzeitig zu erwägen, ob *collo tenus* in diesem Fall statt zu *arida* zu *oppressos* gezogen werden sollte), Tellus ringt gleichsam nach Luft (vgl. frz. être oppressé „schwer atmen, keine Luft haben"), Glut engt Sprech- und Atemwege (so auch v. 278: *sicca voce*, 282 und 283: *presserat ora vapor*, 301—302). Was die Identitätsstufe der Dargestellten anlangt, so vermögen jene *oppressi vultus* analytischer (IS 4) wie integrativer (IS 3) Sehweise gleichermaßen gerecht zu werden (das mehrheitlich überlieferte *omniferos* dagegen weist klar auf IS 3; allenfalls könnte man an eine Metonymie des oben unter I 1.3 a. beschriebenen Typs denken).

In den meisten Handschriften lesen wir jedoch *omniferos* (N hat die zweite Worthälfte *in rasura*; ein von m³ darüber eingetragenes *igniferos* dürfen wir getrost beiseite lassen). Inhaltlich fügt das Adjektiv sich problemlos der Identitätsstufe, die Ovid für die Charakterisierung seiner Naturgottheit gewählt hat. In knappster Form faßt es zusammen, wie das soeben genannte Gesicht verstanden sein will: kein müßiges Flickwort also, sondern wohlbedachte Orientierungshilfe, verdächtig nur dem, der integrative Anschauung nicht in Betracht zieht. Denn wer der vorgefaßten Meinung huldigt, Tellus könne nur eine anthropomorphe Göttin sein, der muß *omniferos vultus* allerdings als störend (die *vultus* wären in kühner Weise uneigentlich benannt, s. o.), ja als sinnwidrig empfinden. (Einen wichtigen Grund für solche Einseitigkeit wird man in einer verbreiteten Fehleinschätzung des Einflusses, den die bildende Kunst auf literarische Werke ausgeübt hat, zu sehen haben; dazu unten Anm. 214).

Das Attribut *omniferos* wird zudem dadurch als die ursprüngliche Wortwahl des Dichters empfohlen, daß dieser *adiectiva composita* auf *-fer* und *-ger* nicht nur mit bemerkenswerter Vorliebe verwendet — „Ovid steht da" (d. h. in lateinischer Dichtung) „mit Abstand an der Spitze"; „jede Möglichkeit einer solchen Bildung scheint der Dichter ergriffen zu haben". (F. BÖMER zu F. 1.125) —, sondern offenkundig auch in großer Zahl neu gebildet hat. Eine vorzügliche, detaillierte Übersicht zu diesem Ovidianum findet man bei BÖMER zu F. 1.125.

Im übrigen erachte ich es für wahrscheinlich, daß die Lesart *oppressos* ihre Existenz einem frühen Versuch zu danken hat, das als unverständlich aufgefaßte Attribut *omniferos* auszumerzen und durch einen Ausdruck zu ersetzen, der der Situation gemäß schien; da mag das einige Verse entfernt stehende *presserat ora vapor* (283) eine willkommene Anregung für die gewünschte Korrektur gegeben haben — zum Schaden des Ursprünglichen.

Einen bedachtsam urteilenden Anwalt hat der überlieferte Wortlaut nur — soweit ich sehe — in G. PATRONI gefunden. PATRONI weist auf einen Wandel im ästhetischen Empfinden hin (in diesem Punkt denke ich anders, s. u. Anm. 231) und kommt zu dem Schluß: „. . . la lezione sarà da stabilire unicamente in base ad autorità di codici, o ad ogni modo all'infuori di criteri estetici, per lo meno di codesta estetica non classica, che tratta le personificazioni naturalistiche come faccenda puramente letteraria e retorica". (168).

Schließlich sei noch vermerkt, daß die Lesart *omniparens* (oder *omnipotens*; beide Deutungen lassen sich der Abbreviatur *omps*, die ε bietet, entnehmen; *omniparens* auch in den *codices Heinsiani*) zwar recht blaß schiene (Tellus war schon v. 272 als *alma* eingeführt worden), ein von Heinsius erwogenes *omniparos* jedoch dem Bild, welches Ovid von der Gottheit zeichnet, ähnlich gut entspräche wie das überlieferte *omniferos*.

211 Eine Formulierung, die Ovids *omnifer* entspricht, findet man bei Kallimachos, der Gaia als ὦ μεγάλη, πολύβωμε, πολύπτολι, πολλὰ φέρουσα besingt (Call. Del. 266): Das ist dieselbe integrativ verstandene Göttin, die alles Irdische trägt (wie die zuvor genannten gleichrangigen

einer Geländeform gelten[212] — und des farblosen *esse solere* ist hier zu nennen.

Soweit fügen alle Einzelheiten sich aufs schönste zum Bild eines geomorphen Bewußtseinswesens: *viscera*, *collum*, *vultus* und *frons* sind unmittelbar verständlich; ebenso leuchten die geschilderten Vorgänge mühelos ein, ist es doch eine fast zwangsläufige Folge der zehrenden Glut, daß die trockene Materie in sich zusammenfällt, daß sie nach ihrem Einbruch an Höhe verloren hat und daß ein mächtiges Beben diese Verlagerung begleitet[213]. Eines nur scheint die Stimmigkeit unserer integrativen Deutung zu stören: die Existenz einer Hand, welche Tellus schützend über ihre Stirn zu legen vermag. Es ist zu fragen, woher denn die Hand genommen ist, ob man sie in kosmischen Maßen zu denken hat und wie eine elementare Formung jenes Körperteils überhaupt aussehen kann[214].

Am bequemsten entledigt sich der Schwierigkeit, wer *manus* schlicht als ein untrügliches Indiz für die Menschengestalt der Göttin vindiziert: Ovid weiche von seinem vorigen Konzept ab und wolle Tellus nunmehr anthropomorph verstanden wissen. Diese Interpretation ist zweifellos möglich. Man sollte indes sorgsam prüfen, ob die Annahme eines Wechsels der Grundanschauung wirklich zwingend ist. Immerhin steht die elementare Form der Gottheit bis zum Vers 275 außer Frage, und auch der Fortgang der Erzählung wird sich ausschließlich auf Identitätsstufe 3 stützen.

Sucht man nun der integrativen Grundposition, auf der Ovid die gesamte Episode aufgebaut hat, auch für die erste Hälfte des Verses 276 Geltung zu verschaffen, wird man in jener *manus* einen elementaren Handrücken —

Attribute zeigen, ist πολλὰ φέρουσα hier wohl nicht im — sonst üblichen — Sinne von „vieles hervorbringend" zu verstehen). Parallelen zum allumfassenden Wesen der Tellus lassen sich in großer Zahl anführen (παγγενέτειρα, παντρόφος, πάντων τροφός; πάντων ἕδος ἀσφαλὲς ἀεὶ ἀθανάτων Hes. Theog. 117; vgl. h. Hom. Tell. 2—4; weiteres in der Übersicht Eitrems, Gaia 473.29—59, sowie in der C. F. H. Bruchmanns, Suppl. zu RML (1893), S. 71—73; vgl. auch die (wesentlich kürzere) Liste der Epitheta zur römischen Tellus: I. B. Carter, Suppl. zu RML (1902), S. 95).

[212] Vgl. die Stellen bei F. Bömer zu v. 277. Allerdings kann ich die Art, in der Bömer den Gebrauch von *subsidere* verständlich zu machen sucht, nicht billigen: Da wird das Naheliegende (Naturerscheinung) benutzt, um das Unwahrscheinliche (anthropomorphe Göttin) als wahrscheinlich zu erweisen.

[213] Der Vorgang *omnia concutiens* stimmt bestens zu den *vultus omniferi* in Vers 275: Tellus trägt „alles", also muß auch bei ihrem Kollaps alles Irdische erbeben.

[214] Man leistet der Interpretation literarischer Werke einen schlechten Dienst, wenn man unbedacht alles Heil in gelegentlich greifbaren Darstellungen der bildenden Kunst sucht. So fürchte ich, jene bei Philostr. imag. 1.11 beschriebene Ge verdunkelt unsere Ovid-Stelle mehr als daß sie sie erhellen könnte. Gewiß, die Szene ist die gleiche, und sogar Hände sind erwähnt (ἀπαγορεύει δὲ ἡ Γῆ καὶ χεῖρας αἴρει ἄνω ῥαγδαίου τοῦ πυρὸς ἐς αὐτὴν ἰόντος.). Man darf indes nie außer Acht lassen, daß dem Maler, will er seine Gottheiten als Gottheiten erkannt wissen, nur die Menschengestalt bleibt, während der Dichter jede beliebige Identitätsstufe wählen kann. Beide arbeiten unter ganz unterschiedlichen Bedingungen; s. H. Herter, Ovidiana 49—74.

nüchterner Sachlichkeit wäre er ein Gebirgszug — sehen müssen. Die Beweglichkeit der Hand ist dabei selbstverständlich und darf nicht stören: wem Gliedmaßen gegeben sind, der kann sie auch nach Belieben verwenden: So wie Kallimachos' Delos Füße besitzt, die sie durch das ägäische Meer tragen, wie der Peneios bei demselben Dichter seine Füße hurtig regt, wie Ovids Tmolus sein Haupt zu wenden vermag[215], so kann auch Tellus ihre Hand rühren. Vorstellbar ist die Aussage *opposuitque manum fronti* also durchaus auch dann, wenn für das Subjekt ausschließlich Identitätsstufe 3 angenommen wird.

Es bleibt die Frage nach der Wahrscheinlichkeit dieser Interpretation. Grundsätzlich ist zu bedenken, daß das Bild einer elementaren Erd-Hand Ovids Erfindung sein kann, ein individuelles metaphorisches Motiv, das keinem Muster verpflichtet ist und für das man billigerweise auch keine Parallelstellen aus früherer Literatur erwarten darf. Ein glücklicher Umstand fügt es jedoch[216], daß tatsächlich eine Schilderung, in der ein Landschaftsteil als *manus* gedeutet wird, beigebracht und so das Fundament, auf dem unsere Auffassung der Tellus-Szene beruht, weiter gefestigt werden kann. Lenken wir unseren Blick auf ein zwar kleineres, in seiner Flächenstruktur aber ganz ähnliches Areal: Der Sage über die Versteinerung des Atlas (Ov. M. 4.657—662) ist zu entnehmen, daß den ursprünglichen *umeri* und *manus* des Menschen nunmehr die *iuga* des Gebirges entsprechen. Ovids anschauliche Gleichungen sind indes nicht ohne Vorbild: Der Sulmonenser folgt hier Vergil nach, dem man seinerseits die metaphernreiche Darstellung des *mons Atlas* oft zum Vorwurf gemacht hat[217]. Was den Bergen recht war, kann der Erde nun billig sein: Die Hand ist dem elementaren Äußeren der Gottheit durchaus gemäß.

Noch eine dritte Möglichkeit, die Aussage des Verses 276 im Zusammenhang der Erzählung zu deuten, soll hier erörtert werden. Folgende Gesichtspunkte wären von ihren Verfechtern anzuführen: Die Tellus-Episode basiere zwar auf Identitätsstufe 3 der handelnden Gottheit, doch sei ein Übergang zu benachbarten Vorstellungskreisen, zumal wenn das Geschehen dramatisch vorwärts dränge, jederzeit leicht möglich. In unserem Falle reagiere die elementare Tellus wie ein Mensch, der sich vom Hitzschlag bedroht fühle; ihr heißes Antlitz habe, kaum daß sie es erhoben, Schutzes bedurft: Rasch sei da eine Hand zur Stelle gewesen. Indes: Müßig

---

215 Alle diese Stellen beziehen sich gleichfalls auf IS 3.

216 Übrigens wider alle statistische Wahrscheinlichkeit, wenn man sich vor Augen hält, wie selten die Naturgottheit Erde sowie vergleichbare flächige Erscheinungen in den auf uns gekommenen Werken der Dichtkunst geschildert werden.

217 Mit geringem Recht — so darf man hinzufügen. Unsere Untersuchung wird noch mehrfach zeigen, daß solche Deutungen landschaftlicher Phänomene nicht gar so außergewöhnlich gewesen sind, wie das später manchen Kritikern scheinen mochte. — Vgl. unten Anm. 411.

ei es, nach deren Lage und Beschaffenheit zu fragen. Der Dichter erfinde, ım seine Katastrophenszene möglichst lebendig zu konturieren, ein nenschengestaltiges Detail, das jedoch sogleich wieder vergessen werde ınd der Einheitlichkeit integrativer Grundanschauung keinerlei Abbruch un könne. Mehr als einen Einzelzug, für die Dauer eines Augenblicks von dentitätsstufe 4 erborgt, brauche man in jener *manus* nicht zu sehen[218].

Auch diese Auffassung (: IS 4 klingt kurz an) dünkt mich durchaus erwägenswert. Einen Nachteil mag man allenfalls in einer gewissen motivichen Sorglosigkeit, die dem Dichter dabei zu unterstellen wäre, erkennen. enes streng integrative Verständnis (: IS 3 gilt ausschließlich) andererseits befremdet den modernen Leser ein wenig durch seine recht phantatisch gemutende Metaphorik: Die Deutung der Funktion verschiedener Teile des Elements Erde über das Medium des menschlichen Körpers geht ıier zweifellos sehr weit. Dennoch: Für beide Interpretationen sprechen gute Gründe, und das Gewicht der Argumente läßt beiden fast gleichen Rang. Bedenklich hingegen scheint mir einzig das Vorgehen derer, die allein auf die Erwähnung einer „Hand“ die Theorie gründen, daß entweder ein größerer Abschnitt oder aber nur der behandelte Versteil von einer menschengestaltigen Gottheit künde[219].

Aus den folgenden Angaben über Tellus verdienen besonders die Verse 283—284 unsere Aufmerksamkeit. Die Göttin, von Qualm gepeinigt und m Redefluß gestört, weist den olympischen Herrscher auf die Brandveretzungen ihres Hauptes hin:

> ... *tostos en adspice crines*
> *inque oculis tantum, tantum super ora favillae!* (283—284)

Wiederum werden Vorstellungen aus der Humansphäre auf die Naturerscheinung übertragen und dabei integrativer Anschauung dienlich gemacht[220]. Die Körperteile sind geeignet, uns das menschlich empfindende

---

[18] Eine in ähnlicher Weise zwar denkbare, bei näherer Prüfung jedoch unwahrscheinliche nthropomorphe Momentaufnahme wurde oben in Kapitel II A 1 (zu Hom. Il. 21.213) besprochen.

[19] Da die Tellus-Episode bisher keine eingehende Interpretation erfahren hat, eine fruchtbare Auseinandersetzung mit den konkreten Argumenten eines anders Urteilenden also nicht möglich ist, setze ich hier — wie auch zuweilen an sonstigen Stellen — eine hypothetische Gegenposition; sie soll helfen, den eigenen Standort deutlicher hervortreten zu lassen. Eine qualitativ unterschiedliche Situation wird uns von Theokrit (17.65) geschildert (s. o. S. 90); dort weist das Detail „χεῖρες“ zweifelsfrei auf IS 4 der Inselgottheit: Kos nimmt — als Amme!; Vorbild ist vielleicht Call. Del. 264—265, wo aber eine ausdrückliche Nennung von Hand oder Arm fehlt; s. u. S. 163 — den Säugling auf ihren Arm.

[220] Seen als *oculi Telluris* sind durchaus vorstellbar. Allerdings weiß ich für diese Metapher keine Parallelstelle aus antiker Literatur zu nennen. Das von H. Fränkel 96—97 gestreifte Motiv (er meint, M. 4.347—349 werde der Teich Salmacis mit den Augen der Nymphe verglichen), an das man in diesem Zusammenhang denken könnte, vermag mich nicht zu überzeugen.

riesige Elementarwesen begreiflicher erscheinen zu lassen; Haar un
Augen regen unser Mitgefühl mit der Leidenden eher, als Pflanzenbe
wuchs oder Seenspiegel das täten.

Iuppiter muß weitere Klagen der bedrängten Gottheit hören: Ob die Ver
nichtung alles Irdischen der Dank sei für ihren geduldigen, segensreiche
Dienst —

> . . . *quod adunci vulnera aratri*
> *rastrorumque fero totoque exerceor anno* / . . .? (286—287

Tellus sagt von sich selbst, ihr würden Wunden gerissen und ständi
werde sie bebaut[221]. Das ist integrativer Sehweise gemäß: Die anthropo
psyche Göttin beschreibt, was landwirtschaftliche Kultur ihrem elementare
Körper zumute.

Mit der Mahnung an den Göttervater, er möge sich der zugrunde
gehenden Welt annehmen, um ein zweites Chaos, das den Bestand soga
der Himmlischen gefährden würde, zu verhindern, hat die Erde ihre Roll
gespielt, ihre Pflicht getan. Der letzte Akt des Phaethon-Dramas ist einge
leitet. Ovid schickt sich an, seine Darstellerin von der Szenerie des Welt
brandes zu entfernen. Er läßt zu diesem Zweck den Qualm des Flammen-
meeres so unerträglich werden, daß Tellus sich zum äußersten Rückzug
den ihre Physis erlaubt, getrieben fühlt: Die Erdoberfläche als derjenig
Teil der Naturerscheinung Erde, welcher der sehrenden Glut am stärkste
ausgesetzt war, fällt in sich zusammen und sinkt ein. In der metaphorische
Sprache, die der Bewußtheit der handelnden Göttin verpflichtet ist, heiß
das: Tellus senkt ihr Haupt in den Schutz der bergenden Leibeshöhle:

> *dixerat haec Tellus — neque enim tolerare vaporem*
> *ulterius potuit nec dicere plura — suumque*
> *rettulit os in se propioraque manibus antra.* (301—303

Die Formulierung des letzten Verses[222] wird gern als Beleg dafür mißbraucht, daß Ovids Erdgottheit analytisch zu sehen sei: Das anthropo-

---

Eine Kuriosität am Rande: H. Haege 274 glaubt gar, die „Ohren" der Erde entdeckt zu
haben — allzu wunderbar und gänzlich unbewiesen, wie so manche forsche Behauptung, di
sich in seiner flüchtigen Arbeit findet.

[221] Diese Vorstellung begegnet häufiger (F. Bömer zu v. 286 spricht von „einer geläufige
poetischen Phraseologie"); *locus classicus* ist wohl M. 1.101—102:

> *ipsa quoque inmunis rastroque intacta nec ullis / saucia vomeribus per se dabat omnia tellus.*

Übrigens haben bei integrativer Sicht die Prädikate *vulnera fero* und *exerceor* als eigentliche
Ausdruck zu gelten; Metonymie nach dem Muster I B 1.2 c braucht hier also nicht angenommen zu werden.

[222] Die *manes* sollen offenbar tiefere Regionen andeuten (vgl. auch Bömer zu v. 303). Schon im
ersten Buch hatte es vom Erdinnern geheißen (M. 1.139—140):

> *quasque recondiderat Stygiisque admoverat umbris, / effodiuntur opes, inritamenta malorum.*

norphe Wesen Tellus wohne in seinem Element *tellus*, und die Aussage *umque rettulit os in se* zeige, wie die beiden unterschiedlichen Vorstellungsnhalte miteinander konfrontiert würden.

Nun wird man jene analytische Interpretation gewiß nicht als undenkbar btun wollen. Eine stringente Widerlegung dürfte ohnehin kaum möglich ein. Die Zuversicht jedoch, mit der dort die anthropomorphe Ercheinungsform der Göttin zur Selbstverständlichkeit erhoben wird, ist chlechthin staunenswert. Sie steht überdies in einem ungünstigen Gegenatz zu dem offenkundigen Mangel an Belegstellen, die geeignet wären, ine analytische Auffassung der Tellus-Gestalt wahrscheinlich zu machen[223].

Auch hier bewährt die integrative Deutung der handelnden Gottheit sich esser. So macht es keinerlei Schwierigkeit, in der Aussage *rettulit os in se* lie Bewegung eines einheitlichen, auf Identitätsstufe 3 gedachten Körpers u erkennen. Darüberhinaus findet der auffällige Gebrauch des Pronomens *in se)* eine eindrucksvolle Entsprechung durch die Stelle M. 6.385 Häutung des Marsyas: *quid me mihi detrahis?*): In beiden Fällen wird ein Körperteil — hier der aus Not Handelnden, dort des von roher Handungsweise Betroffenen — dem Gesamtkörper, der dabei jeweils pronominal ezeichnet ist, gegenübergestellt[224].

Nachdem wir im Vorangegangenen den Nachweis zu führen bemüht waren, daß Ovid sich nicht von dem entfernt hat, was Identitätsstufe 3 einem Gestaltungswillen in reichem Maße zu geben vermochte, sei abchließend auf Untersuchungen eingegangen, die zu anderen Resultaten gelangt sind. Zwar wird man gründliche Interpretationen, die das Wesen

[223] Bömers bunte Stellensammlung (zu v. 303) vermag die behauptete Menschengestalt der Tellus gewiß nicht zu stützen: Allzu Disparates steht da ungeschieden nebeneinander. Mangelnde ystematik kennzeichnet indes auch die Übersichten, die Gelehrte wie E. J. Bernbeck 112—13, E. Lefèvre, Die Bedeutung des Paradoxen 64—65, und J.-M. Frécaut, L'esprit et humour 35—37, zu jenen auffälligen Versen, „où la répétition d'un pronom personnel contitue une sorte de jeu de mots" (Frécaut 35), gegeben haben. All das illustriert eben nicht nehr als den übergeordneten Tatbestand, daß eine Person „zu sich selber in eine konkordante der konträre Relation tritt oder gebracht wird" (H. Herter, Verwandlung und Persönlichkeit 05). Wem es aber um Argumente zugunsten einer anthropomorphen Erdgöttin zu tun ist, der ätte eine exakte Parallelstelle beizubringen, die folgende Bedingungen erfüllt: 1) Ein Dichter nuß die analytische Grundposition wählen; 2) er muß den menschengestaltigen Gott (IS 4/5) n direkten körperlichen Kontakt zu seinem Element (IS 1/2) treten lassen (Fames und Somnus ind als „Personifikationen von Abstracta" dazu nicht in der Lage; s. o. S. 24—25); 3) sprachlich nuß dabei der Gott eigentlich, das Element uneigentlich — und zwar durch ein Personalpronomen — benannt sein. — Eine solche unserem Vers 303 inhaltlich entsprechende Formulieung ist mir aus Ovid nicht bekannt.

[224] Die Entsprechungen sind im einzelnen wie folgt zu beschreiben:

. die Objekte:	*os* (Tellus) — spezieller Körperteil: Haupt;
	me (Marsyas) — spezieller Körperteil: Haut;
. die Richtungsangaben:	*in se* (Tellus) — der restliche Körper;
	mihi (Marsyas) — der restliche Körper.

der Tellus hinreichend deutlich beschrieben und diese Beschreibung durch sorgfältig beigebrachte Argumente stützten, vergeblich suchen, doch fehlt es deshalb nicht an Aussagen über die Gottheit. So zeichnen sich im bisherigen exegetischen Schrifttum immerhin zwei verhältnismäßig klar umrissene Positionen ab, von denen die eine Identitätsstufe 4 neben Identitätsstufe 1 dargestellt sieht, die andere einen mehrmaligen Wechsel der dominanten Identitätsstufe annimmt[225].

Die zuerst genannte Auffassung wird von F. Bömer vertreten. Mindestens ab v. 277[226] steht er — und zwar, soweit erkennbar, konsequent — zur analytischen Grundposition, trennt also eine menschengestaltige Gottheit Tellus von der Naturerscheinung *tellus*. Die Hauptdarstellerin der Szene v. 277—303 zeichnet Bömer (zu v. 277) so: „Tellus erscheint hier verkleinert, en miniature, eingeschrumpft, nur in einem Bruchteil ihrer natürlichen Größe: Diese Reduzierung des gewaltigen Ausmaßes der einleitenden Verse auf sozusagen mikroheroische Dimensionen ... ist eine der Eigentümlichkeiten der Technik Ovids"[227]. Folgerichtig stellt der Kommentator zwischen der Bewegung der anthropomorphen Göttin und dem v. 276—277 geschilderten Erdbeben einen sympathetischen Zusammenhang her (zu v. 277) und faßt die Aussage v. 303 als Konfrontation der beteiligten Seinsformen[228].

---

[225] Des weiteren sind hier die umsichtigen Bemerkungen, die man bei G. Patroni 166—169 über Tellus lesen kann, zu nennen. Er scheint indes unsere oben skizzierte Position, nach welcher die Gottheit integrativ dargestellt ist, zu vertreten. (Wenn letztlich keine endgültige Klarheit über seine Interpretation herrschen kann, zeigt das nur einmal mehr, wie nachteilig es ist, daß eine sinnvolle Terminologie bezüglich der Seinsformen von Naturgottheiten bislang nicht zur Verfügung stand; so spricht Patroni 168 von „tutti quelli che sentivano davvero la Tellus come divinità e ad un tempo" (!) „come ecumene": nebeneinanderher laufende Vorstellungen oder Einheit im Sinne von IS 3?). In dieser Weise ist es wohl zu verstehen, wenn Patroni 167 über den Schulkommentar des Fr. D'Ovidio (1883) bemerkt: „Nè approvo i biasimi all' ‚altalena tra la personalità divina e l'elemento che rappresenta', come se si trattasse di personificazioni retoriche non sapute tenere dal poeta.", und dagegen die Auffassung stellt: „Bisogna invece spiegare agli scolari che la Terra era sul serio e religiosamente persona divina; ed era pure, nè poteva non essere, la ecumene, la cui superficie è il volto della divinità".

[226] Wo Bömer den Wechsel der Identitätsstufe vollzogen wähnt, erfährt man nicht; Anhaltspunkt ist nur Komm. zu v. 277: „Reduzierung des gewaltigen Ausmaßes der einleitenden Verse". Freilich schreibt Bömer v. 272 „Tellus".

[227] Die Beurteilung muß dann geradezu zwangsläufig ungünstig für Ovid ausfallen: „mit z. T. unfreiwilligen (?), z. T. sicher beabsichtigten grotesken Zügen ausgestattete Personifikation der Tellus" (Bömer zu v. 272—303); „dabei soll hier die Frage offen bleiben, ob es seine Absicht war, den vergilischen hohen Stil zu reduzieren oder ob er nicht im Stande war, ihn zu erreichen". (Bömer zu v. 277).

[228] „An unserer Stelle zieht sich die Erde in die Erde zurück ...": Bömer zu v. 303; ebendort die grundsätzliche Bemerkung: „Götter und göttliche Personifikationen werden bei Ovid — und das darf als typisches Ovidianum gelten — oft (teils durch sich selbst, teils durch den Dichter) in einer Art witziger, oft hintergründiger Doppeldeutigkeit mit ihrem eigenen Wesen oder ihrem spezifischen religiösen Bereich konfrontiert ..".

K. Dursteler 31 dagegen[229] nimmt einen regen Wechsel der Identitätsstufen an: „In den Versen 272—274 kann die Erde nur als Weltteil gemeint sein, aber schon 275, noch in demselben Satz, zeigt sie plötzlich — wohl durch die Assoziation von *mater* her — alle Eigenschaften menschlicher Gestalt, nimmt aber gleich, nachdem sie ihre Hand an die Stirn geführt hat, wieder ihre erste Gestalt an — die Bewegung der Göttin Erde ist eben zugleich ein Erdbeben —, und beginnt trotzdem zu sprechen (279 ff.), spricht wie Ovid *(presserat ora vapor)* getan, von ihrer Kehle, ihren Haaren, und will doch wiederum unmittelbar darauf, als sie von ihren Verdiensten um Götter und Menschen spricht, als segensreiches Land, als Ackerboden verstanden werden."

Hält man diese Deutungen der ovidischen Tellus neben die integrative Sehweise, wie sie weiter oben umrissen wurde, so treten die Nachteile, mit denen ein anthropomorphes Bild der Gottheit belastet ist, rasch zutage. Bei Bömer fällt zuallererst die unbillige Verfahrensweise ins Auge: Der Dichter muß es sich hier, ohne daß auch nur irgendein zwingender Textbeleg genannt würde, gefallen lassen, daß ihm eine Göttergestalt untergeschoben wird, aus deren Lächerlichkeit ihm dann gar noch Tadel erwächst. Vor allem aber stört das Mißverhältnis zwischen der winzigen Gestalt der Göttin und der gewaltigen Wirkung ihrer Bewegungen (v.

Diese Deutung ist offenbar *communis opinio*. Von ihr aus rankt manch wunderlicher Schößling ins Haltlose. R. Crahay, ACO I 102, z. B. unterstellt dem Dichter eine geradezu schizophrene Konzeption der Gottheit: „Tellus ... apparaît ... comme un être mixte, à la fois écorce terrestre et vieille femme. L'assimilation est soutenue avec une précision et une abondance implacables". Überhaupt mißbilligt man, an v. 303 knüpfend, oft, daß Ovid aus der Rolle falle, er sich ungewollter Lächerlichkeit preisgebe und es an Takt wie an Geschmack fehlen lasse. So rügen Haupt-Ehwald (zu v. 303) „ein geschmackloses Spiel mit der doppelten, persönlichen und sachlichen, Bedeutung von Tellus" (ähnlich auch zu v. 272); A. Gerber 249 hält Tellus für kraß realistisch dargestellt und bemängelt, daß „diese ... von der Kunst entlehnte Typik" (dazu oben Anm. 214) sich für einen reflektierenden Dichter wenig eigne: „Ovid trägt selbst die Verantwortung, wenn es für diese Vorstellung der Tellus kein entsprechenderes Bild giebt, als dasjenige einer Schildkröte, die durch Hitze, Rauch und Asche bedrängt ihren schon versengten Kopf ausstreckt und einzieht". (250); E. Kuhnert, Gaia 1584.20—22, äußert starkes Mißfallen: „Empörend aber ist die halbverbrannte Riesin bei Ovid Met. 2, 303 ff.". Allgemein wird die anthropomorphe Erde, die sich in ihr elementares Korrelat zurückziehe, als ästhetische Entgleisung Ovids bedauert (vgl. oben S. 92 sowie die von J.-M. Frécaut, L'esprit et l'humour 89 mit Anm. 134, referierten Wertungen). Um so höher muß deshalb die Bereitschaft G. Patronis (168—169) veranschlagt werden, die ausgefahrenen Wege bequemer Vordergründigkeit zu verlassen und ein anderes — eben auf integrativer Grundanschauung beruhendes — Bild von Tellus zu zeichnen.

[229] Dursteler exemplifiziert hier auf die Art, in der verschiedene Seinsformen des Achelous einander ablösen (vgl. das folgende Kapitel II B 1). Er verfügt über ein gutes Gespür für das Phänomen des unvermittelten Identitätsstufenwechsels, so daß er der Achelous-Episode weitgehend gerecht zu werden vermag, neigt aber dazu, trügenden Worthülsen ungebührliches Gewicht beizumessen; dadurch gewinnt er Kriterien, die bei der Exegese des Tellus-Abschnitts nicht Stich halten.

276—278); auch die großen Mengen von Asche, die die Gottheit beklagt (v. 284; zweimaliges *tantum*), werden wohl sinnvoller auf den Zustand des weiten, von Hitze und schwelender Materie verwüsteten Landes denn auf das Gesichtchen der Bömerschen Mikro-Heroine bezogen; ferner ist nicht leicht einzusehen, warum die Bewohnerin tieferer Regionen sich unbedacht so arge Brandverletzungen zuzieht, wohingegen das verkohlte Haar, die verrußten Augen und das vom Aschenregen bedeckte Antlitz einer integrativ verstandenen Erde, die allenfalls ausweichen kann, indem sie ihr Niveau verschiebt, als unvermeidliche Folge der Feuersbrunst ohne Anstoß sind. Für v. 286—287 muß uneigentliche Benennung, für den Übergang von v. 274 auf v. 275 Wechsel der Identitätsstufe in Kauf genommen werden. Wie man sieht, häufen sich die Schwierigkeiten.

Ähnlich ist es um die Interpretation Durstelers bestellt. Der vier- bzw. fünfmalige Wechsel der Identitätsstufe[230] ist zwar recht bunt und mutet dem Dichter einige Willkür zu, sollte aber in Anbetracht ovidischer Vorliebe für überraschende Wendungen als prinzipiell möglich gelten. Zu bemängeln ist jedoch die fehlende Sorgfalt mancher Deutung: So werden die nach menschlichem Muster bezeichneten Körperteile durch eine „Assoziation von *mater* her" erklärt, ohne daß auf Funktion oder Motive solcher Benennung eingegangen würde, und Sprache wird als Indiz für Menschengestalt reklamiert, was ein erwiesener Trugschluß ist. Beseitigt man jene Anstöße, kann Durstelers Auffassung annehmbar scheinen. Bedenklich bleibt indes ein selbst für Ovid ungewöhnlicher Slalomkurs von Identitätsstufe zu Identitätsstufe. So vermag letztendlich auch dieser Ansatz nicht zu befriedigen.

Die Waagschale neigt sich zugunsten der integrativen Grundanschauung. Gewiß, alternative Deutungen, die mit der Menschengestalt der Tellus operieren, lassen sich nicht schlechtweg als irrig erweisen: Wechsel von Identitätsstufen, metonymischer Ausdruck, Konfrontationen unterschiedlicher Seinsformen — all das sind Eigentümlichkeiten, die man bei Ovid sehr oft beobachten kann; für die vorliegende Episode M. 2.272—303 freilich fügen sie sich nur um den Preis von Dissonanzen zu einer Einheit. Angesichts jener Härten gebührt der inneren Stimmigkeit einer auf Identitätsstufe 3 basierenden Interpretation der Vorrang.

Ovid zeichnet ein Bild von der Naturgottheit Tellus, das man grotesk

---

[230] Nach Dursteler müßte so gegliedert werden: 272—274 (IS 1) : 275 (IS 4) : 276—278 (IS 1) : 279—284 (IS 4) : 285—289 (IS 1). Da Dursteler v. 301—303 nicht in seine Interpretation einbezogen hat, könnte man in seinem Sinne einen fünften Wechsel (wiederum auf IS 4) ergänzend hinzufügen.

nennen mag[231]. Grotesk ist es insofern, als Ovid den Versuch wagt, das Unüberschaubare zu überblicken, und er dabei konsequent metaphorische Denkweisen auf das größte verfügbare elementare Objekt projiziert. Grundsätzlich ist das aber nicht neu: Gaia wurde schon Jahrhunderte vor Ovid integrativ dargestellt, und auch die meisten Metaphern sind durch ältere Belege nachgewiesen. Das Streben jedoch, den allumfassenden Körper in lebendiger Bewegung zu zeigen; die Folgen auszumalen, welche dem Leiden, dem Handeln, den Regungen einer Naturgottheit solchen Formats entwachsen müßten; durch folgerichtige, den Schein des Legitimen niemals aufgebende Schilderung die Absurdität jener altehrwürdigen Gottesvorstellung für jeden, der nur recht zu hören versteht, anklingen zu lassen — all dies ist fraglos Eigentum des Dichters aus Sulmo.

Abschließende Bemerkungen zu II A

Überblickt man die voranstehenden Kapitel, so fällt zum ersten die große Zahl von Darstellungen auf, welche, andere Vorstellungsformen außer Acht lassend, der eingeführten Naturgottheit eine Identitätsstufe zuweisen und an dieser konsequent festhalten. Zweitens wurde deutlich, daß zu allen Zeiten jede der möglichen Identitätsstufen zum Handlungsträger

---

231 L. P. Wilkinson 159 bemerkt im Anschluß an die Interpretation, welche er der Fahrt des Phaethon gewidmet hat, einen "penchant for the grotesque“ in den Metamorphosen (H. Fränkel 272 hatte zuvor von Ovids „Freude am Wunderbaren und Utopischen“ gesprochen); wichtig H. Herters Erkenntnis (Ovidiana 74), daß Ovid sich nicht „an das Dargestellte oder wenigstens das Darstellbare gehalten habe“ (mit Hinweis auf die Grotesken der Elegia und des Tmolus; Tellus ließe sich hier sinnvoll supplieren); auch die Ausführungen E. J. Bernbecks 100—109 sowie E. Lefèvres, Die Bedeutung des Paradoxen 64—65, sind in diesem Zusammenhang zu nennen; G. K. Galinsky 49 urteilt über die in v. 210—300 berichteten Geschehnisse: "... Ovid gives them an untragic dimension by exploiting them mostly for their humorous and grotesque qualities."
Freilich wäre mit einer solchen Etikettierung der Szene nicht eben viel gewonnen, wenn man darüber die Besonderheiten — und das heißt eben auch: die Grenzen — der „Groteske“ vergäße; so wäre es ganz absurd, wollte man körperliche Einzelzüge wie Hände, Augen, Haare in konkreten geographischen Gebilden wiedererkennen. Richtig urteilt bereits G. Patroni 167, „che il cercare corrispondenze determinate (p. es. due cerchie di monti che rappresentino le arcate sopraccigliari, una dorsale che rappresenti il naso, ecc.) sarebbe cosa ... pedantesca, ridicola ed impossibile all' uomo ...“ (vgl. oben Anm. 202 und 208). Metaphorische Konvention kann der Erde diesen oder jenen Körperteil geben, also bekommt sie ihn; Ovid nutzt diese Lizenz, um sein poetisches Gemälde zu komponieren. Das freilich gerät unter der Hand des Meisters zu einem schillernden Mosaik. Insofern scheint mir G. Patronis Hinweis (167, 168) auf eine gewandelte Ästhetik unnötig. Ovid bedarf solcher Verteidigung — die doch ein wenig nach Ehrenrettung klingt — gewiß nicht, wenn man eben anerkennt, daß der Sulmonenser schwerlich ein naiver Erzähler, sondern vielmehr ein bewußt schaffender Künstler war, der raffinierte Wirkungen sehr wohl zu berechnen verstand. Deren grotesker Reiz aber hat — eine gewisse Aufgeschlossenheit beim Leser vorausgesetzt — auch nach zwei Millennien nichts von seiner Frische verloren.

hat bestimmt werden können. Schon bei Homer findet sich die anthropomorphe Konzeption neben integrativer Sehweise.
Da, wie gezeigt, die Grundanschauungen nicht an literarische Perioden gebunden sind und lediglich in den homerischen Gedichten, und zwar dort, wo ausführlicher geschildert wird, ein gewisses Übergewicht zugunsten integrativer Sehweise herrscht, wird man das Urteil von F. MATZ 13, „daß innerhalb der Geschichte der griechischen Literatur die Tendenz da ist von der Personifizierung zur Personifikation vorzugehen, d. h. von der bloßen Beseelung zur vollständigen Vermenschlichung" (in diesem Sinne bereits O. SCHULTZ 33), mit der Maßgabe, daß dabei die „Tendenz" zu betonen ist, als gültig anerkennen dürfen. Nicht billigen kann ich dagegen A. GERBERS strikte Scheidung zwischen älterer griechischer und hellenistisch-römischer Darstellung von Naturgottheiten: Hier sei man analytischer, dort integrativer Grundposition verpflichtet gewesen (siehe besonders seine Seiten 273, 283—284, 305 und 314).
Zwei Schilderungen, beide ausschließlich Identitätsstufe 3 nutzend, beide bislang meist anders gedeutet, galt unser vornehmliches Augenmerk. Zwar ist ein direkter Vergleich zwischen Skamandros und Tellus insofern wenig sinnvoll, als so gegensätzliche Wesenheiten wie die wehrhafte Wasserkraft und das verharrende, alltragende Erdenhaupt den Dichtern jeweils ganz unterschiedliche Züge zur Ausgestaltung darboten. Beide Episoden sind aber sehr wohl geeignet, zwei stark voneinander abweichende Wirkungen, deren jede sich aus der Wahl von Identitätsstufe 3 ergibt, musterhaft zu illustrieren: den Eindruck der grandiosen Wucht entfesselter Naturgewalten gegenüber der kunstvollen Komposition eines Metaphernmosaiks, das durch seine vordergründige Folgerichtigkeit in absurde Dimensionen wächst.

B. Konfrontation von Identitätsstufen

Wenden wir uns nun jenen Handlungsschilderungen zu, innerhalb derer unterschiedliche Identitätsstufen derselben Naturgottheit mittelbar oder unmittelbar aufeinanderstoßen. Vielgestaltige Szenen sind hier zu besprechen. Die Skala reicht vom zwangsläufigen Kontakt zweier polarer Identitätsstufen bei analytischer Grundanschauung — etwa, wenn der Gott sein Element bewohnt, verläßt, aufsucht, befehligt — bis zum mehr oder minder willkürlichen Wechsel der handlungstragenden Seinsformen und Grundpositionen. All dies begegnet in mannigfachen Schattierungen, reicht von der individuellen Gestaltung verschiedener Erzählebenen bis zur krassen logischen Unstimmigkeit, vom Preise göttlicher Macht bis zur Groteske.

Angesichts des reichen Textmaterials scheint eine Gliederung sinnvoll, die in der Vielgestaltigkeit und Individualität der einzelnen Fälle grundsätzliche Gestaltungsprinzipien aufzeigt und damit vergleichbare Arten der Konfrontation nebeneinanderrückt. So sind die folgenden 32 Kapitel fünf Abschnitten zugeordnet:

1. Abschnitt:
Eine Naturgottheit erscheint innerhalb einer Handlungsfolge wechselweise auf unterschiedlichen Identitätsstufen
(Verteilung der Grundpositionen uneinheitlich; *umfaßt die Kapitel 1—10*);

2. Abschnitt:
Unmittelbare Berührung eines Gottes mit seinem Element
(analytische Grundanschauung; *umfaßt die Kapitel 11—15*);

3. Abschnitt:
Das Element ist Mittel der Willensvollstreckung
(analytische Grundanschauung; *umfaßt die Kapitel 16—20*);

4. Abschnitt:
Verwandlungen eines Gottes in den eigenen Bereich
(analytischer folgt integrative Grundanschauung; *umfaßt die Kapitel 21—22*);

5. Abschnitt:
Die Handlungen eines Gottes haben unmittelbare Rückwirkungen auf eine niedrigere Identitätsstufe
(meist folgt analytischer die integrative Grundanschauung; *umfaßt die Kapitel 23—32*).

Es dürfte einleuchten, daß eine so lebendige und abwechslungsreiche Darstellungskunst wie namentlich die des Ovid, in der vollständige Parallelen selten sind, sich einer starren Schematisierung entzieht: Natürlich sind die Grenzen zwischen den folgenden Abschnitten fließend, diese daher vor allem als Orientierungshilfen zu verstehen. Episoden, die sich mehreren Abschnitten zuweisen lassen, werden jeweils dort behandelt, wo sie am nachhaltigsten zur Kenntnis eines bestimmten Konfrontationstyps beitragen. Denkbaren alternativen Einordnungen trägt die Rubrik „Ergänzende Stellenangaben" am Ende eines jeden Abschnitts Rechnung.

1. Abschnitt:

Eine Naturgottheit erscheint innerhalb einer Handlungsfolge wechselweise auf unterschiedlichen Identitätsstufen

Gemeinsames Merkmal der im Folgenden zusammengefaßten Textstellen ist die meist unvermittelte Ablösung einer anfangs zugrundegelegten Identitätsstufe durch eine abweichende Seinsform. Dieser Wechsel kann sich in verschiedener Weise wiederholen. Er bezieht entweder beide Grundpositionen ein oder konzentriert sich darauf, die polaren Identitätsstufen alternierend zu Trägern der Handlung zu machen.

1) Achelous Ov. M. 8.549—9.100

An den Beginn der folgenden Ausführungen soll Ovids Flußgott Achelous gestellt werden. Damit ist ein Textstück zu untersuchen, das eine ganze Reihe wesentlicher Eigenarten bietet, die für Ovids Behandlung von Naturgottheiten bezeichnend sind. Wichtige sprachliche Sachverhalte sind dabei ebenso zu erörtern wie der vielfache Wechsel von Identitätsstufen innerhalb des Handlungsablaufs und verschiedene Konfrontationen heterogener Vorstellungsinhalte. Da einige Darstellungsformen und Interpretationsansätze für künftige Abschnitte exemplarischen Charakter haben, empfiehlt es sich, Probleme von grundsätzlicher Bedeutung zunächst etwas ausführlicher abzuhandeln. Späterhin kann dann in manchen Punkten knapper verfahren werden.

Achelous tritt zunächst als ein unpassierbares Hindernis, das Theseus und seine Begleiter auf ihrem Rückweg von der kalydonischen Jagd zum Halt zwingt, in die Erzählung ein:

> *clausit iter fecitque moras Achelous eunti*
> *imbre tumens.* (8.549—550)

Läßt v. 549 noch unbestimmt, wie man sich den gerade genannten Achelous vorzustellen habe, so führt der Satznachtrag[232] *imbre tumens* dem Leser das konkrete Bild eines Hochwasser führenden Stromes vor Augen. Die Cäsur hält den gewonnenen Eindruck fest und erzeugt gleichzeitig Spannung auf den Fortgang des Geschehens. Mithin dürfte die Vermutung statthaft sein, daß der größte Teil des Publikums an diesem Punkt auf eine Tat des Helden, ein mutiges Überwinden der Naturgewalt, dramatische Ereignisse eingestimmt ist.

---

[232] Als Satznachtrag wird folgender Sachverhalt bezeichnet: Einer an sich abgeschlossenen syntaktischen Einheit ist eine weitere Information hinzugefügt, die das Vorangegangene oft in charakteristischer Weise ergänzt, indem sie das Eigentliche, Wesentliche, Überraschende bringt. Ovid gibt durch den Nachtrag eine wichtige Präzisierung des Subjekts Achelous, das bei seiner Nennung v. 549 noch ganz unanschaulich war; zudem erzielt er dadurch eine gewisse dramatische Steigerung, daß der Held angesichts einer aufgebrachten Naturgewalt unversehens vor höchste Anforderungen gestellt scheint. —
Das Phänomen ist namentlich aus Tacitus bekannt (dort freilich mit meist weitergehenden prinzipiellen Intentionen, vgl. etwa die Arbeiten von A. Kohl: Der Satznachtrag bei Tacitus, Diss. Würzburg 1960, oder F. Klingner, Sprache und Stil des Tacitus am Anfang des 13. Annalenbuches, in WdF XCVII, 540—557); für Tac. formuliert Klingner S. 546: „Nachträge bringen Unerwartetes, mit dramatischer Wucht den Leser Treffendes".

Es kommt jedoch ganz anders:

> ... „*succede meis*“, *ait*, „*inclite, tectis,*
> *Cecropida* ... (8.550—551)

Nach der τομὴ τριθημιμερὴς wird die Leserschaft zuerst durch das Einsetzen direkter Rede überrascht, um sich gleich darauf, wiederum nach einer — wenngleich weniger gewichtigen — Sinnpause[233] mit dem wohl kaum erwarteten Sprecher konfrontiert zu sehen. Dessen Einladung in seine *tecta* schließt Zweifel an der gemeinten Identitätsstufe von vornherein aus: Achelous ist anthropomorph.

Ovid erschwert seinem Publikum das Verständnis. Er irritiert sprachlich durch unveränderte Benennung[234] und verblüfft sachlich durch den unvermittelt eingeführten gastlichen Gott eines ungastlichen Flusses. Zu lösen ist der Widerspruch zwischen dem Ausdruck, der Identität vorgibt, und den durch ihn benannten Vorstellungen, die analytischer Sehweise entsprechen. Der schroffe Übergang von einer Identitätsstufe auf eine andere macht das Auftreten des Achelous so bemerkenswert.

Nicht minder bemerkenswert ist die Warnung des Flußgottes, welche sich unmittelbar an seine Einladung anschließt:

> ... *nec te committe rapacibus undis.* (8.551)

Der nun folgende Bericht des Achelous (552—557) schildert die erbarmungslose Wucht des Elementes: Nicht nur Baumstämme, Felsen und Stallungen werden fortgespült, sogar starke Tiere (*armenta*, *equi* 555) und kräftige Männer (*iuvenalia corpora* 557) sind in den reißenden Fluten ertrunken. Der Gott benutzt die drohenden Gefahren dazu, seine Aufforderung zu geselligem Beisammensein zu motivieren, und er schließt mit dem Rat, die Helden sollten das Risiko einer Flußquerung (*tutior est requies* 558) meiden und warten, bis das Wasser ins reguläre Strombett zurückgefunden habe (558—559).

An sich ist es nichts Besonderes, wenn ein anthropomorpher Flußgott den Lauf seiner Fluten beschreibt. Ein solches Verfahren ist bei analytischer

---

[233] Hier die *caesura semiseptenaria*. Der ganze Vers ist, der plötzlich beginnenden Rede und ungewöhnlichen (indirekten) Nennung des Gottes entsprechend, rhythmisch reich und deutlich strukturiert.

[234] *Achelous* ist logisches Subjekt auch zu *ait*. Hier tritt nun der bekannte (s. o. zu den indirekten uneigentlichen Benennungen) Effekt ein, daß ein Begriff, der in einer ersten Information in bestimmter Weise zu verstehen war (Element, Naturkraft), in der folgenden Information als entsprechende polare IS aufgefaßt werden will (Flußgott). Neu gegenüber den im I. Teil behandelten Fällen ist lediglich, daß die unterschiedlichen Vorstellungsinhalte nacheinander geschilderten Handlungsschritten zugehören.

Sehweise durchaus naheliegend und nicht nur von Ovid geübt[235]. Erstaunlich muß hingegen die Tatsache scheinen, daß Achelous offenbar keine Kontrollmöglichkeit über das entfesselte Element besitzt, Wasserstand und Schubkraft nicht zu regulieren imstande ist[236], sondern lediglich Wissenswertes zur gegenwärtigen Verfassung des Flusses mitteilen kann. Das *vidi* (553) des Augenzeugen[237] ist noch die stärkste Bindung an seinen Bereich. Er ist passiver Zuschauer, dessen bester Dienst in dem Ratschlag besteht, dem tückischen Strom nicht zu trauen.
Die Konfrontation von Identitätsstufen, die in der überraschenden Wendung der einleitenden Verse 549—550 zu beobachten war, wird in anderer Art durch die Rede des Flußgottes fortgesetzt: Dem abrupten Wechsel des Handlungsträgers folgt der Kommentar, den der Gott über den Zustand seines Flusses gibt. Die dritte direkte Gegenüberstellung unterschiedlicher Vorstellungsformen vom Achelous begegnet in der aitiologischen Erzählung von den Echinaden.

---

[235] So z. B. wird weiter unten zu zeigen sein, daß Vergils Thybris in Menschengestalt von der künftigen Befahrbarkeit seines Wassers spricht (Verg. A. 8.57—58). Er freilich beherrscht sein Element.

[236] Der mögliche Einwand, Achelous sei in der behandelten Einleitungsszene zum folgenden Erzählungszyklus zur Einflußnahme auf seinen Fluß nicht nur fähig, er habe sie sogar gerade hier praktiziert, um attraktive Gesprächspartner (die eben zumindest dem Heroenmilieu entstammen sollten, vgl. des Gottes Wertschätzung für seine berühmten Gäste: 570 *laetissimus hospite tanto* sowie die Anrede 550—551 *inclite . . . Cecropida*, 728 *o fortissime*) zu einem zünftigen Symposion beschwatzen zu können, stößt auf zwei Bedenken: 1) ist von bewußter Manipulation des Elements in der Rahmenhandlung nirgendwo die Rede, und 2) vermag man nicht einzusehen, warum der Gott, wenn er die Helden zunächst wirklich aus Eigennutz an einer Fortsetzung ihres Weges gehindert hat, über 400 Verse später, als seine Gäste ihn wieder verlassen, diesen ein unverändert abweisendes Element präsentiert und die Flußquerung durch keinerlei Maßnahmen erleichtert (9.94—96).

[237] „Eigene Beobachtungen oder eigenes Erleben mit *vidi* oder auf ähnliche Weise einzuführen, ist ein Stilmittel, dessen die Dichter sich gern bedienen. Es hat seinen Ursprung in der Topologie der Augenzeugen- und Botensprache: Die Szene wird lebendiger, sie gewinnt an Glaubwürdigkeit, an Unmittelbarkeit". (F. Bömer, Gymn. 81, 1974, 505, mit weiterer Lit.). Ist das Bezeugte freilich allzu absurd, kann die Diskrepanz zwischen Anspruch auf Wahrhaftigkeit und Unglaublichkeit der Tatsachen mit gutem Grund als Ironisierung gewertet werden.
In diesem Zusammenhang ist es aufschlußreich, daß Versicherungen strengster Objektivität bzw. unbedingter Verläßlichkeit des eigenen Zeugnisses besonders auch die Lügen- und Wundergeschichten auszeichnen (zu deren Beglaubigungsapparat s. O. Weinreich, Senecas Apocolocyntosis, Berlin 1923, S. 19—22). Dies scheint mir — ohne daß freilich irgendeine Parallelisierung beabsichtigt ist — insofern lehrreich, als Ovids Beweggrund hier durchaus vergleichbar ist. Der Beglaubigungstopos weist auf etwas hin, was eigentlich kaum glaublich ist: Der *dominus aquarum* (9.17) tritt wie der Mitarbeiter eines hydrographischen Instituts auf, der zwar Wasserstandsmeldungen geben, ansonsten aber nur auf besseres Wetter warten kann, — während man doch — und darin eben liegt das Paradoxon — von einem Flußgott souveräne Beherrschung seines Machtbereichs als selbstverständlich erwartet (Anderson zu 553: "the amusingly objective testimony which Achelous offers about the ravages of *his own* waters"). Aber auch sonst fühlt Achelous sich bezeichnenderweise bewogen, seine Glaubwürdigkeit zu versichern: beim Gleichnis vom Stierkampf (9.46 *vidi*) und vor allem bei seiner Beteuerung, Hercules habe wie ein Berg auf seinem Rücken gelastet (9.55 *siqua fides*).

uf eine Frage des Theseus[238], der den Namen der der Mündung vorge-
agerten Inselgruppe zu erfahren wünscht, antwortet der Gott seinen Zu-
örern mit einer Verwandlungsgeschichte. Die Eilande seien einst Nymphen
ewesen, die bei einem Opfer für die *ruris di* ausgerechnet seiner nicht ge-
acht hätten (580—582). Des Achelous Rache war grausam:

intumui, quantusque, feror cum plurimus umquam,
tantus eram pariterque animis inmanis et undis
a silvis silvas et ab arvis arva revelli
cumque loco nymphas memores tum denique nostri
in freta provolvi. (8.583—587)

ntersucht man diese Verse, die die zornige Reaktion des Achelous
childern, auf die Identitätsstufe hin, die Ovid und seinen Lesern vor
ugen gestanden haben mag, sind folgende Aussagen zu würdigen: das
nschwellen *(intumui)*; Fülle / Quantität (*plurimus* bzw. *tantus*) und Kraft /
ntensität *(feror)*; die Entsetzlichkeit / Außerordentlichkeit *(inmanis)* der
ufwallung, vom inneren Empfinden *(animis)* wie von der äußeren Er-
cheinung *(undis)* aus betrachtet; ein Fortreißen ganzer Landschaftsteile
owie schließlich das Bild eines die Nymphen vor sich her in Richtung
ee wälzenden *(in freta provolvi)* Flusses. Die Betrachtung der Schilderung
vids macht deutlich, daß sich hier elementare Eigenschaften und Tätig-
eitsmerkmale mit bewußtem, zielgerichtetem Handeln verbinden. Das
ubjekt der Verse 583—587 kann daher als bewußt wirkende Naturkraft
ngesprochen werden, Achelous erscheint auf Identitätsstufe 3.

anz ähnlich ist die Verteilung der Identitätsstufen in der folgenden
pisode.

er Flußgott berichtet in unmittelbarer Fortsetzung seiner Erzählung von
en Echinaden, wie einst auch Perimele zur Insel geworden sei. Das
ädchen sei seine Geliebte gewesen: Man wird sich — zumal angesichts
er Formulierung des Sachverhalts

huic ego virgineum dilectae nomen ademi (8.592)

— Achelous menschengestaltig vorstellen müssen. Deren Vater Hippo-
amas sei über die folgenreiche Liebe seiner Tochter so zornig geworden,
aß er sie von einer Klippe *in profundum* (593)[239] gestoßen habe, damit sie
ort ertrinke.

38 v. 560—573 war die Einwilligung der Helden, das Haus des Stromgottes und die Bewirtung
er Ankömmlinge geschildert worden.

39 Man wird, wie die folgenden Verse zeigen, an das Mündungsgebiet des Achelous zu denken
aben. Eine genauere Ortsangabe hat Ovid nicht gemacht. Er hätte sie wohl für übertrieben
edantisch gehalten (zum Problem geographischer Bedenkenlosigkeit s. W. Kroll, Studien
97—299), zumal der offenbar gewünschte erotische Kontrast zur grandios-dramatischen Echi-

In diesem Augenblick reagiert Achelous, und zwar als das Wasser, i
welches Perimele gestürzt ist. In dieser Gestalt nimmt er die Geliebte auf

excepi nantemque ferens . . . (8.595

Von einer kurzen an Neptunus gerichteten Bitte um Hilfe und der darau
folgenden Verwandlung weiß Fassung A[240] zu berichten. Sie liefert für di
Identitätsproblematik kein weiteres Material.

Die ausführlichere Variante B ist ganz mangelhaft bezeugt. Eben dieser desperat
Überlieferungsbefund steht der optimistischen Annahme, das Geschick habe un
eine originale Doppelfassung bewahrt, grundsätzlich im Wege. Sonstige Be
denken, etwa unstimmige Versanschlüsse oder stilistische Unzulänglichkeite
betreffend, wiegen demgegenüber weniger schwer, zumal sie sich auf die erst
Versgruppe (597—600b) konzentrieren[241].

---

naden-Metamorphose es nahelegte, möglichst rasch dem Höhepunkt, den Rettungsbemühunge
und Gefühlsregungen der Naturkraft Achelous, zuzustreben. Präzise lokale Abgrenzunge
dürfen da, wie A. S. Hollis zu v. 603 zeigt (guter Hinweis auf Stat. Theb. 2.730—731), nich
erwartet werden.

[240] Die folgende Versgruppe 597—610 ist uneinheitlich überliefert, so daß man zwei Fassun
gen — gemeinhin mit A und B bezeichnet — unterscheidet. Das Problem der Echtheit stell
sich auf Grund der Überlieferungslage für Fassung B; hier könnte eine Autorenvariante vor
liegen.
Einzelheiten sollen an dieser Stelle nicht diskutiert werden. Eine nützliche Übersicht gib
F. Bömer im Komm. zu „VIII 595 ff." (= S. 182—184), verbunden mit einem wohlabgewo
genen Urteil, dem ich mich weitgehend anschließen darf, das ich aber doch in einem Punkt
anders akzentuieren möchte: Die Beweislast für eine Autorschaft Ovids liegt angesichts dessen
was der handschriftliche Befund ausweist, gewiß „bei denen, die Verse, die, *quoquo modo*", (ebe
das soll man nicht bagatellisieren!) „in Ovid-Handschriften überliefert sind, für ovidisch hal
ten". In vollem Umfang muß aber Bömers Kritik an der Art, in der H. Magnus und S. Mend
ner (vgl. unten Anm. 249) — z. T. allzu unsachlich — Jagd auf stilistische Mängel betriebe
haben, beigepflichtet werden. Die subjektiven Maßstäbe, die man an die Fähigkeiten Ovid
bzw. die Möglichkeiten eines Fälschers oder Interpolators legt, reichen zu einem Beweis fü
oder gegen die Autorschaft Ovids nicht aus.
Diesen Vorbehalt wird man ehrlicherweise machen müssen, wenn man Fassung B inhaltlich
und zwar — wie es der vorliegenden Arbeit zukommt — von der Identitätsproblematik de
Naturgottheiten aus, wertet. Die folgende Untersuchung jedenfalls wird zeigen, daß die um
strittenen Verse nicht nur gut, sondern geradezu hervorragend ovidisch sind. Namentlich di
Ausbeutung der durch IS 3 gebotenen Darstellungsmöglichkeiten trägt die Handschrift de
Dichters: Dauer im Wechsel *(conplectar)*, Nutzung ambivalenten Vokabulars, künstlerisch
Konsequenz, erotische Färbung, Verquickung humaner und elementarer Züge in integrative
Sicht (all dies wird oben näher auszuführen sein).
Die von Dursteler, Enk, Hollis u. a. vertretene These (Doppelfassung Ovids) ist also vo
dieser Warte aus sehr verlockend. Da aber ein Beweis dafür, daß niemand außer Ovid je so
„ovidische" Verse hätte schreiben können, nicht zu führen ist, und weil ferner die *codices* dem
fraglichen Textstück keinerlei solide Autorität zu geben vermögen, neige ich, was Ovids geistig
Urheberschaft der Fassung B anlangt, zu einer Skepsis, die es immerhin für nicht ganz ausge
schlossen hält, daß Echtes in verstümmelter Form überlebt haben könnte.

[241] Siehe besonders die Häufung von Pronomina 597*—599*. Dergleichen wird man einem
Ovid selbst als skizzenhaften Entwurf kaum zutrauen wollen. Freilich sind die Verse der Fas
sung B von ganz unterschiedlicher Qualität: Ich trüge keinerlei Bedenken, die Gruppe v. 603*
bis 608* — gesetzt, das handschriftliche Fundament wäre verläßlich — dem Dichter aus Sulmo
zu geben.

Daneben muß freilich auch angemerkt werden, daß zumindest die Verse 603—608 von so genuin ovidischem Geiste durchweht sind, daß sie dem Sulmonenser alle Ehre machen würden. Dennoch ist bei Beurteilung der Echtheitsfrage dem Verdikt der Handschriften, das nun einmal deutlich zu Lasten einer Autorenvariante ausfällt, Vorrang vor allen anderen Kriterien einzuräumen. So werden wir die Verse vielleicht einem — zweifellos ungewöhnlich begabten[242] — Imitator zuschreiben müssen, der mit Ovids Eigenarten bei der Darstellung von Naturgottheiten wesentlich besser vertraut war als so mancher moderne Kritiker.

Da die Kommentatoren, mit denen wir uns in dem vorliegenden Kapitel auseinanderzusetzen haben, üblicherweise alle Verse fortlaufend behandeln und in ihre Gesamtwürdigungen einbeziehen, soll auch an dieser Stelle eine Interpretation des umstrittenen Teils nicht umgangen werden. Wir wollen jedoch im Folgenden unseren textkritischen Bedenken sichtbaren Ausdruck verleihen, indem wir die unzureichend bezeugten Verse mit einem Asteriskos (*) markieren und diejenigen Ausführungen, die der Fassung B gelten, im Druckbild von den zweifelsfrei ovidischen Partien absetzen.

Betrachten wir nun Variante B: Sie gibt der Bitte an den Meeresgott breiteren Raum, läßt diesen zum Zeichen der Gewährung sein Haupt bewegen und damit unruhige See aufkommen, so daß die schwimmende Nymphe einen heillosen Schreck (*extimuit* 605*) erfährt. Sie schwimmt indes weiter. Wieder kommt das Wasser ins Blickfeld, das ihren Körper umfließt:

> *... ipse natantis*
> *pectora tangebam trepido salientia motu.*
> *dumque ea contrecto, totum durescere sensi*
> *corpus ...* (8.605*—608*)

Der direkte Kontakt des Elements mit dem Körper der Schwimmerin ergibt sich zwangsläufig auf Grund der Situation. Dabei erlaubt die Darstellung der Naturgottheit auf Identitätsstufe 3, die Berührung als einen natürlichen Vorgang zu schildern, ihr zugleich einen erotischen Aspekt abzugewinnen, und fernerhin den göttlichen Fluß infolge ständiger Fühlungnahme die Vererdung Perimeles unmittelbar spüren zu lassen.

Der parallele Bau beider Aitien ist auffällig: Beide werden vom Flußgott erzählt, in beiden folgt einer angedeuteten bzw. kurz referierten Vorgeschichte[243], in der man sich Achelous anthropomorph denken wird[244], dessen Reaktion in Gestalt der bewußt wirkenden Naturkraft, einmal schrecklich strafend, in der zweiten Erzählung zärtlich empfindend. Gleich ist auch das Einsetzen des Identitätsstufe 3 darstellenden Handlungsteils gestaltet:

[242] Vgl. das Urteil des Kommentators A. S. Hollis (S. 104): "These lines might be due to a gifted interpolator. But if so, perhaps he was the only interpolator of Latin poetry who could keep pace with such a consummate artist as P. Ovidius Naso."

[243] Achelous als eifersüchtiger Beobachter des Opfervorgangs (580—582) sowie als Liebhaber und Ursache der väterlichen Strafe gegen Perimele (592—594).

[244] Das gilt sicher für v. 592 (*huic ego virgineum dilectae nomen ademi*), während in der Echinaden-Erzählung der Leser sich Menschengestalt zwar durchaus nicht vorstellen muß, sie bis v. 582 aber trotzdem voraussetzen wird, hatte Ovid sich doch seit Einführung des Flußgottes v. 549 an die analytische Grundanschauung gehalten und sich wechselweise der Identitätsstufen 1 und 4 bedient.

Jeweils leitet ein dreisilbiges Perfectum, am Versbeginn stehend und vor einer Trithemimeres[245] gefolgt, den Wechsel in der Sehweise der Naturgottheit und damit zugleich einen entscheidenden Umschwung in der Reihe der Ereignisse ein.

Lehrreich ist ein Blick auf die sprachliche Gestaltung der beiden Passagen, die den Achelous als auf Identitätsstufe 3 handelnd vorführen. Auch hier lassen sich deutliche Parallelen nachweisen.

Der Aufgabe, elementare Körperlichkeit, die mit Willen und Empfindung begabt ist, darzustellen, ist Ovid durch ein Vokabular entgegengekommen, das die heterogenen Bestandteile der gemeinten Vorstellungsform, ursprünglich unbelebten Bereich und zum Anthropomorphismus weisende voluntativ-sensitive Züge, in sich vereint. So umfaßt *intumui* (583)[246] die Sphäre des Gefühls ebenso wie die der materiellen Bewegung, und auch das weiter ausmalende *inmanis* (584) will des Achelous Verfassung von der elementaren und der seelischen Seite gleichzeitig beschreiben, wie der Zusatz *animis et undis* zeigt.

Entsprechendes gilt für *hunc*[247] *quoque conplectar* (603*): Neben einer Reminiszenz an des menschengestaltigen Gottes Liebesumfangen (592) nutzt der Dichter die Eignung des Ausdrucks für humanes wie elementares Milieu[248]. Der immanente erotische Gefühlswert macht das Wort allen denkbaren Alternativen wie *circumdare*, *circumfundere*, *continere*, *cingere*, *ambire* o. ä. überlegen.

---

[245] Besonders wuchtig ist die Cäsur nach *intumui* (583). In v. 595 ist infolge der ἀπὸ κοινοῦ-Stellung von *nantem* der Einschnitt wesentlich schwächer, er bleibt aber spürbar.

[246] Beide Bedeutungsbereiche des Wortes können durch Parallelstellen gestützt werden:
1. Sphäre des Gefühls (TLL VII.2, 100, 1—12 *intumescunt animantes*; a. i. q. *irasci*)
   — Der Thesaurus führt 8 Stellen an, davon 5mal Ovid, 3 Spätere.
2. Sphäre der materiellen Bewegung (TLL VII.2, 99, 44—67 *de aquis*; α. *fluviorum fontium sim., quae insurgunt copia adauctae*)
   — Zahlreiche Belege, darunter unsere Stelle (Z. 61—64 *per lusum verborum accedente notione irascendi*) nebst einer sehr interessanten Parallele bei Sil. 4.638.

Daß das Wort „bei Ovid fast immer *translate* gebraucht“ (Bömer zu 583) sei, ist zumindest übertrieben; das Verhältnis zwischen eigentlicher materieller und übertragener psychosomatischer Bedeutung ist vielmehr ganz ausgewogen: „zornig werden“ begegnet 5 (s. o.), „vor Stolz schwellen“ 1mal (M. 5.305); demgegenüber materiell „anschwellen, aufschwellen“ 5mal *(paludes, cruor, venter, virgineae genae, praecordia)*, dazu unsere Stelle M. 8.583.

[247] Abweichend von Andersons Text lese ich mit der überwiegenden Mehrzahl der Herausgeber (Magnus 1914, Ehwald 1915, Merkel-Ehwald 1922, Lafaye 1929 usw., Haupt-Ehwald 1966, Hollis 1970, Anderson Komm. 1972, Bömer Komm. 1977) *hunc* statt des mehrheitlich überlieferten *hanc* (leichte Verschreibung). Gemeint ist der die Existenz des Mädchens fortsetzende *locus* (602*).

[248] Der Gebrauch des Wortes im menschlichen Bereich *(de amantibus, amicis sim.)* bedarf kaum eines Stellennachweises (reiches Material im TLL III 2082, 6—19 und 25—52).

Die Verwendung für Wasser verschiedener Art (TLL III 2084, 61—67 *includere, circumiectum esse, continere: de fluviis, aquis*) ist schon vor Ovid belegt durch Cic. Leg. 2.6 (bei Bömer unbekannt, der unverständlicherweise nur auf das Meer abhebt; Subjekt an unserer Stelle ist aber Achelous; zum (zweitrangigen) Problem der Lokalisierung s. o. Anm. 239), dort von dem Flüßchen Fibrenus gesagt; weitere Stellen sind lt. TLL Ov. M. 8.731 *(mare terram)*; Val. Flacc.

m weitesten Sinne ambivalenten Charakter wird man auch den übrigen ›rägungen, welche Zustand und Handeln der empfindenden Naturkraft larzustellen haben, zubilligen[249].

)ie Betrachtung der Echinaden- wie der Perimele-Episode hat eine Kon- ›rontation von Identitätsstufen sichtbar werden lassen, die den gastgebenden

---

.195 *(Neptunus terras*; allegorisch*)*; Plin. n. h. 5.41 *(maria insulas)*, 5.115 *(amnes templum)* und .86 *(stagnum insulas)*; Tac. Germ. 1 *(Oceanus insularum spatia)*; Avien. orb. terr. 73.

)as Wort wird von Ovid lt. CoO (außer M. 8.603*) noch 29mal verwendet (davon Met. 15mal), arunter nur 8mal in im weitesten Sinne erotischer Bedeutung (Met. 4mal).

[249] Man kann zwischen Ausdrücken, die in der Human- und der Sachsphäre unterschiedliche ›edeutung haben *(intumescere, complecti)*, und solchen, die auf Grund ihrer Häufigkeit und ihres reiten Anwendungsspektrums von sich aus zur Metaphernbildung neigen, unterscheiden; iese Metaphern werden z. T. gar nicht mehr als solche empfunden. Insofern haben die von)vid genannten Tätigkeiten auch dann, wenn sie vom Element ausgesagt werden, einen natür- chen Klang. Um jedoch die Ambivalenz des Wortmaterials möglichst deutlich vorzuführen, ebe ich einige Belege für nicht-humanen Gebrauch (nur für das relativ seltene *revellere* 585 habe :h nichts Entsprechendes gefunden).

rri (583) für schnelle, hastige, zuweilen ziellose Bewegung von Personen oft gebraucht, z. B.)v. M. 2.69, 2.184, 2.321, 4.623, 5.405; bemerkenswert für unsere Stelle M. 8.583 ist aber, daß uch die Bedeutung unkontrollierten Sich-treiben-lassens bei Ovid vorkommt: 9.509 (Byblis: *uo feror?*), 10.320 (Myrrha: *quo mente feror?*) und 12.175 *(monstri novitate feruntur)*. — *de aquis sim.* TLL VI.1, 563, 71—84): Verg. A. 2.498 *(amnis)*; Hor. c. 3.29.34 *(cetera fluminis ritu)*, c. 4.2.11 *amnis*; Bild); Ov. F. 2.221 *(torrens)*, M. 3.80 (*amnis*; Bild). —

'ür *provolvere* (587) als Naturvorgang ist Lucr. 6.553 vergleichbar. —

)ie Vorstellung *aqua aqm. / aqd. excipit* (595) findet sich Ov. M. 8.230 (vom Meer), 11.51 (vom 'luß Hebrus), F. 4.281 (Cyclades + *unda*), F. 5.628 (vom Tiber), 6.702 *(ripa)*. —

rre (595) *(de fluminibus sim.)* Verg. G. 1.483; Hor. Sat. 1.10.50 (Bild) (TLL VI.1, 533, 52—60). —

urrere (597*) wird für Flüsse gebraucht Verg. G. 3.360 *(flumen)*, A. 1.607 *(fluvii)* und 12.524 *amnes)*; Ov. Am. 3.6.99 (für IS 3), M. 8.558 *(flumina)*, F. 2.274 (Ladon). —

'ür *portare* (599*) als Tätigkeit des flüssigen Elements sei auf Ov. Her. 2.135 *(fluctus)* hinge- viesen. —

ıngere und *contrectare* (606*/607*) finde ich nur in Verbindung mit Wasser als Objekt (Ov. M. .386, F. 4.790, 5.441; Lucr. 6.854), doch ist eine aktive Konstruktion durchaus denkbar, vgl. ucr. 1.304 *tangere enim et tangi nisi corpus nulla potest res*; dazu Ov. M. 4.286, wo der Quell almacis logisches Subjekt zu *tactos* ist. —

ogar zu *sentire* (607*) läßt sich Wasser als Subjekt nachweisen: Ov. M. 5.557, 13.786 (andere nbelebte Subjekte: Ov. T. 2.229 *Germania*, P. 2.7.59 *carinae*); wohl ebenfalls IS 3 Ov. Am. .6.24 *flumina senserunt ipsa quid esset amor*. —

)ie Belege machen den „neutralen" Charakter der ovidischen Handlungsbegriffe klar. Eine aheliegende, zum ganz überwiegenden Teil sogar durch genau entsprechende Parallelen an ıderen Stellen der Literatur nachgewiesene metaphorische Verwendungsmöglichkeit des Wort- ıaterials zeigt dessen besondere Eignung für die Darstellung des Achelous auf IS 3.

,ur umstrittenen Versgruppe 597*—608* läßt sich feststellen, daß sie ganz von Verben lebt, die ›ewegung ausdrücken (so von Hollis zu 605* gut gesehen), bis plötzlich die Vererdung ein- etzt. IS 3 harmonisiert die Handlungsinhalte ganz zwanglos, so daß auch der oft erhobene Vor- vurf allzu lasziver Darstellung (z. B. S. Mendner 28 „ein ganz unmögliches ἀπρεπές", „geist-)s-plumpe Lüsternheit", „so unziemliches Tun"; H. Emonds 229 „ziemlich trivial und frivol"; V. S. Anderson zu 606* "unduly sensuous and grotesque details of 603—608") stark relativiert 'erden muß — selbst wenn man glaubt, strenge sittliche Maßstäbe anlegen zu sollen. Ein han- elnder Gott (IS 4) hingegen würde hier in der Tat zumindest sehr plump agieren, und grotesk was freilich andererseits bei Ovid — entsprechend wohl auch bei einem Nachahmer — nicht usgeschlossen werden kann) wäre das Bild des göttlichen Lastträgers allemal.

Gott (IS 4) kurz von Ereignissen erzählen läßt, bei denen er im einen Fal
sicher (592), im anderen vielleicht (579—582) Menschengestalt (IS 4) hatte
und auf die er alsdann in Gestalt der bewußt wirkenden Naturkraft (IS 3
reagierte.

Die beiden besonders interessanten Reaktionsphasen innerhalb der Aiti
(583—589 und 595—608*) können allerdings auch abweichend inter
pretiert werden, wobei dann statt der integrativen Sehweise (IS 3) di
analytische (IS 4 *und* IS 1/2 handelnd) zugrundegelegt wird. Diese Auf
fassung vertreten, soweit erkennbar, die Kommentatoren zu den be
handelten Versgruppen. Es erscheint daher nötig, beide Positionen gegen
einander abzuwägen.

Zunächst ein Blick auf die wichtigsten Kommentare[250] zu beiden Stellen
A. S. Hollis bemerkt (zu v. 583) ein "play on two levels", das er offenba
als parallele Tätigkeit von IS 4 und IS 1 verstanden wissen will: "Th
river bursts its banks, and the River-god bursts with indignation." Ent
sprechend sei das Zeugma v. 584 "covering the real *('undis')* and th
personified *('animis')*". In der Perimele-Erzählung vermag Hollis ledig
lich IS 1 zu erkennen: "At this point Achelous is no more than th

---

[250] Daneben sollen einige häufig zitierte ältere Interpretationen zumindest nicht unerwähn
bleiben. H. Magnus (1905) beurteilt die sich aus v. 595 ergebende Situation so, „daß der Fluß
gott in menschenähnlicher Gestalt die Fallende auf seinen Rücken nimmt". (S. 220). Insofer
sieht er v. 606*—607* einen „lüsternen Wüstling" (S. 220) am Werk und weist auf den Wide
spruch zwischen *contrectat pectora* und *totum durescere sensi corpus* (in der Tat eine der Haup
schwierigkeiten analytischer Interpretation) hin.
Magnus folgert, hier könne vielleicht „die unklare Vorstellung" (S. 221) vorliegen, „daß de
in menschlicher Gestalt gedachte Fluß die Nymphe trägt (599)". Ob Magnus damit eine Ko
rektur seiner Theorie von IS 4 ins Auge faßt, ist nun wiederum mir, seinem Leser, unklar.
W. Vollgraff (1909) hingegen weist Magnus' Ansicht von der Menschengestalt als falsc
zurück: „Der Fluß schmiegt sich an den Busen der schwimmenden Geliebten (605)" (S. 84).
S. Mendner (1939), der im wesentlichen Magnus folgt und ihn in z. T. unerquicklicher Einseitig
keit vertieft, geht auf die Identitätsproblematik in Fassung B — für ihn das „Machwerk" (2
und „minderwertige Elaborat" (28) eines „geistesschwachen Pseudodichters aus der Umgebung
(26) — durch ein Zitat Chr. K. Sprengels (1815) ein: „Da Achelous selbst gesteht, daß er di
hüpfenden Brüste der Nymphe betastet habe, sieht man, daß er die sich ihm bietende Geleger
heit, seinen Wollusttrieb an der Nymphe zu befriedigen, habe benutzen wollen". (Mendne
S. 28 Anm. 97). Also IS 4 mit moralischer Schelte für den „Zudichter" (S. 29).
Ein Schwanken zwischen zwei Vorstellungen sieht K. Dursteler (1940) (S. 30); beim Ach
lous sei bald an den Fluß, bald an den Gott in menschlicher Gestalt zu denken, ein Verfahre
das für Ovid kennzeichnend sei (S. 31; die Parallele Tellus M. 2.272—278 ist angesichts sein
Grundposition folgerichtig). So sei *excepi nantemque ferens* (595) auf IS 1, die Bitte an Neptunu
auf IS 4, und *pectora tangebam* usw. (606*—607*) „wohl auch" auf IS 4 zu beziehen (S. 30).
Auf eine Erläuterung der Gestalt des Achelous verzichtet H. Emonds (1941); äußerstenfal
wäre aus der Ansicht, Ovid habe seine „anstößige und schlüpfrig wirkende" (S. 224) erst
Fassung B mit Rücksicht auf Augustus durch „harmlose, für jeden Leser ungefährliche Verse
(S. 230) ersetzen wollen, zu schließen, daß Emonds den bekannten gierig tastenden Gott vo
Augen hat.
Gar keinen Kommentar geben Haupt-Ehwald.

stream" (zu 595), findet dabei aber "constant alternation between language appropriate to the stream and language appropriate to the anthropomorphic god"[251].

Schließlich soll in v. 606*—607* der Gott wiederum ins Spiel kommen: *tangebam* 606* beschreibe als relativ blasser Ausdruck "the stream in contact with the nymph's body", wohingegen das aktivere *contrecto* 607* "appropriate to the river-god's fondling" sei[252].

Im Gegensatz zu Hollis scheint W. S. Anderson stärkere Sympathien für eine integrative Betrachtungsweise zu haben. Zu v. 583 notiert er die Ambivalenz von *intumui*, das "both literally and metaphorically" gebraucht werde, "as though" (!) "the river grew swollen from anger": Das klingt noch sehr distanziert. Zu v. 584 jedoch kann man eine zweifelsfreie Beschreibung des Vorstellungsinhalts von Identitätsstufe 3 lesen: "typical zeugma of Ovid ... It serves to promote the humorous dualism[253] of water which has passions like any human being (even though they operate in a subhuman manner)." Der Kommentar zu v. 595 verweist zwar auf v. 583, jetzt aber stellt Anderson seine Leser vor die Wahl: "Perimele fell into the water or" (!) "into the loving arms of Achelous"[254].

Zu v. 606* ist gar nur noch vom Gott die Rede, wobei an den Dichter die Rüge ergeht, sein Achelous könne nicht auf Rettung der Frau bedacht sein und gleichzeitig durch unangebrachte Zärtlichkeiten deren Schwimmversuche entscheidend stören. Alles in allem: Anderson bezieht keine klare Position[255].

Eine sehr zurückhaltende Erläuterung erfährt die Identitätsproblematik der betrachteten Stellen bei F. Bömer. Die Präzisierung des „in einem

---

[251] Ich bin, wie oben gezeigt, gegenteiliger Meinung: Die Wortwahl ist hier so neutral, daß beide Sphären, die in der Vorstellung „IS 3" integriert sind, gleichermaßen berücksichtigt werden. Ausdrücke, die nur für IS 4 oder nur für IS 1 Geltung hätten, sind vielmehr gerade gemieden.

[252] P. J. Enk, Ovidiana 338, hat anhand einer Untersuchung des Wortgebrauchs in Her. 20. 137—142 überzeugend nachgewiesen, daß auch an unserer Stelle „*contrectandi verbum idem significat atque tangere versu* 606". Ganz ähnlich K. Dursteler 32—33, der zeigt, daß außer dem Gebrauch als Intensivum der als Frequentativum zu berücksichtigen ist.

[253] Nicht eben viel vermag ich mit Andersons Begriff "dualism" anzufangen, den er fortwährend verwendet (583 clever dualism of personified and natural objects, 584 humorous dualism, 595 again the useful dualism, 603* the dualism of lover and circumambient river), aber nirgends erklärt. Was bedeutet er für die konkrete Vorstellung von Naturgottheiten?

[254] Wie nicht anders zu erwarten, firmiert auch diese Erklärung unter "dualism". Ein Nebeneinander von Gott und Element könnte ebenfalls zu v. 603* gemeint sein ("the dualism of lover and circumambient river"), wobei infolge der komplizierteren Struktur der Stelle (Liebhaber aus v. 592; in 603* ein neben dem Fluß handelnder Gott oder die bewußt wirkende Naturkraft) die von Anderson gemeinte Rollenverteilung einfach nicht mehr klar werden kann.

[255] L. P. Wilkinson 201 (Fehlzitat bei Bömer zu 8.583!) wiederum kommt bei der Beurteilung des Handlungsabschnitts v. 583—589 integrativer Sicht sehr nahe: "He swelled with rage (intumui) — and in what followed there is no doubt that he was the river itself, not merely its hospitable personification who is telling the tale."

gedanklichen Zeugma" stehenden *intumui* (583): „*Achelous intumuit et ir*
et undis" hilft in dieser Frage nicht weiter.

Dagegen wird man dem Kommentar zu *conplectar* (603*) entnehmen dürfen, daß BÖMER Gott und Fluß getrennt sieht; *conplecti* stehe in „doppeltem Sinn ... a) „*ego amnis complectar locum novum, insulam*" ... und b) „*ego Achelous complecta Perimelen*"."[256]

Eine analytische Auffassung der in den Versen 583—589 und 595—608* geschilderten Vorgänge ist je nach dem Anteil, den man Gott und Element am Geschehen zumißt, in verschiedenen Varianten denkbar. Man kann erstens annehmen, daß der Gott sich seines Elements bedient, um die Rache an den Echinaden zu vollziehen bzw. Perimele zu retten. In diesem Fall würde Gastgeber Achelous lediglich die Leistung seines Flusses referieren, die dieser gewissermaßen als Vollstrecker des Willens seines göttlichen Meisters erbracht hätte. Der sprachliche Ausdruck wäre durchgehend uneigentlich[257].

In ihrer reinen Form ist diese These nicht haltbar. Die Beschreibung *pariterque animis inmanis et undis* (584), die Bitte an Neptunus (*dixi* 596), das v. 607* beschriebene Gefühl *(sensi)* machen den Kompromiß, zuweilen den Gott statt des Elements als Ausführenden zuzulassen, unumgänglich. Somit entsteht eine neue Position, die aber ihrerseits mit Schwierigkeiten behaftet ist, muß sie sich doch die Frage stellen lassen, welchem ihrer Akteure welcher Handlungsschritt zuzuweisen sei.

Wird man z. B. v. 595 *excepi nantemque ferens* der Identitätsstufe 1 und die folgenden Worte Identitätsstufe 4 geben, so ist das abschließende *hunc quoque conplectar* (603*) problematisch — eine weitere metonymische Ebene käme ins Spiel[258]. Noch dorniger ist eine sinnvolle Unterscheidung der Identitätsstufen in den Versen 606*—608*: Ist *pectora tangebam* (606*) und *dum ea contrecto* (607*) vom

[256] Ich glaube BÖMER so verstehen zu sollen: Der Sprecher des v. 603* — auf welcher IS auch immer vorgestellt — bekundet seine Absicht, als Fluß (IS 1?) die künftige Insel, als Gott (IS 4?) das (alsdann bereits verwandelte?) Mädchen zu umfassen. Sinnvariante b) kann ich inhaltlich nicht nachvollziehen; mir scheint, BÖMER hat eher an Praesens gedacht (*complector*; Druckfehler?). Auch der Verweis auf Komm. zu 8.597*, wo man zu einer Metonymie nach dem im I. Teil, Abschnitt B 1.3 c) behandelten Typ eine Reihe sehr verschiedenartiger Beispiele für das vereinigt findet, was der Autor „häufige spielerische Verwendung des Motivs der sogn. „Ich-Spaltung" ... und der doppeldeutigen Verwendung von Worten und Junkturen" nennt, vermag die Lösung des Problems, wie denn die Gestalt des Achelous gedacht sein könnte, nicht zu fördern.

[257] Man könnte immerhin auf einen Präzedenzfall verweisen, der oben S. 54—55 behandelt wurde. Am 3.1 hatte die personifizierte Elegia in Ich-Form über die Geschicke gesprochen, die das mit Elegien beschriebene Wachstäfelchen hatte hinnehmen müssen.

[258] Zwischen den Metonymien *excepi* und *conplectar** besteht ein qualitativer Unterschied:
excepi — formal handelt IS 4, gemeint ist aber IS 1.
*conplectar** — zunächst eigentlich zu verstehen, da der Gott es ist, der die Aussage macht; deren Inhalt betrifft aber nur formal IS 4, denn IS 1 ist gemeint.
Die direkte Rede verschiebt gewissermaßen das metonymische Niveau.

Wasser gesagt, bleibt unverständlich, wieso der Gott dabei den Vererdungsvorgang spürt (607*—608*); läßt man aber den Gott sich an der Frau zu schaffen machen (606*—607*), stört er deren Rettung, wie ANDERSON für diesen Fall richtig kritisiert (zu 606*), erheblich.

Angesichts sowohl der Schwierigkeit, den Dienst des Flusses und das Eingreifen des Gottes in plausibler Weise auf die geschilderten Vorgänge zu verteilen, als auch einer störenden Diskrepanz zwischen einheitlicher Form (Bericht der 1. Pers. Sg.) und unterschiedlichen Inhalten — in buntem Wechsel ist bald IS 1, bald IS 4 anzusetzen — ließe sich als dritte analytische Position eine durchgehende Parallelität der Handlungen von Gott und Wasser, die dann als sympathetisch miteinander verbunden erschienen, konstruieren. Beide Identitätsstufen würden nebeneinander agieren, beide an den Ereignissen teilhaben. Diese Lösung könnte einige Vorgänge wie *intumui* (583) und *animis inmanis et undis* (584) gut erklären, sie käme auch ohne Schwanken zwischen eigentlicher und metonymischer Aussage aus, hätte aber neben der willkürlichen Annahme grundsätzlicher Partizipation beider Identitätsstufen zu veranschaulichen, wie man sich z. B. das Fortreißen von Wald und Flur (585), die Aufnahme der Schwimmenden (595) oder das Umfassen der neuen Insel (603*) zu denken habe, wenn Gott und Fluß gleichermaßen daran beteiligt sind.
Um die Nachteile der drei skizzierten Positionen analytischer Interpretation zu vermeiden, ließe sich eine vierte These aufstellen, die besagte, daß Achelous (IS 4) von Handlungen bald des Gottes (IS 4), bald des Flusses (IS 1), bald von parallelen Handlungen beider (IS 4 neben IS 1) berichtete. Sachlich wäre eine solche Mischung der eben besprochenen Denkmodelle tatsächlich geeignet, jeweils nach Bedarf einen sinnvollen Handlungsträger zu wählen. Dem sprachlichen Ausdruck müßte aber Erhebliches zugemutet werden: Der Erzähler Achelous würde, wenn er von sich spricht, den Gott oder den Fluß oder das Zusammenwirken von Gott und Fluß meinen, wie es den Interpreten am günstigsten dünkt.
Die Unzulänglichkeiten der analytischen Grundposition sind, was die behandelten Abschnitte 583—589 und 595—608* anlangt, nicht zu übersehen. Wer nur IS 1 und IS 4 als mögliche Handlungsträger in Betracht zieht, kommt an mehr oder weniger willkürlichen Harmonisierungsmaßnahmen nicht vorbei, es sei denn, er wollte die Widersprüche nicht seinem Verfahren, sondern dem Ovidtext zur Last legen. Trotz der erwiesenen Mängel wird man jenes angenommene Nebeneinander von Gott und Element aber auch nicht kurzerhand als interpretatorischen Irrweg abtun dürfen. Immerhin sind uneigentliche Benennungen — auch in komplizierteren Formen — bei Ovid häufig anzutreffen, und Beispiele dafür, daß eine Naturgottheit ihr Element verwendet, um so ein bestimmtes Ziel zu erreichen, lassen

sich durchaus anführen. Zudem dürfen fallweise Schwächen der dichterischen Leistung — wie sie dann im Vorangegangenen skizziert worden wären — nicht von vornherein ausgeschlossen werden.

Andererseits kann der Interpret, der sich nicht durch Dualismen, Doppelnaturen und dergleichen Termini, die nur die Vorstellungsinhalte Gott und Element gelten lassen, in seiner Erklärung handelnder Naturgottheiten eingeengt weiß, darauf verweisen, daß seine integrative Position sich in bestem Einklang mit dem Wortlaut des Textes befindet und die Schilderung des Dichters unmittelbar verständlich macht. Er kommt ohne drohende Kompetenzüberschneidungen nach- oder nebeneinander handelnder unterschiedlicher Subjekte und ohne metonymische Akrobatik aus: Identitätsstufe 3 wird den ambivalenten Ausdrücken gerecht, Ovids Beschreibung in den betrachteten Episoden vereinigt zwanglos äußere elementare Gestalt und menschliches Denken, Wollen, Empfinden; die unmittelbar von der zornigen Naturkraft vollzogene Rache wirkt großartiger, als durch den Umweg eines Auftrags an Identitätsstufe 1 möglich wäre; der Einfall, Perimele von der bewußt wirkenden Naturkraft aufgenommen, getragen und umflossen werden zu lassen, enthebt Ovid der Aporie, die plötzliche weitgehende Passivität seines Gottes motivieren zu müssen.

Zudem entfällt der Anstoß in v. 606*—607*, wenn nicht die unpassende, weil zur falschen Zeit aufkommende Lüsternheit des Gottes (*sensi* 607*) ins Spiel gebracht, sondern das natürliche Verhalten auf Identitätsstufe 3 zur Erklärung herangezogen wird[259].

Die Diskussion alternativer Interpretationsmöglichkeiten, die ich deshalb etwas ausführlicher habe werden lassen, weil die Frage nach der sinnvollsten Vorstellungsform des Achelous von grundsätzlichem Interesse ist, hat gezeigt, daß die Wahrscheinlichkeit, durch Identitätsstufe 3 die Intentionen Ovids zu erfassen, höher sein dürfte als bei der Annahme, Gott und Element seien voneinander zu trennen. Ferner war bei neueren Forschern eine weitgehende Scheu vor konsequent integrativer Betrachtung deutlich geworden, in vielen Fällen war die Verständlichkeit des Urteils durch begriffliche Mängel getrübt. So haben die vorstehenden Ausführungen gleichzeitig die Unabdingbarkeit einer klar definierten Terminologie, die allein imstande ist, ein vielschichtiges von Naturgott-

---

[259] Die erotische Färbung bleibt natürlich bestehen und ist von Ovid ohne Zweifel beabsichtigt. Sie kann gewiß nicht als bedenklich gewertet werden, wie F. Bömer (zu 606*) mit Hinweis auf die Subjektivität der Moralurteile z. St. ausführt; zum Thema Erotik in den Metamorphosen vgl. W. Kraus WdF 117, F. Bömer WdF 180 und F. Altheim II 257. Wichtig aber ist, daß Andersons berechtigter Einwand, das Tasten des Gottes sei der kritischen Situation nicht angemessen (zu 606*), bei Annahme eines auf IS 3 vorgestellten Achelous hinfällig wird.

heiten bestimmtes Geschehen nachvollziehend zu beschreiben, vor Augen geführt. — Wenden wir uns nun der weiteren Darstellung des Achelous zu!

Direktes, mehr oder weniger unvermitteltes Aufeinandertreffen unterschiedlicher Identitätsstufen, wie es bis zum Abschluß der Erzählung über Perimeles Verwandlung zu beobachten war, wird im Folgenden nicht mehr zu verzeichnen sein. Achelous bleibt bis zu seinem Ausscheiden aus dem epischen Geschehen menschengestaltig[260], das Schlußbild des von ihm beherrschten Erzählungszyklus sieht ihn sein Antlitz im Wasser bergen (9.96—97). Der Zustand des Flusses hat sich gegenüber 8.549—557 nicht verändert, und dessen Gott ist offenbar nach wie vor nicht in der Lage, den Fluten zu steuern.

Der Rest der mit Achelous verbundenen Mythen ist durch ein eigenartiges, für Ovid aber sehr bezeichnendes Verfahren geprägt. Auf Grund des für Naturgottheiten als solche geltenden Anspruchs, daß die einzelnen Identitätsstufen nur den Blickwinkel repräsentieren, den man zur Veranschaulichung der Naturgottheit wählt, daß also alle Vorstellungsformen etwa eines Flußgottes nur *eine* Identität, die man sich von verschiedenen Positionen aus vergegenwärtigen kann, widerspiegeln, — auf Grund dieses Anspruchs werden Anspielungen auf das Element auch dort begünstigt, wo der Gott eindeutig nur anthropomorph gedacht ist. Es geht mithin um eine qualitativ andere Art der Konfrontation, die im Bereich der Charakterisierung des Flußgottes anzusiedeln ist. Uneigentliche Benennung, die Wahl ambivalenter Ausdrücke sowie der gezielt angesetzte Vergleich sind die Mittel, die Ovid hauptsächlich verwendet hat, um seinen Lesern den Identitätsbezug zwischen handelndem Gott (IS 4 bzw. 5) und Element (IS 1) wiederholt bewußt zu machen[261].

In diesem Zusammenhang sei zunächst auf die Formulierung hingewiesen, deren der erzählende Achelous sich bedient, um die Verwandlungsmög-

---

[260] Dazu kommen seine individuellen Verwandlungsmöglichkeiten, die er im Ringkampf mit Hercules 9.62—86 ausspielt.
Belege für Achelous' Menschengestalt erübrigen sich; die Situation des Gastgebers (dazu 8.727 bis 728, 9.3, 9.96—97) und die Einzelheiten des Ringkampfs (9.32—61) sprechen für sich.

[261] Dagegen sind Attribute wie bläulich-grüne Gewandung, Schmuck durch Wasserpflanzen u. ä. nicht als besondere, gezielt beigebrachte Hinweise auf das Element zu werten. Sie stellen vielmehr die normale Ausstattung anthropomorpher Flußgötter dar (das zeigt natürlich die Malerei besonders augenfällig, vgl. Waser 2788.34—2789.45, mit Stellen aus der Literatur; s. a. Bömer zu 9.32). Insofern geht Anderson (zu 9.32 *viridem vestem*) zu weit; andere Farbnuancen als *viridis* oder *caeruleus* kamen für Ovid ohnehin kaum in Betracht. Auch die Verwandlungsformen Schlange und Stier waren vorgegeben. Deren ursprüngliche Symbolik (Waser 2780.10 bis 2782.28 und 2782.29—57) ist kein bewußtes Stilmittel Ovids im Sinne derer, die im Folgenden zu illustrieren sind.

lichkeiten, welche ihm zu Gebote stehen, anzugeben. Er nennt folgende drei Gestalten:

nam modo, qui nunc sum, videor, modo flector in anguem,
armenti modo dux vires in cornua sumo. (8.881—882)

Bemerkenswert ist die Nennung der ersten. W. S. Anderson spricht, ohne auf den Wortlaut näher einzugehen, allgemein von „human shape", und F. Bömer kommentiert lapidar „d. h. als Flußgott". Das ist sachlich, besonders im Hinblick auf den bevorstehenden Ringkampf, unbestreitbar richtig, und doch bietet diese Auskunft für einen Ovidtext zu wenig, erschöpft die Auslegungsmöglichkeiten der raffinierten Eigenbeschreibung nicht.

Hier spricht also der Gott, von dem der Leser bislang in buntem Wechsel immer wieder andere Identitätsstufen anzunehmen sich gezwungen sah, den man neben- und nacheinander in der Gestalt des anthropomorphen Gottes, der Naturerscheinung und der göttlichen Naturkraft erleben konnte, so ganz selbstverständlich von seiner „augenblicklichen Gestalt". Sicher, Theseus und seine Mannen sehen Achelous leibhaftig vor sich. Der Leser hat jedoch eine andere Optik. Er wird auch den neben den *tecta*, in denen die gesellige Runde beim Wein (573) vereint sitzt, nach wie vor (9.94—96) tosenden Strom mit seinen *rapacibus undis* (551) sehen, und er wird die Diskrepanz zwischen genau (*numero finita* (!) *potestas* 880) drei möglichen Gestalten, von denen der Gott selbst zu berichten weiß, und den Identitätsstufen, auf denen er ihn im Verlaufe der Erzählung agieren sah, deutlich empfinden.

Des weiteren ist die Beschreibung zu erwähnen, die Achelous von sich selbst gibt, als er sich seinem angestrebten Schwiegervater Oeneus vorstellt:

. . . dominum me cernis aquarum
cursibus obliquis inter tua regna fluentem[262]. (9.17—18)

fluere ist für eine dominant anthropomorphe Identitätsstufe nicht verwendbar. Der Gott weist also κατὰ μετωνυμίαν (Typ 1.3 a; uneigentliche Benennung durch ein einfaches adjektivwertiges Attribut) selbst auf die polare Identitätsstufe hin.

---

[262] Der Text stellt zwei Probleme: Die Handschriften bieten *dominum*, *regem* und *numen*. Alle in Anm. 247 genannten Herausgeber drucken *regem*, ausgenommen Anderson, der sich für *dominum* entscheidet (ganz abweichend und kaum verständlich Lafaye: *regnum fluentem*). Eine eindeutige Lösung ist kaum möglich; weder Anderson zu 9.17 noch Bömer zu 9.665 vermögen ganz zu überzeugen.
Wichtiger ist eine Tendenz, von Heinsius ausgehend *fluentum* statt des überlieferten *fluentem* zu schreiben. Dazu darf an die zahlreichen Stellen erinnert werden, die Ovids Vorliebe für indirekte uneigentliche Benennungen (I. Teil, Abschnitt B 1.2 a) illustrieren. Die Junktur *dominus* (oder *rex*) *aquarum fluit* sprengt keineswegs den Rahmen des bei Ovid Möglichen. Es gibt mithin keinen Grund, das Überlieferte anzutasten.

Achelous gebraucht, um seinen Stand beim Ringen gegen Hercules zu veranschaulichen, folgenden Vergleich:

> *me mea defendit gravitas frustraque petebar,*
> *haud secus ac moles, quam magno murmure fluctus*
> *oppugnant: manet illa suoque est pondere tuta.* (9.39—41)

Dazu bemerkt W. S. Anderson: "The simile is conventionally epic, but it has its amusing unepic aspect in this context". In der Tat ist es auffällig, daß Ovid seinen Flußgott sich ausgerechnet mit einem unbeweglichen Damm, der den Fluten sicher trotzt, vergleichen läßt. Das Bild setzt die Naturgesetze außer Kraft, wenn der *dominus aquarum* (17) *aquis* Widerstand leistet, die normalen Rollen werden, wie Anderson gut ausführt, vertauscht (zu erwarten wäre Hercules als standhaftes Bollwerk, Achelous als *fluctus*). Identitätsstufe 5 erscheint im Kampf in umgekehrtem Verhältnis zu der Lage, in welcher Identitätsstufe 1 κατὰ φύσιν zu sein pflegt[263].

Sodann dürfte Ovid kaum zufällig auf die *sudore fluentia multo / bracchia* (57—58) des hart bedrängten Gottes hingewiesen haben[264]. Auf des Achelous Flußnatur könnten u. U. auch die Formulierungen *tellus / pressa genu nostro est* (60—61) und *harenas ore momordi* (61) deuten[265].

Erwähnt werden sollten ferner zwei Stellen, die zwar nicht die Identitätsproblematik im engeren Sinne widerspiegeln, dafür aber die äußere Gestalt des Gottes von anderen Gesichtspunkten aus beleuchten. Ambivalent ist zunächst die *gravitas* (39), die primär die Standfestigkeit kräftiger Ringernaturen bezeichnet, dann aber auch an göttliche „Würde" zu denken er-

---

[263] In Bömers Kommentar z. St. findet sich der bedeutungsvolle Hinweis, daß Verg. A. 7.586 bis 590 Ovids Vorbild gewesen sein könnte, „dann aber in üblicher Weise „verfremdet"" (zum Problem vergilischer Gedanken bei Ovid s. Bömer Komm. zu 8.72—73 sowie den Aufsatz „Ovid und die Sprache Vergils" desselben Verfassers): hier die beeindruckende Haltung des Latinus inmitten seiner verhetzten Umgebung, dort das witzelnde Paradoxon vom Flußgott, der sich durch Wasser bedroht sieht.

[264] Anderson scheint durch *sudor* überrascht und hätte wohl eher "usual water" erwartet. Eine interessante Spekulation (durch Soph. Trach. 13—14 angeregt?), als solche freilich ohne jede Verbindlichkeit.

[265] Immerhin können beide Tätigkeiten auch Flüssen zugeschrieben werden: *premere* findet sich Ov. F. 1.292 *(insula, dividua quam premit amnis aqua)* neben einem hydromorphen Subjekt. Für *mordere* (TLL VIII 1485, 75—77) sind zu vermerken: Hor. c. 1.31.7—8 *rura, quae Liris quieta / mordet aqua taciturnus amnis* (dazu ähnlich c. 1.22.7—8 *quae loca fabulosus / lambit Hydaspes*) und Sen. nat. 3.25.2 *vis illi aquae est etiam dura mordendi.* —
Einen Rückverweis auf Achelous gibt es dann noch 9.115, als Hercules sich anschickt, den ähnlich wie Achelous Hochwasser führenden Euenus (104—106) schwimmend zu meistern: *quandoquidem coepi, superentur flumina!" dixit.* Hier geht es lediglich um die Naturerscheinung, doch meint die Anspielung auf den zurückliegenden Sieg (aus sachlichen Gründen nur so zu verstehen, s. Haupt-Ehwald, Anderson und bes. Bömer z. St.) den in Menschen-, Schlangen- und Stiergestalt bezwungenen Gott (9.31—86).

laubt[266]. Diese Würde wird ganz beiläufig durch den Zusammenhang ironisiert: Anfangs muß sie ihn schützen (39), ihren Wert erweist die schmähliche Niederlage (61).

Einen ähnlichen Nebengedanken enthält *virtus*, die Achelous nach dem Versagen seiner anthropomorphen Kampfkraft erwähnt:

inferior virtute meas devertor ad artes. (9.62)

virtus ist hier, wie F. Bömer z. St. richtig bemerkt, die physische Kraft; gleichzeitig führt das Wort auf die Grundbedeutung *vir-tus* zurück (diese Beobachtung ist W. S. Anderson zu verdanken); Achelous erweise sich damit "less than manly in his godhood". Dieser sprachliche Befund deckt sich mit der dominanten allgemeinen Charakterisierung der Göttlichkeit des *Calydonius amnis*, auf die noch zurückzukommen ist.

Schließlich ist die Technik, durch Querverweise verschiedener Art bei Beschreibung einer Identitätsstufe an eine komplementäre Identitätsstufe zu erinnern, dort besonders eindrucksvoll repräsentiert, wo dieser Bezug einfach durch die Wahl des sprachlichen Ausdrucks hergestellt werden kann. Dabei wird in der Regel, wenn der Gott zu nennen ist, durch Metonymie auf das Element angespielt. Sieht man von pronominaler bzw. prädikatsimmanenter (z. B. 8.550) Ausdrucksweise ab, werden die anthropomorphen Identitätsstufen (4 und 5) ganz überwiegend uneigentlich benannt, nämlich durch *amnis Acarnanum* (570), *amnis* (577), *amnis* (611), *Calydonius amnis* (727), *Calydonius amnis* (9.2); demgegenüber ist nur einmaliges *deus* (9.1; geht als Dativobjekt dem *Calydonius amnis* 9.2 direkt voraus; Variatio!) sowie gleichfalls einmaliger Gebrauch des Eigennamens (9.96) zu verzeichnen[267].

---

[266] M. v. Albrecht bei Haupt-Ehwald: „Achelous besitzt als Gott auch physisch besondere *gravitas*". (Zu dieser häufiger erwähnten Eigentümlichkeit mythischer Gottheiten siehe vor allem H. H. Huxley 385—386). Sehr treffende Wiedergabe der Bedeutungsnuancen durch W. S. Anderson: "Ovid puns on two senses of this word, the heavy solidity that makes a good wrestler immovable and the solemn weightiness that belongs with divinity." F. Bömer beschreibt zwar die vom Kontext geforderte Hauptinformation „Gewicht(igkeit) (physisch)" mit Hinweis auf *moles* (40) und *pondus* (41) korrekt, bleibt aber doch zu eng, weil er die Assoziation „Erhabenheit" sich beim Leser offenbar nicht einstellen sieht.

[267] Als subjektive Äußerungen innerhalb der Erzählung sind von nur zweitrangiger Bedeutung: 3 Vokative (Acheloe) — 8.560 (Anrede durch Theseus), 8.614 (Anrede durch Pirithous), 9.68 (Anrede an den schlangengestaltigen Achelous durch Hercules); 3 Eigennennungen des Gottes — *qui nunc sum* 8.881, *deus* (als „ständisches" Gegenstück zu *mortalis*) 9.16 und *dominus aquarum* 9.17. *deorum* 8.612 und *deos* 8.615 gehen, wenn man schon einen festen Bezug angeben will, auf den verwandelnden Neptunus, nicht auf Achelous (vgl. 8.619 *superi*).

IS 1 wird ganz konventionell benannt: zum Auftakt Achelous (8.549), dann *flumina* (9.94), *aquae* (9.96), *undae* (9.97), dazu aus dem Munde des Gottes *rapaces undae* (8.551), *hic torrens* (8.556; einzige Bezeichnung der Zugehörigkeit bzw. Nähe zum Gott!), *flumina* (8.558), *undae* (8.559), *aquae* (9.17). Ganz ähnlich IS 3: *fluctus noster* (periphrastisch; 8.587), *amnis* (8.597*), sonst verbal bzw. pronominal.

Bevor nun der Versuch gemacht werden soll, die Motive, welche Ovid für seine eigenwillige Darstellung der Naturgottheit Achelous gehabt haben mag, zu beleuchten, empfiehlt sich ein zusammenfassender Überblick über die Vorstellungsformen, die im Text begegneten: IS 1 wird eingeführt, um sofort mit einem nicht geringen Überraschungseffekt von IS 4 abgelöst zu werden; es folgt der Augenzeugenbericht des Gottes (IS 4) über den gefährlichen Zustand des Flusses (IS 1); sodann erzählt Achelous (IS 4) über sich (IS 4), der auf zwei Ereignisse hin jeweils als Naturkraft (IS 3) eingegriffen habe; bei der Werbung um Deianira und dem Kampf um sie hat er sich von seinem Fluß entfernt (IS 5); endlich werden die polaren Identitätsstufen sprachlich dergestalt miteinander verwoben, daß auch, wenn die Handlung Menschengestalt des Gottes (IS 4 oder 5) voraussetzt, das elementare Äquivalent immer wieder anklingt. Alle Identitätsstufen mit Ausnahme der Identitätsstufe 2 sind vertreten.

Vom Leser wird dabei die Bereitschaft und die Fähigkeit verlangt, jeden Wechsel in der Betrachtungsweise des Achelous mitzuvollziehen, Widersprüche zwischen Sprache und Inhalt aufzulösen und sogar eine paradoxe Gegenüberstellung unterschiedlicher Vorstellungsformen zu akzeptieren. All dies soll er auch bei komplizierteren Sachverhalten sowie in Fällen, die sofortiges Umdenken von einer Identitätsstufe auf eine andere erfordern, leisten.

Für die auffällige Unterschiedlichkeit von Ovids Darstellung gibt es zwei Gründe. Der erste ist kompositorischer Natur. Die Achelous-Episode hat eine Verbindungsfunktion: Der großen Zahl der lose mit Theseus verknüpften Sagen (ab 7.404) sollten Tod und Vergöttlichung des Hercules angefügt werden. Um dies nicht zu unvermittelt und isoliert zu bringen, war es günstig, den Heros noch ein *mirabile factum*[268], eben den Ringkampf mit Achelous, ausführen zu lassen, Theseus hinwiederum konnte durch denselben Fluß aufgehalten werden und damit Gelegenheit geben, eine Reihe wichtiger Sagen zu erzählen, die Ovid offenbar nicht missen mochte. Sie alle zu verbinden gab die Runde bei Achelous gute Gelegenheit: Höfliches Interesse veranlaßt die beiden aitiologischen Erzählungen, als Belehrung des zweifelnden Pirithous wird die Geschichte von Philemon und Baucis angeschlossen, Theseus' Neugier (8.726—727) wird durch den Bericht über Proteus, Erysichthon und Mestra befriedigt, des Helden Anteilnahme entlockt dem Flußgott die Schilderung seines für ihn recht blamablen Kräftemessens mit dem Alkiden. Die Gestalt des Achelous war diesen Zwecken anzupassen: Er mußte, um einerseits die Zusammenkunft

[268] Die Geschichte von Nessus kann als solches nur beschränkt gelten, sie hat vornehmlich die Aufgabe, den Tod des Hercules vorzubereiten.

mit Theseus zu motivieren und andererseits seine Rolle in den Aitia und in dem Kampf mit Hercules spielen zu können, auf unterschiedlichen Identitätsstufen erscheinen.

Wie stark kompositorische Rücksichten — man kann auch sagen: die Konzentration auf die kleine Szene zuungunsten übergreifender Einheitlichkeit — die Darstellung des Achelous bestimmt haben, wird ähnlich wie durch die Art, in der Ovid Gebrauch von den Identitätsstufen gemacht hat, auch durch Temperament und Verhalten des Flußgottes deutlich. Wiederum wird kein einheitliches Bild vermittelt, wieder entscheidet der dem jeweiligen Handlungsschritt förderlichste Aspekt über die Erscheinung des Gottes.

Zum einen erscheint Achelous, in wirkungsvollem Kontrast zum unnahbaren, zumindest aber äußerst gefährlichen Element (8.557), als freundlicher Gastgeber[269], stolz, einen so berühmten Gast in seiner Grotte bewirten zu dürfen[270], sehr um geselligen Kontakt bemüht und überaus mitteilsam[271]. Dabei ist ein Hang zu selbstbewußter Großartigkeit des Gottes erkennbar[272]. Seine zuvorkommende Haltung den Besuchern gegenüber wird besonders augenfällig, als er über die brüskierende Entgegnung[273] des Pirithous, der sich immerhin dazu verstiegen hatte, seinem göttlichen Gegenüber Phantasterei (8.614) und stark übertriebene Einschätzung göttlicher Macht vorzuwerfen (614—615), hinweggeht und den gereiften Lelex mit der Erzählung von Philemon und Baucis erwidern läßt.

Ganz im Gegensatz zu so großzügiger Nachsicht steht das elementare Aufbrausen des zornigen Gottes, als er in vergleichbar kränkender, dabei jedoch

---

[269] Auf unterschiedliche Charakterisierungen hebt auch F. Bömer (zu 880) ab (den Oberbegriff „wechselnde Formen" allerdings halte ich für unglücklich gewählt, ebenso — was in Verbindung damit zu sehen ist — die Vermengung von Verhaltensformen und Identitätsstufen); er unterscheidet einen „Gastgeber im Stile der adligen Herren", einen „beleidigten Gott" sowie einen „jugendlichen Liebhaber". Ebenfalls lesenswert ist Hollis' Beschreibung des oben behandelten Typs: "Achelous, although somewhat uncouth, is portrayed as a kindly but pompous old gentleman."

[270] Die Stellen sind in Anm. 236 zusammengetragen.

[271] Außer der Erzählung von Philemon und Baucis, die dem Lelex in den Mund gelegt wird bestreitet Achelous das Gespräch allein. Der Flußgott wirkt handelnd von 8.549—9.97 mit — das sind (abzüglich aller durch Hilfsbuchstaben gekennzeichneten Verse) 433 Hexameter; davon gehören 37 Verse dem Erzähler Ovid, 3 dem Theseus, 2 Pirithous, 107 Lelex und die große Mehrzahl, 284 Verse (= rund 66% insges. bzw. rd. 72% der Erzählungen), Achelous.

[272] A. S. Hollis (zu 549 ff.) weist auf des Gottes Diktion hin ("frequent Ennian ring of his language"): archaisches *inclite* 8.550 und *Cecropida* 8.551, Anklang 9.43—45 an Enn. Ann. 507—508 W., vielleicht auch das Monosyllabon *rex* am Versschluß 8.603* (dazu aber relativierend Bömer zu 8.65 mit zahlreichen andersgelagerten Fällen); ergänzend ließen sich die Allitterationen 550—553, 578, 580—581, 583—585 (sehr wirkungsvoll das drohend malende u der aufbrausenden Naturkraft!) u. öfter sowie die hochepischen Vergleiche 9.40—41 und 46—49 anführen.

[273] Er kommentiert die gerade zuvor von Achelous geschilderten Aitia.

nicht einmal vorsätzlicher Weise von den Echinaden mißachtet wird. Die Form der Rache ist an sich schon brutal, erreicht aber dadurch, daß sie an Nymphen (8.586), also immerhin göttlichen Wesen[274], vollzogen wird, einen noch höheren Grad an Skrupellosigkeit. Die grausame Reaktion wird durch den Zynismus, mit dem Achelous selbst das Geschehen kommentiert[275], gekrönt[276].

Neben dem machtvoll und schrecklich strafenden Gott steht hinwiederum der machtlose Gott, der anfangs ebenso wie beim Abschied der Helden offenbar keinen Einfluß auf den ungebärdigen Fluß nehmen kann. Angesichts Perimeles Schicksals ist er geradezu beschämend hilflos: Er gesteht gar sein Unrecht ein (599*), vermag die grausame Strafe des Vaters aber nicht zu verhindern und kann nurmehr Neptunus als höhere Instanz um Verwandlung bitten. Ähnlich wenig hat er der körperlichen Stärke des Hercules entgegenzusetzen, als dieser sich durch ebenso eloquent vorgetragene wie ungemein peinliche Schlüsse aus seiner Familiengeschichte (9.23—26) arg düpiert fühlt und gleich — sehr zum Entsetzen des Gottes[277] — zum handgreiflichen Teil der Auseinandersetzung schreitet. Die Niederlage gegen den Sterblichen[278] fällt demütigend aus.

---

[274] H. Herter, RE XVII,2 (1937) 1527.61: Nymphai — Göttinnen der freien Natur.

[275] 8.586—587 *cumque loco nymphas, memores tum denique nostri, / in freta provolvi* ... — Dazu Bömers Hinweis auf *provolvere* als „ein brutales Wort“.

[276] Das führt auf einen weiteren Aspekt: W. S. Anderson bringt (zu 592) den unmoralischen Gott ins Spiel, der sich seiner Auserwählten gewaltsam genähert habe (eine Deutung, die einige Wahrscheinlichkeit für sich beanspruchen darf; dazu die wichtige Information F. Bömers, *diligere* bezeichne „oft das plötzliche (einmalige) Aufflackern der Begierde“) und das gar noch bedenkenlos bekenne; dem könnte man einen Hinweis auf *nocui* 599* (falls wirklich, wie Bömer interpretiert, verharmlosend gemeint; andererseits macht P. J. Enk, Ovidiana 335, anhand Ov. Her. 7.93 auf das breite Bedeutungsspektrum von *nocere* aufmerksam) sowie auf einen gewissen Stolz, es Diana an rigorosem Durchgreifen gleichgetan zu haben (in diesem Sinne auch Hollis zu 579 ff.) (579—583), anschließen.

Eine solche Deutung auf Grund der vorgetragenen Indizien scheint mir indes problematisch, hängt sie doch stark — vielleicht zu stark — von den moralischen Maßstäben ab, nach denen man die Einzeltatsachen wertet. Diese Maßstäbe sollten gegenüber mythischen Göttern, die sich ja gern ganz „natürlich“ geben, mit größtem Bedacht gewählt werden.

[277] 9.31—32 *puduit modo magna locutum / cedere*. Ganz offensichtlich ist ihm unheimlich geworden, als er sieht, auf welches Feld der Auseinandersetzung sein ihm geistig unterlegener Mitbewerber abzielt. Er erkennt, daß er seine Worte psychologisch falsch gewählt hat und sieht sich durch die Standesehre (vgl. 9.16—17) gezwungen, keinen Rückzieher zu machen.

[278] Sein Status als Gott spielt für Achelous eine wichtige Rolle (*„turpe deum mortali cedere“ dixi* 9.16). Die Anmerkung *nondum erat ille deus* 9.17 ist in diesem Zusammenhang zu sehen: Rückschauend muß Achelous bedauern, seinem Standesdünkel gefolgt zu sein und nicht der vernünftigen Überlegung, daß man aussichtslosen Händeln mit einem so klar Überlegenen besser aus dem Wege geht. Nach dessen Vergöttlichung hätte er demselben Gegner ohne Ehrverlust weichen und sich den schmachvollen Verlust seines Hornes ersparen können. — Dahinter scheint mir die Bedeutung des parenthetischen Gedankens als Ankündigung der folgenden Apotheose des Hercules (wie offenbar Haupt-Ehwald z. St. sie auffassen) zurückzutreten. Auf falschem Wege Bömer z. St. („Zusatz *ex persona poetae*“): Achelous (als Gastgeber — 2. Erzählebene) unterbricht kommentierend Worte des Achelous (als Brautwerber — 3. Erzählebene).

Sodann ist des einfachen Gottes zu gedenken, des plebejischen Gottes[279] von geringem Format, bescheiden in der Anzahl der ihm möglichen Verwandlungen (gegenüber Proteus 8.730—737 und Mestra 8.871—873), beschränkt in seiner Körperkraft (gegenüber Hercules). Sein Äußeres ist rustikal. Ovid erwähnt die *vultus agrestes* (9.96)[280] sowie *inornatos crines* (9.3). Die körperliche Unbeholfenheit des Schwergewichtigen dürfen wir dem Gleichnis 9.39—41 entnehmen. Offenbar hat der Verlust seines Horns ihm die Grenzen gewiesen, die ihm als Persönlichkeit und als Gott gesetzt sind[281].

In Kontrast zu dieser Schlichtheit steht andererseits der raffinierte Diplomat und brillante Redner, der sich dem Oeneus ebenso geschickt zu empfehlen wie seinen bäurisch ungeschlachten Konkurrenten der Lächerlichkeit preiszugeben weiß[282]. Dieser Achelous hätte, so darf man annehmen, den Sieg über Hercules davongetragen, den der zu schwache Kämpfer und Verwandlungskünstler nicht zu erringen vermochte.

Auch die Betrachtung all dieser Aspekte von des Gottes Persönlichkeit macht deutlich, wie entscheidend die ihm jeweils zugedachte Rolle für seine Darstellung ist. So darf der Fluß zum mächtigen Rächer werden, wenn eine verbindende Klammer zur kalydonischen Jagd (8.579) und vor allem ein Motiv für die Entstehung der Inseln benötigt wird, während er andernorts von diesem Mittel keinen Gebrauch machen kann (Hippodamas, Hercules), obwohl es ihm gut zustatten käme. Einmal darf er selbst jähzornig sein (8.583), ein andermal beklagt er hilflos den Jähzorn anderer (Hippodamas 8.593, 599*—601*; Hercules 9.28), ist ihm doch der Verlust Perimeles ebenso vorgegeben wie die Niederlage im Ringkampf. Er darf nachsichtig sein, wenn die beleidigenden Anwürfe des notorischen Gottesverächters Pirithous sich mit einer so hübschen Erzählung wie der von Philemon und Baucis beantworten lassen, und seine Wut ungezügelt austoben, wenn aus den vergeßlichen Göttinnen Inseln werden sollen. Das jeweilige erzählerische Etappenziel, der begrenzte Handlungskomplex, bestimmt Charakterbild, Verhaltensweise und Identitätsstufe des Gottes.

Schließlich lassen sich die verschiedenen Züge, die sich in der Darstellung des Flußgottes manifestieren, um noch einen Typus vermehren, den man

[279] Das ist sein sozialer Rang. Der Terminus begegnet M. 1.173 und Ib. 79—80 (wo *flumina* ausdrücklich genannt sind). Auf das Problem der gesellschaftlichen Abstufung der Götter werde ich weiter unten noch kurz zu sprechen kommen.

[280] „Scheint als Junktur ohne Parallele zu sein" (Bömer zu 9.96). Eine weitere Variante Ovids, lokal-soziale Gegebenheiten in der Götterwelt beim Wort zu nehmen und konkret auszudeuten.

[281] 9.98 *hunc tamen ablati domuit iactura decoris.*

[282] Wirkungsvolle Eigenwerbung 9.17—20, dazu Anderson (zu 9.20): "The god talks like a politician." Der glänzenden Argumentation 9.23—26 kann der Angegriffene nichts entgegensetzen. Den Gegensatz der Handelnden hat Anderson (zu 9.28) hübsch zusammengefaßt als "Ovid's nice contrast of personalities, urbane and cowardly river-god vs. brawny hero".

den komischen Gott nennen könnte. Mit diesem Typus ist zugleich der Übergang zu dem zweiten Grund, oder, wenn man will, einer weiteren Motivgruppe, die Ovids Achelous mitgeformt hat, markiert. Hierbei handelt es sich um Motive, die im Interesse des Dichters, in seiner künstlerischen Persönlichkeit zu suchen sind.

Trotz der Problematik ästhetischer Würdigungen, die ja als solche von subjektivem Empfinden nicht frei sein können, scheint für Ovids Behandlung des Achelous eine Reihe von Umständen so eindeutig zu sein, daß man von einem Gott, der in seiner harmlosen Schlichtheit oft komisch wirkt, wird sprechen dürfen. Zu nennen ist der Widerspruch zwischen kriegerisch-heroischem Vokabular und der lächerlichen Rolle, die Achelous im Kampfe tatsächlich spielt[283]. Einen komischen Effekt hat auch das Eingeständnis, *vir-tute inferior* sich zu übernatürlichen Tricks geflüchtet zu haben — zumal, wenn man die Ambivalenz der Wendung veranschlagt —, wie denn die ganze Form des Kampfberichtes die Größe dieses Gottes indirekt charakterisiert: "To have the god recount his own absurd defeat is a stroke of humor in itself"[284].

Zwei Regiebemerkungen, mit denen Ovid seinen göttlichen Akteur von der Bühne (direkt in den Fluß: 9.96—97) entläßt, sollen noch Erwähnung finden: 9.98—99 stellt er fest, der Flußgott sei trotz Verlust seines Horns noch einmal glimpflich davongekommen, da ihm Leben und Gesundheit geblieben seien[285]. Ganz unversehens weiß der Dichter dem Problem der peinlichen Verstümmelung dann gar noch eine ästhetische Seite abzugewinnen: Mit Schilf oder Weidenlaub, worüber Flüsse in der Regel — glücklicherweise — reichlich verfügen, könne der Gott seine kosmetischen Probleme leicht und sogar mit Gewinn lösen. Ovids Frivolität stellt sicher, daß der Leser den solchermaßen Getrösteten belächelt. Ein bemerkenswerter Abschluß der Darstellung dieses Flußgottes, der der Identitätsstufenartistik zu Beginn (8.549—550) um nichts nachsteht[286].

Ein weiteres Motiv für die Art, in der Ovid von unterschiedlichen Erscheinungsformen seiner Naturgottheiten Gebrauch macht, ist in einem Streben des Dichters begründet, das man als künstlerische Konsequenz

---

[283] Darauf hat Anderson zu 9.4 *(proelia; victus)* hingewiesen. Bemerkenswert seine Beurteilung von 9.5—6 *(nec tam / turpe fuit vinci, quam contendisse decorum est)*: "Achelous varies a militant commonplace, which might remind one ironically of Horace's memorable *dulce et decorum est pro patria mori*. Achelous' "honorable battle" was in fact pretty ridiculous".

[284] W. S. Anderson, Vorbemerkung zu Buch IX.

[285] *cetera sospes habet* 9.99. Ovid leitet mit diesem Gedanken auf das bittere Geschick des Nessus über. An Achelous werden ganz menschliche Maßstäbe gelegt: Es hätte den Gott viel schlimmer — wie Nessus? — treffen können.

[286] Für komisch hält Hollis (zu 597*—601a*) auch 8.595—603*: "... The witty prayer to Neptune underlines the somewhat ridiculous character of Achelous.": ein möglicher Standpunkt.

beschreiben kann[287]. Sie zeigt sich etwa, als Achelous darüber zornig wird, daß die Nymphen ihn beim Opfer vergessen haben: Sein Zorn wird in der aufbrausenden Naturkraft sichtbar, auf dieser Identitätsstufe schreitet er zur Rache; er hat das Mädchen Perimele als Gott liebend umarmt, doch damit Unheil heraufbeschworen: Von ihrem Vater in das Element des Schuldigen gestürzt, muß Achelous sie jetzt als fühlender Fluß schützend umfangen, bis Neptunus sie auf seine Bitte hin wenigstens in eine Insel verwandelt. Die verschiedenen Identitätsstufen erscheinen also auch, um Psychogramme zu entwerfen (IS 3) sowie Ursache und Wirkung motivisch miteinander zu verknüpfen.
Sodann sei an die Benennungspraxis erinnert, an die verbalen Mittel, die Ovid nutzt, um Querverweise anzubringen und Reminiszenzen zu geben[288]. Von ganz besonderer Bedeutung aber ist die Freude am Paradoxen, am intellektuellen Witz, der entsprechend prädisponierte Leser verlangt[289]. Uneinheitlichkeiten in der Charakterisierung des Gottes wie in der Grundanschauung der Naturgottheit, unversehens vollzogene Wechsel zwischen Identitätsstufen, direkte Gegenüberstellung von Widersprüchlichem, bewußte Folgerichtigkeit im Phantastischen, Wortspiele mit der gleichen Benennung für unterschiedliche Phänomene — all diese Eigentümlichkeiten, welche oft groteske Wirkung zeitigen, sind Ovidiana, die auch in der weiteren Untersuchung immer wieder begegnen werden.

2) *Amnis harundinibus limosas obsite ripas* Ov. Am. 3.6

Eine ganz andersartige Konfrontation von Identitätsstufen findet sich in der Elegie Am. 3.6. Zwar lösen auch hier unterschiedliche Vorstellungsformen einander innerhalb eines Erzählzusammenhanges ab, doch ist der Übergang zwischen den jeweils dominierenden Aspekten des namenlosen göttlichen Hauptakteurs viel weniger scharf faßbar, viel verdeckter, viel fließender. Dieser Mangel an klaren Konturen gründet wesentlich im subjektiven Charakter der Schilderung: Der Dichter gibt uns eine Reflexion „an baches ranft", kaum Handlungsmomente; wir verfolgen den regen Fluß seiner Gedanken, erleben aber, was den so temperamentvoll umschmeichelten, beschwatzten und beschimpften Adressaten anlangt, keinerlei Umschwung im gleichförmigen elementaren Geschehen.

[287] Ein Verfahren, welches besonders bei Metamorphosen oft begegnet: Bestimmte Einzelzüge und Eigenarten einer Person werden auch in verwandelter Gestalt noch bewahrt. Vgl. dazu H. Dörrie *(passim)*, M. v. Albrecht WdF 419 sowie H. Herter, Verwandlung und Persönlichkeit 185—187 (mit reichhaltigem Überblick über frühere Literatur).
[288] Vgl. die Darlegungen oben S. 121—124.
[289] W. S. Anderson weist (zu v. 550) auf häufige spielerische Behandlung von Flüssen, Weihern, Bäumen und Bergen hin, derer Ovid sich bedient habe, "to suggest the fun a sophisticated person can have with the anthropomorphic concepts of mythology".

Die Elegie läßt einen dreigliedrigen Aufbau erkennen. Formal rahmt des Erzählers erzwungener Aufenthalt am Gießbach einen Katalog mythischer Beispiele von verliebten Flüssen. Dieser Struktur entspricht inhaltlich die emotionale Bewegung des Liebhabers, aus der das ganze Gedicht seine Dynamik bezieht: Anfangs sind die Worte, die dem Gewässer gelten, durch *captatio benevolentiae* bestimmt (1—22), um dann im Mittelteil rationalen Argumenten zu weichen, welche mit großem Aufwand an Gelehrsamkeit des Flusses Solidarität sichern sollen (23—84); die dritte Phase endlich läßt uns des Genarrten Schimpfen vernehmen (85—106), das mit dem Schlußdistichon in einer Verwünschung des *torrens* gipfelt.

Die Situation, die der Dichter schildert, bezieht ihre Spannung einerseits aus dem Problem der Identität im allgemeinen (Naturgottheiten) wie im besonderen (quantitative Schwankungen), andererseits aus der sozialen Stellung schlechthin *(rusticus)* sowie ihren Folgeerscheinungen (*rusticitas* in Liebesdingen). Reizvoll ist auch der Kontrast zwischen unveränderter Anrede und den wechselnden Identitätsstufen des Angeredeten.

Bereits das erste Distichon stellt dem Leser die Lage vor Augen, in die der Erzähler geraten ist: Er wurde auf dem Weg zu seinem Mädchen von einem Fluß aufgehalten, so daß er wünscht, die reißenden Fluten[290] möchten stillstehen. Während der gesamten 106 Verse redet der Liebhaber auf den mächtig Strömenden ein, ohne daß die Szene sich derweil irgend änderte.

Zunächst bleibt unklar, auf welcher Identitätsstufe der Sprecher den Fluß erlebt. Die verbale Hinwendung zu dem *amnis* als solche läßt kaum entsprechende Schlüsse zu, da emotional gestimmte Ausdrucksweise sich gern direkter Anrufe an Naturerscheinungen[291] bedient, ohne daß deshalb anzunehmen wäre, das Angerufene werde beseelt gedacht. Einerseits beziehen sich die Einzelheiten, die man im Folgenden (3—8) erfährt, ausschließlich auf das Element, andererseits wird die Form der Anrede beibehalten: So verstärkt sich allmählich der Eindruck, daß der Erzähler den Fluß integrativ sieht. Größere Gewißheit schafft erst die Aufforderung v. 19—20, die die bereits in Vers 2 genannte Absicht bestätigt: Der Liebende hofft offensichtlich, seine Worte würden den Strom zu günstiger Reaktion bewegen. Eine solche Erwartung kann nur nähren, wer den anderen für fähig erachtet, Sprache bewußt aufzunehmen, Mitteilungen zu bedenken, Ent-

---

290 Von kraftvoll dahinschießenden wirbelnden Wassermassen weiß das Distichon v. 7—8 zu berichten.

291 Gleiches gilt auch für unbelebte Gegenstände; es mag genügen, aus der großen Zahl möglicher Belege die folgenden Stellen zu nennen: M. 7.813 *(aura)*; F. 2.392 *(Circus Maximus)*, 3.524 *(Thybris)*, 4.439 *(hyacinthus, amarantus)*, 4.470 *(Gelas)*, 5.268 *(Nilus)*, 5.343 *(Achelous)*, 6.714 *(Thybris)*, 6.722 *(Algida terra)*; T. 3.12.52 *(Pontus)*, 1.2.80 *(Nilus)*; — Am. 1.6.73—74 *(postes, fores)*, 1.12.7—30 *(tabellae)*, 2.15 *(anulus)*.

scheidungen zu treffen und demgemäß zu handeln. Hält man das Seelenleben, das der Erzähler voraussetzt, und die elementare Gestalt, die er beschreibt, nebeneinander, bietet sich Identitätsstufe 3 als sinnvoll einigend
Klammer an, die jene beiden Aspekte zwanglos harmonisiert.

Anthropomorphe Züge finden sich in diesem ersten Abschnitt (1—22
nicht[292]. Stattdessen werden die Leser hinreichend mit der eigentümliche
äußeren Beschaffenheit des Flusses bekanntgemacht: Er verfügt wede
über Brücke noch Fähre (3—4), was durchaus verständlich ist; sein
elementare Existenz ist nämlich zuzeiten kaum der Rede wert:

parvus eras, memini, nec te transire refugi,
summaque vix talos contigit unda meos. (5—6)

Jetzt aber hat Schmelzwasser des nahen Gebirges[293] jenes matte Rinnsa
zu einem breiten, reißenden und damit unpassierbaren Strom schwelle
lassen (7—8). Dem wandernden Liebhaber ist das Mißgeschick widerfahren
den *torrente* in dessen ungünstigster Verfassung angetroffen zu haben.

Nach diesem Zustandsbericht macht der Erzähler seinem Unmut über de
erzwungenen Aufenthalt in einer Klage Luft: Alle Eile sei umsonst gewesen, jetzt wünsche er sich Flügel, wie mythische Heroen sie hatten; abe
das sei ja leider ein eitler, realitätsferner Wunsch (9—18). Lieber solle de
Fluß in seinem normalen Bett fließen; tue er das, sei ihm dafür ewige
Lauf[294] gewünscht (19—20); anderenfalls müsse er mit heftigsten An-
feindungen rechnen, die eben den träfen, der einen Liebenden zurückhalte
(21—22). Der Begriff *amans* (22) steht betont am Versende. Er ist das
Stichwort für die folgende Argumentation.

Der Drohung mit schlechter Reputation folgt sogleich die positive Seite
des Gedankens. Eigentlich sollten Flüsse sich dazu verpflichtet fühlen,
Liebenden Hilfe zu leisten:

flumina debebant iuvenes in amore iuvare:
flumina senserunt ipsa, quid esset amor. (23—24)

[292] Das mit IS 3 gekoppelte Bewußtsein, die Wahrnehmungsfähigkeit und das Empfindungsvermögen der Naturkraft sind keine anthropomorphen Züge im oben S. 18—19 beschriebenen Sinne. — Eine sorgfältige Strukturanalyse der Elegie findet man bei F. WILHELM; er unterscheidet die Abteilungen I (1—22), II (zerfallend in II a = 23—44 und II b = 45—84) und III (85—106) und gibt Einzelheiten zu deren innerem Aufbau (s. bes. WILHELMS S. 141 und 142).

[293] Das deutet darauf, daß die geschilderte Szene im Vorfrühling zu denken ist. Die Jahreszeiten spielen in diesem Gedicht eine wichtige Rolle: Der Bach lebt — im eigentlichen Wortsinn — von *pluvia* und von *nives solutae* (93), und aus dem Kontrast zum Hochsommer (89—98, dabei bes. 95—98) wird Ovid im Schlußteil einige reizvolle Pointen gewinnen.

[294] So lautet der Wunsch dankbarer Menschen für Flüsse; in v. 98 taucht diese Formel, leicht abgewandelt, nochmals auf.

n diesem Distichon geht Ovid zur Identitätsstufe 4 über, und zwar schritt-
veise. Der Leser, dem vom bisherigen Kontext Identitätsstufe 3 als ange-
nessenste Auffassung des *amnis* nahegebracht worden war, wird zunächst
uch *flumina* in Vers 23 integrativer Sehweise zuordnen. Das Liebesgefühl,
velches den *flumina* in Vers 24 gegeben wird, läßt jedoch Identitätsstufe 4
rävalent werden. Somit ist der aufmerksame Betrachter genötigt, die Vor-
tellung des begründeten Gedankens (v. 23) im Sinne des begründenden
v. 24) zu reinterpretieren. Indem mitgeteilt wird, auch Flüsse seien von
iebe nicht verschont geblieben, rückt deren mögliche Menschengestalt
n den Vordergrund.

Mit den Versen 23—24 ist der Mittelteil der Elegie eingeleitet. Er umfaßt
inen Katalog von Liebesbeziehungen der Flußgötter, dessen Funktion
nnerhalb der Rahmenhandlung darin besteht, den *torrens* bei seiner
olidarität mit Liebenden zu packen[295]. Dabei überrascht, daß Ovid die
erliebten *flumina* keineswegs bevorzugt auf Identitätsstufe 4, auf die der
eser gerade eingestimmt worden ist, vorführt. Zunächst scheint inte-
rative Anschauung durchaus zu überwiegen. Allerdings läßt die Kürze
ieler *exempla* eine eindeutige Entscheidung über die intendierte Identitäts-
tufe nicht zu. In einigen Fällen erschweren bewußte Ambivalenz und
nangelnde Kenntnis des angedeuteten Geschehens[296] unser Urteil.

Für eine eingehende Betrachtung des Flußkataloges ist hier nicht der Ort;
erschiedene Einzelbeispiele sollen weiter unten von anderen Gesichts-
unkten aus untersucht werden[297]. Es dürfte indes sinnvoll sein, Ovids
erwendung der Identitätsstufen bis zur eindeutigen Dominanz analytischer
ehweise in der Anien-Episode (45—82) nachzuzeichnen. So wird deutlich
verden, wie Ovid von Vorstellungsformen, die durch das Element be-
timmt sind, langsam zu anthropomorpher Gestaltung fortschreitet, dabei
ber die Übergänge verschleiert und sich nicht bemüht zeigt, Schwan-
ungen in der Prävalenz seiner Grundpositionen zu meiden.

Beim Inachus (25—26) ist anzunehmen, daß das fühlende Element Farbe
nd Temperatur wechselt, wenngleich der Wortlaut auch an Identitäts-
tufe 4 zu denken gestattet. Die — ansonsten unbekannte — Liebes-
eschichte des Xanthus (27—28) bleibt unanschaulich. Wiederum Identi-
ätsstufe 3 ist für den Alpheus anzusetzen: Der verliebte Strom durch-
ließt das Meer, um auf Sizilien aufzutauchen (29—30). Für die Gestalt des

5 In diesem Sinne erklären Harder-Marg (zu v. 23) die Absicht des Erzählers.

6 Unbekannt sind die Sagen, die sich an Xanthus (27—28), Peneus (31—32), Asopos (33—
4) und Nilus (39—42) knüpfen; meist ist sonst nichts über jene Liebesgeschichten tradiert,
nd einmal gibt Ovid eine eigenwillige Version (Peneus-Creusa). „Entlegene, wenig bekannte
Iythen anzuziehen, gehört zu dieser Art Dichtung". (Harder-Marg zu v. 39—43). Vgl.
Vilhelms Beobachtungen zur selbständigen Gestaltungsweise Ovids (S. 142—144).

7 Zu Nilus und Enipeus vgl. Kapitel 12, zu Inachus die Kapitel 12 und 28.

Peneus (31—32) gibt es keinen verläßlichen Anhaltspunkt, den Asopo mag man menschengestaltig sehen, da offenbar seiner und der Thebe Nach kommenschaft gedacht werden soll (33—34). Sicher keine elementar Körperlichkeit kommt Achelous (35—38) zu, wie die Erwähnung seine Hörner zeigt[298]. Der anschließend genannte Nilus (39—42) kann integrati als von Liebesglut erwärmt gesehen werden, doch ist mit gleichem Rech die Auffassung vertretbar, der Gott könne sein inneres Feuer nicht einma mehr im heimischen Flußbett kühlen. Lediglich Identitätsstufe 4 komm für Enipeus (43—44) in Betracht: Er läßt sein Wasser für ein trockene Liebesnest sorgen. Anien (45—82) schließlich handelt — trotz Beschrei bung einer niedrigeren Identitätsstufe im Distichon 45—46[299] — zweifels frei in menschlicher Gestalt: Das beweisen mindestens die Verse 51—5 (er sieht das Mädchen aus reißenden Wellen heraus und hebt daraufhi sein Haupt[300] aus dem Wasser) und 81—82 (der Gott legt seine Händ unter ihre Brüste[301] und macht sie zu seiner rechtmäßigen Gemahlin).

Wenn Ovid seine Leser nun zum Gießbach der Eingangspartie (1—22 zurückführt, bleibt er der Identitätsstufe 4, die allmählich vorherrschen geworden war, für ein überleitendes Distichon treu:

te quoque credibile est aliqua caluisse puella,
sed nemora et silvae crimina vestra tegunt. (83—84

Der Bach, von dem angenommen wird, auch er habe gewiß — wie di lange Reihe berühmter Kollegen — galante Abenteuer gehabt, ist fü diesen Gedanken anthropomorph vorzustellen. Das gilt zumal für v. 84 Die beiden müssen sich, so überlegt der Erzähler, hinter dichtes Unter holz verkrochen haben, so daß kein Zeuge die heimlichen Rendezvou bemerken und rühmend verbreiten konnte.

---

[298] An Menschengestalt mag man im Hinblick auf Ovids Erzählung M. 9.3—86 denken; an ders Soph. Trach. 9—14, der neben den theriomorphen Formen (Stier, Schlange) von einer menschlichen Körper mit Stierhaupt weiß.

[299] Der erste relativische Nebensatz (45—46) gilt dem Lauf des Flusses und seiner Fruchtba keit, der zweite (47) wendet sich unversehens dem Liebesgefühl des Gottes zu. Ovid läßt da *exemplum*, welches — zumal es durch ein betont beiläufiges *nec te praetereo* (45) eingeführ wurde — eine Fortsetzung der katalogmäßigen Bündigkeit erwarten ließ, sich weiten. Da überraschende Moment dieser Weiterung hat F. W. Lenz (zu v. 45) betont.

[300] Ovid spricht von *ora*; die Synekdoche *(pars pro toto)* erlaubt es ihm, das Attribut *rauca*, da selten fehlt, wenn es gilt, die Stimme eines Flußgottes zu kennzeichnen (vgl. M. 5.600, F 5.638), anzuschließen.

[301] Vgl. Ov. (?) M. 8.605—606 *ipse natantis / pectora tangebam*; die motivische Parallele ist au fällig, hilft aber in der schwierigen Echtheitsfrage der Metamorphosenstelle kaum weiter; gan ähnlich auch M. 4.359. — Das Attribut *lubricus* sorgt entweder wiederum für eine Verschiebun zum Elementaren, die in dem unter I B 1.3 a beschriebenen Sinne zu werten wäre, oder ist — worauf V. Donini 221 aufmerksam macht — als erotischer Terminus (wie Hor. c. 1.19.8: „ve führerisch") unmittelbar dem anthropomorphen Gott zuzuordnen.

Indessen ruft der unerquickliche, zunehmend ausweglose Halt, den der Gießbach erzwingt, die Aufmerksamkeit des Erzählers in die poetische Wirklichkeit zurück. Die lange Rede hat den *torrens* nämlich nicht nur gänzlich unbeeindruckt gelassen, er ist während jener Ausführungen sogar noch stärker angeschwollen (85—86). Sein Zustand wird sich bis zum Ende des Gedichtes nicht mehr ändern. Als dominante Vorstellung vom Wesen des Flusses wird wiederum Identitätsstufe 3 zu gelten haben: Ovid schildert im Folgenden einige elementare Verhaltensweisen und Eigentümlichkeiten, behält jedoch die Fiktion, der ungestüme Widersacher des Liebenden könne noch durch Worte zum Einlenken bewegt werden, bei.

Die integrative Grundposition, die bis zum Schluß bestimmend bleibt, gibt an einigen Stellen noch einem schwachen Nachhall der im Mittelteil dominant gewordenen Identitätsstufe 4 Raum. So erinnert *rustice* (88) an die verheimlichten Amouren im Schutze ländlicher Szenerie, von denen das Distichon 83—84 zu argwöhnen wußte; die *maxima fama* (90) läßt die berühmten Flußgottheiten des Katalogs noch einmal vorüberziehen; und endlich gemahnt *domus* (92) an die Grotten analytisch aufgefaßter Stromgötter, wenn man nicht gar konkret an die *regia nostra*, von der Anien v.61 geschwärmt hatte, denken will.

In den Mittelpunkt des Interesses treten jetzt Motive, die mit dem Typus von Naturgottheiten, dem der angesprochene *torrens* zugehört, eng verbunden sind. Es sind dies der Status der *rusticitas*, der Flußgöttern bei Ovid allgemein eignet[302], sowie die zeitweilige Verflüchtigung der elementaren Substanz eines Gewässers, das nur von Regen und Schmelzwasser lebt. Die Konzentration auf jene Aspekte geht mit der wachsenden Verärgerung des Erzählers — dem wesentlichen Spannungsmoment, das die gesamte Elegie belebt — einher. Enttäuschung und Bitterkeit des Gefoppten motivieren seine zunehmende verbale Aggressivität, die ihn schließlich dazu treibt, die Beschaffenheit des Baches mit schonungsloser Folgerichtigkeit zu analysieren.

Auffallend ist, wie kunstvoll die Motive, die den Schlußteil der Elegie (83—106) beherrschen, miteinander verquickt sind. Die gleichgültige Stumpfheit des ungeschlachten Burschen, der allen Solidaritätsappellen taub bleibt, seine Verständnislosigkeit für die Liebesnöte des Wanderers wie für die berühmten Affären seiner großen Flußkollegen stempeln ihn zum *rusticus*. Hinzu kommt, daß der *torrens* mögliche eigene amouröse Freuden schamhaft vertuscht: Ihm fehlt das Format zum stilvollen Lieb-

---

[302] Ib. 79—80, vgl. auch M. 1.192—195.

haber, für höhere Liebeskultur ist der Tölpel nicht reif[303]. Das Stichwor fällt v.88; Ovid klagt über die fühllose Vereitelung der *mutua gaudia*:

quid mecum, furiose, tibi? quid mutua differs
gaudia, quid coeptum, rustice, rumpis iter? (87—88)

Damit ist der Übergang zum nächsten Gedanken hergestellt. Der *rusticita* wird nun ein sozialer Aspekt abgewonnen, die Stellung des Gießbaches auf der Stufenleiter der Götterhierarchie untersucht. Eigentlich gehört dieser, so läßt Ovid seinen Sprecher ärgerlich bemerken, überhaupt nicht dazu (*legitimum* 89)[304], erst recht natürlich nicht in die erlesene Gruppe der *nobilia flumina* (vgl. 89), die sich weltweiter Berühmtheit erfreuen (90). Vers 91 läßt das Ruhm-Motiv nochmals anklingen:

nomen habes nullum . . .

Wieder verknüpft die Ambivalenz eines Stichwortes zwei Motive. Durch das Vorangegangene ist *nomen* prägnant als „klingender Name" gegenwärtig; die folgenden Details jedoch beanspruchen *nomen* im eigentlichen Sinne für sich: Der Bach ist schlicht namenlos, unbenannt und für die längste Zeit im Jahre wohl auch unbekannt, da er nur von zeitweiligen Zuflüssen gespeist wird (91)[305] und weder Quellen noch ein reguläres Flußbett[306] besitzt (92). Die Angriffslust des geprellten Liebhabers hat sich damit zu der Höhe beißenden Spotts aufgeschwungen, die in dem Paradoxon v.96—98 durch letzte Konsequenz gekrönt wird.

---

[303] Hier besinnt sich die Metapher „*rusticus*" auf ihre Ausgangsbedeutung: Die erotische Plumpheit des *torrens* wird im Zusammenhang mit dem Milieu, in dem zu leben ihm beschieden ist, gesehen: Er ist ein Gott des flachen Landes und daher — die kausale Verbindung drängt sich auf — jenen urbanen Raffinessen unzugänglich. Im Folgenden wird der Gedanke an regionale Herkunft zur Erkenntnis der sozialen und physischen Nichtigkeit des Untersuchten weiterentwickelt.

[304] Das *legitimum* erklärt F. Munari (zu v. 89) knapp und treffend: „Cioè fornito delle qualità proprie ai fiumi, fiume nel pieno senso della parola". Dazu seine Übersetzung des Verses 89: „Se tu fossi un autentico fiume, un fiume illustre".

[305] Ausgeführt in v. 93: Regen und Schmelzwasser rufen ihn ins Leben und schaffen ihn aus der Welt; sein Dasein verdankt er der Gunst der Jahreszeit (*hiemps* 94).

[306] Die Wortwahl (domus 92) gibt noch einen Nachhall der vom Mittelteil der Elegie ausstrahlenden IS 4; *domus* ist ambivalent; zum einen werden Wohnsitze anthropomorpher Naturgottheiten so benannt (Übersicht im TLL V.1 1971.72—78 mit zahlreichen Belegen aus augusteischer Dichtung für die Heimstätten von Gottheiten wie Nymphen, Flüssen, Winden, Somnus, Fama, Sol; anfügen sollte man Fames Ov. M. 8.822; Am. 3.6.92 ist in dem zitierten Abschnitt aufgeführt, dagegen Verg. A. 8.65 — s. u. — infolge einer Fehlinterpretation unglücklich nach 1972.84—1973.1 versprengt); zweitens aber steht zu vermuten, daß *domus* in poetischer Sprache auch eine — wahrscheinlich okkasionelle — Metapher für „Flußbett" sein konnte; unsere Stelle legt das nahe (das Fehlen einer Quelle und einer festen Laufstrecke unterscheidet den Gießbach, der von der Gunst der Witterung abhängig ist, vom regelmäßig gespeisten, durch eine genaue Uferlinie begrenzten Strom; 91—96), und Verg. A. 8.65 (*domus* gegenüber *caput* wie in unserer Elegie v. 92 *fontes* gegenüber *domus*) ist offenbar in eben diesem Sinne gemeint. Vgl. Anm. 395.

Nachdem die Verse 93—94 nochmals verdeutlicht haben, daß im Falle des uneinsichtigen Widersachers Regen und winterliches Schmelzwasser die lebenspendende Funktion ausüben, die bei wirklichen Flüssen der Quelle zukommt, werden nun die existentiellen Extreme ausgemalt, wie Winter (95) und Sommer (96) sie zeigen:

aut lutulentus agis brumali tempore cursus
aut premis arentem pulverulentus humum. (95—96)

Das winterliche Bild mag der Verfassung des Baches in der geschilderten erzählerischen Wirklichkeit entsprechen. Wichtiger indessen ist der Wasserstand in der heißen Jahreszeit: Im Sommer, so erfahren wir, ist der *torrens*, der sich jetzt durch erborgte Sturzfluten als unüberwindliches Hindernis und hartherziger Opponent eines bemitleidenswerten Liebenden gibt, überhaupt nicht mehr vorhanden. Seine Existenz hat sich dann verflüchtigt. Das ist zwar für Gießbäche in Gebirgstälern nicht außergewöhnlich, doch macht Ovids Formulierung aus einem normalen Sachverhalt ein Paradoxon allerersten Ranges.

Der Effekt entsteht dadurch, daß an dieser Stelle zwei prävalente Identitätsstufen gegeneinander ausgespielt werden. Zunächst ist zu bedenken, daß der Zusammenhang Identitätsstufe 3 als sinnvollste Vorstellungsform erwiesen hat. Ihre Dominanz sowie das Übergewicht von Identitätsstufe 4 in unmittelbarer Nähe der großen Einlage (25—82) haben die Göttlichkeit der Naturkraft, ihr Empfindungsvermögen und Seelenleben in der Elegie verankert. Die integrative Grundposition wird von der Anredeform[307] gestützt; sie nährt einerseits die Illusion, daß Schmeichelei, Überredungsversuch und schließlich gezielte Geringschätzung den Aufgebrachten bei seiner Ehre packen und zu einer freundlichen Geste veranlassen könnten. Andererseits suggeriert sie eine klare, festumrissene, gewissermaßen „stabile" Individualität des stummen Gesprächspartners.

Dagegen zielt v. 96 inhaltlich auf eine andere Identitätsstufe. Paraphrasiert man als Aussagekern den Gedanken: „Im Sommer ist der Bach ausgetrocknet, sein Bett staubig, der Grund von Hitze durchglüht", so ist in dieser Form ein ganz natürlicher Sachverhalt beschrieben. Das Verdunsten und Versickern der Materie Wasser, also der Identitätsstufe 1, ist völlig akzeptabel. Dagegen wäre die saisonale Verflüchtigung einer höheren, als göttlich empfundenen Identitätsstufe unerhört. Dies vor allem wohl deshalb, weil man substantiell so schwache Kandidaten individueller gött-

---

[307] Fast durchgehend wird die 2. Person Singular angeredet. Nur die ärgerlich beiseite gesprochenen Kommentare v. 85—86 und v. 101—104 referieren über die 3. Person; sie heben sich als resignierende Stoßseufzer heraus.

licher Ehren nicht gewürdigt haben dürfte, so daß sich das Problem kaum je stellen konnte.

Ovid jedoch greift eben dieses Problem ganz bewußt auf; er überlegt, welche Folgen ein trockener Sommer für den Gott eines irregulären Flüßchens haben muß. Zu diesem Zweck arbeitet er den Widerspruch zwischen Form und Gehalt — und damit verbunden: zwischen den hinter diesen stehenden Identitätsstufen — heraus: Die Anrede an eine vorgeblich dauerhafte Gottheit wird mit der Feststellung des regelmäßigen totalen Schwundes des Elements gekoppelt. Der Bach wird so apostrophiert, als sei er auch sommers existent, was aber von der Aussage selbst gerade negiert wird. Vers 96 hat in der außersprachlichen Wirklichkeit kein Subjekt, der Angeredete ist in der geschilderten Situation gar nicht vorhanden[308].

Wer ungeachtet des prädikativen Zustandsattributs *pulverulentus* noch Zweifel daran hegt, daß Ovid bewußt auf die Paradoxie des durch die Anredeform vorausgesetzten, dabei aber durch den Inhalt als längst zerronnen erwiesenen namenlosen Gießbachs hat abheben wollen, möge seinen Blick auf das unmittelbar sich anschließende Distichon lenken:

quis te tum potuit sitiens haurire viator?
quis dixit grata voce ‚perennis eas'? (97—98)

Die beiden rhetorischen Fragen sind nur dann sinnvoll, wenn die elementare Substanz sich in der heißen Jahreszeit tatsächlich aufgelöst hat. Nur dann kann der durstige Wanderer am einstigen Bachbett keine Labung finden, nur angesichts weithin ausgetrockneter Bodenflächen kann niemand auf den Gedanken kommen, dem Unsichtbaren dankbar ewigen Lauf zu wünschen[309].

Nach bedauernden Bemerkungen darüber, angesichts eines solchen „Niemand" (103) Liebesgeschichten bekannter Flußgötter vorgetragen zu

---

[308] Materiell greifbar sind nur mehr die ausgetrockneten Rückstände des Schlamms, den der Wasserlauf einst mit sich führte. Auf sie weist das prädikative Zustandsattribut *pulverulentus*. Mit dem feuchten Element ist zugleich das Wesen des Baches versickert und verglüht, Staub deckt statt seiner den Grund, ersetzt gewissermaßen die Präsenz des ehemals flüssigen Angeredeten, dessen winterliche Pracht gerade zuvor der Vers 95 ausgemalt hatte.
Durch das Verbum *premere* (Grundbedeutung: „nach unten drücken") wird oft eine enge räumliche Verbindung bezeichnet, wobei die Konnotation „Druck" mehr oder minder in den Hintergrund tritt oder gar ganz verschwindet (z. B. M. 1.459, 15.368 „bedecken"; M. 9.353 „bedecken, umschließen"; M. 5.135—136 „auf etwas liegen"; Am. 3.8.36 „bedecken = (ver)-bergen"). An unserer Stelle wird vom *torrens* ausgesagt, er bedecke *(premis)* in staubiger Konsistenz *(pulverulentus)* — ein Relikt seiner selbst! — ausgedorrtes Land *(arentem humum)*.

[309] Man beachte die provozierende Wortwahl: Ovid sagt nicht *(tuam) aquam*, *lympham* o. ä., sondern *te (haurire)*; die IS 3 zukommende Anredeform wird gezielt für einen rein materiellen Inhalt (Nahrungsmittel zum Löschen des Durstes) mißbraucht.
Zu „*perennis eas*" s. o. Anm. 294.

haben (101—104), schließt der Erzähler mit einer Verwünschung, die dem Bach den Verlust seiner Existenz bescheren soll: Austrocknung durch sengende Sonne und Ausbleiben der winterlichen subsidiären Schmelzwasserzufuhr[310]:

at tibi pro meritis opto, non candide torrens,
sint rapidi soles siccaque semper hiemps. (105—106)

Nochmals unterhält der Dichter sein Publikum mit den zuvor entwickelten Paradoxa: Er wünscht seinem gegenwärtig maßlos aufgeschwollenen Gegenüber eine Zukunft, die dieser mangels Substanz gar nicht bewußt erleben kann. Zugleich zwingt Ovid durch Beharren auf Identitätsstufe 3 seine Leser, sich mit dem Versickern des Wassers folgerichtig auch die Auflösung der göttlichen Wesenszüge, die einer bewußt wirkenden Naturkraft eigen sind, vorzustellen. Das Publikum wird die naheliegenden Rückschlüsse auf die Seriosität einer so instabilen Gottheit genüßlich durchkostet haben. Ovids Komik zielt hier auf die Gruppe der Flußgötter, die durch konsequentes Ausmalen einiger reizvoller Eigentümlichkeiten, welche der lohnende Sonderfall *torrens* dem Dichter bot, der Lächerlichkeit preisgegeben werden[311].

---

[310] P. Brandt erklärt *sicca* (106) als aktivisch verwendet („austrocknend"): „Der Winter soll so streng sein, daß der Fluß gefriert". Das hat den Nachteil der entlegenen Bedeutung sowie eines etwas moderaten Fluches. Weniger gesucht und inhaltlich konsequenter scheint die Annahme, daß der Erzähler die hinderliche Naturerscheinung auf ewig fortwünscht, was wiederum nur gewährleistet ist, wenn zu dörrender Hitze im Sommer ein gleichfalls trockener — also regen- und schneearmer — Winter tritt. Da der Fluß ausschließlich auf sekundäre Wasserzufuhr angewiesen ist, lassen sich für jede Jahreszeit Bedingungen erdenken, die Kraft und Leben des Verhaßten unterbinden. — In diesem Sinne übrigens auch Lewis + Short, A Latin Dictionary (Oxford 1969), zu *sicca* Am. 3.6.106: "without snow".

[311] Reiz und Wert der rahmenden Erzählung vom *torrens* werden in der Forschung zu wenig anerkannt. Die Tendenz geht dahin, Ovids Interesse vor allem auf den Flüssekatalog — und innerhalb dessen besonders auf die Ilia-Sage — gerichtet zu sehen. So hält P. Brandt dafür, in v. 24 sei das Thema des Gedichtes angegeben — womit doch der Mittelteil zum gewichtigen Kernstück und der „Rahmen" zum müßigen Beiwerk erklärt wird —, und kommentiert diesen entsprechend spärlich. Auch F. W. Lenz meint, daß es Ovid auf die rahmenden Partien nicht angekommen sei (zu v. 45: „Der Liebende, der es zuerst so eilig hatte, hat viel Zeit. In Wirklichkeit ist der Dichter an der Situation des Eingangs wenig interessiert."; zu v. 102: „Die Negierung dessen, was ihm in dem Gedicht das Wichtigste ist, ist natürlich scherzhaft."). Wesentlich besser wird V. Donini der Schilderung des Gießbachs gerecht (S. 210), doch weist auch seine Gewichtung die Ilia/Anien-Episode als Krönung der Elegie aus: „Cuius catalogi venuste narrata de Ilia atque Aniene fabula finis et fastigium est, sed etiam totius carminis optima pars et quasi nodus exstat". (S. 211). — Derartige Verzerrungen scheinen mir in mangelnder Kenntnis darüber begründet zu sein, wie gern Ovid sein Augenmerk Naturgottheiten, mit deren ISS sich so mannigfache geistreiche und erheiternde Wirkungen erzielen ließen, zugewandt hat. Die Elegie Am. 3.6 kann als eine sehr gelungene Etüde gelten, die viele jener geschliffenen Gedanken durchspielt, welche im späteren Werk Ovids immer wieder begegnen werden. Katalog und elegische Erzählprobe (23—82) sind zweifelsohne reizvoll und wichtig, doch der „*amnis*" selbst ist es in gewiß nicht minderem Maße.

Zu guter Letzt soll geprüft werden, ob Identitätsstufen im szenenübergreifenden Bauplan der Elegie noch eine weitere Funktion haben und von daher das Gesamtverständnis fördern können. Hierfür sei angenommen, daß die besondere Erzählstruktur die Scheidung verschiedener Ebenen[312] erlaubt. Da ist zum einen die Ebene des beteiligten Erzählers. Sie ist durch dessen subjektive Sicht und persönliche Deutung der Ereignisse bestimmt und konzentriert sich auf integratives Erleben der Naturgottheit, also auf Identitätsstufe 3[313]. Daneben hat die Elegie aber auch eine objektive[314] Dimension, worunter hier die Wertung der mitgeteilten Tatsachen durch den Außenstehenden — also den Leser — verstanden werden soll. Diese Wertung, so unterstellen wir, sei kritischer Distanz fähig und berücksichtige nur Tatsachenmomente[315].

Wenn man nun eine Synthese versucht und die erste, subjektive Erzählebene von der zweiten, objektivierenden aus wertet, gilt dies: Vorgänge, die der Sprecher von der Identitätsstufe 3 mitteilt, geschehen in Wirklichkeit auf Identitätsstufe 1; seine Hoffnungen und Erwartungen müssen zerstieben, weil der *torrens* tatsächlich nur fühlloses Element ist[316]; die

---

[312] Für Am. 3.6 dürfte es verfehlt sein, drei Ebenen (Erzähler, Autor, Leser) anzusetzen. Da alle Äußerungen ausschließlich durch das Erzähler-Ich vermittelt werden, treffen Autor und Leser sich in derselben Beobachterposition, die Struktur reduziert sich auf zwei Ebenen. — Nur am Rande sei vermerkt, daß die Verse 13—20 noch eine weitere Ebene (mythische Sagenwelt, an die der Erzähler nicht glauben mag) einführen; dazu verweise ich auf H. Fränkels Anm. 334 = S. 241. Wichtig auch Fränkel 49, der zu den Heroides anmerkt: „Im Bereich des Gefühls passiert viel; im Bereich des Materiellen ereignet sich nichts, solange die Szene andauert"; der angeredete Partner sei unerreichbar (in Anm. 126 führt Fränkel auch Am. 1.13 und 3.6 als Beispiele solcher Darstellung an). Übrigens ein schöner Hinweis darauf, von wie grundsätzlicher Wichtigkeit Ovids Handhabung verschiedener Erzählebenen ist.

[313] Die Bedeutung von IS 3, neben der zeitweilig IS 4 dominant wurde, gibt unserer — einer Naturgottheit gewidmeten! — Elegie eine andere Qualität als den Gedichten Am. 1.6 (Tür), 1.12 (Tafel) und 2.15 (Ring), die Harder-Marg vergleichend heranziehen („das Bitten und Zanken des Liebhabers mit dem Fluß wie mit einem lebendigen Gegenüber").

[314] Der Begriff darf hier natürlich nicht gepreßt werden. Gemeint ist lediglich die Position dessen, der die Ausführungen des Erzählers verfolgt. Vereinfachend sei dabei angenommen, daß eine solche Position von der Mehrheit der Beurteiler vertreten wird.

[315] Dabei muß vorausgesetzt werden, daß Angaben des Erzählers, die auf dessen Wissen und Beobachtung gründen, Glauben verdienen. Bejaht man diese Prämisse, sind als Tatsachen z. B. zu berücksichtigen: der augenblickliche Zustand des *torrens*, seine besondere Natur, sein Schwund in der heißen Jahreszeit, das Fehlen eines individuellen Namens usw.

[316] Wer dieser Hypothese nicht folgen mag und sich der integrativen Sehweise des Erzählers anschließt, mag von überheblicher Mißachtung, die die Naturgottheit dem Hilfesuchenden angedeihen lasse, sprechen und das weitere v. 85—86 erwähnte Anschwellen als eine Art Trotzreaktion des *torrens* auffassen, der es übelnehme, daß man moralischen Druck auf ihn auszuüben versuche. Allerdings scheint es mir vom Stand meiner Kenntnis über Ovids Religiosität aus zweifelhaft, ob der Dichter als Interpret des Hintergrundes, vor dem die Erzählung des handelnden Subjekts steht, IS 3 als ernsthafte Deutung jener Gießbachnatur akzeptiert hätte. Manches deutet darauf hin, daß er Flüsse überhaupt, zumal aber Rinnsale dieses dürftigen Kalibers, wohl nur als auf IS 1 existent anerkannt hätte (vgl. unten Anm. 550).

Illusion, die Naturgottheit könne durch Bitten, Begründungen, Schmähreden beeinflußt werden, muß angesichts der ausschließlich materiellen Beschaffenheit des Angesprochenen notgedrungen scheitern[317].

Unsere Untersuchung hat gezeigt, in wie vielfältiger Weise die Erzählung von unterschiedlichen Vorstellungsformen bestimmt wird, auch wenn vordergründig die integrative Darstellung deutlich überwiegt und für den Gießbach fast nur Identitätsstufe 3 vorgestellt zu sein scheint. Von den Identitätsstufen gehen Impulse auf eine Reihe tragender Motive aus: erotische und soziale *rusticitas*, fehlender Ruhm und physische Bedeutungslosigkeit. Das Feuerwerk von Einfällen und Gedankenverbindungen kulminiert in dem Paradoxon von einem Gesprächspartner, der nur vorübergehend und in schwankender Quantität existiert, so daß ihm demgemäß möglichst spärliche Zeiträume für sein Vorhandensein gewünscht werden können.

Ovid hat seinen Motivreigen sich in einer dynamischen Kurve entfalten lassen, die eine allmähliche Steigerung von erfolglosen Bitten[318] am Anfang über aufwendige Solidarisierungsversuche im zentralen Teil bis zu Beschimpfungen und — als Krönung — scharfsinniger Analyse jenes schwellenden Fürsten von Winters Gnaden gestattet. Der Dichter stellt alle diese Ideen und Motive nicht nur mit glücklicher Hand zusammen, er nutzt vor allem die Darstellungsmöglichkeiten, welche ihm die Naturgottheit als solche bot, aus und erfreut die Leser durch die absurden Resultate seiner Folgerichtigkeit[319].

---

[317] In ähnlicher Weise läßt Ovid Am. 1.13 Wunsch und Wirklichkeit in Widerspruch zueinander geraten. Auch hier erweist sich eine höhere IS als Illusion gegenüber der leider nur unbelebt-elementaren Realität (IS 1): Der Erzähler hadert mit Aurora, die in der Elegie (fast) ausschließlich anthropomorph geschildert wird. Als die Angriffe auf die Göttin sich gar bis zu recht peinlichen Enthüllungen aus deren Ehe- und Liebesleben steigern, scheint es, als sei ihnen Erfolg beschieden:

iurgia finieram; scires audisse: rubebat. (47)

Doch sogleich folgt die Desillusionierung:

nec tamen adsueto tardius orta dies. (48)

Diesen Gegensatz deute ich so: Nicht die beschämte Göttin (IS 3, fühlendes Element) ist da errötet und lenkte in ihrer Betroffenheit etwa ein, indem sie mit dem Aufgang zögerte. In Wirklichkeit hat das naturgesetzliche Phänomen Morgenröte (IS 1, rein meteorologisch) eingesetzt, und zwar genau zu der jahreszeitlich vorbestimmten Stunde. — Siehe auch Kapitel 26.

[318] Der eilige Liebhaber scheint anfänglich sogar zu Schmeicheleien aufgelegt, wie Harder-Marg gut beobachtet haben. Sie weisen auf die Anrede *amnis* — zweifellos eine hohe Ehre für den namenlosen Quartalsfluß — hin und deuten an, daß der Schilfbewuchs, der mit der vegetationsfeindlichen sommerlichen Dürre nicht recht vereinbar sei, in dieselbe Richtung zielen könne. Vgl. auch Wilhelm 173.

[319] Aufschlußreich ist ein Blick auf das Epigramm A. P. 9.277 des Antiphilos, das zwar einige Dezennien nach Ovids Am. 3.6 anzusetzen ist, dafür aber möglicherweise — Sicheres läßt sich nicht sagen — eine uns nicht mehr greifbare motivische Tradition vorovidischer griechischer Epigrammatik widerspiegelt (s. Harder-Marg und besonders Wilhelm 142).

3) *Treffen der Flüsse bei Peneus* Ov. M. 1.568—582

Eine Vorstellungsfolge, die mit der zu Am. 3.6 beschriebenen in ihren gröberen Umrissen vergleichbar ist, findet sich in der Überleitung von der Daphne-Geschichte zur Erzählung von Io. Auch hier zeichnet Ovid zunächst eine niedrige Identitätsstufe, konzentriert sich dann auf die anthropomorphe Erscheinung und läßt schließlich wiederum prävalent elementare Bilder vor dem Auge des Betrachters erstehen.

Der Dichter beginnt mit einer Landschaftsschilderung, die 6 Verse umfaßt (568—573). Das thessalische Tempe-Tal wird als vom Fluß Peneus durchströmt beschrieben, dessen imposanter Wasserfall das Glanzstück des Naturgemäldes ist. Dabei lassen die Einzelvorgänge, welche das elementare Geschehen sinnlich greifbar wiedergeben[320], kaum an eine höhere Identitätsstufe als die der bloßen Naturerscheinung denken[321].

Mit dem folgenden Vers wendet Ovid sich vom Fluß zum Gott. Ganz folgerichtig wird dieser auf Identitätsstufe 4 dargestellt; das soeben be-

---

Die von Antiphilos geschilderte Situation entspricht der für unsere Elegie gültigen. Ein Gießbach (mit χείμαρρος verfügt der Grieche über ein durchsichtiges Wort, das die Natur des Flusses wesentlich besser erläutert als „*torrens*“ oder „Gießbach“) ist stark angeschwollen und versperrt dem Wanderer den Weg (1—2). Von trüben Regengüssen nähre er sich anstatt von klarem Quellwasser (3—4); eben von diesen Gegebenheiten geht auch Ovid aus; eine hübsche Metapher, die der Sulmonenser sich erstaunlicherweise weder Am. 3.6 noch sonst bei der Darstellung einer Naturgottheit zunutze gemacht hat, bringt Antiphilos in v. 3 (ἦ μεθύεις ὄμβροισι; zum Motiv der Trunkenheit s. u. S. 238). Das Schlußdistichon bietet den Gedanken, der Gießbach werde durch Sonnenhitze verdunsten (5): eine weitere Übereinstimmung mit Ovid; auch ein soziales Motiv taucht auf, doch beleuchtet es, auf die Herkunft des Wassers Bezug nehmend, statt der *rusticitas* den Aspekt der Echtbürtigkeit (6; γόνιμον gegenüber νόθον ὕδωρ; zu γόνιμος s. Liddell-Scott-Jones s. v. 3 b.: "born in lawful wedlock"); Ovids abschließender Fluch ist hier durch die Genugtuung des Redenden, die er beim Gedanken an sommerliche Dürre empfindet (formal durch das Futur ausgedrückt: ὄψομαι 5), ersetzt.

Auf Call. Del. „112 ff.“ als eine Quelle, durch die Ovid sich möglicherweise habe anregen lassen, weisen sowohl F. Wilhelm 142 als auch F. W. Lenz (Vorbem. zu 3.6) hin. In der Tat gibt es einige auffällige Gemeinsamkeiten motivischer Art, die ich weiter unten (S. 167—169) herauszustellen versucht habe. Das Bemerkenswerte ist freilich nicht in der äußeren Ähnlichkeit der Situation, auf die Wilhelm abhebt, — bei Kallimachos bittet Leto den Peneios um Stillstand — zu suchen.

[320] Man findet sehr anschauliche Wendungen für das grandiose elementare Gebaren des Peneus: *effusus* (570), *spumosis volvitur undis* (570), *deiectu gravi* (571), . . . *nubila conducit* (572), *adspergine silvis inpluit* (572—573), *sonitu . . . fatigat* (573).

[321] Es wäre zu überlegen, ob die Mitteilung *sonitu plus quam vicina fatigat* (573) den Besuch der Nachbarflüsse bereits anklingen lassen, möglicherweise gar motivieren solle. In diesem Falle hätte Ovid dem Tosen dadurch, daß es über die unmittelbare Umgebung hinaus halle (Haupt-Ehwald), eine Art Mitteilungsfunktion zugedacht; eine höhere IS käme in Betracht: Das Wasser raunt die Kunde von der wundersamen Verwandlung Daphnes in die Nebentäler, wo andere Flußgötter sie vernehmen und daraufhin den Vater des Mädchens aufsuchen; außer IS 3 könnte auch erwogen werden, ob das Wasser des Flusses für den Gott Mittel zum Zweck ist (vgl. den 3. Abschnitt in II B). Eine sichere Beurteilung des Verses scheint mir indes, da weitere Anhaltspunkte fehlen, nicht möglich: Ovid mag mit einem Ferngespräch von Fluß zu Fluß gespielt haben, beweisen läßt es sich nicht.

schriebene Lokal[322] sei *domus*, *sedes* und *penetralia* des großen Stromes (574—575), er residiere dort in einer Felsgrotte (575). Ein leicht komischer Ton mischt sich der Schilderung bei, wenn die Herrscherstellung des Flußgottes mit den Worten

undis iura dabat nymphisque colentibus undas. (576)

umrissen wird. Als Untertanen des Peneus werden *undae* und *nymphae* auf einer Stufe nebeneinander genannt, obwohl an unterschiedliche Identitätsstufen zu denken ist: Dem Gott ist einerseits sein Element zu Diensten, andererseits hat er die Rechte eines *pater familias* gegenüber den Nymphen. Für beide Objekte scheint die feierliche Junktur *iura dare*[323] nicht ganz angemessen, und die Gleichrangigkeit beider hat überdies die Wirkung eines recht bizarren Zeugmas.

Zur Residenz des Peneus begibt sich nun eine Reihe von Flußkollegen, noch unschlüssig, was sie dort überhaupt tun sollen: Daphnes Schicksal kann ebenso als Glück wie als Unglück gewertet werden[324] und gleichermaßen Anlaß zu Gratulation oder Beileid sein. Die Überlegungen der Besucher, ihr gemeinsames Reiseziel sowie die deutlich anthropomorphe Zeichnung des Peneus in den vorangegangenen Versen (574—576) legen es nahe, die Flußgötter menschengestaltig über Land ziehen zu sehen (577—578)[325].

Ovid läßt die wandernden Naturgottheiten in zwei Gruppen bei ihrem Nachbarn im Tal Tempe eintreffen: *popularia flumina primum* (577), *moxque amnes alii* (581). Zunächst werden die Landsleute genannt und kurz charakterisiert: Der erste ist pappelumsäumt, der nächste rastlos, einer alt,

---

[322] Das *haec*, welches sich grammatisch nach dem nächststehenden *domus* zu richten hat (Kühner-Stegmann 1.34—35), kann auf Tempe insgesamt oder (eher) den soeben geschilderten Flußlauf bezogen werden.

[323] Zu vergleichen ist der jeweils hochgestimmte Ton der von E. Koestermann zu Tac. A. 3.28.2 *(deditque iura)* beigebrachten Stellen Liv. 1.8.1, Verg. A. 1.293, 3.137, Ov. F. 2.492 (den Hinweis verdanke ich Bömers Komm.).

[324] Dazu vgl. H. Fränkel S. 85.

[325] Man wird angesichts der Beweglichkeit der Götter an IS 5 denken. — Eine ganz abweichende Auffassung wird von F. Bömer zu v. 575 (Näheres, auch Literatur, dort) referiert: Verg. G. 4.365—373 sei (bedingtes) Vorbild für Ovid, man habe sich ein unterirdisches Treffen vorzustellen; bei Vergil seien die Flüsse beständig in der Tiefe versammelt, „bei Ovid erscheinen sie nur zur Kondolenz, ... Vergil nennt die großen Flüsse der Welt, Ovid nur die *popularia flumina*“. Dagegen ist einzuwenden: 1) Von unterirdischer Kommunikation des Wassers sagt Ovid nichts; seine Beschreibung ist vielmehr gänzlich auf Merkmale ausgerichtet, die die Erdoberfläche zeigt. 2) Daß die Besucher letztendlich im *antrum* 575 (worauf sich *illuc* 577 beziehen wird) zusammenkommen werden, ist selbstverständlich (vgl. oben zu M. 8.562—564: Achelous als Gastgeber), aber noch lange kein Indiz für den unterirdischen Weg oder die Wassergestaltigkeit der Götter. 3) Übrigens erscheinen bei Ovid außer *popularia flumina* (*primum*; 577) auch *amnes alii* (*mox*; 581), die offenbar im Gegensatz zu den anfangs Genannten aus größeren Entfernungen angereist sind.

ein anderer sanft (579—580). Durch diese Epitheta drängen, trotz ihres partiell ambivalenten Charakters[326], wiederum niedrigere Identitätsstufen in den Vordergrund. Bei der Beschreibung der *amnes alii* — ihnen ist ein ausführlicher attributiver Relativsatz gewidmet — hat das elementare Äußere sich vollends durchgesetzt:

moxque amnes alii, qui, qua tulit impetus illos,
in mare deducunt fessas erroribus undas. (581—582)

Zugleich provoziert der Dichter einen krassen Widerspruch zwischen der Haupthandlung und dem mit dieser unvereinbaren Bild, welches der Nebensatz malt: Wer ein festes Reiseziel verfolgt, kann eben nicht gleichzeitig, wie die Strömung ihn gerade treibt, seine erschöpften Wellen ins Meer ergießen. Ovid nutzt hier die Darstellungsmöglichkeit, die oben unter I B 1.3 besprochen wurde, aus und pointiert den Effekt durch die eindeutige Situation: Er koppelt die Aussage, die für Identitätsstufe 5 gilt, mit der Charakteristik, die einer elementar bestimmten Identitätsstufe zugehört[327] und die — unbeschadet ihrer habituellen Richtigkeit — zu einem Zeitpunkt, da die *amnes* dem Ziel Peneus zustreben, ausgeschlossen ist[328]. Die vorgebliche Identität von Wanderern und Strömen kollidiert mit der Wirklichkeit, die eine solche Gleichheit nicht zuläßt: ovidische Identitätsstufen-Akrobatik.

4) Inachus Ov. M. 1.583—665

Ein bewußtes Nebeneinander unterschiedlicher Identitätsstufen zeigt ebenfalls ein Abschnitt aus der Io-Geschichte im ersten Buch der Metamorphosen. Flußgott Inachus, der Vater des Mädchens, ist dort in zwei Szenen maßgeblich am Geschehen beteiligt. Zunächst zeichnet Ovid die Lage des Gottes, dessen Stimmung und unheilvolle Ahnungen (583 bis 587). Inachus hat sich von der Zusammenkunft beim Nachbarn Peneus

---

[326] Für polare ISS in gleicher Weise passend sind *inrequietus* und *lenis*; auf eine anthropomorphe IS wird man *senex* beziehen, während *populifer* einem Flußlauf zukommt (es sei denn, man konzediert — wenigstens assoziativ — die Deutung „pappelgeschmückt, mit Pappellaub bekränzt").

[327] Mehr läßt sich den knappen Worten der Verse 581—582 nicht entnehmen; die Identitätsstufen 1—3 kommen in Frage.

[328] Jedenfalls, wenn man von der Identität der beiden Erscheinungsformen, wie der sprachliche Ausdruck sie auch hier suggeriert, ausgeht. Faßt man den Bezug *amnes . . ., qui* metonymisch (*amnes* im Hauptsatz = *terminus technicus* für IS 4/5, für den Nebensatz aber als IS 1—3 zu verstehen), ist den Erfordernissen der außersprachlichen Wirklichkeit Genüge getan. Der Effekt bleibt davon unberührt, da der Leser den Satz anfangs eigentlich — dem Wortlaut entsprechend — fassen und erst in einem zweiten Gedankenschritt die Sinnkorrektur vornehmen wird.
Die Benennungen begünstigen solche komischen Anklänge; für prävalent anthropomorphe Flußgötter gebraucht Ovid in diesem Abschnitt die Appellativa *amnis* (575), *flumina* (577) und *amnes* (581).

erngehalten, da eigene familiäre Sorgen ihn binden. Seine Person ist das letzte Glied jener Motivkette, die die Daphne-Sage mit der von Io verknüpft[329]; zugleich fällt ihm die Aufgabe zu, uns mitten in die dramatischen Ereignisse um seine Tochter zu versetzen[330].

Der zweite, längere Abschnitt, der den Inachus handeln sieht (639—665), setzt ein, nachdem der Leser über die bewegte Vorgeschichte der Metamorphose sowie die Lebensbedingungen, die Io daraus erwuchsen, ausführlich in 51 Versen (588—638) unterrichtet worden ist. In dieser Szene schreitet die Handlung einem Höhepunkt zu. Wenn der bestürzte Vater ohnmächtig an seiner Göttlichkeit verzweifelt — das rüde Eingreifen des Wächters (664—665) wirft ein weiteres grelles Licht auf die Ausweglosigkeit der Lage —, hat das Leiden ein Maß erreicht, welches Iuppiter endlich zum Eingreifen bewegt.

Bevor uns nun das Bild des trauernden Inachus (583—587) beschäftigen soll, sei kurz an die wechselnden Identitätsstufen der unmittelbar vorangegangenen Szene erinnert: Dem anthropomorphen Gott Peneus der Daphne-Erzählung war ein Blick ins Tempe-Tal gefolgt, wo die majestätischen Kaskaden des Flusses als ein Naturschauspiel sichtbar wurden, für das Identitätsstufe 1 die angemessenste Deutung schien. Sodann hatte Ovid den Gott als Fürsten, der in dieser grandiosen Landschaft residiere, eingeführt und dem Leser nahegelegt, auch die Nachbarn menschengestaltig zu Daphnes Vater ziehen zu sehen. Bei der Beschreibung der Flußgötter hatten sich dann wieder niedrigere Identitätsstufen in den Vordergrund gedrängt.

Dieses Schwanken zwischen unterschiedlichen Identitätsstufen kann wichtig werden, wenn zu erwägen ist, ob der Dichter innerhalb seiner Aussagen über den einsamen Flußgott die zunächst gültige Grundposition verläßt. Der einleitende Vers 583 ist wohl nur einer anthropomorphen Identitätsstufe sinnvoll zuzuordnen:

Inachus unus abest imoque reconditus antro (583)

Man erfährt, Inachus sei als einziger dem nachbarlichen Treffen ferngeblieben, und wird an die Prävalenz menschengestaltiger Götter in v. 574—578 erinnert; stattdessen, so heißt es weiter, habe er sich in den innersten Winkel seines *antrum* zurückgezogen. Gerade die Erläuterung *imo reconditus antro* darf als verläßlicher Indikator für analytische Grundan-

[329] Eine Übersicht über die Motiv- und Erzählstränge, durch welche beide Sagen miteinander verknüpft sind, gibt F. Bömer, Komm. S. 177—178; „Kunst und Eleganz dieses Übergangs“ werden von E. J. Bernbeck 61—62 (mit seiner Anm. 52) angemessen gewürdigt.

[330] Die Aporie, in welcher der Vater sich befindet, gilt mit Sicherheit für das Handlungsstadium v. 639—640. Es ist bereits Wesentliches geschehen, so daß Ovid sich nach der Ankündigung v. 583—587 daran macht, durch das Plusquamperfekt (*viderat* 588; vgl. v. 590 und 591) die Vorgeschichte zu entrollen.

schauung gewertet werden. Um so problematischer erscheint bei näherem Hinsehen die folgende Bemerkung:

fletibus auget aquas natamque miserrimus Io
luget ut amissam. ... (584—585)

Es liegt nahe, den weinenden Gott in Vers 584 ebenso anthropomorph zu sehen wie den zurückgezogenen Gott im Vers zuvor. Ovid hätte dann die analytische Grundposition beibehalten. Die Pointe, die in der Formulierung *fletibus aquas augere* enthalten ist, wäre bei dieser Deutung im Verbum zu finden: Es suggeriert einen merklichen Zuwachs, eine spürbare quantitative Mehrung. Gemessen am tatsächlich Möglichen sprengt die Semantik von *augere* aber die Dimension des Vorstellbaren: Einem menschenähnlichen Wesen kann nicht ein Tränenstrom entfließen, der sich mit der Wassermenge eines bedeutenderen Flusses in eine auch nur halbwegs sinnvolle Relation bringen ließe. So steht die Norm dessen, was Erfahrung konzediert, in einem deutlichen Mißverhältnis zum Anspruch des sprachlichen Ausdrucks, *fletibus auget aquas* muß als groteske Überzeichnung der hydrographischen Auswirkungen, die man dem Weinen des Gottes zubilligen mag, gewertet werden.

Prüft man angesichts dieses etwas bizarren Bildes, das durch Annahme von Identitätsstufe 4 entsteht, den Wortlaut auf alternativen Gehalt hin, bietet sich Identitätsstufe 3 als denkbarer Handlungsträger an. Ihren Witz bekäme die Stelle dann durch die elementaren *fletus*: Das Weinen wäre als Körperfunktion des mit Bewußtsein und Fühlen begabten Elements zu fassen, Ovid beschriebe aus integrativer Sicht die psychosomatische Reaktion des Inachus auf die bange Ungewißheit um Ios Geschick.

Freilich ist auch diese Deutung mit einem Nachteil behaftet: Der abrupte Wechsel von Identitätsstufe 4 in v. 583 auf Identitätsstufe 3 in v. 584 muß als Härte gelten. Dergleichen Brüche in der Sehweise sollten nur angenommen werden, wenn die vom Dichter geschilderten Einzelheiten sich mit der Kontinuität einer als anfänglich gültig erachteten Identitätsstufe nicht oder nur unter größeren Schwierigkeiten vereinbaren lassen. Insofern empfiehlt sich analytische Auffassung. Andererseits hat aber der Blick auf den weiteren Kontext deutlich gemacht, daß der gesamte Abschnitt seit Einführung des Peneus in die Daphne-Erzählung durch alternierendes Hervortreten unterschiedlicher Identitätsstufen gekennzeichnet war. Gerade das Aufeinandertreffen von Vorstellungsformen in den Versen 577—578 gegenüber 579—582 sollte vor allzu rascher Ablehnung der integrativen Position bewahren. Dies gilt zumal, da elementare Veränderungen, die als Gefühlswallung der bewußt wirkenden Naturkraft verstanden werden, bei Ovid vielfach belegbar sind[331].

[331] Vgl. die Stellen, die unten im 5. Abschnitt von II B zusammengetragen sind.

Also erweisen beide sich als sinnvoll: hier die groteske Tränenflut des Gottes, die den Wasserstand des Elements sichtbar hebt, dort die psychosomatische Regung des als göttlich empfundenen Flusses. Wagte man einen Brückenschlag zwischen den beiden Interpretationen, wäre eine von Ovid bewußt belassene Ambiguität zu erwägen — eine Hypothese, die in Anbetracht zahlreicher sprachliche Ambivalenz ausmünzender Wort- und Gedankenspiele dieses Dichters einiges für sich hat.

Erst nach 51 ereignisreichen Versen wird Inachus wieder genannt. Io, von Juppiter in eine Kuh verwandelt, seiner Gattin geschenkt und von dieser unter die Bewachung des hundertäugigen Argus gestellt,

> *venit et ad ripas, ubi ludere saepe solebat,*
> *Inachidas ripas. ...* (639—640)

Die Tochter kehrt heim. Io tritt nach für sie so unerhörten und turbulenten Erlebnissen[332] wieder mit ihrem Vater in Verbindung, und zwar mit dessen Element. In den Wellen des Flusses Inachus erkennt sie zum ersten Male bewußt ihre verwandelte Gestalt (640—641). Doch das Wasser reflektiert nur, Inachus erkennt seine Tochter so wenig wie die Najaden es tun (642—643), es vermittelt Bewußtsein, wird sich selbst jedoch nicht bewußt. Der elementare Aspekt des Flusses scheint absichtsvoll in den Vordergrund gerückt. Io entdeckt ihr neues Äußeres nämlich erst nach Ablauf einer recht langen Zeit[333] und obwohl andere Flüsse zuvor erwähnt worden sind (634).

Was die Identitätsstufen anlangt, so wird man in der spiegelnden *unda* (640) nicht mehr als das unbelebte Element zu sehen haben. Die Mitteilung *ignorat et Inachus ipse* (642) gehört einer höheren Identitätsstufe, vielleicht — wenn man das von der Naturerscheinung geprägte Vorangegangene nicht mit einem Male aufgegeben wissen will — der Identitätsstufe 3. In diesem Falle ergäbe sich eine schrittweise Steigerung.

Die nächste Stelle leitet zur Darstellung des Gottes über:

> *... at illa patrem sequitur sequiturque sorores* (643)

— noch bleibt unentschieden, ob sie dem Flußlauf oder dem anthropomorphen Gott folgt, oder ob integrative Sicht anzunehmen ist —, bis der folgende Vers

> *et patitur tangi seque admirantibus offert.* (644)

---

332 Iuppiters Werbung, seine Verfolgung, die Vergewaltigung durch ihn, die Verwandlung in eine Kuh und das Erlebnis, nach einem wirklichen „Kuh"-Handel (beide Götter spielen einander Komödie vor) verschenkt und unter scharfe Bewachung gestellt zu werden (sie wird abends stets angekettet: 630—631).

333 Das zeigt die Stelle M. 1.653—654: *quaesita per omnes ... mihi terras*: Inachus hat bereits in allen Ländern nach ihr geforscht.

Klarheit schafft. Es folgt eine rührende Szene zwischen Vater und Tochter. Er reißt Kräuter für sie aus (645), sie leckt ihm die Hand und küßt deren Innenflächen (646), muß dabei weinen und kann sich schließlich durch Schriftzeichen verständlich machen (647—650). Inachus ist durch Nennung der körperlichen Details eindeutig als anthropomorpher Flußgott ausgewiesen.

Ovid geht aber noch einen Schritt weiter. Inachus, über die Identität der am Ufer weilenden Kuh belehrt, zeigt sich tief betroffen:

> *„me miserum!" ingeminat, „tune es quaesita per omnes*
> *nata mihi terras? . . ."* (653—654)

Diese Aussage wird man nicht anders denn auf Identitätsstufe 5 zu beziehen haben. Hier redet kein Gott, der an seinen natürlichen lokalen Bereich gebunden wäre. Dieser *deus rusticus* hat es gar vermocht, die ganze Welt zu durchforschen[334]. Ovid macht Inachus frei von den für Ortsgottheiten üblichen Bewegungsschranken. Damit ließ sich der dramatische Effekt verstärken, die Linie der psychischen Bewegung des Gottes bis zum absoluten Höhepunkt steigern: dem Wunsch, die göttliche Unsterblichkeit zu verlieren, um so seine Qualen enden zu können:

> *nec finire licet tantos mihi morte dolores,*
> *sed nocet esse deum, praeclusaque ianua leti*
> *aeternum nostros luctus extendit in aevum.* (661—663)

Denn die schmerzliche Enttäuschung, Io nirgendwo auf der Welt gefunden zu haben, wäre leichter zu tragen gewesen als das Unglück, sie jetzt so wiederzusehen:

> *. . . tu non inventa reperta*
> *luctus eras levior. . . .* (654—655)

Die Kulmination des Jammers zeigt uns einen Gott, der ganz menschlich geworden ist, verzweifelt und hilflos. So ohnmächtig und schwach läßt Ovid seine Götter in Extremsituationen öfter erscheinen, um konsequent menschliches Fühlen der besonderen Existenzbedingung „Göttlichkeit" gegenüberzustellen[335]. Als Mittel, Inachus ganz zum Menschen zu machen,

---

[334] *quaesita per omnes terras* ist natürlich eine Hyperbel, aber die Tatsache bleibt, auf das Mögliche reduziert, auffallend.

[335] Ähnlich läßt Ovid auch den Schmerz des Apollo zum Höhepunkt kommen. Hier führt die Reue zur — ebensowenig vollziehbaren — Bereitschaft zur Selbstaufgabe (M. 10.202—204). Der Vater Inachus und der Liebhaber Apollo fühlen menschlich konsequent. Ovid zeigt darin sein psychologisches Einfühlungsvermögen und führt gleichzeitig die Absurdität der Göttlichkeit angesichts außergewöhnlicher seelischer Belastungen vor Augen. In gewisser Weise vergleichbar ist auch M. 13.964—965; verschmähte Liebe führt Glaucus zu der Frage, was die jüngst erworbene Göttlichkeit ihm denn nütze, wenn Scylla ihn abweise. Entsprechend dem wenig tragischen Anlaß wirkt denn auch Glaucus' Ausspruch recht frivol.

bot sich dem Dichter Identitätsstufe 5 an. Sie ermöglichte es, den besorgten Vater, der alle Länder auf banger Suche durchreist, darzustellen, sie motivierte so seine abgrundtiefe Enttäuschung angesichts der unerwarteten bitteren Wahrheit, die Ausweglosigkeit seiner Lage. Folgerichtig läßt den Inachus sein Gottum nicht nur im Stich, wo es gälte, der Tochter zu helfen, es wird gar als Bürde empfunden und bewahrt seinen Träger nicht vor einem unwürdigen Abgang von der Bühne des epischen Geschehens: Argus befördert ihn mit einem Fußtritt in den Hintergrund (664—665)[336].

Der ganze Inachus-Abschnitt ist auf Steigerung hin komponiert. Der Leser wird schon zu Beginn der Erzählung über die schlimmen Ahnungen des Vaters und die Erfolglosigkeit seines Suchens unterrichtet. Diesem Vorgriff folgt später die Begegnung des Gottes mit seiner verwandelten Tochter. Zunächst lenkt Ovid den Blick auf das Wasser: Im Fluß Inachus erkennt Io ihre neue Gestalt. Es mehren sich die Indizien für höhere Identitätsstufen, bis schließlich der anthropomorphe Gott in direkten Kontakt zur Kuh, die an seinem Ufer weidet, tritt. Auf dem Höhepunkt des Schmerzes, als der Gott sich über das Schicksal seiner Tochter belehrt sieht, stellt Ovid dessen menschliche Persönlichkeit in den Mittelpunkt. So hilft die unterschiedliche Beleuchtung der Identität des Flußgottes, der steigernde Wechsel der verwendeten Identitätsstufen, jenes psychologische Crescendo zu malen, auf das es dem Dichter offenbar ankam.

Unterschiedliche Vorstellungsformen über die Naturgottheit Inachus waren auch in der Einleitungsszene für das Verständnis entscheidend. Dort vermochten zwei Deutungen die witzige Wendung *fletibus auget aquas* sinnvoll zu erklären: Als erste bot sich, begünstigt durch die für *imo reconditus antro* prävalente Identitätsstufe 4, analytische Auffassung an. Der Fluß ist dann nur mittelbar von der Regung des Gottes betroffen. Das Bild, das dem Leser somit vor die Augen tritt, mutet seltsam an. Während man einem flußgestaltigen Gott einen entsprechenden Tränenstrom zuschreiben mag, wirkt die hyperbolische Relation zwischen den Wassermassen des Elements

---

[336] Diese Paraphrase darf ich mit Hinweis auf den handgreiflichen Charakter von *submovet* (664) und *ereptam* (665) wagen, die beide zeigen, wie ungehobelt Argus im Vertrauen auf die eigene Körperstärke mit dem Gott verfährt. — Die Brutalität dieser Szene merkt auch M. v. ALBRECHT, Io 141, an.
Das harsche Einschreiten des Argus würde gemildert, wenn man mit N. Heinsius und einigen Hss. *maerenti . . . submovet (sc. eam) Argus* läse (was im folgenden Vers durch *ereptamque patri . . . / abstrahit* fortgeführt würde): Der Wächter vergriffe sich nicht an einem Gott. Eine entsprechende Änderung des fast einhellig überlieferten Wortlauts wäre gewiß möglich (man hätte eine leichte Verschreibung anzunehmen), angesichts so manchen von Ovid gestalteten Götterschicksals allerdings nicht zwingend geboten.

und den Tränen, die man dem klagenden Gott zutrauen kann, schlechtweg komisch[337].

Andererseits durfte auch ein plötzlicher Wechsel der Identitätsstufe (v. 583 : 584) nicht ausgeschlossen werden. Das Subjekt zu *fletibus auget aquas* ist dann auf Identitätsstufe 3 zu sehen. Die Trauer des Vaters wirkt sich unmittelbar auf den Bereich aus, der Flußgott wird integrativ vorgestellt, das Schwellen des Wassers als psychosomatischer Prozeß gedeutet. Es mag Ovids Absicht entsprechen, daß beide Interpretationen erwägenswert sind. Die also erzwungene Reflexion über die Naturgottheit trägt eine heitere Note in den Auftakt einer Erzählung, deren komödienhafte Elemente für die menschlich empfindenden Betroffenen in Bitterkeit getränkt sind[338].

5) Arethusa Ov. M. 5.487—508
572—642

Einen Wechsel zwischen analytischer und integrativer Grundposition zeigt Ovids Darstellung der Arethusa im 5. Buch der Metamorphosen. Die Quellnymphe erscheint zunächst anthropomorph, um Ceres über den Verbleib von deren Tochter zu unterrichten (487—508), später, um von ihrem eigenen Geschick zu erzählen (572—642). In beiden Auftritten schildert Arethusa sich — mindestens phasenweise — auf Identitätsstufe 3.

Beide Epiphanien der menschengestaltigen Quellgottheit tragen ähnliche Züge: Arethusa taucht aus ihrem Element auf und sieht sich vorab genötigt, ihr feuchtes Haar aus der Stirne zu kämmen (487—488 und 574—575); erst dann kann sie Ceres Auskunft geben. Die in jenen Versen

---

[337] Der Flußgott ist übrigens nicht nur „quantitativ" im Sinne eines spürbaren *aquas augere* überfordert, das Weinen als solches ist ihm als Gott eigentlich gar nicht möglich, wie Ovid andernorts betont: M. 2.621—622, F. 4.521 (Diese Regel hat er selbst mehrfach durchbrochen. Näheres bei F. Bömer in den Kommentaren zu den genannten Stellen.).
Am Rande sei erwähnt, daß der anonyme Verfasser der als *consolatio ad Liviam* bekannten Elegie (zur Problematik um Autor und Entstehungszeit siehe vor allem B. Axelson, Eranos 28.1930, 1—30, und W. Kraus WdF 153—156) an jener Stelle, an der ihm offensichtlich Ov. M. 1.584 vor Augen steht, seinen weinenden Flußgott eindeutig von analytischer Grundposition aus schildert (bes. v. 221—230):

uberibusque oculis lacrimarum flumina misit:
vix capit adiectas alveus altus aquas. (225—226)

Eine wesentliche Hilfe für das Verständnis des ovidischen *fletibus auget aquas* (M. 1.584) läßt sich daraus freilich kaum gewinnen, es sei denn, man wollte die Interpretation des Imitators zum Maß für die vielschichtigen Gedankenspiele des Meisters erheben.

[338] Die heiteren Momente der Erzählung gehen zu Lasten von Inachus und vor allem von Io. — Die Qualen des unglücklichen Mädchens und den Schmerz ihres Vaters hat M. Freundt 177—187 gut herausgearbeitet; vgl. dort besonders die Bemerkungen über die ergreifende Begegnung zwischen dem Flußgott und seiner zur Kuh gewordenen Tochter (179—184).

genannten Einzelheiten machen hinlänglich klar, daß die Nymphe auf Identitätsstufe 4 gedacht wird[339].

Abweichend von dieser Schilderung durch den Dichter gibt Arethusa ihre Identität als Najade in integrativer Grundanschauung wieder. Da der Nymphe bei ihrem ersten Erscheinen die Aufgabe zufällt, den Zorn der Ceres gegenüber Sizilien zu hemmen und die Göttin mit Plutos Raub vertraut zu machen, bot sich Identitätsstufe 3 als günstigster Aspekt der Naturgottheit an: Die Wassernatur schafft eine zwanglose Verbindung zur Heimat Pisa[340] — Arethusa kann so den allfälligen Vorwurf patriotischer Voreingenommenheit zugunsten Siziliens ausräumen (493); vor allem aber vermag das unterirdisch fließende Gewässer, wenn es mit bewußter Wahrnehmung begabt ist, vom Schicksal Proserpinas zu künden. Sprachlich ergibt sich wiederum das nun schon gewohnte Bild[341]. Die dem Subjekt zugeschriebenen Handlungsschritte sind nur mit einer elementaren Körperlichkeit sinnvoll zu vereinbaren[342].

In ähnlicher Weise wird auch an jener Stelle, an der Arethusa von ihrer Metamorphose in eine Quellnymphe[343] berichtet, das Augenmerk des Lesers einzig auf die elementare Gestalt der Verwandelten gelenkt (632 bis 636): *in latices mutor* (636), wie Ovid seine Erzählerin den Prozeß zusammenfassen läßt. Auch hier ist dem Dichter die Möglichkeit, Naturgottheiten nach Bedarf auf eine niedrigere Identitätsstufe zu versetzen, gut zustatten gekommen. Er mag dabei besonders zwei Motive gehabt haben, die integrative Sicht nahelegten.

Zum einen war der unterirdische Abfluß der Arethusa zu erklären. Ihn brauchte Ovid, um die lohnende elische Sage[344] mit Sizilien zu verbinden

---

[339] *caput extulit undis* (487), *rorantes comas removit* (488), *a fronte ad aures* (488); *quarum (sc. undarum) dea* (574), *sustulit alto fonte caput* (574—575), *virides capillos manu siccata* (575).

[340] Bei Ovid verschwindet Arethusa in Elis und kommt als Ortygia bei Syrakus wieder zum Vorschein; einen guten Überblick über die Sagentradition und Ovids Neuerungen gibt F. Bömer Komm. S. 351—352.

[341] S. o. zu Skamandros (II A 1) und zu Achelous (II B 1).

[342] Zu nennen sind: *cur ... advehar Ortygiam* (498—499), *mihi pervia tellus praebet iter* (501—502), *ablata* (502), *desueta ... sidera* (nur nach der unterirdischen Wanderung sinnvoll!) *cerno* (503), *sub terris ... labor* (504); ambivalent: *caput attollo* (503). — Kein Gewicht beizumessen ist den *oculi nostri* (505), die lediglich zur Hervorhebung der Wahrnehmungsfähigkeit („ich selbst habe Proserpina gesehen“) hinzugesetzt sind.

[343] Dabei gehe ich davon aus, daß Arethusa schon hier das wird, als was sie — nach epischer Chronologie — später erscheinen soll (487—489, 572—576), nämlich eine Najade. Zunächst wird freilich nur des elementaren Äußeren gedacht, später jene ergänzenden (anthropomorphen) Züge nachgetragen.

Welcher Nymphenklasse Arethusa vor ihrer Metamorphose angehörte, teilt der Dichter nicht mit (577—578: *pars ego nympharum, quae sunt in Achaide ... una fui*; dazu einiges zu ihrer Jagdleidenschaft und dem besonderen Verhältnis gegenüber Diana: 578—581 und 618—620).

[344] Ein für den *tenerorum lusor amorum* ohne Zweifel sehr reizvolles Sujet. R. Heinze OeE 308 hält die Sage für „gezwungen genug herangezogen“ — was ihren Reiz eigentlich nur unter-

und die Nymphe zur Zeugin unterweltlichen Geschehens zu machen. Für diesen Zweck wäre eine zusätzliche Menschengestalt, wie analytische Grundanschauung sie mit sich gebracht hätte, unpassend, ja lästig gewesen. Und noch ein zweites Motiv wird zu Identitätsstufe 3 geraten haben: Die Verwandlung in Wasser ist geeignet, im Leser die Erwartung zu wecken, Arethusa sei jetzt, da ihre Frauengestalt vergangen sei, endgültig vor den Gelüsten ihres hartnäckigen Verfolgers sicher; um so überraschender wirkt nun die phantastische Metamorphose des gierigen Flußgottes, der die Vereinigung zumindest auf einer niedrigeren Identitätsstufe zu erzwingen bereit ist[345]. Gleichzeitig wird so Dianas wiederholtes Eingreifen (639)[346] gut als Hilfe in höchster Not motiviert.

So ist Ovids Wechsel zwischen analytischer Grundanschauung, die die Nähe und Bindung der Identitätsstufen 4 und 1 beschreibt, und integrativer Sicht, die des Lesers Augenmerk auf Identitätsstufe 3 lenkt, im Falle der Arethusa vornehmlich aus kompositorischen Gründen zu verstehen. Mochte einesteils die anthropomorphe Quellnymphe der Aspekt sein, der für ein Gespräch mit der großen Göttin Ceres am passendsten schien, war es anderenteils günstig, die Identität der Arethusa auf einer niedrigeren Identitätsstufe zu betrachten: Die Wassergestalt der Nymphe verhalf dem Dichter innerhalb der Alpheus-Sage zu einer willkommenen erotischen Steigerung; Prävalenz des elementaren Äußeren ermöglichte eine gute Verknüpfung der Schauplätze[347]; schließlich war das sinnlicher Eindrücke fähige Gewässer auch geeignet, das handlungsfördernde Motiv unterirdischer Zeugenschaft beizusteuern.

6) Versammlung der Flüsse bei Neptunus Ov. M. 1.276—287

An dieser Stelle soll eine Passage genannt werden, in der die Fülle unmittelbar nebeneinander stehender unterschiedlicher Vorstellungsweisen geradezu frappant ist (zur Illustration werden die Kennziffern für die Identitätsstufen aus der Übersicht auf den Seiten 18—19 angeführt). Neptunus versammelt vor der Großen Flut seine Flüsse (5) in seinem Palast

---

streichen kann. Sehr günstige Beurteilung der Arethusa-Episode bei L. P. WILKINSON 173, vgl. auch 201—202.

345 Die Szene hat den Reiz des Einmaligen. Einmalig ist des Alpheus Verwandlung (sie ist weiter unten noch zu besprechen, s. Kap. 22), einmalig die elementare Lüsternheit der ganzen Episode und die bis zum Ende hin unablässig steigende Spannung. Die „Senkung“ auf IS 3 trägt dazu ganz wesentlich bei.

346 Wiederum spricht Arethusa von sich als von einer elementaren Wesenheit: *in latices mutor* (636), *ut se mihi misceat* (638), *caecisque ego mersa cavernis advehor Ortygiam* (639—640), *quae me ... superas eduxit prima sub auras* (640—641).

347 Und damit der Sagen selbst: (1) Raub der Proserpina nebst Umfeld mit (2) Alpheus und Arethusa.

zur Befehlsausgabe. Sie (4/5) sollen ihre Kräfte (2) ausgießen, und zwar: ihre Häuser öffnen[348], die Dämme wegspülen, ihren Flüssen (1/2) die Zügel schießen lassen[349]. Die Götter (5) gehen zurück, lösen (4) den Quellen den Mund und wälzen sich (3) in ungezügeltem Lauf ins Meer.

Der Herr des Meeres zitiert seine Hilfstruppen[350], die *amnes*, herbei (276). Die Götter erscheinen und nehmen den knappen Befehl entgegen (276 bis 280). Sie sind lokal nicht gebunden und offenkundig anthropomorph. Neptunus fordert seine minderen Kollegen auf, sie möchten die ihnen überantworteten Naturkräfte so wirkungsvoll wie möglich einsetzen (278—280). Die Weisung wird am jeweiligen Lokal (*hi redeunt* (!) 281) ausgeführt, die Flußgötter entfesseln ihre Elemente (281). Ganz unvermutet verläßt Ovid jetzt aber die analytische Grundposition. Statt der Ortsgottheiten, die über ihre Wasserkraft auftragsgemäß verfügen, erscheinen in plötzlichem perspektivischem Wechsel als neue Akteure göttliche, bewußt handelnde Flüsse[351]; die ehemals als Subjekt und Objekt Beteiligten verschmelzen auf Identitätsstufe 3:

et defrenato volvuntur in aequora cursu. (282)

Dieses integrativ gesehene Bild wird in den Versen 285—287 fortgeführt.

Es scheint Ovid gereizt zu haben, verschiedene religiös und mythisch legitimierte Vorstellungen zur Identität von Flüssen in einer kurzen Szene aufeinanderprallen zu lassen.

7) Sol Ov. M. 1.750—2.400 4.169—270

Zum Abschluß der Betrachtung jener Handlungsabschnitte, innerhalb derer die beteiligte Naturgottheit auf unterschiedlichen Identitätsstufen

[348] Die *domus* sind hier, wie HAUPT-EHWALD zutreffend erklären, „die Höhlen und Klüfte, aus denen die Gewässer hervordringen". Daneben bleibt dem Kundigen die Bedeutung „Wohnstatt des Flußgottes" (vgl. Am. 3.6.92, M. 1.574 und 8.560; die häufigeren *antra* variierend) hörbar.

[349] Um den elementaren Schwung und die ungestüme Energie der losstürzenden Fluten anschaulich zu machen, hat Ovid sich bei der Schilderung der dynamischen Vorgänge dieser Szene einer Metaphorik bedient, die auf der Kraftentfaltung von Rennpferden gründet; s. HAUPT-EHWALD zu v. 280 (*immittite habenas* 280, *ora relaxant* 281, *defrenato cursu* 282); A. G. LEE (zu v. 280) hat diese Erkenntnis weiterverfolgt und deutet auch *domos* (279), *mole remota* (279) und *exspatiata* (285 mit Kommentar) in diesem Sinne.

[350] F. BÖMER macht (zu v. 275) darauf aufmerksam, daß vor dieser Stelle niemand das Adjektiv *auxiliaris* im außermilitärischen Bereich gebraucht habe. Es ist aufschlußreich, in wie viele Sphären friedlichen Lebens Ovid Kriegsmetaphorik hineingetragen hat. Gerade in dem etwas seltsamen Rahmen der vorliegenden Passage wirken die *auxiliares undae* befremdlich und bedenklich.

[351] Auf den Wechsel der Grundposition („IS 4 über IS 1 verfügend" zu „IS 3 handelnd") haben HAUPT-EHWALD (zu „280 ff.") mit Recht hingewiesen.

erschien, soll von Ovids Sonnengott die Rede sein. Bei ihm begegnet eine verwirrende Vielfalt von Vorstellungsformen. Zu erklären ist dieser Reichtum wesentlich dadurch, daß bei analytischer Sicht eine Reihe von Antworten auf die Frage, welcher Art das leuchtende Werkzeug des anthropomorphen Gottes sei, möglich und auch gebräuchlich war. Wenn nun im Folgenden zwei Erzählungen, in deren Mittelpunkt Sol steht, auf die Art des Identitätsstufenwechsels hin untersucht werden, wollen wir jener Vielschichtigkeit zumindest durch einige Hinweise auf lehrreiche Stellen im gesamten Werk Ovids Rechnung tragen. Die Analyse der beiden Handlungsepisoden darf hier kürzer ausfallen, weil die Identitätsstufe 3 schildernden Teile weiter unten (s. die Kapitel 23 und 24) aus anderer Perspektive behandelt werden sollen.

Die Phaethon-Episode wird von der anthropomorphen Erscheinung des Sonnengottes beherrscht. Sol entspricht auf diese Weise seiner Vaterrolle am besten, vor allem aber ließ das entscheidende Motiv des Wagenlenkens keine andere Darstellungsform zu. Belege für des Gottes Menschengestalt sind ebenso zahlreich wie augenfällig[352]. Als Hilfsmittel, welches das Leuchten des kosmischen Elementes erklären soll, gibt Ovid dem Sol einen Strahlenkranz, den dieser wie einen Kopfschmuck ablegen kann[353].

---

[352] Vor allem ist hier des Bildes des in fürstlicher Pracht thronenden Gottes zu gedenken (2.23 bis 24); vgl. ferner: *deposuit radios* (41), *amplexu dato* (42), *concutiens ... caput* (50), *ora sui sacro medicamine nati / contigit* (122—123), *inposuit ... comae radios* (124), *pectore sollicito repetens suspiria* (125) usw.
Auf die Menschengestalt des Sol deuten des weiteren die zahlreichen Erwähnungen der Pferde und des Wagens. Für den Sonnengott notiere ich AA 1.330, Her. 6.86, Her. 8.105, Her. 16.208, Her. 21.88, M. 2.144, M. 2.208—209 und *pass.*, M. 4.633—634, M. 6.486, M. 15.419—420, F. 2.74, F. 2.458, F. 3.416, F. 4.180, F. 4.688, F. 4.674, T. 1.8.2, T. 2.392, Ib. 428 *(equi)* und Her. 4.160, M. 2.59—60, M. 4.630, M. 4.633—634, M. 7.208 (vgl. Anm. 353), F. 3.518, P. 4.6.48 *(currus)*. Andere kosmische Gottheiten: Aurora Am. 1.8.4, Am. 1.13.30 (nur ein Pferd), AA 3.179—180, F. 4.714, F. 5.160 *(equi)* und Am. 1.13.2, Am. 1.13.29, Am. 1.13.38, M. 3.150 *(currus)*; Luna Her. 11.48, RA 258, MF 42, M. 2.208—209, F. 3.110, F. 4.374, F. 5.16, T. 1.3.28 *(equi)* und M. 15.790 *(currus)*; Lucifer Am. 2.11.56, M. 15.189—190, T. 3.5.56 *(equus)* und Am. 1.6.65 *(axes)*; Nox Am. 1.13.40, P. 1.2.54 *(equi)*; Hesperus F. 2.314 *(equus)*.

[353] M. 2.40—41 setzt der Gott *circum caput omne micantes / ... radios* ab, um seinem Sohn eine Annäherung möglich zu machen, 2.124 zwingt ihn der verhängnisvolle Schwur, Phaethon mit der Strahlenkrone zu bekränzen. Von dieser Zier ist auch Her. 4.159 und F. 1.385 die Rede; unklar die *radii* F. 6.717. Entsprechend schwingt Aurora F. 5.159—160 eine *rosea lampas*, M. 2.112—114 bewirken Tor und Halle der Göttin die Färbung des Morgenhimmels.
Eine weitere Stelle weiß davon zu berichten, daß es der Schild des Gottes sei, der strahle (M. 15.192—194, Ausführungen des Pythagoras).
Sogar das Pferdegespann kann Strahlenträger sein, wie AA 3.388 und Her. 8.105, wo von *equi radiantes* gesprochen wird, zeigen. — Dazu M. 7.208—209: Medeas Zaubersprüche lassen den Wagen (!) ihres Großvaters dunkel werden. Aufschlußreich auch hier, daß Auroras Pferde ganz ähnlich mit dem Leuchten des Morgenrots behaftet scheinen: Am. 1.8.4 *(rosei equi)*, AA 3.179—180 *(equi luciferi)*, F. 4.714 *(rosei equi)*; Glanz des Wagens M. 3.150 *(croceae rotae)*.

An anderen Stellen der Phaethon-Geschichte ist man geneigt, Sol als sonnengebundenen Gott (Identitätsstufe 4)[354] anzusehen oder auch integrative Sehweise (Identitätsstufe 3) zu erwägen. Allerdings läßt der Kontext keine verläßliche Interpretation zu, auch eine bloß verbale Betonung der Einheit von Gott und Bereich durch uneigentliche Benennung ist denkbar. Clymene, von ihrem Sohn befragt, ob Sol denn wirklich sein Vater sei, versichert

> „*per iubar hoc*“ *inquit* „*radiis insigne coruscis,*
> *nate, tibi iuro, quod nos auditque videtque,*
> *hoc te, quem spectas, hoc te, qui temperat orbem,*
> *Sole satum.* / . . .“ (1.768—771)

Die elementar bestimmte Charakterisierung (*iubar radiis insigne coruscis* 768), die die Fähigkeit des Angerufenen, zu hören und zu sehen, einbezieht (*quod nos auditque videtque* 769), sowie Clymenes Hinweis auf die unmittelbare Sichtbarkeit des Sol (*quem spectas* 770), scheinen auf Identitätsstufe 3 als den Vorstellungsinhalt zu führen, welcher der Sprecherin in dem Moment, da sie den Sohn ihrem Blick zum Tagesgestirn folgen heißt, vor Augen steht. Ähnlich werden die folgenden Worte zu verstehen sein: Für den Fall, daß sie die Unwahrheit gesagt hätte,

> . . . *neget ipse videndum*
> *se mihi sitque oculis lux ista novissima nostris.* (1.771—772)

Auch hier wird man — mit dem nötigen Vorbehalt — zu der Auffassung tendieren dürfen, daß nicht die wesensmäßig völlig vom Element isolierte Identitätsstufe 5 gemeint ist. Andererseits läßt sich eine Reihe von Stellen namhaft machen, wo eine auf den Bereich ausgerichtete Benennung einer Situation gegenübersteht, die von einem eindeutig anthropomorphen Gott beherrscht wird. So redet Phaethon seinen zwar von unermeßlichem Glanz umgebenen (2.1—24), aber doch menschengestaltig thronenden (23—24) Vater mit den Worten an:

> . . . „*o lux inmensi publica mundi,*
> *Phoebe pater, si das usum mihi nominis huius* / . . .“ (2.35—36)

Ob hier Identitätsstufe 4 oder Identitätsstufe 5 anzusetzen ist, kann man kaum entscheiden, zumal Sol noch seinen Strahlenkranz trägt[355]. Zweifelsfrei jedoch ist das menschliche Äußere des Gottes.

---

[354] Zu den einzelnen ISS des Sonnengottes s. o. S. 30—31.

[355] Dagegen scheint IS 4, die Vorstellung also, die den menschengestaltigen Gott einen natürlichen Glanz ausstrahlen läßt, den Vers M. 2.110 am angemessensten zu interpretieren. Sol führt dort seinen Sohn zum Sonnenwagen, und die an der Deichsel befestigten Edelsteine

> *clara repercusso reddebant lumina Phoebo.* (M. 2.110)

Andere ISS brächten nicht unerhebliche Schwierigkeiten mit sich: Die elementar bestimmten

Neben den Stellen, die infolge schwacher oder irreführender Indizien eine eindeutige Entscheidung über die gemeinte Identitätsstufe nicht erlauben, stehen solche, die ihren Sinn nur dann voll erschließen, wenn man von integrativer Grundanschauung ausgeht. Der als Gesicht der Gottheit verstandene Himmelskörper gibt die psychosomatischen Reflexe des trauernden Vaters preis (bes. M. 2.381—385)[356] — ein Effekt übrigens, den Ovid mit einigen Unstimmigkeiten im Gesamtkontext hat bezahlen müssen[357]. Wieder zeigt sich, daß der Dichter die wirkungsvolle Einzelszene mit der ihr angepaßten Identitätsstufe höher veranschlagt als getreuliche Wahrung einmal geäußerter Vorstellungen innerhalb eines größeren Erzählzusammenhangs.

Die Leucothoe-Episode (M. 4.190—255) wird durch ein zwar bleiches, dafür aber um so einprägsameres πρόσωπον τηλαυγές eingeleitet. Sol erscheint in dem Abschnitt M. 4.192—203, der die Auswirkungen seiner Liebe zu Leucothoe schildert, als sein mit Fühlen begabtes Element, die Sonnenscheibe zeigt des schmachtenden Gottes blasse Gesichtsfarbe[358]. Dieses Bild einer in kosmische Dimensionen geweiteten amourösen Ver-

---

ISS 1—3 widerstritten der Situation, die einen zwischenmenschlichen Kontakt zwischen Vater und Sohn erfordert; man müßte schon eine vom Kontext abweichende und gänzlich unmotivierte Momentaufnahme ansetzen (*Phoebo* wäre dann als uneigentliche, weil dem anthropomorphen Vorstellungsbereich entlehnte Benennung zu fassen); die völlig vermenschlichende IS 5 wiederum, die den Gott nur kraft technischer Hilfsmittel des Leuchtens fähig sein läßt, ließe sich mit dem Vorgang *repercusso* nicht in Einklang bringen.

[356] Einzelheiten werden unten in den Kapiteln 23 und 24 behandelt; dort auch zum Verhüllungsmotiv M. 2.329—330. — Übrigens ist das *caput* des Gottes M. 2.50 *illustre*, obwohl der Strahlenkranz gerade beiseite gelegt wurde (2.40—41); schon hier laufen unterschiedliche Vorstellungen nebeneinander her (die diversen Glanzquellen bleiben ungeschieden oder werden kumuliert); für ähnliche Sorglosigkeiten des Dichters vgl. die folgende Anm. 357.

[357] Eine beträchtliche Schwierigkeit ergibt sich daraus, daß eigentlich Phaethon an diesem Tag die Sonne hatte aufgehen lassen und mitsamt dem Strahlenkranz abgestürzt war (M. 2.124 hatte Sol ihn ihm aufgesetzt), während andererseits die Verfärbung des Sonnengesichtes bemüht wird, um die kosmische Dunkelheit zu erklären. — Ferner trocknen die Bernsteintränen unter der Sonnenbestrahlung (M. 2.364), die der Welt freilich anderen Angaben des Dichters zufolge nach Phaethons Unfall noch fehlt (*squalidus* 381; *expers sui decoris* 381—382; *quali, cum deficit, orbe* 382; *officium negat mundo* 385; *piget actorum* 386—387; *quilibet alter agat portantes lumina currus* 388): Der IS 1 wird also gestattet, was IS 3 bis dahin verwehrt ist. — Schließlich widerspricht IS 3 der lichttragenden Funktion des Wagens, die Ovid M. 2.388 zu erwähnen sich gezwungen sah, da durch die anderen, den Sonnengott umringenden Götter wiederum analytische Grundanschauung in den Vordergrund drängte.

[358] Die Deutung des Tagesgestirns als Antlitz der göttlichen Naturkraft findet sich auch andernorts: M. 4.265 (*ora*), F. 2.786; als *caput* M. 14.368 und *nitidum caput* M. 15.30. Vielleicht ist hier auch M. 14.54 einzuordnen. Man kann in *vertex* den leuchtenden Scheitel (resp. metonymisch „Haupt") des Gottes sehen, freilich läßt sich auch „Zenit des Himmels" verstehen (entsprechend übersetzt LAFAYE) oder der Scheitelpunkt schattenspendender Gegenstände (z. B. Bäume). Eine sichere Entscheidung ist nicht möglich.

Auch andere kosmische Gottheiten werden in der soeben skizzierten Weise integrativ beschrieben: Aurora F. 3.403, P. 1.4.58; Hesperus F. 5.419; Lucifer M. 11.271—272 (ein zulässiger Rückschluß), M. 15.789; Nox M. 15.31 (*caput*); Luna Am. 1.8.12, M. 14.367 (*vultus*).

wirrung gibt dem *tenerorum lusor amorum* Gelegenheit zu einem wahren Feuerwerk brillanter Pointen[359]. Dabei geht es nicht ohne frivole Kommentare zum bedenklichen — und für alle Welt ebenso sichtbaren wie folgenreichen — Gemütszustand des Gottes ab.

Nach dem wirkungsvollen Auftakt, der vor allem die psychosomatischen Folgen der Leidenschaft Solis erfindungsreich und witzig ausmalt, mußte Ovid geradezu zwangsläufig Identitätsstufe 3 aufgeben und zum anthropomorphen Aspekt der Identität des Sonnengottes übergehen. Dem nämlich war jetzt die Aufgabe zugedacht, sich persönlich zu seiner Geliebten zu begeben. Ovid läßt ihn die Nacht abwarten, seine Pferde versorgen und bei Leucothoe eintreten (4.214—218). Eine List — der Gott erscheint als Mutter des Mädchens — entfernt das störende Gefolge (4.219—225).

Weitere Einzelheiten über Sol sind der Rede zu entnehmen, in der er sich selbst — noch als Eurynome; erst v. 230—231 läßt er sich in eigener Gestalt schauen — charakterisiert (4.226—228), sowie der Metamorphose, durch die er wieder zum Sonnengott wird (4.230—233)[360]. Dabei leben Vorstellungen auf, die sich z. T. mit Identitätsstufe 4 vereinbaren lassen, z. T. aber wiederum starke Affinität zu integrativer Sicht zeigen. Vielleicht sollten die letztgenannten Angaben schlicht im Sinne uneigentlicher Benennung so gedeutet werden, daß Sol lediglich eine verkürzende Reminiszenz an seine polare Identitätsstufe zu geben wünscht. In diesem Falle sähe er die eigene Person nicht auf einer niedrigeren Identitätsstufe als der, auf der er tatsächlich gerade vor Leucothoe agiert.

Solche problematischen — weil eher zu Identitätsstufe 3 stimmigen — Aussagen sind vor allem *omnia qui video* (4.227)[361] und *mundi oculus*[362].

---

[359] Für eine genauere Untersuchung der Szene M. 4.169—208 sei auf das Kapitel 23 verwiesen.

[360] Seine Worte hatten — verständlich genug — nur sprachlose Furcht erregen können (4.228 bis 230).

[361] Ein Anspruch, der mit zunehmender Vermenschlichung (= steigender IS) immer weniger erfüllt werden kann. So kommt es geradezu zwangsläufig zu Ungereimtheiten: Der Gott, der alles hört und sieht (M. 1.769), kennt den Grund für das Kommen seines Sohnes nicht (M. 2.33—34; auf diesen Umstand hat F. Bömer Komm. z. St. hingewiesen) und schwört bei der Styx, die er nie sah (M. 2.45—46).

[362] Neben der Deutung des Himmelskörpers als das Gesicht des Sonnengottes begegnet auch eine Auffassung, die in der Sonne das Auge des Gottes sieht. Vielleicht kommt M. 4.196—197 dem nahe (es sind aber Vorbehalte angebracht; die Stelle ist nicht ganz deutlich), sicher ist M. 13.853 eine Parallele: Polyphemus vergleicht sein Auge mit dem des Sonnengottes, der alles sehe, wenngleich *Soli tamen unicus orbis* (M. 13.853); ganz offenkundig hebt der Kyklops auf eine höhere IS ab, denn er vergleicht seinen Körperteil „Auge", so daß es naheliegt, daß das eines anderen anthropomorphen Wesens zu diesem Zweck herangezogen wird; das mögliche Argument, Polyphemus als Leugner der Götter könne Sol nicht als Gott gemeint haben, ist nicht stichhaltig: 13.842—844 wird auch Iuppiter von Polyphemus zu Vergleichszwecken aufgeführt, 13.854 rühmt er sich seines Vaters Neptunus; seine Haltung gegenüber den Göttern (761, 843—844) beruht zweifellos eher auf Geringschätzung von deren Macht und Stellung als auf Unglauben an deren Existenz.

Hierher gehört auch der *nitor* (4.231 und 233), welcher freilich trotz aller Unbestimmtheit der Identitätsstufe 4 eignen mag.

Auf Leucothoes Schrecken über die unbegreiflichen Worte ihrer vermeintlichen Mutter hin legt Sol die trügerische Gestalt ab:

> *... nec longius ille moratus*
> *in veram rediit speciem solitumque nitorem.* (4.230—231)

Der Gott trägt hier deutlich Sonnenattribute, auf deren Beschaffenheit freilich nicht näher eingegangen wird. Leucothoes Nachgeben kann so mit der Feststellung

> *victa nitore dei posita vim passa querella est* (4.233)

glaubhaft — und elegant zugleich — motiviert werden. Die besondere Eleganz liegt hier im buchstäblich „schillernden" *nitor*; das Wort wird nämlich auch gerne in der erweiterten Bedeutung „strahlend weißer Teint, glänzende Haut" und dann überhaupt „jugendliche Schönheit" gebraucht[363]. Es scheint jedenfalls für Ovid bezeichnend zu sein, daß er der geistreich-witzigen, ambivalenten Formulierung den Vorzug gegenüber sachlicher Anschaulichkeit einräumt.

Für den Abschluß der Erzählung — es handelt sich hier um die Verwandlungen der Leucothoe und der Clytie (4.234—270) — ist Sol an seine Himmelsbahn gebunden und handelt nur noch von dort aus. Ob mit diesem Wechsel der Perspektive eine Veränderung der Identitätsstufe verbunden ist, muß dahingestellt bleiben[364]. Ovid hatte zwingende dramaturgische

---

Von einem *orbis* ist auch sonst die Rede, doch ohne daß sich eine klare Vorstellung von dessen Beschaffenheit gewinnen ließe: RA 256, F. 3.345, F. 3.353, F. 3.517.

Diese Vorstellung vom Sonnenauge macht begreiflich, daß dem Gott Allsichtigkeit beigelegt wird: Her. 12.80; AA 2.573; M. 1.769, 2.32, 4.172, 4.195, 4.227, 7.96, 13.852—853, 14.375; F. 4.582; auch für Luna wird an einer Stelle erwähnt, daß sie alles sehe (Her. 15.89). — Vorbild ist das homerische 'Ηέλιός ϑ', ὃς πάντ' ἐφορᾷς καὶ πάντ' ἐπακούεις (Il. 3.277).

[363] So Iuv. 9.13, Hor. c. 1.19.5 und 3.12.6. — Vgl. zu M. 4.230—231 die sprachliche wie inhaltliche Parallele in M. 14.765—769: Der Gott-Jüngling Vertumnus erstrahlt wie *nitidissima solis imago* (768). — Hierher ist auch die kurze Charakterisierung als *nitidus deus* F. 3.44 zu stellen. Für sprachliche Verbindung unterschiedlicher Aspekte einer Identität darf nochmals an das *iubar* (M. 1.768) erklärende *hoc te, quem spectas ... Sole satum* (1.770—771) sowie *neget ipse videndum se* (1.771—772) und das dazu variierende *lux ista* (1.772) erinnert werden. Vgl. auch M. 1.779: Als Phaethon *patrios penates* (1.773) aufsuchen will, variiert Ovid im Schlußvers des ersten Buches der Metamorphosen diese Ortsangabe: ... *patriosque adit inpiger ortus.* Als Wortspiel, das durch verlagerte Bedeutungsebenen einen scheinbaren Widerspruch impliziert (s. auch unten Anm. 554), mag hier noch M. 2.181 erwähnt sein: *suntque oculis tenebrae per tantum lumen obortae.*

[364] Wenn die grausame Tötung Leucothoes am Tag vollzogen wurde, war — so läßt sich argumentieren — der Gott an sein *officium* gefesselt. Er kann also durchaus weiterhin anthropomorph vorgestellt werden, da die tägliche Dienstreise ihm das Eingreifen auf der Erde nur des Nachts gestattet. Andererseits kann man Sol im Abschnitt 4.234—270 auch integrativ auf IS 3 sehen. Es fehlt schlechterdings an überzeugenden Anhaltspunkten.

ründe dafür, daß des Sonnengottes Macht auf seine Wärmekraft beschränkt blieb (4.241—242 sowie 247—248)[365].

Die Betrachtung der beiden Episoden, in denen dem Sonnengott eine entrale Rolle zukam, hat gezeigt, daß Ovid bei Bedarf die Vorstellungsorm gewechselt hat: Identitätsstufe 4/5 galt für den Vater des Phaethon, vobei einige Charakterisierungen mindestens eine starke Neigung zu dentitätsstufe 3 erkennen ließen; die Trauer des Verwaisten wurde durch das integrativ betrachtete Sonnengesicht offenbar. Der Liebhaber Leucohoes verriet der ganzen Welt durch offenkundige Blässe seinen bedenkichen Gemütszustand; sein Besuch bei der Geliebten machte dann jedoch den Ersatz der Identitätsstufe 3 durch anthropomorphe Gestaltung erorderlich. Eine Reihe von Erwähnungen freilich blieb unklar. Dort war damit zu rechnen, daß Ovid selbst sich keine klare Vorstellung von Sol hat machen können oder wollen.

Der Dichter hat mithin ein konsequent einheitliches Bild von seinem Sonnengott nicht vermittelt. Dieser erscheint, wie es jeweils für die zu childernde Situation am günstigsten schien, auf verschiedenen Identitätsstufen, und zuweilen verschwimmt seine Gestalt im Nebelhaften[366].

Aufschlußreich füı Ovids Streben nach *variatio*, für die Bestimmung der IS freilich ohne Gewicht, ind die in diesem Abschnitt verstärkt benutzten Appellativa und Periphrasen: 4.238 *lumina Solis* (das sichtbare Gestirn), 245 *volucrum moderator equorum* (der fühlende Liebhaber), 257—258 *auctor lucis* (der liebesfähige Gott), 262 *luces* (Sonnenlicht als Metapher für „Tag"), 264—265 *euntis ora dei* (der Himmelskörper).

[365] Der unglückliche Ausgang dieser Liebe war schon deswegen unvermeidlich, da sie von Venus als Rachewerk gegen den Sonnengott verhängt worden war (4.171—172 und 190—192). Sol wird dadurch bestraft, daß er den Erstickungstod der Geliebten ziemlich hilflos ansehen nuß. — Zum rührenden Ausklang der Erzählung (v. 234—270) siehe M. Freundt 226—231.

[366] Hierher läßt sich ferner die Darstellung der Fames M. 8.782—822 stellen. Zunächst scheint der Dichter um ambivalente Ausdrucksweise bemüht: *pestifera lacerare fame* (784), *ea se in praecordia condat* (791), *nec copia rerum vincat eam* (792—793) sowie *superetque meas certamine vires* (793) deuten auf das Phänomen „Hunger"; *neque enim Cereremque Famemque fata coire sinunt* (785—786), *Fames (sc. illic habitat)* (791) nehmen primär auf die Person des Schaddämons Bezug; überall aber kann die jeweils polare Vorstellung mitverstanden werden. — Es folgt die ausführliche Beschreibung der anthropomorphen Fames (799—810), die von ihrer Besucherin, der Oreade, nicht nur gesehen *(vidit* 809*)*, sondern auch verspürt wird *(visa tamen sensisse famem est* 812*)*: ein plötzlicher Wechsel der IS, der (je nach Betrachter, dabei aber wohl in der Regel) erheiternd wirken dürfte. Weiterhin gilt für v. 814—822 (Besuch bei Erysichthon) Menschengestalt (ambivalenter Konzessivsatz 814—815), wobei die berühmte Übertragung des Bereichs durch den Dämon *(seque viro inspirat* 819*)*, sprachlich kühn verknappt, zu beachten ist. Nach dem Abtritt der Fames (821—822) ist nur noch *fames* vertreten (828—829 *ardor edendi*, 831 *ieiunia*, 843 *fames*, 845 *fames*, 846 *flamma gulae)*.

Erwähnt werden mag auch das seltsame Nebeneinander von *Spes* und *spes* P. 1.6.27—46. Ovid schreibt, die *spes* auf Linderung der Strafe sei noch nicht von ihm gewichen. Denn diese Göttin *(haec dea* 29*)* sei nach der Flucht der Götter alleine auf der Erde verblieben. Sie wirke, daß Menschen in schon auswegloser Lage nicht verzweifelten (Beispiele 31—40, darunter der Kranke; *nec spes huic vena deficiente cadit* 36; *haec dea* verhindere das Erhängen 39—40). Sie habe

8) Delos

Call. Del. 1—54
191—326

Unter den Vorgängern Ovids, welche innerhalb eines zusammenhängenden Geschehens die Identität der handelnden Naturgottheit von unterschiedlichen Aspekten aus gezeichnet haben, kommt Kallimachos besondere Bedeutung zu. Wir können dem Werk des Dichters aus Kyrene immerhin zwei Abschnitte entnehmen, die mit dem ovidischen Verfahren, sich alternierend unterschiedlicher Vorstellungsformen und Grundpositionen zu bedienen, durchaus vergleichbar sind. Beide Stellen finden sich im Delos-Hymnus, dessen vornehmlich gefeierte Göttin, Delos, am Anfang stehen soll.

Anthropomorphen Bildern gibt Kallimachos in den einleitenden Versen wie gegen Ende des Gedichtes, als Apollon endlich geboren ist, Raum, doch blitzt der Gedanke an die Menschengestalt der Göttin auch zwischenzeitlich wiederholt auf. Ansonsten dominieren elementar bestimmte Vorstellungen, die sich freilich nicht immer in wünschenswerter Weise präzisieren lassen. Zunächst jedoch ist der Interpret gehalten, den Wechsel der Identitätsstufen, auf denen Kallimachos seine Delos erscheinen läßt, zu dokumentieren.

Bereits der ersten Nennung der Insel steht jene Apposition zur Seite, die den Dichter dazu veranlaßt haben mag, das göttliche Eiland bisweilen auf die Höhe anthropomorpher Gestaltung zu heben: ʼΑπόλλωνος κουροτρόφος (2). Während den übrigen Kykladen die auf das Element gerichtete Beschreibung

. . . αἳ νήσων ἱερώταται εἰν ἁλὶ κεῖνται (3)

zugewiesen wird, führt die Reflexion darüber, was eine als κουροτρόφος gerühmte Naturgottheit für ihren Pflegling geleistet haben dürfte, auf eine höhere Identitätsstufe. Delos sei, so erfahren wir, deshalb besonders preiswürdig, weil sie den kleinen Apollon

λοῦσέ τε καὶ σπείρωσε καὶ ὡς θεὸν ἤνεσε πρώτη. (6)

So konkrete Tätigkeiten wie das Baden und Windeln eines Neugeborenen wird man nur einer anthropomorphen Amme überantworten wollen.

---

auch Ovid vom Selbstmord (41) abgehalten *(arcuit iniecta continuitque manu* 42*)* und auf die Milde des Augustus verwiesen (direkte Rede, 43—44). Im folgenden Distichon wiederum Wechsel der IS (zum vierten Mal):

quamvis est igitur meritis indebita nostris,
magna tamen spes est in bonitate dei. (P. 1.6.45—46)

Einen ähnlichen Identitätsstufenwechsel zeigt die Somnus-Episode M. 11.586—678.

Diese Einschätzung erhält durch die Bezeichnung τιθήνη (10), die dem humanen Bereich entnommen ist, eine weitere Stütze[367].
Nach der Einleitung (1—10), die das Thema vorstellte und begründete, folgen Angaben über Lage und Bodenbeschaffenheit der Insel (11—15). Hier steht die materielle Substanz im Vordergrund; Einwirkungen von Wind und Meer, Bewohnbarkeit für Mensch und Tier sind so nüchterne geographische Daten, daß Delos in diesen Versen manchem Betrachter wohl nur mehr auf Identitätsstufe 1 erscheint.
Als Kontrast zum wenig attraktiven Ödland in Meeres Mitten weist Kallimachos sodann auf die bevorzugte soziale Stellung, welche man Delos im maritimen Bereich einräume, hin (16—22). Anläßlich gelegentlicher Besuche bei Okeanos und Tethys habe sie nämlich Vortritt vor anderen Inseln. Die Beweglichkeit der νῆσοι und ihre Fähigkeit zu gesellschaftlichem Verkehr zwingen dazu, das soeben (11—15) als gültig erkannte Bild von der kargen Örtlichkeit durch das einer höheren Identitätsstufe zu ersetzen. Offenbar sieht Kallimachos keine Bedenken, die Göttinnen von der Unverrückbarkeit ihres jeweiligen Lokals zu befreien und hintereinander zum Palast der Gastgeber wallen zu lassen[368].
Im Folgenden verdient der Abschnitt v. 41—54 Beachtung[369]: Die unbefestigte Delos legt im Meer erstaunliche Strecken zurück. Ihr Äußeres ist wiederum als Insel zu denken. Zwei Gründe legen diese Auffassung nahe: Zum einen wird als ein offenkundig staunenswertes Ereignis angeführt, daß Seeleute das Eiland zwar bei Einfahrt in den Saronischen Golf, nicht aber beim Auslaufen sahen; in der Tat ist es wunderbar, wenn eine lokale Gegebenheit, die, wie Erfahrung lehrt, gemeinhin unverrückbar an einem Orte verankert ist, unversehens rüstig entschreitet; dagegen bedürfte die Beweglichkeit eines menschlich gestalteten Wesens keiner ausdrücklichen Erwähnung. Sodann scheinen die unterschiedlichen Verben, durch welche

[367] Hom. Il. 6.389, 467; 22.503 (daneben metaphorischer Gebrauch, z. B. Pi. P. 1.20); anders κουροτρόφος, das neben der häufigen Verwendung als Epitheton für Götter (s. Liddell-Scott-Jones s. v. = S. 987, auch Preller-Robert 1.273 sowie H. Usener 124—129) gern zu Ländern (z. B. Hom. Od. 9.27) und vor allem Flüssen (s. Preller-Robert 1.32, 546, Waser 2776.37—41 und 2777.61—2778.8 sowie Nilsson GGR I 238; vgl. die Namensliste bei Usener 353, dazu auch Wilamowitz GdH II 97—98) gestellt wird, aber kaum zur Kennzeichnung sterblicher Frauen dient.

[368] Belege dafür, daß die Inseln prozessionsartig zum Hofe der Meergötter marschieren, entnimmt man den verbalen Fügungen ἀολλίζονται (18), ἔξαρχος ὁδεύει (18), ὄπιθεν . . . μετ' ἴχνια . . . ὀπηδεῖ (19). Kallimachos schildert die soziale Rangfolge der Inseln, wie sie seit der Geburt Apollons bis in die Gegenwart gilt, denn Delos wird als fest (πόντῳ ἐνεστήρικται 13) und besonderer Ehrerbietung wert geschildert (in die mythische Vergangenheit begibt sich der Dichter erst ab v. 28); insofern wird man die Beweglichkeit den Göttinnen zuzuschreiben haben (IS 5, ihr Lokal zu ausgedehnteren Exkursionen verlassend).

[369] Zuvor war 28—40 die Genese der Inseln und, davon abgesetzt, der Ursprung von Asterie-Delos geschildert worden; schon hier ein groteskes Bild: Wilamowitz HD II 65.

die Irrfahrten der Delos veranschaulicht werden, eher den Wanderungen einer Insel als den Bahnen einer Schwimmerin menschlichen Wuchses angemessen zu sein[370].

Den erdkundlichen Anstrich der betrachteten Ausführungen (41—54) durchbricht freilich die Mitteilung, Delos sei auf ihren Reisen von den Nymphen der Halbinsel Mykale gastlich empfangen worden (49—50). Von neuem erscheint also das Motiv sozialen Kontaktes. Der Leser muß bereit sein, vorübergehend wieder eine höhere Identitätsstufe zu akzeptieren.

Die allgemeineren Ausführungen zu Wesen, Wert und Werden der göttlichen Insel beschließt eine Bemerkung, in der man Identitätsstufe 3 zu fassen glaubt. Nachdem Apollon geboren worden sei, habe Delos ihr Wanderleben aufgegeben und zugleich ihren alten Namen Asterie verloren,

> οὕνεκεν οὐκέτ' ἄδηλος ἐπέπλεες, ἀλλ' ἐνὶ πόντου
> κύμασιν Αἰγαίοιο ποδῶν ἐνεθήκαο ῥίζας. (53—54)

Was hier πόδες genannt wird, ist der untere Teil des Inselkörpers, dessen Verankerung im Meeresboden (ἐνεθήκαο ῥίζας 54) der Beweglichkeit des Eilands ein Ende setzt. Es sei daran erinnert, daß diese Art metaphorischen Denkens sehr oft mit integrativer Grundanschauung einhergeht: Teile der Naturerscheinung werden mit solchen des menschlichen Körpers identifiziert und machen dem Betrachter das als göttliche Individualität empfundene Element auf diese Weise anschaulicher. Insofern mag man die Füße der Inselgottheit als ein Indiz für Identitätsstufe 3 nehmen; Kallimachos beschlösse dann den ersten Delos gewidmeten Teil des Hymnus mit einem integrativ gesehenen Bild.

Nach einer langen Schilderung von Letos Not und Heras Haß, die die phantastische Flucht der verschiedensten Lokale in sich schließt[371], kommt Delos erneut ins Blickfeld. Der noch ungeborene, nichtsdestotrotz aber bereits prophetisch begabte Apollon bezeichnet seiner Mutter die Insel, welche im Meer treibe (πλαζομένη πελάγεσσι 192), deren Füße nicht am

---

[370] Die Kombination der recht unterschiedlichen Verba wird eher der Fortbewegung der Insel — einem zwischen Schwimmen und Wandern (Bodenkontakt der πόδες!) anzusiedelnden Vorgang — denn menschlicher Schwimmkunst gerecht (ἔδραμες 45, ἀνηναμένη 46, προσενήξαο 47, ἄδηλος ἐπέπλεες 53 und ποδῶν ἐνεθήκαο ῥίζας 54). Zudem müßte die Länge der angedeuteten Strecken die Leistungsfähigkeit eines menschenähnlichen Wesens überfordern (allerdings sind Dichter dabei nicht so genau, vgl. Ov. M. 5.604—611). — Die Irrfahrten der Delos dürften von Kallimachos erfunden sein: Wilamowitz HD II 66.

[371] 70—85 und 100—105. Diese Flucht führe „zu Vorstellungen, die man nicht ausdenken soll" (Wilamowitz HD II 66); ähnlich A. Lesky 795: „Wir dürfen da keine konkrete Vorstellung versuchen, die alte griechische Einheit von Lokal und Numen ist hier in einer Weise für bizarre Wirkung verwertet, die Ovid gut zu handhaben wußte".

Grund hafteten (πόδες δέ οἱ οὐκ ἐνὶ χώρῃ 192) und die von Winden und Strömung geführt werde (193—194). Sie werde bereit sein, die Kreißende aufzunehmen:

τῇ με φέροις· κείνην γὰρ ἐλεύσεαι εἰς ἐθέλουσαν. (195)

Wir haben also neben der elementaren Körperlichkeit eines treibenden Eilands, welchem wiederum πόδες zuerkannt werden, eine klare Aussage über den Willen der Delos, über ihre Fähigkeit, Partei zu ergreifen. Zuversichtlich dürfen wir aus dem Zusammentreffen dieser Momente folgern, daß Kallimachos die göttliche Insel hier von der integrativen Grundposition aus darstellt.

Auch die folgenden Details lassen sich gut mit Identitätsstufe 3 in Einklang bringen. Asterie sei, so erfahren wir, von Euboia aus genaht (197), noch voll Tang vom Vorgebirge Geraistos (199), habe Leto erblickt (200) und zu ihr gesprochen. Aufschlußreich sind die Worte der Lokalgottheit, in denen sie die Hochschwangere zum Betreten ihres insularen Terrains ermuntert:

„. . . πέρα, πέρα εἰς ἐμέ, Λητοῖ." (204)

Das ist dieselbe integrative Ausdrucksweise, die beim homerischen Skamandros mehrfach anzutreffen war (vgl. oben II A 1): Die anthropopsyche Naturerscheinung spricht von sich als von einer elementaren Körperlichkeit. Menschliches Bewußtsein und menschliche Ausdrucksfähigkeit gesellen sich einem erdgestaltigen Äußeren: eine schöne Bestätigung für Identitätsstufe 3.

Indes, auch die integrative Sicht, welche die vorangegangenen Partien beherrschte, muß weichen. Sie wird, nachdem Apollon geboren, durch das Bild einer anthropomorphen Inselgottheit abgelöst. Zunächst deutet die Beschreibung

χρύσεά τοι τότε πάντα θεμείλια γείνετο, Δῆλε (260)

zwar noch auf den Boden des Eilands[372], doch nur 4 Verse weiter sehen wir, wie Delos

αὐτὴ δὲ χρυσέοιο ἀπ' οὔδεος εἵλεο παῖδα,
ἐν δ' ἐβάλευ κόλποισιν . . . (264—265)

Damit tut sie, was einer Amme obliegt: Sie hebt den Säugling vom Boden und legt ihn an ihre Brust. Noch deutlicher[373] wird der Vorgang in

[372] Auch die Formulierung καὶ ἔσσομαι οὐκέτι πλαγκτή (273) berücksichtigt vornehmlich den elementaren Aspekt der Inselgottheit.

[373] Einem Versuch, metaphorische oder allegorische Ausdrucksweise — etwa im Sinne der βαθύκολπος Γᾶ Pi. P. 9.101, βαθύστερνος χθών Pi. N. 9.25 oder Γαῖ' εὐρύστερνος Hes. Th. 117; die Brust der Gottheit stünde für die Oberfläche des Landes — anzunehmen, dürfte hier

v. 274 bezeichnet; auf die freudigen Worte der glücklichen Inselgotthei
hin teilt Kallimachos mit:

ὧδε σὺ μὲν κατέλεξας· ὁ δὲ γλυκὺν ἔσπασε μαζόν. (274

Zweifel an Identitätsstufe 4 scheinen hier kaum mehr möglich. Daß e
infolge der nunmehr gültigen analytischen Grundposition sogar zu eine
direkten Berührung zwischen Göttin und Element kommt — die Gotthei
Delos hebt den Knaben vom goldenen Boden der Insel Delos auf; jen
Delos ist Subjekt, diese adverbiales Objekt der Handlung —, sei nur an
Rande vermerkt. Erwähnenswert ist jedoch, daß das Stichwort 'Απόλλωνο
κουροτρόφος, das leitmotivisch bereits in v. 2 erklang, nochmals auf
taucht (276). Wir haben gesehen, daß dieser Ausdruck wörtlich genomme
wurde und pralles Leben gewann: Die anthropomorphe Göttin stillt de
Knaben, der ihre Reputation so über alle Maßen erhöht[374].

Der musternde Blick, mit dem wir die Insel Delos durch den Hymnu
geleitet haben, hat die Vielschichtigkeit kallimacheischer Darstellungs
kunst erwiesen. Passagen, die sich auf den materiellen Aspekt der Natur
erscheinung konzentrierten, wechselten mit solchen, in denen das ein
oder andere Indiz auf eine höhere Identitätsstufe zu deuten schien. Mußte
einerseits Delos' Konturen zuweilen als verwischt gelten, fanden sic
andererseits durchaus Abschnitte, welche die vom Dichter ins Auge ge-
faßte Identitätsstufe sich deutlich abzeichnen ließen. Dabei war integrativ
Sicht ebenso anzutreffen wie die analytische Grundposition.

Zum Höhepunkt des Preises, der der Inselgottheit im betrachteten Hymnus
zuteil wurde, wuchs aber die konsequente Ausgestaltung der Forme
'Απόλλωνος κουροτρόφος. Kallimachos denkt den Inhalt dieser Prägung zu
Ende, und so gerät ihm ein ganz konkretes Bild. Der Anspruch der Naturgottheit, auf verschiedenen Identitätsstufen gedacht werden zu können
und doch stets dieselbe Identität „Delos" zu repräsentieren, legitimierte
des Dichters Schwenk zum Anthropomorphen. In eben diesem Weiterdenken von Gegebenem, aber auch — damit verbunden — in dem Bewußtsein, Identitätsstufen elementarer Gottheiten ohne weiteres gegeneinander austauschen zu können, ist ein wesentliches Moment zu sehen, das
Kallimachos von dem Homeriden scheidet und Ovid in die Nähe des
Battiaden rückt.

---

die Grundlage fehlen: Zum einen wären v. 264 und v. 265 nicht miteinander in Einklang zu bringen, sodann räumt die Deutlichkeit des Verses 274 jeden Zweifel aus. — U. v. Wilamowitz IuH 461 meint, Delos lege das Kind der Mutter an die Brust: Dafür sehe ich keinerlei Anhaltspunkt im Text; richtig dagegen A. Lesky 795.

[374] Die Angaben, welche der nun folgende Schlußteil des Hymnus bietet, sind vornehmlich auf das Element ausgerichtet. Für unsere Zwecke läßt sich aus ihnen nichts Wesentliches mehr gewinnen.

Als weitere — wiederum Kallimachos mit Ovid verbindende — Motive mögen die Freude am Experiment, am Zusammenstellen und Konfrontieren konkurrierender mythischer Aspekte, ein gewisser Hang zum Phantastischen, grotesk Überzeichneten, die bewußte Ironisierung durch offenkundige Widersprüche sowie das Streben nach überraschenden Übergängen und Wendungen genannt sein[375].

9) *Peneios* Call. Del. 105—152

Derselbe Akteur, jedoch in ganz anderem mythischem Rahmen: Thessaliens Hauptstrom hat nicht nur Ovid (s. o. S. 142—144) zum Identitätsstufenwechsel gereizt. Neben dieser mehr äußerlichen Gemeinsamkeit werden freilich gewichtigere motivische Übereinstimmungen zwischen dem Augusteer und dem Alexandriner deutlich werden; sie weisen indes nicht auf den Peneus des ovidischen Verwandlungsepos, sondern tragen zur Erhellung einer Liebeselegie des Sulmonensers bei.

Am Ende einer langen Reihe unterschiedlich gezeichneter Lokale[376], die beim Nahen Letos alle schleunig die Flucht ergreifen, erscheint als Hauptperson, bei der der Erzähler fast 50 Verse lang verweilen wird, der Peneios:

φεῦγε δὲ καὶ Πηνειὸς ἑλισσόμενος διὰ Τεμπέων. (105)

Kallimachos charakterisiert den Flußlauf und lenkt damit den Blick auf das elementare Äußere der Naturgottheit. Letos flehende Worte, zunächst (109—111) an die Flußnymphen gerichtet, verschieben das soeben skizzierte Bild jedoch in die Sphäre des Anthropomorphen:

---

[375] Zu Kallimachos' *aemulatio* mit dem homerischen Hymnus, seinen Akzentverlagerungen und kühnen Neuerungen s. Wilamowitz IuH (bes. S.) 457—462, zum Humor Wilamowitz HD II 76—77. Wichtige Bemerkungen zum neuen Kunstwollen des Kallimachos bei A. Lesky 793—795 (Spiel mit der Überlieferung, aber keine Ironisierung; niemals derber und niemals verletzender Humor; bizarre Effekte) und besonders bei E. Howald 72—77 (Unnahbarkeit der Götter aufgehoben, ohne daß der Respekt darunter litte; an den Mythos wird die Frage herangetragen, wie das Geschehen im Detail ausgesehen habe; wohltemperierte Heiterkeit, keine bittere Groteske; der Dichter will dem Mythos treu bleiben, sucht aber dabei die künstlerische Verfeinerung).

[376] Die — übrigens relativ spärlichen — näheren Angaben, die der Dichter über die flüchtenden Orte macht, deuten teils auf elementare, teils auf menschliche Gestalt. Als Beispiele für lokale Charakterisierung seien genannt: ὅλη Πελοπηὶς ὅση παρακέκλιται Ἰσθμῷ (72) und Πηνειὸς ἑλισσόμενος διὰ Τεμπέων (105); mit anthropomorphen Zügen sind folgende Örtlichkeiten ausgestattet: der gehbehinderte Fluß Ἀσωπὸς βαρύγουνος, ἐπεὶ πεπάλακτο κεραυνῷ (78; Zeus-Aigina-Mythos) und die Nymphe Melie, deren Baum in Gefahr gerät (79—85; dazu Wilamowitz HD II 67, Howald 74—75); als menschengestaltiger Gott, dem ein Attribut, welches eine Eigenart des Flußwassers kennzeichnet, beigegeben ist, mag noch der Ismenos erwähnt werden: Δίρκη τε Στροφίη τε μελαμψήφιδος ἔχουσαι / Ἰσμηνοῦ χέρα πατρός (76—77).

Νύμφαι Θεσσαλίδες, ποταμοῦ γένος, εἴπατε πατρὶ
κοιμῆσαι μέγα χεῦμα, περιπλέξασθε γενείῳ,
λισσόμεναι τὰ Ζηνὸς ἐν ὕδατι τέκνα τεκέσθαι. (109—111

Die Gültigkeit von Identitätsstufe 4 erhellt hinreichend aus der Erwähnung der Vaterschaft sowie des γένειον, das zu umfassen die Töchter gebeten werden. Gleichzeitig ermöglicht die — mit Identitätsstufe 4 verbundene — analytische Grundposition der Sprecherin, auch das Element in ihre Überlegungen einzubeziehen: Leto setzt voraus, daß Peneios seinen Fluß regulieren kann.

Wenn die Niederkommende sich jedoch unmittelbar darauf an den Flußgott selbst wendet (112—116), machen ihre Worte den Leser schwanken ob die Anschauung, die er den vorangegangenen Versen entnehmen konnte, gewahrt oder preisgegeben werde. Leto beklagt die erstaunliche Eile des Flusses. Die Schnelligkeit des Angeredeten wird durch vier Bilder anschaulich gemacht, welche auf folgende Vergleichsvorstellungen zielen: Winde (112), Reiter (113), flinker Läufer (114—115) — hier tauchen wiederum die πόδες als dem Humanbereich entstammende Metapher auf[377] — sowie Vogel (115—116). Dabei ist zu bedenken, daß der Göttin bitter ironische Fragen[378] die Person des Peneios unmittelbar zum Gegenstand haben, und daß ferner die elementare Dynamik des reißenden Stromes, nicht ein etwa flüchtender Lokalgott, das entscheidende höchst lästige Hindernis für die Gebärende darstellt. Diese Art der Koppelung mentaler und elementarer Züge führt auf integrative Wahrnehmung. Man wird damit rechnen müssen, daß Leto in den Versen 112—116 Identitätsstufe 3 vor sich sieht.

Identitätsstufe 3 wird auch im Folgenden als tauglichste Interpretation für die Erscheinungsweise des Peneios zu gelten haben. Jedenfalls reichen die Anhaltspunkte, die für Identitätsstufe 4 reklamiert werden könnten, nicht aus, um einen erneuten Wechsel zu analytischer Grundanschauung hinreichend wahrscheinlich sein zu lassen. So heben die Worte, die der Stromgott der eigenen Person widmet, in der schon mehrfach beobachteten Art auf seine Flußgestalt ab[379], und auch die Szene, in welcher Peneios das

---

[377] Alles, was sich fortzubewegen fähig ist, kann πόδες haben; so auch die umherirrende Delo (54), über die im vorangegangenen Kapitel gehandelt ist.
Es muß offen bleiben, ob — zumindest fallweise — auch tierische Schnelligkeit bei der habituellen Metapher Pate stand (bzw. — bei spontaner Metaphernbildung — steht).

[378] Auf den ironischen Ton in Letos Rede (hier: 112—116) weist E. Howald 74 hin.

[379] Vgl. z. B. den homerischen Skamandros (II A 1); die Gottheit spricht von sich als einer elementaren Körperlichkeit. Für Peneios sei auf die Verse 123—124 (οἶδα καὶ ἄλλας / λουσαμένας ἀπ' ἐμεῖο λεχωίδας), 126—127 (ὅς κέ με ῥεῖα / βυσσόθεν ἐξερύσειε) und 129—130 (ῥοάων / διψαλέην ἄμπωτιν ἔχων) hingewiesen.

Wasser staut (133—152), fügt sich integrativer Sehweise ohne Schwierigkeit ein[380].

Zwei Motive verdienen indes noch Erwähnung. Auf Letos verzweifelte Bitte hin reagiert Peneios so:

τὴν δ'ἄρα καὶ Πηνειὸς ἀμείβετο δάκρυα λείβων (121)

Die Gemütswallung des Flußgottes erinnert an den oben (Kapitel 4) abgehandelten Inachus, dem Ovid so reichliche Tränen hatte entquellen lassen. Ios weinender Vater hat also, was jenen Ausdruck der Hilflosigkeit und Trauer anlangt, einen Vorgänger. Die interpretatorischen Schwierigkeiten, die des Peneios Zähren mit sich bringen, entsprechen grundsätzlich den im Inachus-Kapitel besprochenen, auf das daher verwiesen sei.

Eines jedoch verschließt uns den Zugang zu Kallimachos' Auffassung vom Tränenstrom des Gottes: Der lapidare Charakter der Mitteilung δάκρυα λείβων nimmt dem Betrachter die Möglichkeit, verläßlich darüber zu urteilen, ob der Dichter aus der Wassernatur des Weinenden überhaupt eine Pointe hat gewinnen wollen. Während Ovids bewußt überzeichnendes *fletibus auget aquas* als klares Indiz für frivole Sicht, für groteske Komik auf Kosten des grämlichen Flußgottes gelten konnte, muß des Kallimachos Intention offen bleiben. Raffinesse wäre möglich, doch ist naive Geradlinigkeit des Alexandriners nicht weniger wahrscheinlich.

Noch ein weiteres Motiv ist Kallimachos und Ovid gemeinsam. Im Delos-Hymnus erscheint es, um einerseits die anfängliche Furcht des Peneios verständlich zu machen und andererseits den Mut, den er durch seine entschlossene Hilfestellung für Leto beweist, desto leuchtender hervortreten zu lassen. Der Fluß ist, wie alle anderen Örtlichkeiten, durch Heras Zorn bedroht, deren Wächter Ares vom Gipfel des Haimon aus das gesamte Festland argwöhnisch inspiziert (61—64, 125—127, 133—147). Die Folgen, die Peneios im Falle einer Begünstigung Letos zu besorgen hätte, wären für ihn, wie er weiß, schlechterdings katastrophal:

. . . ἦ ἀπολέσθαι
ἡδύ τί τοι Πηνειόν; ἴτω πεπρωμένον ἦμαρ. (127—128)

Wie aber hätte man sich das Ende des bestraften Gottes zu denken? Wann wäre die Existenz eines Wesens, das der speziellen Gruppe der Flußgötter

---

[380] Formulierungen wie ἠρώησε μέγαν ῥόον (133) oder θοὰς δ' ἐστήσατο δίνας (149) sind als Indikatoren für etwaige analytische Sicht des Dichters untauglich; zu dem Problem der „Subjektspaltung" s. o. S. 66—67.
Übrigens stehen jenen Prägungen ein mediales οὐκ αὖτις ἐχάζετο (148) sowie das intransitive μίμνε δ' ὁμοίως / καρτερὸς ὡς τὰ πρῶτα (148—149) zur Seite.

angehört, vernichtet? Kallimachos hat sich nicht damit begnügt, auf die Lebensgefahr, in der Peneios schwebt, bloß hinzuweisen; er hat vielmehr den Untergang der Gottheit konkret ausgemalt. Durch des Bedrohten Einschätzung der Macht, die dem Aufpasser zu Gebote steht, wird die hoffnungslose Überlegenheit der Gegenpartei offenbar:

. . . ὅς κέ με ῥεῖα
βυσσόθεν ἐξερύσειε. . . . (126—127)

Er nehme aber Leto zuliebe jedes Risiko auf sich, auch

. . . καὶ εἰ μέλλοιμι ῥοάων
διψαλέην ἄμπωτιν ἔχων αἰώνιον ἔρρειν
καὶ μόνος ἐν ποταμοῖσιν ἀτιμότατος καλέεσθαι. (129—131)

Und als der Flußgott sich seinen Worten gemäß zu handeln anschickt, ruft er damit die gewalttätige Strenge des rohen Büttels auf den Plan[381]:

εἶπε καὶ ἠρώησε μέγαν ῥόον. ἀλλά οἱ Ἄρης
Παγγαίου προθέλυμνα καρήατα μέλλεν ἀείρας
ἐμβαλέειν δίνῃσιν, ἀποκρῦψαι δὲ ῥέεθρα. (133—135)

Das Motiv der Vergänglichkeit von Flußgöttern bei Schwund ihrer materiellen Grundlage erscheint in drei verschiedenen Brechungen: Peneios könnte „aus der Tiefe" — was bedeuten wird: aus seinem Flußbett[382] — herausgerissen werden (126—127); der Vorgang selbst ist zwar für Identitätsstufe 4 vorstellbar, widerstritte jedoch dem Folgenden und würde dem Gewicht der befürchteten Existenzvernichtung (127—128) nicht gerecht; daher sollte man sich besser auf die grosteske Phantastik besinnen, die den Hymnus kennzeichnet[383]: Ares ist eben fähig, den Fluß (Identitätsstufe 3) wie eine Schlange oder einen Wurm aus der Erde zu ziehen.

Sodann erfährt man von einer völligen Ebbe, dem Versiegen der Srömung (129—130) — was wohl als Folge der soeben beschriebenen Extraktion verstanden sein will — sowie dem endgültigen Untergang, der daraus folge (130); der redende Gott verbindet diese Schreckensvision mit dem Topos des Ehrverlustes (131).

Schließlich wird als dritter Aspekt der Zerstörung des Flusses angeführt, der zornige Aufpasser wolle die Naturgottheit verschütten (133—135);

---

[381] Allerdings bleibt es beim „Säbelrasseln" (133—147). Gute Bemerkungen zur Rolle des Ares findet man bei U. v. Wilamowitz HD II 69.

[382] Dagegen denkt U. v. Wilamowitz HD II 68 an Zerstörung der Quelle.

[383] Erinnert sei etwa an die Prozession der Inseln, die sich zum Empfang am Hofe von Okeanos und Tethys begeben (17—18); an Poseidons Schöpfungsakt (30—35); an die Flucht verschiedener Landschaften, Berge, Städte, Quellen und Flüsse (70—105) in einer Bahn hintereinander (75; dazu Wilamowitz HD II 66—67); an des ungeborenen Apollon Prophetie aus dem Mutterleib (86—99); an der Delos Funktion als Kinderfrau und Amme (6, 264—265, 274).

ganze Gebirgsbrocken sollen sicherstellen, daß dem lebendigen Fließen ein Ende gesetzt wird[384].

In des Kallimachos Idee, das Schwinden des Wassers als Katastrophe gleichzeitig für höhere Identitätsstufen zu begreifen, ist mithin ein ovidischer Gedanke vorgebildet, den der Sulmonenser in seiner Elegie Am. 3.6 (s.o. Kapitel 2) so virtuos bis in letzte absurde Konsequenzen durchgespielt hat. Beiden Dichtern ist dieselbe Überlegung gemeinsam: Wenn die elementare Basis entscheidend getroffen wird, das Wasser versiegt oder durch sonstige Maßnahmen fortgeschafft werden kann, muß das das Ende der Naturgottheit sein. Zusätzlich findet sich in beiden Darstellungen ein Hinweis auf die soziale Schande: Der Flüsse harrt ein Ende ohne Ehre.

Vom gleichen theoretischen Ausgangspunkt her entwickeln die Dichter also ihre Pointen: Kallimachos malt das hohe Risiko des beherzten Peneios in düsteren Farben aus; die radikale Vernichtung von dessen Existenz scheint nur eine Frage der Zeit. Im weiteren Kontext wird so die aussichtslose Lage der gehetzten, allerorts abgewiesenen Leto eindrucksvoll illustriert. Ovid hingegen gießt seinen Spott über den *torrens* aus, dem ein regelmäßiger substantieller Schwund beschieden ist. Ihm liegt daran, die sture Aufgeblasenheit des momentan überbordenden Hindernisses mit blendenden rhetorischen Effekten gegen die zeitweilige Gegenstandslosigkeit des Flüßchens abzusetzen.

10) Thybris Verg. A. 8.31—89

Die ausführlichste Darstellung, welche Vergil einer Naturgottheit gewidmet hat, macht deutlich, daß auch der Verfasser der Aeneis mit wechselnden Grundpositionen zu arbeiten wußte. In klaren Umrissen tritt die analytische Sehweise vor des Betrachters Auge, und kaum minder plastisch zeichnen sich die integrativ geschilderten Stücke ab. Andererseits ist der Dichter an einigen Stellen offenkundig darauf bedacht, jene deutlichen Bilder konvergieren, die Konturen verschwimmen zu lassen.

Dem Flußgott Thybris ist die Aufgabe zugedacht, den Trojanern in einer Lage, da diese sich plötzlich ringsum von feindlicher Übermacht bedroht sehen, tatkräftig weiterzuhelfen. So erscheint er in der Nacht dem Aeneas,

[384] Haben wir hier drei Aspekte eines Vernichtungsmotivs oder drei verschiedene Motive vor uns? Immerhin ist das Verschütten ein ganz anderer Vorgang als das Herausreißen, während die διψαλέη ἄμπωτις zu jedem der beiden anderen — sozusagen als neutrale Beschreibung — stimmen könnte. Offenkundig birgt des Dichters Motivreichtum — vielleicht absichtsvoll — Widersprüche in sich. Vgl. zu ähnlichen gewollten Ungereimtheiten U. v. Wilamowitz HD II 65.

der nach langer sorgenvoller Schlaflosigkeit endlich am Ufer Ruhe gefunden hat, weissagt die spätere Gründung Albas und fordert den Helden auf, Hilfe beim Arkaderkönig Euander zu suchen. Er selbst werde für eine bequeme Fahrt der troischen Schiffe stromaufwärts nach Pallanteum sorgen. Seine Rede beschließt der Gott damit, daß er sich zu erkennen gibt.

Nach dieser Weissagung birgt Thybris sich in seinem Fluß. Aeneas ruft den Gott voller Dankbarkeit in einem Gebet an, das uns über des Helden Vorstellung von der hilfreichen Naturgottheit unterrichtet. Schließlich erfahren wir, wie Thybris sein Versprechen, Aeneas mühelos, obwohl der Strömung entgegen, zu Euander gelangen zu lassen, tatsächlich ausgeführt hat. — Soweit die Ereignisse, die den Flußgott unmittelbar betreffen.

Versucht man — immer vorrangig von den Belangen der Naturgottheit ausgehend — eine Gliederung der Episode, bietet das Ende der Prophetie, die einen Höhepunkt im Geschehen darstellt, eine Zweiteilung an: (1) Die Erscheinung des Gottes, die in seiner Weissagung gipfelt (31—65), (2) Ereignisse nach der Weissagung des Gottes (66—89). Diese beiden Teile wiederum schließen jeweils drei verschiedene Erzählbereiche in sich. Jeder dieser Bereiche hat ein entsprechendes Gegenstück im andern Teil, so daß folgende Untergliederung möglich ist: (a) Epiphanie — Auftritt (31—35) und Abgang (66—67) des Gottes, (b) Beistand — Ankündigung (57—58) und praktische Verwirklichung (86—89) der Hilfe, (c) Charakterisierung — Eigenbeschreibung (62—65) und Beschreibung durch Aeneas (71—78). Die geschilderten Erzählbereiche sollen im Folgenden als thematische Einheiten betrachtet und in der genannten Reihenfolge erörtert werden.

Zur Epiphanie des Flußgottes ist vorab festzuhalten, daß Vergil durch die besondere epische Situation eine gewisse Distanz schafft. Aeneas schaut den Gott nicht unmittelbar, er wird seiner im Schlafe ansichtig[385]. Die Parteinahme der Gottheit zugunsten der Fremdlinge führt nicht etwa zu jener schulterklopfenden Vertraulichkeit, die beispielsweise Ovids Achelous im Verkehr mit Heroen an den Tag legt. Das große *numen*, an dessen Ufern ein Rom wachsen soll, bleibt unnahbar, majestätisch und scheuer Verehrung wert.

---

[385] Der Held hatte, von Sorgen gepeinigt, lange keine Ruhe finden können (18—25), war dann aber endlich doch eingeschlafen (26—30). Dem Schlafenden erscheint der Gott. Erst nachdem dieser wieder im Flusse verschwunden ist, wacht Aeneas auf *(nox Aenean somnusque reliquit 67)*. — Daß die geschilderte Distanz des Gottes nicht als Trugbild ("deceptive dream") mißdeutet werden darf, hat P. T. Eden, Vorbem. zu v. 36—65, mit Recht hervorgehoben. Der Traum ist wirklich.
Vgl. R. Heinze VeT 313—315.

Ferner muß die sprachliche Gestaltung der Verse, die das Erscheinen des Flußgottes beschreiben, der Aufmerksamkeit namentlich des Ovid-Erklärers anempfohlen werden: Wiederum nämlich wird ein kennzeichnender Unterschied im poetischen Gestaltungswillen sichtbar. Und so tritt Thybris ins Blickfeld:

huic deus ipse loci fluvio Tiberinus amoeno
populeas inter senior se attollere frondes
visus; eum tenuis glauco velabat amictu
carbasus, et crinis umbrosa tegebat harundo. (31—34)

Es fällt auf, wie deutlich Vergil die anthropomorphe Gestalt der Gottheit durch sprachliche Mittel herausarbeitet. In der Prägung *deus ipse loci*, die den „Lokalgott in Person" bezeichnet, fassen wir geradezu einen *terminus technicus* für Naturgottheiten, die auf Identitätsstufe 4 gedacht sind. Dermaßen exakte Benennungen hat Ovid dort, wo bei ihm die Szene von Vertretern jener Göttergruppe beherrscht wird, geflissentlich gemieden[386].

Mit ähnlicher Schärfe, wie sie bei der Benennung des Gottes zu beobachten war, treten die Einzelheiten des Handlungsablaufs hervor. Der *deus loci* entsteigt *fluvio amoeno*[387]; säuberlich wird im Sinne analytischer

---

[386] Welcher appellativischen Benennungen Ovid sich bedient, um die Gattung „Flußgott" (bzw. „lokale Gottheit", auf einen Flußgott bezogen) sprachlich wiederzugeben, soll die folgende kurze Übersicht zeigen. Dabei müssen freilich unklare Stellen ausgeschieden werden und die Belege einem möglichst eindeutigen, gut prüfbaren Kontext entnommen sein. So empfiehlt sich eine Eingrenzung des Materials auf jene Textstellen, die in der vorliegenden Arbeit interpretiert werden. Die Deutung eines jeden einzelnen Falles ist auf diese Weise bequem in den betreffenden Kapiteln einzusehen (Material für diese Synopse liefern die Kapitel 1, 2, 3, 6, 13, 17, 22). — Unberücksichtigt bleiben subjektive Äußerungen der Götter, Bezeichnungen von deren Stellung (*deus* M. 9.1, *dominus aquarum* M. 9.17), Gestalt (*corniger* M. 14.602) und Verwandtschaftsbeziehungen (*pater* M. 1.665), also alle jene Appellativa, die den lokalen Charakter der Gottheit außer Acht lassen.
Ovids bevorzugter Ausdruck für anthropomorphe Flußgötter ist *amnis*: M. 8.570, 8.577, 8.611, 8.727, 9.2, 1.575, 1.581, 1.276, 13.896; F. 3.652; M. 5.623, 5.637 = 12 Stellen.
Des weiteren begegnet die Benennung *flumen*: Am. 3.6.24 und 101; M. 1.577 = 3 Stellen.
Für Vergil notiere ich als Bezeichnung der IS 4/5 außer *deus loci* A. 8.31 noch *fluvius* 8.66. Zu beachten ist dabei, daß der *terminus* „Lokalgottheit" nochmals A. 3.697 erscheint: *iussi numina magna loci veneramur*; gemeint sind der Flußgott Alpheus und die Quellnymphe Arethusa. Unbestimmte andersartige Ortsgottheiten werden A. 7.136 und 5.95 (vgl. Williams' Komm. z. St.: "local god") jeweils *genius loci* genannt; vgl. Bailey 33—34.

[387] Eine andere Auffassung (Eden zu v. 31, Durand-Bellessort) sieht in *fluvio amoeno* einen Ablativus qualitatis, den Vergil in der Absicht geschaffen habe, griechischen *adiectiva composita* wie ἐύρροος oder καλλίρροος einen für lateinisches Sprachempfinden akzeptablen Ausdruck zur Seite zu stellen (so Eden). Dafür wird auf A. 7.30 verwiesen, wo eben die Fügung *fluvio Tiberinus amoeno* bereits vorkommt und wohl tatsächlich am besten als Ablativus qualitatis aufgefaßt wird.
Demgegenüber ist freilich zu fragen, ob der Vorgang *se attollere* ohne Angabe des örtlichen Ausgangspunktes (einen "ablative of 'place from which'" zieht Eden als gleichzeitig möglichen sekundären syntaktischen Bezug in Betracht) nicht mißdeutig ist (der Gott hätte dann durchaus

Grundanschauung zwischen Gott und Element getrennt: Der auf Identitätsstufe 4 vorgestellte Thybris muß, um auch außerhalb des Flusses handlungsfähig zu sein, den auf Identitätsstufe 1 gesehenen Thybris überwinden. In ganz entsprechender Weise[388] taucht der Gott, nachdem er Aeneas geweissagt hat, wieder in die Tiefe des Wassers[389]:

dixit, deinde lacu fluvius se condidit alto
ima petens. . . . (66—67)

Wurde die Identitätsstufe des Flußgottes bereits durch Wortwahl und die Art, in der seine Bewegungen geschildert sind, hinreichend deutlich, so gibt uns die Beschreibung des Gewandes und Haarschmucks (33—34) noch weitere zweifelsfreie Einzelheiten an die Hand. Mithin zeigt der Erzählbereich „Epiphanie" (31—35, 66—67) eine konsequent analytische Sicht des Dichters, die Gestalt seines Thybris zeichnet sich auf Identitätsstufe 4 klar ab.

Was den Erzählbereich anlangt, der die Hilfeleistung des Gottes zum Gegenstand hat, so wird sich rasch herausstellen, daß verläßliche Indizien zur Bestimmung der gültigen Identitätsstufe immer rarer werden und daß unser Bemühen, das vom Dichter entworfene Bild getreulich nachzuzeichnen, zu einem immer dornigeren Unterfangen gerät. Infolge dieses Mangels an anschaulichen, eindeutigen sprachlichen Einzelheiten zehrt der Betrachter zunächst von den Erkenntnissen, die er aus der Auftrittsszene

---

z. B. am Ufer liegen können, bevor er sich erhob). Auch in v. 66 hat Vergil Wert darauf gelegt, das Flußbett als Lebensbereich der Gottheit besonders zu betonen (ohne daß dort *lacu alto* m. W. als adnominal gebrauchter deskriptiver Ablativ reklamiert worden wäre). Schließlich würde das Aufgebot an unmittelbar subjektsbezogenen Satzteilen allzu kopflastig, wenn man EDENS Deutung folgte. Ausgewogene syntaktische Proportionen hingegen im anderen Fall: Der allgemeinen Bezeichnung *deus loci*, durch das Adjektiv *Tiberinus* individualisiert, folgt ein persönlicheres *senior*; ebenso ist der Ausgangspunkt der Epiphanie zunächst umfassender mit *fluvio amoeno* angegeben, um dann durch den engeren Blick auf *populeae frondes* ergänzt zu werden. Entsprechend sind die einzelnen Glieder einander harmonisch zugeordnet: *Tiberinus* wird von *fluvio . . . amoeno* (31) ebenso gerahmt wie *senior* von *populeas . . . frondes* (32).

Auf Grund dieser Erwägungen glaube ich — z. B. mit LADEWIG z. St., GÖTTES Übersetzung, vor allem aber mit Tib. Donatus *(. . . nam ipso alveo fluminis inter populeas frondes et aquae currentis lapsum emerserat)* — der lokalen Auffassung höhere Wahrscheinlichkeit zumessen zu sollen.

[388] K. W. GRANSDEN (zu 31—34): "Virgil's description of the god's emergence from his underground waters is balanced by the description of his disappearance at 66."

[389] Hier ist, anders als in v. 74, *lacus* nicht als „Quelle" zu fassen, sondern als "the deep of the river where he dwelt" (CONINGTON-NETTLESHIP, die schlagende inhaltliche Gründe anführen); in diesem Sinne auch K. W. GRANSDEN ("Here it must be supposed that the river-god dived beneath the surface of his waters into his underground reservoir . . ."); zum Bedeutungsspektrum von *lacus* vgl. auch P. T. EDEN zu v. 74.

Die antonomastische Metonymie *fluvius* ist zur Bezeichnung der Vorstellung „Flußgott" ganz normal (Vergils Ausdrucksweise in v. 31 dagegen ist wider die Regel); Serv. auct.: *„fluvius" autem hic ipse scilicet deus alvei.* — C. J. FORDYCE bringt ein Identitätsproblem ins Spiel ("the river-god *is* the river . . ."), das gerade hier nicht besteht.

gewinnen konnte. Also wird er davon ausgehen, daß Thybris seinen Worten dieselbe analytische Sehweise zugrunde legt, auf der immerhin seine eigene Epiphanie beruht.

Wenn der Flußgott nun verspricht, er werde die — gemeinhin kräfteraubende — Schiffsreise der Helden in hohem Maße erleichtern, scheint der Gedanke noch problemlos: Man erlebt einen Lokalgott, der sein Element so zu lenken versteht, wie er es eben wünscht:

ipse ego te ripis et recto flumine ducam,
adversum remis superes subvectus ut amnem. (57—58)

Durch *ipse ego* wird die Person des Gottes, durch *ducam* seine Führerrolle — und das heißt zugleich: seine Regie der Strömung —, durch *recto flumine* die Zielstrebigkeit[390] und durch *adversum amnem* die Naturerscheinung, die der Regulierung durch den Gott bedarf, herausgehoben.

Das alles wird jedoch durch die auf integrativer Sehweise gründende Selbstdarstellung des Thybris (62—65) nachträglich relativiert. Bevor darauf aber näher einzugehen ist, mag noch ein Blick auf jene Szene, die die Beruhigung der Wassermassen schildert, zeigen, wie stark nunmehr die anfänglich so klaren, den Gott deutlich von seinem Fluß abhebenden Konturen verschwimmen:

Thybris ea fluvium, quam longa est, nocte tumentem
leniit, et tacita refluens ita substitit unda,
mitis ut in morem stagni placidaeque paludis
sterneret aequor aquis, remo ut luctamen abesset. (86—89)

Die drei wesentlichen Aussagen innerhalb des Handlungskomplexes v. 86—89 schwanken in auffälliger Weise zwischen den Grundpositionen: (a) Zunächst scheint es, als sorge der Gott für die günstigste Verfassung des Wassers (Identitätsstufe 4 wirkt auf Identitätsstufe 1); wir haben ein transitives Prädikat *(leniit)* und sprachlich eine Trennung von Subjekt *(Thybris)* und Objekt *(fluvium tumentem)*. (b) Dann ein plötzlicher Aspektwechsel — der Fluß verhält, er strömt zurück[391]; das Subjekt ist geblieben

---

[390] Neben der heute vorherrschenden Deutung (Conington-Nettleship, Durand-Bellessort, Eden, Gransden, Fordyce) steht Servius' als Alternative vorgetragene Interpretation, die mir ernstlich erwägenswert scheint: „*est et alia expositio, ut ‚recto flumine' edomito, frenato et in tranquillitatem redacto intellegamus* : *quod etiam fecit, ut* (88) *mitis ut in morem stagni placidaeque paludis* : *ut sit ‚recto' praeteriti temporis participium ab eo quod est ‚rego'* ". — In diesem Sinne auch J. Götte: „Ich will selbst durch Ufer und willigen Fluß dich geleiten".

[391] *refluens* (87) ist wohl mit Conington-Nettleship zu verstehen: "It is not meant that the stream actually flows back to its source, which would be inconsistent with '*substitit*', but that its onward motion was checked so as to make it all but stationary, which would suggest the notion of flowing back." — So offenbar bereits Tib. Donatus: „. . . *unda refluente hoc est repressa et retenta* . . .".

(*Thybris* aus v. 86), doch werden ihm jetzt zwei intransitive Prädikate (*refluens, substitit*) beigegeben. (c) Der letzte Vorgang[392] wird wiederum so dargestellt, als regle der Gott die Wasserfläche; das Subjekt *Thybris* gilt unverändert, und das Prädikat hat den aktiven Charakter des Transitivums. — Zu beachten ist das Eindringen integrativer Anschauungsweise: In Aussage (b) kommt Thybris — im Gegensatz zum Inhalt der Aussagen (a) und (c) — in elementarer Gestalt[393] seinem Versprechen nach: Er glättet nicht, sondern wird glatt.

Wenn die zuvor für gültig erachtete analytische Sicht so unvermittelt durchbrochen werden kann und der Dichter um säuberliche Trennung der Grundpositionen offenkundig gar nicht bemüht ist, liegt die Frage nicht fern, als wie verläßlich denn jene Indikatoren zu gelten haben, durch welche Identitätsstufe 4 empfohlen wurde. In der Tat wäre es denkbar, in *ducam* (57) mit seiner adverbialen Bestimmung sowie in *superes* (58), *leniit* (87) und *sterneret* (89) mit ihren Objekten Periphrasen intransitiver Vorgänge zu sehen. Mag man auch dessenungeachtet analytische Grundanschauung innerhalb unseres Erzählkomplexes (57—58, 86—89) für prävalent halten, in jedem Fall beginnt der Boden, auf dem diese Interpretation steht, zu schwanken, die Eindeutigkeit, mit der Identitätsstufe 4 und Identitätsstufe 1 in den Epiphanie-Szenen (31—35, 66—67) getrennt werden konnten, erscheint nunmehr (57—58, 86—89) wesentlich gemindert.

Abschließend sollen die Charakterisierungen, welche die Naturgottheit Thybris erfährt, betrachtet werden. Die diesem inhaltlichen Bereich zugehörigen Verse (62—65, 71—78) werden durch integrative Grundanschauung bestimmt, was auf den ersten Blick um so befremdlicher wirken muß, als der zweifelsfrei auf Identitätsstufe 4 erschienene (31—34) und in dieser Gestalt zu Aeneas sprechende[394] Gott seine eigene Identität von integrativer Warte aus beschreibt:

> . . . *ego sum pleno quem flumine cernis*
> *stringentem ripas et pinguia culta secantem,*
> *caeruleus Thybris, caelo gratissimus amnis.*
> *hic mihi magna domus, celsis caput urbibus exit.* (62—65)

[392] Strenggenommen handelt es sich eher um drei Aspekte eines Vorgangs — das berühmte vergilische Verfahren, ein „Thema" zu „variieren" — als um drei sachlich verschiedenartige Vorgänge.

[393] Von willentlichem Handeln ist in jedem Falle auszugehen, so daß hier nur IS 3 und keine niedrigere IS angesetzt werden kann.

[394] Es sei daran erinnert, daß sein Abgang (66—67) ebenso zweifelsfrei analytisch dargestellt ist wie sein Auftritt. Aeneas nimmt also von v. 31 bis v. 67 IS 4 wahr. Die zwischenzeitlich bemühte IS 3 gehört als Sekundärinformation aus dem Munde des Gottes einer anderen Erzählebene an.

Der Gott geht also auf sein elementares Äußeres ein, seinen Worten zufolge ist er selbst es, der die Ufer streift und fruchtbares Kulturland durchschneidet. Zwar werden durch die Metaphern *domus* und *caput* Töne angeschlagen, die an die Humansphäre gemahnen, welcher sie entstammen, doch bleiben solche Anklänge sekundär: Weder will Thybris auf seinen Palast hinweisen noch die Aufmerksamkeit des schlafenden Helden auf sein anthropomorphes Haupt lenken; ihm ist es vielmehr darum zu tun, Flußlauf und Quelle — zumindest näherungsweise — zu lokalisieren, nachdem er bereits den Wasserreichtum (62—63), die dadurch entstehende Fruchtbarkeit (63) sowie die überregionale Bedeutung der Naturkraft Tiber (64) hervorgehoben hatte[395].

Eine gewisse Akzentverlagerung wiederum ist in Aeneas' Gebet an Thybris (71—78) zu beobachten. Hier stehen Wendungen, die analytischer Sehweise entspringen, neben einer Prägung, die der integrativen Grundposition verpflichtet ist. Zu nennen sind der formelhafte Anruf[396]

tuque, o Thybri tuo genitor cum flumine sancto (72)

zu Beginn sowie die beschließende Epiklese

corniger Hesperidum fluvius regnator aquarum (77)

als Gedanken, die von Identitätsstufe 4 als der dem Gott angemessensten Vorstellungsform ausgehen. Eine Koppelung der einander widerstreitenden Identitätsstufen bieten die beiden in den verallgemeinernden Relativsätzen der Verse 74—75 enthaltenen Du-Prädikationen:

quo te cumque lacus miserantem incommoda nostra
fonte tenent, quocumque solo pulcherrimus exis, | ... (74—75)

Aeneas verknüpft mithin die Vorstellung, der menschengestaltige Gott müsse sich irgendwo innerhalb seines Flusses aufhalten, mit einer Anschauung, derzufolge das angerufene göttliche Wesen ein elementares

---

[395] Das überraschende Attribut *caeruleus* (64) wird als gattungsspezifisch zu werten sein (Conington-Nettleship, Fordyce), ähnlich wie etwa das *piniferum caput* des vergilischen Atlas (Verg. A. 4.249; dazu Conington-Nettleship sowie Pease: *piniferum* gilt nur für sehr begrenzte Regionen des Gebirges, ist also wohl doch "traditional epithet of mountains in general"). P. T. Eden nennt ein weiteres Motiv: "... it is more likely that Virgil was attracted by the sound-echo between *caelo* and its derivative *caerul(e)us*." (Ähnlich Gransden und Fordyce). Zu *caelo gratissimus amnis* (64) finden sich gute Ausführungen bei Eden z. St.
Die Problematik des vielbesprochenen Verses 65 wird von Eden ausführlich diskutiert; seiner Auffassung "here is my great home; the upper part of my stream flows from among lofty cities" (so schon Servius und Tib. Donatus) schließe ich mich (mit Ladewig, Nettleship, Durand-Bellessort, Fordyce und Götte) an.

[396] Dazu Servius zu v. 72 und besonders P. T. Eden zu v. 31 und zu v. 72, auch C. J. Fordyce zu v. 72; vgl. K. Latte 43 und 132.

Äußeres besitze. Dabei berücksichtigt er sowohl die Erscheinungsform, derer er selbst ansichtig geworden war — also Identitätsstufe 4 mit Wohnsitz in Identitätsstufe 1 —, als auch das Bild, welches der redende Gott von sich entworfen hatte — also Identitätsstufe 3.

Als Motiv für Aeneas' Unentschlossenheit, sich klar und konsequent für eine der beiden Grundpositionen zu entscheiden, kommt, wie verschiedene Kommentatoren richtig gesehen haben[397], eine vornehmlich römische Eigenart in Betracht: die ängstliche Vorsicht, die dann obwaltet, wenn es gilt, den Namen des Gottes richtig zu nennen, Züge seines Wesens oder sonstige persönliche Merkmale korrekt wiederzugeben. Diese Haltung wird man aber nicht nur in der Wahl der *pronomina indefinita* zu erkennen haben. Auch und gerade das Bestreben, sich auf keine Identitätsstufe festzulegen, die Grundanschauung offen zu lassen, ist als ein Zeugnis für die religiöse Bedachtsamkeit des Trojaners zu werten, der sicherzustellen trachtet, daß seine Worte in jedem Fall die Natur des Gottes — wie immer diese gestaltet sei — treffen.

Mit dem Versuch, Aeneas' Schwanken zu erklären, sind wir bereits an die Frage gelangt, warum Vergil seinem anthropomorphen Thybris eine integrative Eigenbeschreibung in den Mund gelegt, warum er überhaupt widersprüchliche Aussagen nebeneinandergestellt und über weite Strecken hin eine Trübung der Konturen des Gottes gefördert hat. Unser Bemühen um Klärung jener Unausgeglichenheit muß gleichermaßen von Vergils Religiosität[398] wie von der Bedeutung der Thybris-Episode im Rahmen des Gesamtzusammenhanges ausgehen. Auch der emotionale Wert des Tiber, der für Dichter wie Leser jenes nationalrömischen Epos gewiß nicht gering zu veranschlagen ist, sollte in Betracht gezogen werden.

Sicher ist Vergil in wesentlich höherem Maße religiösen Empfindungen zugänglich gewesen als etwa Ovid. Würdige Darstellung der Götter und deren Transponierung ins Erhabene[399] gelten als kennzeichnend für die

---

[397] P. T. Eden (zu "74 f."): "... the very real anxiety of primitive Romans to address the divinity worshipped correctly" (mit weiteren Beispielen); K. W. Gransden (zu "74—5"): "These lines must be referred back to 65—6 ... but they also represent a common formula whereby, in addressing a deity, the Greeks and Romans covered all possible contingencies by being as all-embracing as possible as to name, location, etc.". Vgl. auch G. Wissowa RuK 37 bis 38, K. Latte 50—63 (bes. 61—63), W. Pötscher, Numen 365—367.

[398] Vergils Religiosität ist hier als seine Darstellung des Religiösen zu fassen. Aussagen zur persönlichen Haltung des Dichters sollen im Rahmen dieses Kapitels nicht gewagt werden. Vgl. W. Fauth 74 sowie W. Pötscher, Vergil und die göttlichen Mächte 164—170 (Pötschers Besprechung des vergilischen Tiberinus, ebendort S. 134—136, ist hingegen ohne Wert).

[399] K. Büchner, P. Vergilius Maro, 1455.44—1457.29 (mit weiterer Literatur). Von grundsätzlicher Bedeutung sind auch die Ausführungen C. Baileys (bes. S. 29—30 und 58—59 über Vergils Verhältnis zu den alten Gottheiten der Landschaft).

Dichtung Vergils. In seinen Götterszenen, so bemerkt H. Diller[400], ist es ihm vor allem wichtig, das erhabene Fatum zu zeigen, unter dem sich die Geschichte des Aeneas vollzieht. Hierher fügt sich, daß, wie R. Heinze zeigt[401], Vergil der psychologischen Wirkung von Epiphanien größeres Gewicht beimißt als der plastischen Gestalt der beratenden Gottheiten.

Sodann ist zu beachten, daß des Thybris Erscheinung einen besonders feierlichen Augenblick markiert. Die Fahrt zum späteren Rom steht unmittelbar bevor; der Gott gibt Aeneas die Zuversicht, daß beim Arkaderkönig Euander wirksame Hilfe seiner warte, und verspricht physische Förderung des bedeutungsvollen Unternehmens. Eine neue Erzähleinheit, die Bücher 8—12 umfassend, beginnt mit unserer Episode[402].

Der Gefühlswert, den der Tiber für Römer haben mußte, kommt hinzu. Ein nationaler Gott, ein bedeutender Gott der römischen Landschaft war hier zu schildern, der Genius des Stromes, der in augusteischer Zeit Symbol für die römische Weltherrschaft ist[403].

Erwägt man alle diese Momente, so darf man annehmen, daß Vergil um würdige Darstellung des Flußgottes bemüht war. Allzu vertraulichen Umgang, allzu menschliche Nähe — wie sie beim Verkehr ovidischer Götter mit Sterblichen vorherrscht — wird der Dichter der Aeneis um der Größe des Göttlichen willen gemieden haben. Aus einer solchen Haltung heraus könnte Vergil es für angemessen erachtet haben, die anfänglich gültige analytische Grundposition partiell zu relativieren bzw. abzulösen.

Vergils Erzählung mag von ähnlicher Ehrfurcht dem Gotte gegenüber getragen sein wie des Aeneas Anaklese: Es ist müßig, die Natur der mächtigen Elementargottheit zu erforschen, deren Handlungen etwas Geheimnisvolles sind, nüchtern gliederndem Verstand nicht zugänglich. Einmal ist der anthropomorphe Gott erschienen, aber das war ein Wunder, dem Auserwählten zugedacht, und geschah in der Entrückung des Schlafes. Schnell zerfließt das plastische Bild der Identitätsstufe 4, zuweilen Identi-

---

400 H. Diller WdF 338. Er stellt Aeneis und Ovids Metamorphosen einander gegenüber und bemerkt über Vergil im Verhältnis zu Ovid: „So ist es ihm auch wichtiger, seine Götterfiguren in wirkender, beratender oder verkündender Aktion zu zeigen, während Ovid sie immer wieder in effektvoller figürlicher Pose darstellt".

401 R. Heinze VeT 318; dort S. 313—314 auch gute Bemerkungen dazu, wie im Traum erscheinende Götter auf die Fragen, die den Schlafenden innerlich beschäftigen, antworten (Orakelfunktion der Epiphanien).

402 K. Büchner, P. Vergilius Maro, 1401.20—1402.67; s. bes. die Interpretation der Ereignisse bis zur Ankunft bei Euander, Abschnitt 1402.42—59.

403 Nationalen Stolz über den Tiber und Ehrfurcht vor dessen Gottheit spiegeln die Verse 31 *fluvio amoeno*, 62—65 (Wagner zu v. 65: „Hindeutung auf Rom und dessen Größe"; vgl. Gransden zu v. 64), 72 *genitor* (Conington-Nettleship: "epithet of reverence"), 75 *pulcherrimus*, 77 (Eden: "Virgil is echoing national pride in the river of the ruling city").

tätsstufe 3 Raum gebend, dann wieder dominant, schließlich sich mit jene verzahnend, so daß die Episode unter dem Eindruck der Unbestimmtheit — und im Sinne Vergils wohl zugleich: Unbestimmbarkeit — des Thybris schließt.

Es scheint, die Lizenz epischer Tradition treffe sich hier mit einer stoisch geprägten Grundhaltung[404], und Anthropomorphismus werde mit dem Gedanken, der Strom sei eine der zahllosen Emanationen des göttlichen Weltgeistes, verquickt. Dem würde die sprachliche Gestaltung Rechnung tragen: Durch den verwirrenden Identitätsstufenwechsel vermeidet es der Dichter, sich auf ein bestimmtes Äußeres der Naturgottheit, deren Wesen man nicht verbindlich deuten könne noch solle, festzulegen; das Unerklärliche, das Numinose gehöre zu ihrer Art und Größe.

Ist diese Beurteilung vergilischer Religiosität richtig, fassen wir in unserer Thybris-Episode einen fundamentalen Unterschied zu Ovid, der gerade um verstandesmäßige Durchleuchtung des Wesens von Naturgottheiten bemüht ist und dazu tendiert, vorhandene Vorstellungsformen nach allen Regeln rhetorischer Kunst gegeneinander auszuspielen. Trotz äußerlich-phänomenologischer Gleichartigkeit in der Darstellung[405] — beide Dichter halten sich nicht konsequent an eine einmal bezogene Grundposition und zeigen die behandelte Naturgottheit wechselweise auf unterschiedlichen Identitätsstufen — sind doch die Motive, welche Vergil dazu bewogen haben, so zu verfahren, ganz andersartig als diejenigen, denen Ovids Elementargötter ihr wahrlich wechselhaftes Leben verdanken.

Ergänzende Stellenangaben zum 1. Abschnitt

Ov. M. 11.156 : 157 : 158: Tmolus; Wechsel IS 3 : IS 4 neben IS 1 : IS 3; s. Kap. 11.
Ov. Am. 3.6.25 : 26: Inachus; wahrscheinlich Wechsel IS 3 : IS 4 in IS 1; s. Kap. 12.
Ov. M. 5.409—437 : 456—470: Cyane; Wechsel IS 4 in IS 1 : IS 3; s. Kap. 21.
Ov. M. 5.587—637 : 637—638: Alpheus; Wechsel IS 4/5 in bzw. neben IS 1/2 : IS 3; s. Kap. 22.

Ein Wechsel der Identitätsstufe des handelnden Subjekts liegt ferner an allen Textstellen vor, die im 5. Abschnitt behandelt werden; dort wird jeweils eine anthropomorph gedachte Naturgottheit von einer Handlung betroffen, auf die

---

404 Vergils Aeneis als von stoischem Glauben geprägt: R. Heinze, Die Augusteische Kultur, 53—57, und ders. OeE 315. — Speziell zu Vergils Darstellung niederer Gottheiten s. W. Fauth, Gymn. 78 (1971), 54—75 (er behandelt den Thybris allerdings nur ganz beiläufig); ihm sind diese Götter „personhafte Ausdrucksformen weltbewegender und -verändernder Einflüsse aus dem metaphysischen Bereich" (74).

405 Von wichtigen Unterschieden, die in der epischen Situation gründen (Traumerscheinung bei Vergil) und die für einen Vergleich beider Schilderungen stets berücksichtigt werden müssen, war oben bereits mehrfach die Rede.

ie dann als fühlendes Element (IS 3; selten als bloße Naturerscheinung: IS 1) eagiert; s. Kap. 23—32.
u erwähnen ist schließlich die *communis opinio* zu Ovids Darstellung der Tellus M. 2.272—303), von der man wähnt, verschiedene Vorstellungsformen lösten inander ab bzw. verschmölzen miteinander; anders die in dieser Arbeit vorgechlagene Deutung; s. o. Kap. II A 3.
gl. in entsprechendem Sinne auch den homerischen Skamandros (s. o. Kap. I A 1).

. *Abschnitt:*

Jnmittelbare Berührung eines Gottes mit seinem Element

m 2. Abschnitt sollen Textstellen behandelt werden, die einen Gott in irektem körperlichem Kontakt mit seinem Element zeigen. Es gilt die nalytische Grundanschauung. Dabei erscheinen die beteiligten Identitätstufen in einer bestimmten Situation als Handlungsträger und Handlungsiel, Subjekt und Objekt, Bewohner und Ort. Die Berührung wird in der Regel sprachlich eindeutig als solche gekennzeichnet, zumindest aber geht ie klar aus dem Handlungsverlauf hervor.

1) *Tmolus* Ov. M. 11.150—173

Zu Anfang des elften Buches der Metamorphosen findet sich im Rahmen ler Sagen um Midas die bekannte Schilderung des musischen Wettstreits wischen Pan und Apollo. Ort des Geschehens, sowohl der Herausorderung durch Pan als auch des Schiedsgerichts, ist der Berg Tmolus:

nam freta prospiciens late riget arduus alto[406]
Tmolus in ascensu clivoque extensus utroque
Sardibus hinc, illinc parvis finitur Hypaepis. (150—152)

Pan habe es gewagt, Apollos Lieder vor den eigenen geringzuschätzen, ınd so

iudice sub Tmolo certamen venit ad impar. (156)

Die Aufmerksamkeit des Lesers wird also zunächst auf ein topographisches Phänomen, eben das Bergmassiv Tmolus, gelenkt. Dabei können und ollen die Eingangsverse 150—152 noch nicht ahnen lassen, wohin diese Landschaftsbeschreibung sich weiten wird. Um so mehr überrascht dann lie Mitteilung, der Berg sei *iudex* (156); sie macht deutlich, daß Ovid hier nindestens Identitätsstufe 3 im Auge hat. Gleichzeitig erscheint die

---

[406] *nam* verbindet lediglich die zuvor gemachte Ankündigung, Midas werde sich durch seine Jnverständigkeit ein zweites Mal schaden, mit der Erzählung, wie das geschah.

„unverdächtige" Metapher *prospiciens* (150) in neuem Licht: ein ambi valenter Ausdruck, zur Reinterpretation einladend, für integrative Grund anschauung bestens geeignet[407].

Würden sich die bisher erwähnten Details — elementare Einzelzüge ambivalentes *prospiciens*, menschliche Urteilsreife — am sinnvollsten in einanderfügen, wenn man Identitätsstufe 3 als von Anfang an gültig be trachtete, so ändert sich die Perspektive mit dem folgenden Vers 15 schlagartig und grundlegend. Damit nicht genug, läßt Ovid seine Sehweise noch im selben Satz (157—158) erneut umschlagen:

monte suo senior iudex consedit et aures
liberat arboribus; quercu coma caerula tantum
cingitur, et pendent circum cava tempora glandes. (157—159)

Unvermittelt wechselt Ovid zu analytischer Sicht und kann seine Leser so mit dem Paradoxon zweier Tmoli verblüffen, deren einer nunmehr zum Hauptakteur befördert, der zweite zum Sitzplatz degradiert ist. Zwei Momente geben der Aussage, der Gott mache sich's auf seinem Berg be quem, einen komischen Anstrich: Zum einen taucht der Gedanke ganz überraschend inmitten einer heterogenen Umgebung auf; im Voran gegangenen waren lediglich oromorphe und anthropopsyche Züge, die zu integrativer Anschauung zu koppeln nahelag, erschienen[408], zumindest jedoch hatte Ovid es vermieden, zwingende Anhaltspunkte für eine Menschengestalt des Tmolus zu geben. Der plötzliche Kontrast akzentuiert die Komik, die dem Vorgang als solchem innewohnt, besonders scharf.

Als zweites Moment trägt die konsequente Handhabung der gewählten Grundposition entscheidend zu jener komischen Wirkung bei. Da nach analytischer Anschauung Gott und Berg als zwei selbständige Einheiten gelten, kann die Gottheit, wenn sie es wünscht, auch in direkten körper lichen Kontakt zu ihrem Lokal treten. Hier, im Vers 157, wo Ovid dem Unparteiischen einen Richterstuhl zu gönnen gedachte, lag mithin nichts näher, als zu diesem Zweck den Berg heranzuziehen: Die legitime Tren nung von Identitätsstufe 4 und Identitätsstufe 1 wird an einem konkreten

[407] Die eigentliche, menschlichem Sehen geltende Bedeutung bedarf keines besonderen Nach weises; für übertragenen Gebrauch (auf höhergelegene Orte mit freiem Ausblick bezogen) vgl Hor. epist. 1.10.23 (*laudaturque domus, longos quae prospicit agros*) und Ov. M. 8.330 (*(sc. silva) devexa . . . prospicit arva*).
Bewußte Ambivalenz wird man auch in der Formulierung *iudice sub Tmolo* (156) zu sehen haben Zur (eigentlichen) lokalen wie zur (übertragenen) modalen Verwendung s. KÜHNER-STEG MANN 1.570.1 (räumlich) und 3 a (Angabe der Unterordnung).

[408] Auch im Folgenden ist, wie noch gezeigt werden soll, IS 3 prävalent, so daß die Aussage *monte suo senior iudex consedit* mit der ihr zugrundeliegenden Grundanschauung im Kontext iso liert steht.

Fall durchgespielt, ihre Auswirkung zu Ende gedacht und mit dem Nachdruck, der knappen Sätzen eignet[409], formuliert.

Kaum jedoch hat der erstaunte Leser zur Kenntnis genommen, daß der Alte sich auf das eigene Lokal setze, schon wird ihm ein erneutes Umlenken abverlangt: Berg Tmolus ist für den folgenden Gedanken nicht mehr Bank oder Sessel seines anthropomorphen Gottes, er will vielmehr wiederum als göttlicher Körper verstanden werden. Nach dem komischen Effekt, den Ovid analytischer Grundanschauung abzugewinnen verstand, sollen nun aus integrativer Betrachtungsweise Funken des Witzes geschlagen werden[410].

Dieses Ziel erreicht der Dichter durch folgerichtige Ausdeutung einer vorgegebenen[411], für Identitätsstufe 3 charakteristischen Körperteil-Meta-

---

409 Der Vorgang ist denkbar bündig gefaßt; 5 Wörter verteilen sich auf: a) Ortsangabe (2; *suus* betont die Zugehörigkeit: Tmolus setzt sich auf den Berg Tmolus, nicht auf einen anderen Berg), b) handelndes Subjekt (2), c) Prädikat (1).

410 Zwei Erwägungen geben zu der Frage, ob das Subjekt des Verses 157 statt auf IS 4 auch auf IS 3 gesehen werde könne, Anlaß: 1) Die gesamte Episode ist von integrativer Grundanschauung bestimmt; daher wird die ansonsten einheitliche Linie der Erzählung von der Aussage des Verses 157 unterbrochen. 2) M. 2.303 *(rettulit os in se)* scheint M. 11.157 *(monte suo . . . consedit)* gut vergleichbar zu sein und damit einen interpretatorischen Präzedenzfall abzugeben: Die Bewegung der Tellus gilt zwar gemeinhin als analytisch (die anthropomorphe Erde ziehe sich ins Erdinnere zurück), wird aber besser als integrative Darstellung interpretiert (s.o. S. 100—101).

Indes zeigt die Prüfung des Verses 157, daß die beiden Glieder, welche die Naturgottheit beschreiben *(monte suo* und *senior iudex)*, jeweils das gesamte Wesen „Tmolus" umfassen. Für integrative Grundposition wären aber nur Teile eines Wesens geeignet, miteinander konfrontiert zu werden. Man müßte schon in „*monte suo*" einen geographischen Punkt oder eine Fläche sehen, auf die das anthropopsyche Bergmassiv sich setzte (und auf der es sich demzufolge zuvor nicht befunden haben kann): eine semantisch doch recht abwegige und in sich unstimmige (wanderndes Gebirge) Deutung.

Damit unterscheidet die Darstellung des Tmolus sich deutlich von der der Tellus, bei der man sich — so grotesk der Vorgang auch wirken mag — doch immerhin vorstellen kann, daß sie ihr Antlitz bergend einzieht. Für den Berggott bleibt hingegen nur die analytische Grundanschauung sinnvoll: Der Gott tritt auf originelle Art mit seinem Bereich in Kontakt.

411 Berühmtestes Vorbild ist Verg. A. 4.246—251; dort finden sich nach den drei ambivalenten Details *apex* (246; vgl. Pease z. St.), *latera* (246) und *vertex* (247) die folgenden, jeweils durch Naturphänomene näher charakterisierten Körperteile *caput* (249; (a) *cinctum nubibus*, (b) *piniferum*, (c) *vento pulsatur*), *umeri* (250; *nix tegit*), *mentum* (250; *flumina praecipitant*) und *barba* (251; *glacie riget*); zu *senex* (251) s. Servius z. St. — Die Metaphorik, mit der Vergil hier arbeitet, hat immer wieder Befremden hervorgerufen; dazu Conington-Nettleship (zu v. 249): "The identification in detail of the mountain and the Titan perhaps seems a little ungraceful. Sides, head, and shoulders are natural enough; but the chin and the beard strike a modern reader as grotesque. Henry however rightly reminds us that Virg. is not personifying the mountain, but describing one who having been a demigod had become a mountain by transformation, so there is some excuse for pursuing the resemblance minutely." (Eine Erkenntnis übrigens, die letztlich auf Servius (zu v. 246) zurückgeht: „*bene ei quae sunt hominis dat, nam rex fuit*".). Ein weiterer Aspekt wird von A. S. Pease (zu v. 250) hervorgehoben: ". . . we must remember (1) that this is no ordinary mountain but one metamorphosed, as Ovid describes, from a person; and (2) that such terms as 'head', 'arm', 'shoulder', 'knee', and even 'nose' and 'chin' (as on Mt. Mansfield, Vermont) are even today used of parts of mountains, especially as seen in profile". (Auf den

phorik: Der berggestaltige Gott muß, um die Feinheiten der musikalischen Darbietungen überhaupt hören zu können, die Bäume von seinen Ohren entfernen. Neben der ohnehin grotesken Vorstellung eines belebten, über metaphorisch durchsichtige Körperteile wie Haupt, Haar, Bart, Kinn oder Schultern verfügenden Berges in seinem gigantischen Ausmaß wirken in der betrachteten Aussage v. 157—158 vor allem zwei Dinge befremdlich: erstens, daß dem Tmolus sogar Ohren[412] gegeben werden; sodann, daß der Wald, der den Haarbewuchs des riesigen Hauptes darstellt, beim Hören hinderlich sein kann.

All das aber ist durch genaue Parallelität zum Körperbau wie zum akustischen Verhalten des Menschen legitimiert; die komische Wirkung entsteht nicht etwa dadurch, daß Ovid ins Phantastische schweifte. Er unterhält seine Leser, indem er vorhandene Vorstellungen — religiöse Grundpositionen, Metaphern, sprachliche Ambivalenzen — nutzt und folgerichtig weiterentwickelt.

Nur kurz sei auf die folgende Aussage (158—159) eingegangen. Sie macht eine Bestimmung der gemeinten Identitätsstufe nicht eben leicht. Offenbar trägt Tmolus hier einen Eichenkranz: Das kann ebenso auf die Flora des Berges (Identitätsstufe 3) wie den Kopfschmuck des Gottes (Identitätsstufe 4) bezogen sein. Die Erwähnung von *glandes* freilich will zu den gewaltigen Maßen, die bei integrativer Anschauung vorauszusetzen sind, nicht recht passen. Es bleibe dahingestellt, ob dieses eine Indiz für hinreichend zu erachten ist, einen erneuten Wechsel der Betrachtungsweise anzunehmen.

---

zuletzt genannten Punkt geht schon R. G. Austin zu v. 250 kurz ein). — Die Funktion der Beschreibung des *mons Atlas* im Handlungszusammenhang ist gut herausgearbeitet von U. Scholz, WüJbb 1.1975, 125—136 (134: „im Namen des als Person gesehenen Berges wachgerufene Erinnerung an Auflehnung und Bestrafung“, 135: „die zu Stein gewordene Urstrafe“). — Das Gesagte macht hinlänglich deutlich, daß von einer Naturgottheit Atlas bei Vergil kaum die Rede sein kann. Will man dennoch eine IS angeben, käme nur IS 1 in Betracht. Nichts deutet auf Leben, Bewußtheit oder Handlungsfähigkeit des geschilderten Berges hin (abwegig daher die Meinung Bömers zu Ov. M. 11.150—152, daß Vergils Schilderungen des Atlas und des Appenninus „in gleicher Weise göttliche Person und Naturgewalt des Berges miteinander verbinden“).

Wieder anders das Gleichnis Verg. A. 12.701—703, wo Vater Appenninus „stolz mit schneeigem Gipfel sich hochauf reckt in die Lüfte“. (Götte). In diesem Naturerleben wird IS 2 faßbar.

Ähnlich aufschlußreich wie Verg. A. 4.246—251 ist Ovids eigene Beschreibung der Metamorphose des Atlas (M. 4.657—662); aus ihr können wir die folgenden ausdrücklichen Entsprechungen gewinnen: *barba*, *comae* (657) — *silvae* (658); *umeri*, *manus* (658) — *iuga* (658); *caput* (659) — *cacumen* (659); *ossa* (660) — *lapis* (660).

Für die griechische Dichtung mag hier ein Hinweis auf Call. Dian. 41 Λευκὸν ἔπι Κρηταῖον ὄρος κεκομημένον ὕλῃ sowie auf Call. Del. 81—82 χαίτῃ Ἑλικῶνος genügen.

[412] Die Ohren können wahrlich nicht als usuelle Metapher gelten. Ovid füllt durch seinen Einfall eine metaphorische Lücke. Das Bild läßt sich immerhin bei einigem guten Willen durchaus nachvollziehen, denkt man nur an entsprechende höhlenartige Steinformationen.

Ein dritter komischer Effekt in der Tmolus-Episode basiert ähnlich wie die Entfernung jener Bäume, die des Richters Hörvermögen hemmten (157—158), auf Identitätsstufe 3. Nach Pans Vortrag wendet der Berggott sein Haupt dem Kontrahenten Apollo zu:

... post hunc sacer ora retorsit
Tmolus ad os Phoebi; vultum sua silva secuta est. (163—164)

Die Drehung des Gesichts wird vom Wald — dem Haarbewuchs der elementaren Gottheit — mitvollzogen. Wiederum dient eine plastisch vorgeführte Aktion des mit Fühlen und Wollen begabten Bergmassivs der Erheiterung einer aufgeklärten Leserschaft[413].

Bei unserer Betrachtung wurde deutlich, daß alle untersuchten Handlungsschritte ihre seltsame Lebendigkeit dem gleichen Verfahren Ovids verdanken: Jeweils wählt der Dichter eine Grundanschauung, aus der heraus er grotesk anmutende Bilder gestaltet. Das Vergnügen, welches gleichgestimmte Leser bei jenen Darstellungen empfinden, gründet auf dem Widerspruch zwischen der Konsequenz, mit der an bekannte und anerkannte mythische Vorstellungen angeknüpft wird, und den grotesken Resultaten, die dieses Vorgehen zeitigt.

Die skizzierte Art der Gestaltung schließt zugleich die Gründe in sich, die den Autor zu den Seltsamkeiten an und um Tmolus bewogen haben. Kompositorische Rücksichten oder Zwänge, die jene eigentümlichen Szenen nahegelegt hätten, lassen sich jedenfalls nicht namhaft machen. Weder erforderte es der Kontext, daß der menschengestaltige Gott seinen Berg als Sitzmöbel nutzt, noch, daß er (Identitätsstufe 3) seinem Hörvermögen durch Beseitigung lästiger Bäume nachhelfen muß, noch, daß der Wald sich der Wendung des Berggesichts entsprechend dreht. Man wird somit davon ausgehen dürfen, daß der Dichter die Erzählungen, welche in heiterem Grundton sich um die Gestalt des Midas ranken, um einige humoristische Glanzpunkte, die ihren Wert in sich tragen, hat bereichern wollen[414].

---

[413] H. Haege 260 mißversteht den Vers 164 so: „Wie Tmolus wendet sich der Wald dem Mund Apollos zu und lauscht mit der gleichen Aufmerksamkeit". F. Bömer folgt dem von ihm Geschmähten (Gymn. 85, 1978, 544—545) auf dessen interpretatorische Abwege und befindet, obwohl der Kommentar zu v. 157—158 eine abweichende Auffassung zu begünstigen scheint, zu v. 164: „Göttliches Walten äußert sich in Naturerscheinungen". (Mit Belegstellen, die schon deshalb ins Leere zielen, weil sie die besonderen lokalen Bedingungen der Naturgottheit nicht berücksichtigen: *sua* (!) *silva*; vgl. dazu oben Anm. 411).

[414] Die Szene strahlt aber auch eine gewisse humorvolle Feierlichkeit aus (eben darauf scheint F. Bömer zu v. 150—152 abzuheben, der die Episode gar „in die heroische Sphäre" hineinreichen sieht). In diesem Zusammenhang sei auch auf motivische Anklänge an Tmolus' Äußeres (158—159) hingewiesen, die sich in der Beschreibung von Apollos Haarschmuck finden: *ille caput flavum lauro Parnaside vinctus* (165).

So dürfen als Motive genannt werden: die Freude daran, durch Folge
richtigkeit zu sonderbaren, überraschenden, gewohnte Vorstellungen über
schreitenden Ergebnissen zu gelangen; ferner das Bestreben, die Grund
positionen wechseln zu lassen[415], um die Leser zu verblüffen und durch
die logischen Ungereimtheiten, welche so entstehen, zu unterhalten. Ovid
wird die Gelegenheit, einen Berggott in sein Gedicht einzubeziehen, nicht
ungern genutzt haben. Tmolus setzte ihn instand, die verschiedenartigen
widersprüchlichen Vorstellungen vom Wesen einer solchen Gottheit zum
Leben zu erwecken, sie in konkreten Bildern auszumalen und in eine
Richtung weiterzuentwickeln, die religiösen Reformern der augusteischen
Zeit frivol scheinen mußte.

12) Inachus, Nilus, Enipeus Ov. Am. 3.6.25—26, 39—44

Der Katalog verliebter Flußgötter Am. 3.6 schildert einige Situationen, die
einen Gott in direkter körperlicher Berührung mit seinem Element zeigen.
Allerdings müssen zwei der Stellen unter dem Vorbehalt betrachtet werden,
daß für sie auch integrative Sehweise denkbar ist; die Gottheiten erschienen
dann auf Identitätsstufe 3. Ohnehin zwingt die Knappheit der Darstellung,
die mehr andeutet als ausführt, zu besonders vorsichtiger Beurteilung.

Inachus ist in der Beispielsreihe, die der Erzähler durch das Distichon
v. 23—24 ankündigt, der erste, dessen Liebeskummers gedacht wird:

> *Inachus in Melie Bithynide pallidus isse*
> *dicitur et gelidis incaluisse vadis.* (25—26)

Die Aussage des Verses 25 ist ambivalent; beide handlungstragenden Satz-
teile, Prädikat *(isse)* wie prädikatives Zustandsattribut *(pallidus)*, erlauben sowohl Menschen- als auch Flußgestalt des Subjekts. Gibt man
integrativer Auffassung den Vorzug — und *isse* scheint dazu zu raten —
wäre in der Färbung des Wassers eine psychosomatische Reaktion auf des
Gottes Gemütszustand zu sehen[416].

Einem eindeutigen Urteil über das Gemeinte ist auch in Vers 26 der
Boden entzogen: Ovid bringt das Kunststück fertig, das inhaltlich ent-

[415] Bei der Einführung des Bergmassivs in die Erzählung dürfte der Leser an IS 1 denken (150 bis 152: Ortsbeschreibung; 156); v. 156 (Tmolus sei Richter) empfiehlt, die vorangegangene Schilderung integrativ zu betrachten; v. 157 deutet den Berggott analytisch (die Gottheit läßt sich auf ihrem lokalen Bereich nieder); für die Versgruppen 157—159 (Ohren durch Bäume verdeckt) und 163—164 (der Wald als Teil des Berggesichts wendet sich mit diesem) gilt dann wiederum — nach einem abrupten Schwenk in v. 157 — die integrative Grundposition.

[416] Näheres zu diesem Vers s. u. Kap. 28. — Ein Überblick über die Verwendung von ISS im Flußkatalog Am. 3.6.25—84 ist oben in Kap. 2 gegeben.

scheidende Verbum *(incaluisse)* ebenso doppeldeutig sein zu lassen wie die Ausdrücke des vorangegangenen Verses. Im eigentlichen physikalischen Sinne heißt *incalescere* „warm werden": Das betrifft den Fluß. Als *terminus technicus* der Liebesdichtung bedeutet es „(warme) Liebesempfindungen zu jemandem fassen bzw. (im Perfekt) hegen" und ist auf eine gefühlsbegabte Identitätsstufe (3—5), vor allem natürlich den anthropomorphen Gott, zu beziehen[417].

In gewisser Weise freilich könnte die Ortsbestimmung *gelidis vadis* eine Entscheidungshilfe geben. Sie paßt vorzüglich zu einem menschengestaltigen Gott, dessen innere Glut der Kälte der Naturerscheinung, in welcher er sich aufhält, gegenübergestellt wird. Wäre Inachus hingegen elementar gestaltet, stünden Subjekt und lokale Angabe in einem witzlosen Abundanzverhältnis zueinander[418]. Andererseits ist eine andere grammatische Funktion der *gelida vada*, die hinreichend Sinn gäbe, nicht leicht auszumachen. Daher scheint mir das Distichon am angemessensten interpretiert, wenn man so deutet: Positionswechsel von v. 25 zu v. 26, hier analytische Anschauung, dort integrative Sicht.

Setzt man nun dementsprechend für v. 26 die analytische Grundposition an, ergibt sich die Pointe aus der durch Erwähnung der *vada gelida* herausgeforderten Doppeldeutigkeit von *incalescere*: Inachus erwarmt durch seine Liebe, was einen paradoxen Kontrast[419] zum Fluß liefert, der eben kalt ist und nun durch den Gott mit dem physikalischen Gegensatz konfrontiert wird.

Bevorzugte man hingegen integrative Sicht, hätte man zu verstehen: Der fühlende Fluß, eben noch kalt, wird jetzt durch seine Liebesempfindung warm; *incaluisse* wäre dann sowohl in eigentlicher als auch in übertragener Bedeutung sinnvoll, ein für Identitätsstufe 3 willkommener Umstand. Allerdings schlagen die oben skizzierten Schwierigkeiten bei der Fügung *gelidis vadis* nachteilig für die integrative Auffassung zu Buche. — Kurz: Eine gültige und verläßliche Entscheidung über das Gemeinte ist wegen der Bündigkeit des Ausdrucks und der Ambivalenz des Wortmaterials kaum möglich.

---

417 Bewußte Ambivalenz findet sich, wie V. Donini 218 bemerkt, auch im Distichon v. 51—52 *(animosus, raucus)*; vgl. ferner seine Beobachtung (220) zu v. 81—82 *(supposuisse manus ad pectora)*.

418 Etwa: das Wasser wird im kalten Wasser (bestenfalls: Flußbett) warm.

419 Paradox insofern, als bei Naturgottheiten stets der Anspruch darauf, in den verschiedenen ISS nur Betrachtungsformen einer Identität zu spiegeln, gegenwärtig ist. Hier werden nun die beiden Aspekte Gott und Fluß (IS 4 und IS 1) (a) begrifflich geschieden und in der konkreten Situation nebeneinandergestellt, (b) darüberhinaus räumlich in unmittelbare wechselseitige Nähe gerückt und (c) physisch durch das Temperaturgefälle sogar in deutlichen Gegensatz zueinander gebracht.

Unter den Wirrungen amouröser Sehnsucht hat Nilus ganz ähnlich wie sein argivischer Kollege zu leiden:

ille fluens dives septena per ostia Nilus,
qui patriam tantae tam bene celat aquae,
fertur in Euanthe collectam Asopide flammam
vincere gurgitibus non potuisse suis. (39—42)

Die erweiterten Attribute des Distichons v. 39—40 betreffen prävalent Identitätsstufe 1; sie müssen, wenn für den Hauptgedanken (v. 41—42) analytische Sicht angenommen wird, als uneigentliche Benennungen im Sinne der oben unter I B 1.3 c erläuterten Beispiele verstanden werden. Sucht man die in v. 41—42 geltende Gestalt des Nilus zu ergründen, stellen sich Schwierigkeiten ein, die denen, welche beim Inachus anzutreffen waren, weitgehend entsprechen.

Zunächst soll von Identitätsstufe 3 als der die Aussage v. 41—42 tragenden Vorstellungsform ausgegangen werden. In diesem Fall ergäbe sich durch *gurgitibus suis* eine ähnliche Abundanz des Ausdrucks wie beim Inachus v. 26; sie wäre grundsätzlich möglich. Gewichtiger indes sind die Bedenken um den erotischen Terminus *flamma*; ihn wird man weniger gern auf eine flußgestaltige Gottheit beziehen als etwa das ambivalente *incalescere* (v. 26). So erweist sich die integrative Anschauung als mit störenden Momenten behaftet, ohne daß man sie deshalb jedoch schlankweg für unangemessen erklären könnte.

Demgegenüber bräuchte ein Verfechter der analytischen Grundposition sich keine solchen störenden Einzelheiten vorhalten zu lassen. Überdies kann er die hübschere Pointe für seine Auffassung reklamieren. Trotz der Unbestimmtheit der Formulierung und bei allen Vorbehalten, zu denen die Kürze der Schilderung mahnt, darf hier noch etwas entschiedener Partei für die analytische Auffassung ergriffen werden, als das beim Inachus angezeigt war.

Sieht man den anthropomorphen Nilus (Identitätsstufe 4) in seinem Lebensbereich (Identitätsstufe 1) den psychischen Folgen seiner Leidenschaft ausgesetzt, erhält die Szene klare Konturen: Wie in Vers 26 (Inachus) ist ein Begriff, der übertragen als erotischer Terminus gemeint ist, gleichzeitig aber durch Suggestion des Satzzusammenhangs in seiner eigentlichen Bedeutung verstanden wird, Voraussetzung für den Effekt der Verse: *flamma*. Ovid arbeitet mit Paradoxie. Feuer im physikalischen Sinne wäre durch Wasser löschbar. Nun werden aber die *gurgites* des Flusses der Liebesflamme des Gottes gegenübergestellt. Da beide Begriffe — *flamma* wie *gurgites* — infolge ihrer auf jeweils nur eine Identitätsstufe sinnvollen Zuordnung inkommensurabel sind, sie aber dennoch als direktes

Gegensatzpaar im physikalischen Sinne unmittelbar aufeinander bezogen werden, ergibt sich der paradoxe Effekt: Wasser hilft hier wider alle Erfahrung nicht gegen Feuer, den Gott läßt seine Flußnatur im Stich.
Ein Blick auf das erotische Verhalten des Enipeus soll dieses Kapitel beschließen:

siccus ut amplecti Salmonida posset, Enipeus
cedere iussit aquam: iussa recessit aqua. (43—44)

Der Gott schafft das Wasser, das ihn bei seinen amourösen Absichten stört, beiseite. Allerdings erfreut sich die Vorstellung, einem Flußgott könne der direkte Kontakt zu seinem feuchten Milieu lästig werden, gerade im Fall des Enipeus einer Tradition, die bis auf Hom. Od. 11.241—244 zurückzuverfolgen ist[420]. Ovids naheliegende Änderung — sein Kontext forderte *fluminum amores* — besteht lediglich darin, daß er den Liebhaber Poseidon durch den Flußgott selbst ersetzte[421]; ansonsten hat er dem Sujet kein neues Motiv hinzugefügt. Die analytische Grundanschauung ist für dieses Distichon ganz zweifelsfrei.
Die Gründe, die für die Art, in welcher Ovid die Liebesnöte der Flußgötter ausgemalt hat, bestimmend gewesen sind, dürften ebenso vielgestaltig wie individuell unterschiedlich sein. Eines indes gilt für alle genannten Stellen: Ihre Funktion als *exempla* innerhalb einer längeren Reihe verliebter Flußgötter war vorgegeben. Die Katalogform wiederum verpflichtete den Dichter zur Variatio, so daß der stets gleiche Tatbestand in wechselnden Bildern vor dem Auge des Betrachters vorüberzieht[422]. In diesem Gestaltungsprinzip wird man das Verhalten des Enipeus motiviert zu sehen haben.
Weitere Motive kommen hinzu, veranschlagt man die pointierte Brillanz der Schilderung, wie Inachus und Nilus mit innerer Glut zu kämpfen haben. In diesen beiden ähnlich gestalteten *exempla* kann — in Übereinstimmung mit dem Gesamtcharakter der Elegie[423] — das Verfließen der

[420] Die homerische Version findet sich auch bei Prop. 1.13.21—22. — Freilich gibt es keinen zwingenden Grund, etwa mit R. Helm (Berlin 1965) für die Stelle Prop. 3.19.13—14 anzunehmen, Tyro sei dem Enipeus untreu geworden und habe statt seiner des Neptunus Nähe gesucht. Im Gegenteil: Nicht Untreue ist das Thema der Elegie, sondern amouröse Irrungen und allzu schrankenlose Leidenschaft. Diese Sagenfassung entspricht also dem ovidischen Distichon. Übrigens erinnert auch der Gegensatz *flagrans* (13): Wasser (14) an den Sulmonenser (Am. 3.6.39, ähnlich 26), ferner die ambivalente Eleganz des pikanten Verses 14: *quae voluit liquido tota subire deo* (vgl. o. S. 57).

[421] Daß Ovid von den übrigen Quellen abweiche, da er auf Flußgötter exemplifizieren wolle, hat schon P. Brandt (zu „43 f.") angemerkt. Allerdings fehlt bei ihm (wie auch bei Harder-Marg, Lenz, Munari) ein Hinweis auf Prop. 3.19.13—14 (s. o. Anm. 420).

[422] Ovids Variationskunst wird von V. Donini 216 schön gewürdigt: „Animadvertendum quoque quanta locutionum varietate poeta utatur cum significet flumina amore capta esse et quam variis modis unamquamque fabulam in carmen inducat".

[423] Dazu s. o. Kap. 2, bes. die Seiten 130—131, 133—134 und 140—141.

Identitätsstufen, Ovids bewußter Verzicht auf inhaltliche Schärfe in der Wiedergabe von Grundpositionen, ein gewollter, vom Zusammenhang bestimmter Effekt gewesen sein. Sodann stellt der Wortlaut sicher, daß die Verwirrung der Götter über den Kontrast zu ihrem Element sinnfällig hervortritt; so kann Ovid seinen Erzähler die Intensität, mit der ein rechter Flußgott liebe — und eben das sucht ja der Wanderer jenem sturen Sturzbach zu suggerieren —, eindrucksvoll unterstreichen lassen. Daß dies in so witziger Weise geschieht, führt auf ein weiteres, man wird sagen dürfen: das Hauptmotiv, nämlich die Freude unseres Dichters am geistreichen Spiel, am geschliffenen Paradoxon, sein Ausnutzen ambivalenter Worte und Wesen; Ovid jongliert gleichermaßen mit schillerndem Ausdrucksmaterial wie mit Akteuren, die in der Hand des gestaltenden Künstlers in Form und Fühlen wandelbar sind.

13) Acis Ov. M. 13.885—897

Zu Zeugen der Genese eines Flußgottes auf dem Wege der Transformation werden Ovids Leser im 13. Buch der Metamorphosen: Auch dieses — in einem Verwandlungsgedicht immerhin naheliegenden[424] — Aspekts zum Thema Naturgottheiten hat der Dichter gedacht. Der Verwandelte ist der sizilische Acis. Ihm als dem Geliebten Galateas war zuvor das Los zuteil geworden, durch einen Felsbrocken, von dem eifersüchtigen Kyklops Polyphemus auf ihn geschleudert, erschlagen zu werden. Dank dem Bemühen der Nereide sowie der göttlichen Eltern des Jünglings nimmt das Verhängnis jedoch eine glückliche Wendung[425]. Acis wird zum Gott.

Die Gestaltwandlung des Zerschmetterten ist zunächst daran kenntlich, daß die rote Färbung seines Blutes bleicht (887—888) und in einen *color ... turbati fluminis imbre* (889) übergeht, um sich schließlich noch-

[424] Acis ist einer der beiden Flüsse, die in Ovids Metamorphosendichtung kraft einer Verwandlung entstehen, und der einzige, der bereits vor seiner Transformation Menschengestalt besaß (im Falle des Marsyas entsteht der Fluß durch die Tränen nachbarlicher Naturgottheiten, die den Gehäuteten beweinen: M. 6.392—400). — Ganz anders ist die Metamorphose des Alpheus (M. 5.637—638) zu werten; ihm wird die Fähigkeit zugestanden, seine Gestalt nach eigenem Belieben zu wandeln (s. u. Kap. 22).

[425] Zur Abstammung Galateas s. v. 742—743; Eltern des Acis sind, wie v. 750 lehrt, Faunus und eine Nymphe, Tochter des Flußgottes Symaethus.
Vorausdeutungen auf die glückliche Wendung im Geschick des hart Bedrängten und später Erschlagenen findet man an folgenden Stellen: 880—881: Acis betet zu Galatea und zu seinen göttlichen Eltern, „... nehmt mich, den vom Tode bedrohten, in euer Reich (d. h. die Fluten) auf". (Haupt-Ehwald zu v. 881); 885—886: die Angerufenen tun ihr Bestes, *ut vires adsumeret Acis avitas* (denn die *fata* schließen eine Wiederbelebung aus: Haupt-Ehwald zu v. 885); 889 bis 890: Reinigung des verströmenden Blutes (ausdrücklich wird der Vergleich mit einem regentrüben Fluß gezogen).

mals zu läutern (890). Doch erst als der Felsen birst[426], ist der neue Fluß erstanden; kein nackter Wasserlauf übrigens, denn der obligate Bewuchs säumt sogleich seinen Rand:

> *... tum moles fracta dehiscit,*
> *vivaque per rimas proceraque surgit harundo,*
> *osque cavum saxi sonat exsultantibus undis.* (890—892)

Eine Existenz als Elementarwesen[427] indes ist Acis durchaus nicht beschieden, und so wird — als „Wunder" angekündigt — endlich das wichtigste Teil alles dessen, was eben einen *amnis* ausmacht, nachgetragen:

> *miraque res, subito media tenus exstitit alvo*
> *incinctus iuvenis flexis nova cornua cannis.* (893—894)

---

426 Die Überlieferung weist in v. 890 einhellig *moles tacta* aus, was HAUPT-EHWALD als „der (von mir) berührte Felsblock" erklären: wohl die einzige Möglichkeit, dem tradierten Wortlaut einen Sinn abzugewinnen. Problemlos ist diese Deutung freilich nicht, wie ein Blick auf den Zusammenhang zeigen mag.
Die plötzliche Attacke des Cyclops treibt die verängstigte Nereide dazu, im Meer Schutz zu suchen (878). Acis wendet sich mit dem konkreten Wunsch, *vestris regnis* aufgenommen zu werden, flehend an seine göttlichen Eltern wie an die göttliche Geliebte (880—881). Die nun werden in nicht näher bestimmter Weise tätig (885—886). Damit ist die Metamorphose eingeleitet. Der Verwandlungsprozeß beginnt v. 887—890, und zwar offenkundig allein aus der Machtvollkommenheit der angerufenen Gottheiten heraus. Einer zusätzlichen Berührung des Felsens bedarf es insofern nicht mehr.
Sodann ist zu bedenken, daß Galatea sich ins Wasser geflüchtet hat und überhaupt nicht mehr aktiv eingreift. Wir haben sie uns vielmehr als Zuschauerin vorzustellen, die aus sicherer Entfernung, voller Furcht vor dem rasenden Cyclops, mit banger Anteilnahme verfolgt, ob und wie der Wille der göttlichen Angehörigen ausschlagen werde. Diese Distanz spiegelt sich auch in ihren Worten: v. 893 scheint gar offenes Erstaunen durch, und von eigener Initiative ist nach v. 886 nichts mehr zu lesen. Zu dieser Haltung will *tacta* nicht recht passen. Zudem würde Galatea durch die Tätigkeit des *tangere* in unmittelbare räumliche Nähe zum neuen Fluß und dessen Gott gerückt, was nicht in Ovids Absicht liegen konnte, denn Acis sollte für sie fortab unerreichbar sein (richtig die Beobachtung von E. RÖSCH zu v. 896: „Den klagenden Ton dieser Worte, der auch zur Einleitung paßt, die Galatea ihrer Erzählung gibt," (744—745) „muß man wohl so erklären, daß der zum Flusse gewordene Acis nicht mehr der Geliebte Galateas bleiben wollte oder konnte.").
Hinzu kommt, daß Galatea oder Acis' Eltern als persönliches Subjekt, auf das *tacta* bezogen werden müßte, weit entfernt stehen (nämlich v. 885; dazwischen die Subjekte *Acis, cruor, rubor, color, moles*; entsprechend die auf v. 890 folgenden Verse, die sich nur mit Acis beschäftigen).
Forscht man nun nach handschriftlichen Varianten zu *tacta*, findet man, daß Nicolaus HEINSIUS in seinen *codices* sowohl *iacta*, für das er sich entschieden hat — übrigens in Übereinstimmung mit der Version des Planudes —, als auch *fracta* lesen konnte. Hier liegt vielleicht die Lösung der oben skizzierten inhaltlichen Probleme. Zwar scheint *iacta* als eine überflüssige Wiederholung des in v. 883 *(mittit)* geschilderten Vorgangs keine wesentliche Besserung des Textes zu bewirken, die Lesart *fracta* jedoch, die A. RIESE zu Recht in seiner Ausgabe (1872) aufgenommen hat, brächte den Handlungsverlauf in beste Ordnung: Der Steinblock birst *(fracta)* und gibt dabei einer Öffnung Raum *(dehiscit)*, die als *os ... cavum saxi* (892) zur Quelle des jungen Flusses wird.

427 Zum Fluß, verstanden als einem hydromorphen Wesen (ISS 1 bis 3), wird Acis nicht. Damit unterscheidet sein Schicksal sich erheblich etwa von dem der Cyane (s. u. Kap. 21) sowie dem aller derer, die fortan der Welt des Stofflichen zugehören.

Damit steht ein junger Flußgott vor uns. Daß der, unbeschadet einiger neuer, gattungsgebundener Züge, die Identität „Acis" wahre, wissen die abschließenden Verse zu vermelden:

> *qui, nisi quod maior, quod toto caerulus ore,*
> *Acis erat, et sic quoque erat tamen Acis in amnem*
> *versus, et antiquum tenuerunt flumina nomen.* (895—897)

Für die Einordnung in diesen Abschnitt ist maßgebend, daß Ovid ausdrücklich erwähnt[428], Acis stehe in seinem Fluß. Immerhin ist angesichts des Mangels an entsprechenden Regiebemerkungen bei früheren Autoren schon diese Tatsache an sich bemerkenswert. Andererseits ist zu bedenken, daß die analytische Grundposition solchen direkten Kontakt zwischen Gott und Element als durchaus möglich und auch natürlich erscheinen läßt. Man wird sich also hüten müssen, der Stelle ein voreiliges Prädikat zu geben.

Indes sollte ein Blick auf den Zusammenhang eine angemessene Beurteilung des Bildes, wie der frischgebackene Gott aus seinem kaum älteren feuchten Reich emportaucht, gewiß fördern können. Es dürfte mithin lohnen, kurz die Färbung der gesamten Episode zu untersuchen, um so den Geist, aus dem heraus die betrachtete Stelle gestaltet worden ist, verstehen zu lernen.

Zunächst ist nach der Funktion der Körperstellung (*media tenus exstitit alvo* 893) zu fragen. Da die Handlung selbst eine solche Epiphanie nicht erfordert[429], bleibt nur der Zweck, die anthropomorphe Gestalt mit den interessanten Änderungen, die sich an ihr vollzogen haben, bequem sichtbar machen zu können. Von fern fühlt man sich an die Fasti erinnert: Die Götter erscheinen nach Bedarf, des Dichters Wunsch kann sie jederzeit abrufen. So ist auch dieser Gott im rechten Augenblick und in präsentabler Positur zur Stelle: Der neue *Acis amnis* stellt sich den Lesern vor.

Aufschlußreich ist ferner die Reihenfolge, in der die einzelnen Verwandlungsprodukte, deren Gesamtheit den Komplex *amnis* überhaupt erst entstehen läßt, am Auge des Betrachters vorüberziehen. Wenn, nachdem das Blut verwässert und der Fels gespalten ist, zuvörderst Schilf sichtbar wird, dann muntere Wellen aus der Öffnung sprudeln und schließlich der junge Gott auftaucht, erweckt diese Abfolge den Eindruck, die Metamorphose habe bestimmte Entwicklungsstadien durchlaufen, und durch den Nachweis, daß ein Flußgott vorhanden sei, könne der Entstehungsprozeß des Flusses nunmehr als abgeschlossen gelten. Ein solcher — hier

---

[428] Genauer: erwähnen läßt. Erzählerin aller Ereignisse, die Acis betreffen, ist Galatea.

[429] Ein Hinweis auf die Göttlichkeit des Stromes oder die Existenz eines (verborgenen) Gottes hätte ausgereicht.

her suggerierter denn ausdrücklich formulierter — Rationalismus verträgt ich schlecht mit dem Wunder, das verstandesmäßige Ausdeutung nicht ulläßt. So wird man ein leicht ironisches Kolorit in der Darstellung von Acis' Gestaltwandel kaum leugnen können.

Auch die Benennung des Verwandelten trägt dazu bei, den Charakter der Episode zu erhellen. Vordergründig scheint das zusammenfassende *Acis n amnem versus* (896—897) klar auf den Gott bezogen, denn dessen Gestalt, lessen Identität mit dem Geliebten Galateas war Gegenstand der Verse 393—896. Tatsächlich jedoch gehen aus der Metamorphose der Gott und ein Reich hervor, also der gesamte Vorstellungskomplex, den die analytiche Grundanschauung in sich vereinigt[430]. So meint *in amnem versus* einereits, im engeren Rahmen der Verse 893—897, jenes verwandelte menschengestaltige Wesen, das mit dem erschlagenen Acis verglichen wird; im weieren Kontext bedeutet es andererseits aber, daß aus dem tödlich Getroffenen ein Fluß mit allem — einschließlich göttlichem — Zubehör geworden st. Dieser Anstoß wäre durch eindeutige Benennung leicht zu vermeiden gewesen. Wir dürfen also annehmen, daß Ovid bewußt mit Paradoxie rbeitet, indem er durch seine Wortwahl einen Widerspruch zwischen *mnis* „Flußgott" und *amnis* „Fluß und Gott" provoziert[431].

Die Schilderung des neuerstandenen Flußgottes Acis gründet ausschließich auf der analytischen Betrachtungsweise, wobei der Gott in unmittelbarer körperlicher Berührung mit seinem Element präsentiert wird. Dieser eher nüchterne Tatbestand ist jedoch durch einige — freilich wohldosierte, nicht aufdringliche — Ovidiana angereichert. Zu nennen sind: der gelegene Auftritt des Gottgewordenen; sodann eine leichte Ironie, die durch den Ablauf des Verwandlungsvorgangs angeregt wird; schließlich eine paradoxe Pointe, die aus einer uneigentlichen Benennung entsteht und die den neuen Acis dezent, aber eben ovidisch krönt.

14) *Thybris* Ov. F. 5.637—662

Zu den zahlreichen Göttern der Fasti, die sich dem Dichter bei Bedarf zur Verfügung stellen, um ihm die gewünschten Auskünfte zu geben, gehört

430 Vergleichbare Fälle zeigen entweder die Verwandlung einer Person in einen Gott (der sich lann — wie Glaucus — in das vorhandene, ihm gemäße Element begibt), in eine integrativ gesehene Naturgottheit (Cyane, Daphne, Heliaden, Dryope) oder ins Stoffliche.

431 Interessant ist, daß im Schlußvers der Fluß nochmals erwähnt wird, jedoch als *flumina* und offenbar auf IS 1 bezogen: Die Naturerscheinung Acis, so erfährt man dort, gebe es auch heute noch: ... *et antiquum tenuerunt flumina nomen* (897; vgl. 9.665 Byblis). Das wirkt fast wie der Übergang vom Märchen zur geographischen Tatsache; Nüchternheit zieht ein, und von ferne fühlt man sich an die oben Anm. 317 behandelten Fälle Am. 1.13 und Am. 3.6 erinnert; der verwandelte Acis ist als Liebhaber verloren; vielleicht, weil er für den (ernüchternden) Schlußgedanken eben doch nur auf IS 1 fortbesteht? — Vgl. auch oben Anm. 426.

auch der Thybris. Als Ovid das Argeeropfer zu kommentieren ha (ab v. 621), dessen Ursprung umstritten sei (625—634), bittet er den Fluß gott als unmittelbar betroffene Gottheit um Aufklärung (635—636); de erscheint prompt:

Thybris harundiferum medio caput extulit alveo
raucaque dimovit talibus ora sonis: (637—638

Hier ist die analytische Sicht, aus der heraus Ovid schildert, zweifelsfrei Der Fluß ist Aufenthaltsort des anthropomorphen Gottes, der sei Element — herausschauend oder -steigend — überwinden muß, um Be ziehungen zur Außenwelt aufnehmen zu können.

Auch in der Rede des Gottes zeigt Ovid sich auffallend bemüht, di Identitätsstufen deutlich voneinander zu trennen und Anhaltspunkte fü eine etwaige integrative Position zu meiden. So wird an Stellen wi v. 644 *(ille meas remis advena torsit aquas)* oder v. 659 *(scirpea pro domin Tiberi iactatur imago)*, wo jeweils eine Verknappung des Ausdrucks mi Hilfe des Personalpronomens denkbar gewesen wäre[432], auf die sonst ger praktizierten Aspektverschiebungen verzichtet.

Entsprechend sind Wort- und Gedankenspiele, Ambivalenzen, Ironie Paradoxa, und was dergleichen als für Ovid bezeichnend gelten darf, kaun auszumachen. Die Epiphanie des Thybris zeigt zwar in dessen Rede leich komische Züge: so etwa, wenn er, um seine gegenwärtige Weltgeltung gebührend herauszustreichen, von sich sagt, er sei einst sogar vom Viel mißachtet worden (642), oder wenn er nicht ganz sicher ist, wie er frühe geheißen habe (646); doch fehlt jener Witz, der gezielt die verschiedener Deutungsmöglichkeiten des Phänomens „Naturgottheit" gegeneinande ausspielt.

Das Ende der göttlichen Erscheinung bringt keinen Wechsel in der Seh weise. Nach den letzten Worten des Gottes:

hactenus, et subiit vivo rorantia saxo
antra, leves cursum sustinuistis aquae. (661—662

Thybris taucht in sein Element, das Wasser nimmt offenbar auf den Got Rücksicht[433].

---

[432] Ein sonst von Ovid oft — auch in gewagterer Form — verwendeter Kunstgriff, vgl. di oben I B 1.2 c zusammengetragenen Beispiele.

[433] Auf ein hübsches Beispiel dafür, wie ein Gott, der nicht der Gruppe der Naturgottheite zugehört, in origineller Weise mit seinem Bereich in Berührung kommt, sei wenigstens an Rande hingewiesen. M. 11.621 findet sich die sonderbare, vielzitierte Bemerkung *excussit tanden sibi se*. Somnus, der Gott des Schlafes, ringt mit der physischen Erscheinung, deren Vertrete auf der anthropomorphen IS er selber ist. — Zur sprachlichen Form vgl. unten Anm. 451.

15) Νύμφη ἐφυδατίη — Apoll. Rhod. 1.1228—1239

Eine Quellnymphe, die, von ihrem Element klar geschieden, in der betrachteten Episode gerade aus dem Wasser auftaucht und ihre Beute, den schönen Knaben Hylas, in die Tiefe, die sie bewohnt, hinabzieht, finden wir in den Argonautika des Apollonios Rhodios. Der Dichter stellt den Vorgang, dem durch die nächtliche Betriebsamkeit der Nymphen, das Mondlicht über der Quelle und jenes elementar hervorbrechende Verlangen, mit welchem Kypris das Herz der Najade verwirrt, ein eigentümlicher Reiz gegeben ist, streng analytisch dar.

Während des Aufenthalts der Argonauten an der Mündung des Kios hat Hylas sich von den Gefährten entfernt. Er will eine Quelle suchen, um frisches Wasser für das Nachtmahl des Herakles herbeizuschaffen. Gerade treffen die Nymphen der Wälder und Berge zusammen; tanzend und singend pflegen sie des Nachts die große Artemis zu preisen. Auch eine Najade ist soeben aufgetaucht, da Hylas in unmittelbare Nähe ihres Quells gelangt ist:

> ἡ δὲ νέον κρήνης ἀνεδύετο καλλινάοιο
> νύμφη ἐφυδατίη· τὸν δὲ σχεδὸν εἰσενόησεν
> κάλλεϊ καὶ γλυκερῇσιν ἐρευθόμενον χαρίτεσσιν. (1228—1230)

Die Nymphe verliebt sich haltlos in den Knaben. Sie nutzt den Augenblick, da dieser sich mit seinem Krug über den Quell beugt:

> . . . αὐτίκα δ' ἥγε
> λαιὸν μὲν καθύπερθεν ἐπ' αὐχένος ἄνθετο πῆχυν
> κύσσαι ἐπιθύουσα τέρεν στόμα· δεξιτερῇ δὲ
> ἀγκῶν' ἔσπασε χειρί, μέσῃ δ' ἐνικάββαλε δίνῃ. (1236—1239)

Diese körperlichen Einzelheiten machen hinreichend deutlich, daß die Najade ebenso anthropomorph ist wie die anderen Nymphen, von deren Reigen die Verse 1222—1227 zu berichten wußten. Die Göttin lebt und wohnt in ihrem Element, dessen Oberfläche sie überwinden muß, wenn sie ihre Umwelt zu beobachten wünscht, und das sie offenkundig — denn man darf annehmen, sie habe sich v. 1228 den Tänzen der nachbarlichen Gottheiten gerade anschließen wollen — auch verlassen kann. Begünstigt durch die Vertrautheit des Ortes, doch mit eigener Arme Kraft, bemächtigt sie sich des Geliebten. Dessen Schicksal kommentiert der prophetische Glaukos später so:

> αὐτὰρ Ὕλαν φιλότητι θεὰ ποιήσατο νύμφη
> ὃν πόσιν . . . (1324—1325)

Mit Blick auf Ovid ist festzuhalten, daß Apollonios Rhodios sich aller integrativen Nuancen enthalten hat. Er erliegt nicht der Versuchung, durch

Anspielungen auf eine etwaige Identität von Nymphe und Wasser hinzuweisen, erst recht fehlt jeder paradoxe Bezug, jeder Wechsel der Grundanschauung. Das analytische Konzept wird unbeirrt durchgehalten, die Identitätsstufen bleiben getrennt, eine andere als die rein örtliche Beziehung wird zwischen ihnen nicht hergestellt.
Unleugbar übt die Schilderung, welche der Rhodier von jener namenlosen Quellnymphe gibt, einen besonderen Zauber aus. Doch nicht durch rhetorischen Glanz beeindruckt der Dichter: Die Wirkung seiner Episode liegt im Atmosphärischen. Keine Naturgottheit Ovids[434] erweist sich als eine so unheimliche Macht wie die Quellnymphe, die den Hylas zu sich in die Tiefe reißt[435].

Ergänzende Stellenangaben zum 2. Abschnitt

Ov. M. 9.96—97: Achelous taucht inmitten seines Flusses unter; s. Kap. 1.
Ov. Am. 3.6.51—52: Anien hebt sein Antlitz aus dem reißenden Strom; s. S. 134 (Kap. 2).
Ov. M. 5.487 und 574—575: Arethusa erhebt ihr Haupt aus der Quelle; s. Kap. 5.
Ov. M. 5.413: Cyane enttaucht ihrem Weiher; s. Kap. 21.
Call. Del. 264: Delos hebt das Neugeborene von ihrem eigenen Inselboden auf; s. Kap. 8.
Verg. A. 8.31—33 und 66—67: Thybris entsteigt seinem Fluß und birgt sich später in ihm; s. Kap. 10.
Hierher mag man ferner das nicht näher beschriebene Auftauchen des ovidischen Alpheus stellen (s. Kap. 22).
Dagegen gehört Tellus (Ov. M. 2.303; s. u. Kap. II A 3) ebensowenig in diesen Abschnitt wie Arethusa (Verg. G. 4.351—352; s. Kap. 19: sie enttaucht dem Element Peneos).

3. Abschnitt:

Das Element ist Mittel der Willensvollstreckung

Einige Götter machen ihr Element zum Mittel, eine Absicht auszuführen. Dabei handelt es sich ausschließlich um Gottheiten, die einem Gewässer

---

[434] Natürlich versteht auch Ovid, eindrucksvolle (und zuweilen bedrohliche) Stimmungen um Naturbereiche und deren Gottheiten zu malen; es genügt, auf Alpheus oder Salmacis zu verweisen. Doch seine Szenerie ist lichter, und kaum einmal fehlen die weiteren für seine Palette bezeichnenden Farben wie Ironie, Paradoxie und verwandte Pointen (vgl. z. B. die Kapitel 16 und 22).

[435] In einer — sofern Naturgottheiten betroffen sind — ganz ähnlichen Weise hat Theokrit die Hylas-Sage in seinem 13. Eidyllion (v. 36—54) behandelt (zur schwierigen Prioritätsfrage s. Lesky 812). Er weiß von drei Nymphen (sie haben sogar Namen: v. 45) zu berichten, die ὕδατι δ' ἐν μέσσῳ (43) Reigen tanzen und den schönen Knaben in ihr Reich ziehen. Die Darstellung ist streng analytisch, Theokrit versucht so wenig wie Apollonios, der Identitätsproblematik irgendeine Pointe abzugewinnen.

räsidieren. Ihnen wird die Fähigkeit zuerkannt, ihren Bereich zu kontrol-
eren, die Lokalität des Sees oder des Flusses zu verschiedenen Zwecken
uszunutzen. Für alle untersuchten Textstellen gilt einzig die analytische
Grundposition. Die Verbindung zwischen den Identitätsstufen ist indirekt:
llein das Trachten des Gottes bestimmt, wie das Element sich verhält.

6) *Salmacis* Ov. M. 4.285—388

Jnter den Naturgottheiten, die ihr Element als Mittel, eine Absicht auszu-
ühren, nutzen, kommt der Najade Salmacis hervorragende Bedeutung zu.
Da die ihr gewidmete Erzählung recht ausführlich ist und eine Reihe auf-
chlußreicher Einzelheiten preisgibt, läßt sich manches über eine Rollen-
erteilung der Identitätsstufen lernen, die andernorts weniger deutlich
vird.

Die Handlung ist schnell skizziert: Der schöne Knabe Hermaphroditus
ommt zum Teich Salmacis, dessen Nymphe sich sofort in ihn verliebt
und ihm ohne Umschweife einen Heiratsantrag macht. Der unerfahrene
Knabe erschrickt und droht zu fliehen, worauf die Nymphe zu einer List
reift: Sie täuscht vor, ihn und die Gegend zu verlassen, versteckt sich aber
inter einem Busch. Was die Najade nicht vermochte, vermag das klare
Vasser ihres Teiches: Es verführt Hermaphroditus, sich zu entkleiden und
ich im See zu erfrischen. Salmacis, nun ihrer Sinne nicht mehr mächtig,
türmt hervor, stürzt sich in den See und umarmt den Geliebten. Als der
ich weiterhin sträubt, erreicht sie durch ihr Gebet, daß beide zu einem
Vesen verschmolzen werden.

Es ist das Verdienst Hermann FRÄNKELS[436], durch seine feinsinnigen Be-
bachtungen das Verständnis der Salmacis-Erzählung ganz entscheidend
efördert zu haben. Damit ist die Quellnymphe eine der wenigen Natur-
ottheiten bei Ovid, der eine bedeutende Interpretation zuteil geworden
st. Als richtungweisend müssen FRÄNKELS Bemerkungen zu parallelen
Zügen in der Charakterisierung von Nymphe und Teich gelten. Dem-
egenüber ist allerdings seine Einschätzung des Identitätsproblems so
nicht haltbar.

Ovids Erzählung beruht auf analytischer Grundanschauung, die mit einer
ür diesen Dichter erstaunlichen Beharrlichkeit bis zum Schluß durchge-
alten ist. Das bedeutet, daß die beteiligten Identitätsstufen stets säuberlich
etrennt bleiben. Zwar ist Ovid bestrebt, sie wechselseitig anzunähern,
hnen ähnliche Züge zu geben, sie verwandt scheinen zu lassen, doch be-
uht diese Nähe nicht auf Identität: Von der Lizenz, Identitätsstufen als

[436] H. FRÄNKEL 96—97, dazu seine Anm. 253 auf Seite 226—227.

unterschiedliche Aspekte einer Wesenheit gegeneinander auszutauschen macht der Dichter gerade in dieser Episode keinen Gebrauch; ebensowenig wird die integrative Position auch nur angedeutet. Darum ist sowohl FRÄNKELS Theorie von einer „halbe(n) Identität von Nymphe und Teich" (S. 97) als auch seine Ansicht, der Dichter stelle sich „den Teich und die Nymphe bald als ein und dasselbe Wesen, bald als zwei ganz verschiedene Wesen und dann wieder als zwei gleichartige Wesen vor" (S. 96), abzulehnen.

Ovid hatte übrigens guten Grund, der geistreichen Gedankenspiele, die er sonst gern an die Identität von Naturgottheiten knüpft, zu entraten. So forderte einerseits die Erzählung zwingend sowohl die stets präsente Mädchengestalt der Nymphe wie den trügenden, lockenden Weiher als unerläßlichen Ort des Geschehens; zum zweiten waren für Nymphe und Teich jeweils attraktive Metamorphosen vorgegeben[437]. Beide waren daher nebeneinander zu belassen, waren strikt zu trennen. Freilich konnten sie aufeinander abgestimmt werden, und einen solchen Bezug hat Ovid, wie sogleich deutlich werden wird, in der Tat angestrebt.

Forscht man nun nach den Gemeinsamkeiten von Najade und Quell, zeichnen sich — als die Identitätsstufen verbindende Klammer — folgende Eigenarten ab: Beide erscheinen als gepflegt und ästhetisch schön, beide sind wehrhaft-trutzigem Gebaren abhold, von beiden ist zu erfahren, sie seien verführerisch, lockend, mindestens zum Nähertreten reizend. Die Details, die der Schilderung des Teiches (297—301) sowie der Nymphe (302—315), dazu einigen Bemerkungen in der v. 315 einsetzenden Haupthandlung zu entnehmen sind, verdienen nähere Betrachtung.

Ungetrübt ist das Wasser des Sees, kristallklar bis zum Grund (*stagnum lucentis ad imum / usque solum lymphae* 297—298) und durchsichtig (*perspicuus liquor est* 300). Kein Schilfgürtel faßt mit seinem Wildwuchs diesen Weiher ein (298—299); das Wasser ist vielmehr von frischem Rasen und immergrünen Kräutern umsäumt (300—301). Kurz, man findet eine Szenerie vor, die eher an einen gärtnerisch gestalteten Park denn an eine Urlandschaft gemahnt. Die Nymphe ist auf ihre Weise ein ähnlich gepflegtes Wesen. Hingebungsvolle Kosmetik füllt einen beträchtlichen Teil ihrer — natürlich unbemessenen — Freizeit: Wir hören von ihrer Vorliebe für Bäder (310) wie für Haarpflege (311)[438].

---

[437] Jedenfalls in der Sagenversion, die Ovid sich zurechtgelegt hatte; wesentliche Züge der Erzählung mögen sein Eigentum sein; so ist die Gestalt der Quellgottheit Salmacis vielleicht erst von ihm erfunden worden: s. BÖMER Komm. S. 101—102.

[438] Der (physischen) Klarheit des Quells mag man außerdem die (psychische) Offenheit, mit welcher die Nymphe sich dem schönen Jüngling erklärt (bes. v. 325—328), zur Seite stellen.

Bei der Beschreibung des Sees fällt auf, wie dem Fehlen von stechenden Binsen gleichsam ein unmilitärischer Aspekt abgewonnen wird:

> . . . *non illic canna palustris*
> *nec steriles ulvae nec acuta cuspide iunci.* (298—299)

Drohende pflanzliche Waffnung[439], die für vergleichbare Teiche als normal gelten darf, sucht man also an der Salmacis vergebens. — Dem entsprechen die Neigungen der Nymphe: Am Weidwerk, überhaupt an sportlicher Betätigung, ist sie nicht interessiert (302—309); stattdessen frönt sie einem ultivierten Müßiggang (bes. 314—315, aber auch 310—313). Man wird n der motivischen Parallele zwischen *acuta cuspide iunci* (See) und *iaculum* 306 und 308, nebst *pharetrae* ibid. sowie *arcus* 302; Nymphe) die Absicht des Autors erkennen dürfen.

Ansprechend und voller natürlicher Reize ist das Äußere des Teiches. Die Klarheit seines Wassers (297—298, 300), der bequeme Zugang über einen einladenden Ufersaum (298—301) und eine angenehme Wärme (344) sind wie geschaffen, den Wanderer zum Baden zu verführen[440]. — Die Najade st indes nicht weniger attraktiv als ihr lockender Quell. Neben ihrem usgeprägten Schönheitssinn (310—311, 317—319), der sich mit selbstbewußter Eitelkeit paart (312, 318—319), trägt ihre Aufmachung wesentlich dazu bei, sie begehrenswert erscheinen zu lassen; so verrät das Gewand, welches die Nymphe trägt, mehr als nur Eleganz:

> *nunc perlucenti circumdata corpus amictu*
> *mollibus aut foliis aut mollibus incubat herbis.* (313—314)

Eben in dieser naturhaften Unwiderstehlichkeit kaum verhüllter Sinneneize ist, wie FRÄNKEL gesehen hat[441], eine wesentliche motivische Verbindung zwischen Nymphe und Quell, ein beiden Identitätsstufen gemeinamer Zug zu erkennen.

[439] Ich schließe mich BÖMERS Bemerkung, die *acuta cuspis* enthalte sogar eine Drohung (zu . 299), an.

[440] Auf die Lockung des Elements weist Ovid durch die Formulierung *temperie blandarum captus quarum* (344) hin; auch das „Spielen" des Ausdrucks *in adludentibus undis* (342) scheint den Wellen etwas Verführerisches beizugeben.

[441] Von den drei Beispielen, die FRÄNKEL anführt, um die Entsprechungen zwischen der Najade nd deren See zu illustrieren, hat jenes, das „das durchsichtige Wasser des Salmacis-Teiches" er Nymphe, die „in einen durchsichtigen Mantel gehüllt" ist, gegenüberstellt, im oben bechriebenen Sinne Geltung und Wert. Problematischer scheint mir die Parallelisierung der rünen Wiesen, die den See säumen, mit dem weichen Gras, auf dem die Nymphe ruht; hier ann in Wahrheit nicht von verwandten Zügen gesprochen werden, die Nymphe lagert sich 314) lediglich in der Nähe ihres Bereiches (300—301). Das dritte Beispiel (v. 347—349), welches ie Augen der Frau und das spiegelnde Wasser (das aus der *speculi imago* 349 herausgelesen weren muß und sich ansonsten durch v. 312 stützen ließe) als gleichgeartet und zu einer Bemerung verschmolzen erweisen soll, scheint mir recht spekulativ und darum nicht allzu tragfähig; mmerhin mag Ovid zu seinem Gleichnis v. 347—349 durch das besondere Verhältnis der beeiligten ISS angeregt worden sein.

Die Parallelität in der Zeichnung der beteiligten Identitätsstufen[442] darf was Ovids Salmacis-Erzählung betrifft, nicht als Wesensgleichheit mißver standen werden, sondern hat als Ausgestaltung des Gedankens, daß eine anthropomorphen Naturgottheit kennzeichnende Eigenschaften ihres Ele ments zukommen, zu gelten. Übrigens beschränkt Ovid sich nicht darauf solche parallelen Züge zu schildern, er führt die handelnden Identitäts stufen auch im habituellen Kontakt miteinander vor. So erfährt man, wi Salmacis die Vorteile und Annehmlichkeiten ihres Weihers zu nutzen ver steht. Der nämlich erfüllt die verschiedensten Zwecke innerhalb des be grenzten Lebens- und Interessenbereichs seiner Gottheit: Als Spiegel (312 kommt er ihr ebenso zustatten wie als Badeplatz (310), sein sanftes Ufe ist als Ruhebett willkommen (314) und als Freizeitwiese, auf der di Najade gern Blumen pflückt (315), geschätzt; vor allem jedoch kann er al eine wirkungsvolle Falle, ein scheinbar unverfänglicher Köder dienen Salmacis verlagert ihre fraulichen Verführungskünste auf seinen elemen taren Reiz, um sich des schönen Hermaphroditus, an dessen kindliche Befangenheit ihr erotisches Ansinnen zunächst glattweg gescheitert war schließlich doch noch bemächtigen zu können.

In Übereinstimmung mit jener parallelen Charakterisierung sowie mit den Tatbestand, daß die Najade ihr Element als ein Mittel, verschiedenartig Bedürfnisse zu befriedigen, verwendet, bleibt die analytische Grundan schauung ohne Bruch und ohne Positionswechsel bis zum Schluß de Erzählung, wo beide Identitätsstufen qualitativ verändert werden[443]

---

[442] Unleugbar ambivalenten Charakter haben jene verbalen Fügungen, die schildern, wie Sal macis sich des Badenden bemächtigt: *pugnantem . . . tenet* (358), *pectora tangit* (359), *circumfundit* (360), *inplicat* (362; vgl. M. 3.343 zum Cephisus) sowie *premit commissaque* corpore toto / sic inhaerebat* (369—370) können ebenso vom Wasser wie von einem meschengestaltigen Wese ausgesagt werden. Besondere Bedeutung mag ich dem freilich nicht zumessen; manches la semantisch ohnehin nahe, anderes könnte (vgl. oben Anm. 441 zu v. 347—349) durch de Schauplatz beeinflußt sein, ohne daß man jedoch deshalb in der Wortwahl des Dichters geziel Hinweise auf die Gleichartigkeit oder Zusammengehörigkeit der ISS zu sehen hätte.

[443] Die Nymphe verschmilzt mit ihrem Geliebten zu dem Zwitterwesen Hermaphroditus, un das Wasser des Sees erhält seine verweichlichende Kraft. — Auf das Problem der verwandelte menschlichen Gestalt (androgynes Wesen oder Kastrat) kann hier nicht eingegangen werden eine gute Übersicht bei F. Bömer Komm. S. 103—104, dessen Überlegung, Ovid habe mit de ihm eigenen Unbekümmertheit um das Detail keinen Unterschied zwischen androgyner Körpe bildung und *mollitia* der *semimares* machen wollen, ich mich anschließe.

* Die weitaus größte Zahl der Handschriften bietet *dimissaque*, das aber an dieser Stelle unve ständlich scheint. Gemeint sein kann nur die gesuchte körperliche Nähe. Sie wird durch *com mittere* treffend ausgedrückt, das „sich anschließen, sich eng anfügen" (so, weil meist im Me dium/Passiv), in Einzelfällen sogar „zusammengewachsen sein" bedeuten kann, vgl. bei Ovi *moenia commissa fidibus* (6.178), *qua naris fronti committitur* (12.315), *qua vir equo commissus era* (12.478), *commissaque dextera dextrae* (Her. 2.31) u. a. Der Fehler in der Überlieferung könnt durch das zwei Verse zuvor stehende, dort auch sehr sinnvolle und plastische *dimissis . . . flage lis*, durch das der Schreiber beeinflußt worden sein mag, entstanden sein.

gültig. — Da die Nymphe sich offenbar meist außerhalb ihres Sees aufhält[444], sollte für sie Identitätsstufe 5 angesetzt werden; die besondere Rolle, welche ihrem Element zugedacht ist, weist auf Identitätsstufe 2: Die Naturkraft zeigt eine gewisse Anteilnahme und Aktivität, ohne dabei Persönlichkeit zu entwickeln; darum kann sie in analytisch dargestellten Vorgängen der elementare Partner für die anthropomorphe Naturgottheit sein — die betrachtete Episode gibt dafür ein schönes Beispiel.

Fassen wir zusammen: Die evident aufeinander bezogenen Charakterisierungen stützen und betonen das besondere Verhältnis zwischen Identitätsstufe 5 und Identitätsstufe 2; der See steht mit der Nymphe im Bunde, er ergänzt als wirksames Lockmittel die Attraktivität seiner kultiviert-verführerischen Göttin, unterstützt ihr Begehren, ist der Mittelpunkt ihres Lebens und Wirkens. In Ovids Erzählung sind die Najade und der Quell nicht identisch. Potentiell ist eine solche Identität zwar, wie bei allen Naturgottheiten, stets gegenwärtig — sozusagen „abrufbereit" —, aber sie wird hier nicht aktualisiert. Das Handlungsziel verlangte eine konsequente Trennung der Identitätsstufen.

Ovids Gründe dafür, sich der Identitätsstufen in der geschilderten Weise zu bedienen, sind teils in der Struktur der Erzählung zu suchen: Nymphe und Teich waren jeweils zum Verwandlungsobjekt ausersehen und hatten unterschiedliche Funktionen im Handlungsablauf; teils sind Sonderinteressen des Dichters zu veranschlagen: So vermag Ovid die erotische Pikanterie des Stoffes dadurch wesentlich zu fördern, daß Hermaphroditus die parteiische Rolle des Sees gröblich mißversteht. Schließlich läßt es sich vorstellen, daß der Autor die Gelegenheit, dem Identitätsproblem einen neuen Aspekt abzugewinnen, gern genutzt hat: Das eigenartige Zusammenspiel der Identitätsstufen in streng analytischer Darstellung, einer reizvollen Liebesgeschichte dienlich gemacht, ist ohne Zweifel eine hübsche Variante ovidischen Strebens, Handeln, Wirken und Gestalt von Naturgottheiten immer wieder neu zu deuten.

17) Cephisus, Numicius

Ov. M. 3.342—344
F. 3.647—654
M. 14.598—604

Auch in einigen weiteren Naturgottheiten werden wir die Regisseure ihres elementaren Ensembles erkennen dürfen. Dieses Kapitel nun soll auf drei

[444] Ovid stellt seine Salmacis, anders als z. B. Arethusa und Cyane (s. die Kapitel 5 und 21), nicht als eine Gottheit der Tiefe (IS 4) dar. Daß sie, will man sie klassifizieren, als Najade zu gelten hat, steht außer Frage. Das Verbum *colere* begegnet auch andernorts, um die Zugehörigkeit von Nymphen zu Quelle oder Fluß zu bezeichnen: Ov. M. 14.331, F. 2.597—598.

Darstellungen von Flußgöttern hinweisen. Freilich schildert Ovid deren Tun jeweils so knapp, daß eine verläßliche Entscheidung darüber, ob das Wasser (Identitätsstufe 2) seinen Gott (Identitätsstufe 4) unterstützt oder ob integrative Sicht anzunehmen ist (Identitätsstufe 3)[445], kaum getroffen werden kann. Gewisse Indizien begünstigen indes die Auffassung, die vom Dichter angedeuteten Ereignisse seien der analytischen Grundposition verpflichtet.

Wie Salmacis nutzt auch der Flußgott Cephisus die Vorteile seines Elementes, auch er im erotischen Bereich; sein Opfer ist eine Nymphe,

caerula Liriope; quam quondam flumine curvo
inplicuit clausaeque suis Cephisos in undis
vim tulit. . . . (M. 3.342—344)

Frucht dieser Vergewaltigung ist dann Narcissus. Mag man andernorts verliebte Flüsse, wenn deren Gemütsverfassung ausgemalt wird, zu Recht als auf Identitätsstufe 3 dargestellt interpretieren[446], so dürfte doch ein drastisches *vim ferre* von Ovids Lesern kaum anders denn auf den anthropomorphen Gott bezogen worden sein.

Die Entrückung der Anna Perenna durch den Numicius geschieht auf ähnliche Weise:

corniger hanc cupidis rapuisse Numicius undis
creditur et stagnis occuluisse suis. (F. 3.647—648)

Die Wellen führen den Willen des plötzlich verliebten Gottes aus. Dabei erhält die analytische Auffassung durch das Attribut *corniger* eine willkommene Stütze.

Als man Anna auf Grund ihrer Spuren sucht, trägt Numicius dadurch zur allgemeinen Aufklärung bei, daß er sein Wasser anhält, so daß es ganz ruhig ist[447] und man offensichtlich Annas eigene Worte vernehmen kann:

sustinuit tacitas conscius amnis aquas;
ipsa loqui visa est: „placidi sum nympha Numici / . . .“ (F. 3.652—653)

Wiederum scheint der Gott sich der Kontrollmöglichkeit, die er über seinen Fluß besitzt, zu bedienen. Freilich schließt der Wortlaut des Verses 652 auch einen Wechsel auf Identitätsstufe 3 nicht aus.

---

[445] Mit IS 1 oder 2 wird man nicht zu rechnen haben, da in allen Fällen willentliche Handlungen der Flußgottheiten vorauszusetzen sind. Wer IS 3 bevorzugt, kann für die (instrumentalen) Ablative, die sich in allen drei Darstellungen finden, periphrastische Ausdrucksweise im Sinne des oben S. 66—67 Gesagten geltend machen.

[446] Vgl. die im 5. Abschnitt zusammengetragenen Beispiele; speziell zu Flußgöttern s. die Kapitel 28 und 32. Eine ganze Reihe verschiedenartiger Naturgottheiten wird zeitweise auf IS 3 transponiert, um psychosomatische Reflexe zu schildern. Konkrete Handlungen werden dann jedoch von den menschengestaltigen Göttern ausgeführt.

[447] *tacitas* ist natürlich proleptisch.

Schließlich ein Blick ins 14. Buch der Metamorphosen: Nach dem Tode des Aeneas geht Venus zum Numicius:

litus adit Laurens, ubi tectus harundine serpit
in freta flumineis vicina Numicius undis. (M. 14.598—599)

Diese Beschreibung führt dem Leser zunächst einen elementaren Numicius vor Augen, für den die Identitätsstufen 1 bis 3 denkbar sind. Wer den Mythos nicht kennt, wird sich angesichts der Ortsangabe, die Ovid hier gibt, wohl nur die unbelebte Naturerscheinung, also Identitätsstufe 1, vorstellen. Wenn Venus nun dem Numicius v. 600—601 befiehlt, den Helden zu reinigen[448], gilt ohne Zweifel eine höhere Identitätsstufe; daraus läßt sich freilich noch nicht folgern, der Gott erscheine hier anthropomorph. Einen Hinweis bringt erst v. 602:

corniger exsequitur Veneris mandata suisque
quidquid in Aenea fuerat mortale, repurgat
et respersit aquis . . . (M. 14.602—604)

Wie oben F. 3.647 deutet die Benennung *corniger* auf Identitätsstufe 4. Es scheint, die Göttin habe sich an den Flußgott gewandt, und der komme nun (602—604) dem Auftrag mit Hilfe seines Wassers nach.

18) *Naides Ausoniae* Ov. M. 14.785—795

Noch einmal erfahren wir von Naturgottheiten, welche die ihnen verbundene Naturkraft lenken, wenn Ovid im 14. Buch der Metamorphosen vom Sabinerkrieg erzählt. Iuno hat den Feinden Roms ein strategisch wichtiges Tor, die später sogenannte *Porta Ianualis*[449], geöffnet (781—782). Die wachsame Venus, die natürlich die Römer begünstigt, hat die Bedrohlichkeit der Lage zwar sogleich bemerkt (783), darf aber keine unmittelbare Gegenmaßnahme treffen[450] und wendet sich darum an die nahen Quellgottheiten:

. . . Iano loca iuncta tenebant
naides Ausoniae gelido rorantia fonte. (785—786)

Die Nymphen können sich dem Hilfebegehren der Olympierin nicht verschließen

[448] v. 600—601: Was an Aeneas sterblich ist, soll abgewaschen und ins Meer gespült werden; vgl. Haupt-Ehwald z. St. (Lustration durch Wasser).

[449] F. Bömer zu F. 1.„263 ff." und 269 (allgemein über die Lautulae); Näheres über die Örtlichkeit auch bei Haupt-Ehwald zu M. 14.785.

[450] v. 784—785: *et clausura fuit, nisi quod rescindere numquam / dis licet acta deum.* Vgl. die weiterführenden Stellenangaben bei Haupt-Ehwald zu v. 784.

... nec nymphae iusta petentem
sustinuere deam venasque et flumina fontis
elicuere sui. ... (787—789)

Allerdings reicht das Wasser nicht aus, um den Zugang endgültig zu sperren, und so

lurida supponunt fecundo sulphura fonti
incenduntque cavas fumante bitumine venas. (791—792)

War die Quelle eben noch kalt wie ein Bach in den Alpen (794—795), hemmt nunmehr ihre glühende Hitze (795) den Vorstoß der Eindringlinge, bis die Römer erwachen und sich zur Verteidigung waffnen können (798—799).

Die Nymphen verfügen mithin nach Wunsch über ihr Element, indem sie seine Kraft steuern *(flumina fontis elicere)* und seine Beschaffenheit verändern *(sulphura supponere, venas incendere)*. Wie in jenen Szenen, über welche die vorigen Kapitel 16 und 17 handelten, beschränkt der Dichter sich auf die analytische Grundposition. Besondere Ovidiana in der Schilderung der Identitätsstufen hat die untersuchte Erzählung nicht aufzuweisen[451].

19) Cyrene Verg. G. 4.359—362

Den der Dichtung Vergils entnommenen Beispielen der Kapitel 19 und 20 fällt jeweils eine Sonderstellung in diesem Abschnitt zu. Damit wird deutlich, daß sich für Ovids Naturgottheiten, welche die Dienste ihres

[451] Eine andere Fassung der Sage begegnet in den Fasti (1.255—276). Dort greift Ianus in eigener Person durch Entfesselung des Quells zugunsten der Römer ein:

oraque, qua pollens ope sum, fontana reclusi
sumque repentinas eiaculatus aquas,
ante tamen madidis subieci sulpura venis,
clauderet ut Tatio fervidus umor iter. (269—272)

Ein Vergleich beider Stellen mit einer Reihe wichtiger Beobachtungen, auf die hier im einzelnen nicht eingegangen werden kann, findet man bei R. Heinze OeE 333—335. Weitere aufschlußreiche Details sind F. Bömers Fasten-Kommentar (zu v. „263 ff." und zu v. 269) zu entnehmen. —

Zwei weitere ovidische Gottheiten, die sich ihres Elementes bedienen — beide haben Aufträge olympischer Göttinnen zu erfüllen —, sollen hier nur kurz erwähnt werden, da sie nicht der Gruppe der Naturgottheiten im engeren Sinne angehören. M. 8.819 flößt Fames dem Frevler Erysichthon Hunger ein: *seque viro inspirat*; es ist dies ein Wortspiel, in dem Ovid den Gleichklang von Gott und Element benutzt (*se* ist uneigentliche Benennung des physischen Phänomens *fames*, da es „*pro nomine Famis*" steht und Hunger meint; vgl. die sprachliche Gestaltung bei Somnus M. 11.621, s. o. Anm. 433).

An dieser Stelle ist ferner an Invidia zu erinnern. Auch an sie ergeht die Order einer vorgesetzten Gottheit, ihr Element strafend weiterzuvermitteln: *infice tabe tua natarum Cecropis unam* M. 2.784; die Ausführung des Befehls M. 2.798—801 (bei Invidia verzichtet der Dichter auf jene paradox wirkende Metonymie, die den Bemühungen der Dämonen Fames und Somnus zuteil geworden war).

Elements in Anspruch nehmen, keine Vorbilder im engeren Sinne finden lassen. Im Kontrast der Darstellungen Vergils vermögen Ovids Eigenarten sich jedoch besonders scharf abzuzeichnen, so daß ein Blick auf Cyrene und auf Nilus allemal lohnt.

Als Besonderheit der vergilischen Cyrene ist vorab festzuhalten, daß diese Nymphe nicht zu einem Element in Beziehung tritt, das ihr — als niedrigere Identitätsstufe ihrer selbst — zugehört. Vielmehr wird ihr die Möglichkeit eingeräumt, das Wasser des Peneos, unter dessen Quelle sie in Gesellschaft verschiedener Nymphen, von denen einige gar als *venatrices* geschildert werden[452], residiert, ihrem Willen dienstbar zu machen.

Überblicken wir in gebotener Kürze den Handlungsverlauf! Aristaeus, der seine Bienenzucht verloren hat (317—318), klagt an der Quelle des Peneos und ruft seine göttliche Mutter Cyrene, die in der Tiefe wohnt (319—332)[453]. Die unten versammelten Nymphen ergötzen sich gerade an Liebesgeschichten aus dem Göttermilieu (333—349) und werden daher erst aufmerksam, als der Klagelaut, von oben dringend, zum zweiten Mal hörbar wird (349—351)[454]. Arethusa taucht auf und erstattet ihrer Schwester Bericht (351—356); Cyrene trägt ihr voll mütterlicher Sorge auf, den Jüngling in den unterirdischen Palast zu führen (357—359). Gleichzeitig tut sie das Ihre, um ihrem Sohn den Zugang möglich zu machen:

. . . simul alta iubet discedere late
flumina, qua iuvenis gressus inferret. at illum
curvata in montis faciem circumstetit unda
accepitque sinu vasto misitque sub amnem[455]. (359—362)

---

[452] *sorores* (351) ist somit im weitesten Sinne zu verstehen (anders die Schwestern Clio und Beroe v. 341). Als Jägerinnen erscheinen die Nymphen in v. 341—342, ebenso Arethusa v. 344. Zum offenbar häufigen Rollenwechsel zwischen jagenden und Gewässer bewohnenden Nymphen vgl. die Notiz bei Servius zu v. 341: „. . . *sed hic venatricum est habitus, quem ideo nymphis dat, quia multas eas legimus ex venatricibus factas, ut* ⟨343⟩ *et tandem positis velox Arethusa sagittis*". Weiteres zur Gruppierung bei W. Richter zu v. 336—344.
Auch die Bezeichnung *genitor* (für Peneos) wird nicht im eigentlichen genealogischen Sinne zu verstehen sein; man sollte sie vielmehr als allgemeines Epitheton, das Flußgöttern sehr häufig eignet, nehmen (vgl. Richters knappe Anmerkung zu v. 355). — Näheres zur Problematik der genannten Verse ist jeweils im Kommentar von Conington-Nettleship angemerkt.

[453] Der Zugang zur Wohnung der Flußnymphen ist offenbar als von jeder Quelle aus möglich vorgestellt. Für Aristaeus lag der thessalische Peneos am nächsten (317 *fugiens Peneia Tempe*), er hätte sich aber, so darf man annehmen, auch zu jedem anderen Strom wenden können. — Über den Schauplatz des unterirdischen Geschehens vgl. Conington-Nettleship zu v. 333 und 355 sowie W. Richter zu v. „363 ff.", der — kaum zu Recht — ähnlich wie F. Bömer (s. o. Anm. 325) das unterirdische Wassersystem unserer Stelle als Vorbild für Ov. M. 1.577—582 ansieht (vgl. oben Kap. 3).

[454] Schon v. 333—334 hatte Cyrene einen Laut vernommen, ohne jedoch — so muß man annehmen — die Worte zu verstehen und den Sprecher zu erkennen.

[455] Zur Bewegung des transportierenden Wassers s. den Kommentar von Conington-Nettleship zu v. 361; er zieht (nach dem Vorgange von Macrob. Sat. 5.3) Hom. Od. 11.243 als Vor-

Dem Entrückten öffnet sich eine grandiose Landschaft, die durchrauscht wird von den Quellen aller Ströme (363—373)[456]. Cyrene erfährt von Aristaeus' Kummer. Sie bringt dem Oceanus ein Opfer dar und betet zu diesem sowie zu den Nymphen (374—383). Als das Opfer Glück verheißt (384—386), erzählt sie ihrem Sohn von dem *vates caeruleus Proteus*, den es zu befragen gelte (387—414). Zu diesem Zweck wird Aristaeus von ihr nach Pallene geführt (415—424).

Unsere kurze Handlungsskizze hat einige bemerkenswerte Punkte der Cyrene-Episode hervortreten lassen. Zum einen ersteht vor den Augen des Lesers die großartige Vision vom Ursprung aller Flüsse, von einem weltumspannenden Wasserreich. Sodann wurde deutlich, daß Cyrene als Bewohnerin des Peneos einen besonderen Status hat. Andere Nymphen, die offenkundig verschiedenen Nymphengruppen angehören, teilen den Aufenthaltsort mit ihr.

Schließlich hat Vergil seine Cyrene mit der Macht ausgestattet, das Element Peneos ihrem Willen gemäß verfahren zu lassen. Sie kann den Fluß so dirigieren, daß ihr sterblicher Sohn wohlbehalten in jenes phantastische unterirdische Quellenreich gelangt. Somit reiht die Nymphe sich ungeachtet wesentlicher Besonderheiten in dem Identitätsstufe 4 entsprechenden flüssigen Korrelat (Identitätsstufe 1/2) unter diejenigen Naturgottheiten ein, welchen die Befehlsgewalt über ihren elementaren Bereich zugestanden ist.

20) Nilus — Verg. A. 8.711—713

Fiel die Schilderung der Cyrene dadurch aus dem Rahmen, daß die Nymphe nicht über das ihr wesensmäßig zugehörige Element gebot, kommt dem Nilus schon insofern eine Sonderstellung zu, als er lediglich in Form einer schmuckhaften Figur auf dem kunstvollen, überreich verzierten Schild lebt, den Vulcanus für Aeneas gefertigt hat (626—728). Sein Handeln hat dadurch notgedrungen etwas Statisches, das Geschehen wird in einem repräsentativen Augenblick konzentriert[457].

---

bild Vergils heran (Poseidon läßt dort das Wasser des Enipeus wie einen Berg um sich und Tyro steigen, so daß eine allseitig abgeschirmte Höhlung entsteht, in der das Paar der Liebe pflegt) und erläutert danach unsere Stelle v. 359—362 so: "... we must suppose that the waters first separate on each side (v. 359) to make a dry way for Aristaeus, and then, when he has set his foot on the bottom, close over his head, and allow him to walk under them till he comes to the place where his mother is. The mountainous aspect of the water has reference then to its appearance from the outside."

[456] Aristaeus sieht eher die Quellen der Flüsse denn die Flüsse selbst (*lacus* 346, *caput* 368), "though there is no necessity to limit the size of the cave." (Conington-Nettleship zu v. 366).

[457] K. W. Gransden (zu v. 711—713) sieht im Nilus ein Gegenstück zum Thybris (A. 8.31—89; s. o. Kap. 10). Diese Auffassung vermag der Gelehrte durch seine schöne Beobachtung

Hieraus erwächst zugleich ein gewichtiges Problem für die Interpretation. Denn Unklarheiten im sprachlichen Ausdruck können an unserer Stelle A. 8.711—713 nicht anhand eines deutbaren Handlungsablaufs ausgeräumt werden, und ein nicht eben geringer Mangel an begrifflicher Präzision ist Vergils Beschreibung des Flußgottes ganz fraglos zu eigen.

Der göttliche Kunstschmied hat gegenüber dem Actius Apollo und der mit ihren Ägyptern fliehenden Kleopatra dargestellt (*fecerat* 710)

contra autem magno maerentem corpore Nilum
pandentemque sinus et tota veste vocantem
caeruleum in gremium latebrosaque flumina victos. (711—713)

Unsere Untersuchung darf an den sprachlichen Schwierigkeiten, die der Text bietet, nicht vorübergehen. Prüfen wir darum, was im einzelnen vom Nilus ausgesagt wird!

Zunächst *magno corpore*: Diese Fügung ist als adnominal gestellter Ablativus qualitatis unmittelbar auf Nilus zu beziehen[458]; ihren ambivalenten Charakter hebt bereits Servius (auctus) zu v. 711 hervor: „*aut ita eum, tamquam deum, magno corpore formatum accipiendum est* : *aut* ‚*magno*‘, *septemfluo.*“ — *maerentem*, zu den Identitätsstufen 3 bis 5 gleichermaßen passend, geht auf die gefühlsmäßige Anteilnahme, welche der Gott seinen Landsleuten entgegenbringt.

Die folgenden Aussagen zeigen, in welcher Weise Nilus sich für die Flüchtenden einsetzt. Dabei sind die *sinus*, die er hilfreich ausbreitet, wiederum ambivalent, den bergenden Buchten der Mündungsarme ebenso angemessen wie dem Bausch eines Gewandes[459]. In der *vestis* wird man vorrangig die Kleidung des anthropomorphen Gottes sehen, das Wort steht aber inhaltlich in einem ähnlichen Variationsverhältnis zu *sinus*, wie die *latebrosa flumina* offenbar nur einen anderen Aspekt des *caeruleum gremium* wiederzugeben haben[460].

---

einer ganz ähnlichen Struktur der Verse 63 (*stringentem ripas et pinguia culta secantem*) und 712 (*pandentemque sinus et tota veste vocantem*) zu stützen. Zusätzlich könnte man auf die Anklänge *pleno flumine* (62) und *magno corpore* (711) — jeweils den handlungsorientierten Versen 63 und 712 vorausgehend, in beiden Fällen den Körperbegriff einer Diärese nach dem 4. Metrum folgen lassend — sowie *caeruleus* (64) und *caeruleum* (713) am Beginn des je dritten Verses hinweisen. Offenbar hat Vergil mit Bedacht den Ägypter als Widerpart zu der italischen Naturgottheit gestaltet.

[458] Conington-Nettleship zu v. 711: “. . . ‚*magno corpore*‘ with ‚*Nilum*‘, perhaps hardly with ‚*maerentem*‘.“ Anders Servius auctus z. St.: „*et non* ‚*corpore maerentem*‘, *sed* ‚*magno corpore pandentem sinus*‘.“

[459] C. J. Fordyce (zu v. 712) weist darauf zu Recht hin.

[460] P. T. Eden (zu v. 64) stellt fest, daß “*caeruleum gremium* and *latebrosa flumina* are ‘theme and variation‘.“

So entsteht der Eindruck, die Grenzen zwischen elementarer und anthropomorpher Gestalt sollten dadurch bewußt verwischt werden, daß die Beschreibung auf diese beiden Vorstellungsformen in gleicher Weise Rücksicht nimmt: Einerseits werden doppeldeutige Ausdrücke gewählt und andererseits die neben ihnen stehenden, sich eindeutig gebenden Fügungen durch Suggestion eines ἓν διὰ δυοῖν in ihrer vorgeblichen Bestimmtheit stark relativiert. Zugleich mag man sich fragen, wie eine so vielschichtige Darstellung in einem Werk der bildenden Kunst überhaupt Gestalt finden konnte[461].

Angesichts dermaßen verschwimmender Konturen stellt sich das Problem, welche Identitätsstufen für die betrachtete Stelle als verbindlich gelten dürfen. Kürze des Kontexts und Ambivalenz des Ausdrucks erlauben es, dem Nilus Identitätsstufe 3 zuzuweisen. Gefühl und planvolles Handeln eignen der Gottheit zweifelsohne, und ihr Äußeres wird durch die *sinus* und *latebrosa flumina* als elementar gekennzeichnet. Was die variierenden Angaben *vestis* sowie *caeruleum gremium* betreffe, so seien sie Metaphern, die sich durch ihren auffälligen Parallelismus zu jenen als deren Synonyma auswiesen: Der Fluß breite sich hilfreich aus *(pandentem sinus, tota veste)* und zeige seine Bereitschaft, die Besiegten stromauf in die Sicherheit eines fernen Verstecks zu befördern *(vocantem caeruleum in gremium, ... latebrosaque flumina)*.

Gewichtigere Argumente scheinen freilich von denen vorgebracht zu werden, die den Nilus anthropomorph dargestellt sehen. Immerhin lassen sich — außer *latebrosa flumina* — alle Aussagen bestens mit der Menschengestalt des Gottes vereinbaren. Im übrigen dürfe man die symbolische Bedeutung des weit offenen Mantels nicht verkennen: Durch ihn weise der Gott auf die Hilfe, die er den unterlegenen Ägyptern kraft seines mächtigen, in unbekannte Fernen reichenden Stromes leisten könne, sinnfällig hin. Somit seien die Verse 711 und 712 prävalent dem Gott und seiner Rettung verheißenden Geste gewidmet, während der Vers 713 in erster Linie auf das elementare Instrument, durch welches Nilus Heil zu bringen vermöge, aufmerksam mache.

Der Wortlaut gibt dem Interpreten, wie sich gezeigt hat, Gründe für integrative wie für analytische Betrachtung an die Hand. Entscheidet man sich zugunsten der letztgenannten, fallen den Identitätsstufen die Rollen zu, die für den vorliegenden 3. Abschnitt kennzeichnend sind: Der Gott bedient sich seines Elements; in unserem Fall A. 8.711—713 bedeutet das:

---

[461] Dichter nehmen bei solchen Bildbeschreibungen allerdings sehr weitgehende Freiheiten für sich in Anspruch. Das Problem hat durch H. Herters Aufsatz in Ovidiana 49—74 eine grundsätzliche Behandlung erfahren. Ein in der Dichtung beschriebenes Werk der bildenden Kunst ist eben in aller Regel — Dichtung.

Nilus bietet durch seinen Fluß ein fraglos willkommenes Transportmittel für die Flucht ins Landesinnere.

Wenngleich der analytischen Grundposition, deren Gültigkeit in der Forschung allgemein anerkannt ist[462], der Vorzug gebührt, darf man nicht außer Acht lassen, daß Vergil eine mögliche Eindeutigkeit offenbar bewußt getrübt, die Grenzen zwischen elementar und anthropomorph bestimmten Identitätsstufen verwischt und damit letztlich jene Unbestimmtheit hergestellt hat, die schon im Thybris-Kapitel (Kapitel 10) zutage getreten ist und die den Interpreten davor bewahren sollte, sich allzu rasch und allzu einseitig auf nur eine Deutung festzulegen.

Ergänzende Stellenangaben zum 3. Abschnitt

Ov. M. 1.576: Peneus regelt seinen Strom; s. S. 142—143 (Kap. 3).

Ov. M. 1.278—280: Die versammelten Flußgötter werden aufgefordert, ihre Wassermassen in Bewegung zu setzen; s. Kap. 6.

Ov. Am. 3.6.43—44: (Enipeus) — Das Distichon kann auch unter dem Aspekt dieses Abschnitts gesehen werden: Der Gott gebietet über sein Element (vgl. Kap. 12: Der Gott entledigt sich des störenden körperlichen Kontaktes mit seinem Fluß; s. auch Kap. 2, S. 134).

Ov. M. 5.587—595: Durch des Alpheus Fluß wird Arethusa zum Bade verführt; s. Kap. 22.

Call. Del. 109—110: Die flehende Leto setzt voraus, daß Peneios seinen Strom regulieren könne; s. Kap. 9.

Verg. A. 8.57, 86—87, 88—89: Thybris glättet seinen Strom (vgl. aber oben S. 172—174); s. Kap. 10.

Eine Art Rücksichtnahme des Elements auf Handlungen der Gottheit findet sich Ov. M. 5.574 *conticuere undae* (als Arethusa auftaucht; s. Kap. 5) und Ov. F. 5.662 *leves cursum sustinuistis aquae* (als Thybris sich in die Tiefe seines Flusses begibt; s. Kap. 14).

Nicht auf analytischer Grundposition basiert der Vorgang Ov. M. 8.583—589 (Achelous rächt sich nicht mit Hilfe seines Flusses, sondern in Flußgestalt (Identitätsstufe 3); s. Kap. 1).

4. Abschnitt:

Verwandlungen eines Gottes in den eigenen Bereich

Unter den zahlreichen Arten, in denen Ovid sich die Identitätsstufen seiner Götter zunutze macht, ist die sicherlich die kurioseste, die zeigt, wie eine Gottheit sich in ihr eigenes Element verwandelt. Hier lassen sich überhaupt nur zwei Beispiele anführen. In beiden wird die analytische Grund-

462 So die Kommentare von Conington-Nettleship, Eden, Gransden, Fordyce (der daneben die verschwimmenden Konturen der Gottheit hervorhebt).

anschauung von integrativer Sicht abgelöst. Diesen Wechsel der Betrachtungsweise motiviert der Dichter jeweils durch eine Metamorphose.

21) Cyane Ov. M. 5.409—470

Cyane ist eine Nymphe, nach der ein See[463] benannt ist (411—412). Ovid hat ihr die Rolle zugedacht, sich uneigennützig dem Pluto, der gerade Proserpina geraubt hat, in den Weg zu stellen. Sie wird als Lokalgottheit eingeführt: anthropomorph, ihr Element bewohnend. Identitätsstufe 4 und Identitätsstufe 1 bleiben, analytischer Grundanschauung entsprechend, so lange säuberlich voneinander getrennt, wie — nach Einsetzen der Metamorphose — überhaupt anthropomorphe Reste noch vom Wasser geschieden werden können.

Die Najade tritt in jenem Augenblick in die Erzählung ein, als sie mitten aus ihrem Weiher bis zur Hüfte aufgetaucht ist und erkennt, daß Proserpina gewaltsam vom Herrn der Unterwelt fortgerissen wird (413—414). Mit entschiedenen Worten versucht Cyane, ihr Recht als Lokalgottheit geltend zu machen und Pluto den Durchlaß[464] zu wehren:

... ‚nec longius ibitis!' inquit. (414)

Ihren Hinweis darauf, daß ein junges Mädchen von seinem Bräutigam umworben, nicht unter Furcht und Grauen verschleppt werden wolle — wie auch sie ihrem Freier erst nach einem geziemenden Heiratsantrag die Hand zum Ehebund gereicht habe (415—418) —, bekräftigt die Nymphe mit einer unmißverständlichen Geste:

dixit et in partes diversas bracchia tendens
obstitit. ... (419—420)

Der Entführer jedoch, dem damit entschlossen ein Halt bedeutet werden soll, zeigt sich unbeeindruckt, ja er gerät durch das unversehene Hindernis nur um so stärker in Wut, spornt sein Gespann und

... in gurgitis ima
contortum valido sceptrum regale lacerto
condidit. ... (421—423)

---

[463] Für topographische Einzelheiten verweise ich auf Bömer Komm. zu 408 und 409—437. Ovid bezeichnet das Element der Cyane als *stagnum* (411), *gurges* (413, 421), *fons* (425), *aquae* (429); nach der Metamorphose begegnen *gurges* (469) und *undae* (470) (nicht hierher gehören *undae* 433, *rivi* 435 und *lympha* 437, da sie primär dem Verwandlungsprozeß gelten). — Ungewöhnlich übrigens für Ovid die terminologische Genauigkeit bei Einführung der Göttin: Das *stagnum* (411) ist deutlich von der *nympha* (412) abgesetzt.

[464] Man wird annehmen dürfen, daß der Mädchenräuber zielstrebig auf Cyane als nächstgelegenen Eingang zum Hades — denn als solcher konnte die Quelle gelten: Bömer Komm. zu v. 411 — zusteuert.

Dieser Kraftakt läßt die Erde klaffen, so daß dem Räuber jetzt die gewünschte Bahn offensteht und er seinen Wagen durch den See hindurch geradewegs in den Tartarus jagen kann (423—424).

Mit dem Scheitern ihres Anliegens und der brutalen Mißachtung des ihr unterstellten Terrains[465] — die Nymphe hatte einen tätlichen Angriff mindestens auf ihre elementare Erscheinung hinzunehmen[466] — ist Cyanes Widerstandskraft gebrochen, und so verliert sie jeden seelischen Halt. Darüberhinaus jedoch führt ihre Tränenflut auch zu körperlicher Veränderung[467], und zwar in einer ebenso erschreckend wie erstaunlich radikalen Weise: Cyane löst sich allmählich in das Wasser des eigenen Sees auf:

> . . . *inconsolabile vulnus*
> *mente gerit tacita lacrimisque absumitur omnis*
> *et, quarum fuerat magnum modo numen, in illas*
> *extenuatur aquas*. . . . (426—429)

Es folgt eine detaillierte Schilderung dessen, wie die einzelnen Körperteile zu Wasser werden (429—437). Wenn die Verwandlung vollzogen ist, hat die Najade, rein materiell betrachtet, den Bestand der Naturerscheinung Cyane vermehrt. Identitätsstufe 4 besteht fürderhin nicht mehr:

> . . . *restatque nihil, quod prendere posses*. (437)

Ohne Zweifel ist die Verflüssigung der Quellnymphe Cyane typologisch eine ganz singuläre Metamorphose. Vor dem Hintergrund anderer Verwandlungen fällt als Besonderheit zunächst auf, daß hier eine Gottheit von dem Vorgang betroffen wird. Sie verliert ihren menschlichen Körper, und zwar passiv, nicht, wie wir es von den olympischen Göttern seit Homer gewohnt sind, willentlich und planvoll. Zudem büßt die Najade ihr anthro-

---

[465] Das sind die beiden Motive, die Ovid nennt, um Cyanes psychischen Zusammenbruch zu motivieren: 1) *raptam deam* (425), 2) *contempta fontis iura sui* (425—426).

[466] C. P. Segal, Landscape 54, sieht Teich und Nymphe ("the lake and its inhabitant") gleichermaßen betroffen (auf Segals sehr weitgehenden sexuellen Symbolismus braucht hier nicht eingegangen zu werden). Immerhin war Cyane v. 413 *medio gurgite* erschienen und hatte v. 419—420 versucht, durch ihre abwehrende Geste eine möglichst breite Bahn zu sperren. Es läßt sich vorstellen, daß die Nymphe ihre äußere Unversehrtheit, die als Ausgangsform für die Metamorphose erforderlich war, nur knapp durch einen Sprung zur Seite bewahren konnte; andernfalls mag ein körperlicher Zusammenstoß unvermeidlich gewesen sein.

[467] Die Tränen dürften eher als auslösendes Moment für die Metamorphose denn etwa als „Verwandlungsprodukt" (s. u. Anm. 469) zu verstehen sein. Ähnlich wird Egeria M. 15.547—551 zur Quelle *(liquitur in lacrimas* 549*)*: Der Tränenflut folgt (!) die Transformation durch Diana (550—551). Ohne sonstige Details der Metamorphose zu geben, läßt Ovid noch zwei weitere Frauen durch ihr Weinen (Bömer zu 7.371 spricht vom „Tränenmotiv") zu Quellen werden: Hyrie *(flendo / delicuit stagnumque suo de nomine fecit* M. 7.380—381) und Byblis *(sic lacrimis consumpta suis Phoebeia Byblis / vertitur in fontem* M. 9.663—664). — Anders M. 6.392—400: Die Tränen der *rustica numina* werden zum Fluß Marsyas.

pomorphes Äußeres unwiederbringlich ein[468]. Als weitere Seltsamkeit ist zu vermerken, daß bereits vor dem Gestaltwandel ein besonderes Verhältnis zum Verwandlungsprodukt[469] bestand.

Für sonderbar wird man ferner erachten dürfen, wie das Identitätsproblem in jene Metamorphose verwoben ist. Hatten die vorangegangenen Kapitel gezeigt, daß eine Beziehung der Identitätsstufen zueinander entweder durch perspektivischen Wechsel (1. Abschnitt: Identitätsstufen lösen einander ab) oder durch Kontaktaufnahme des Subjekts mit seinem Objekt (2. und 3. Abschnitt: die Gottheit berührt oder befehligt ihren Bereich) hergestellt wird, kann der Leser im Falle der Cyane eine qualitativ neue und — abgesehen einzig von Alpheus (siehe das folgende Kapitel) — offenbar einmalige Rollenverteilung von Identitätsstufen bestaunen: Identitätsstufe 4 geht in Identitätsstufe 1 auf, das Subjekt erlischt zugunsten des Objekts, die herrschende Person wird wesensgleich mit dem Ort, an dem und über den sie zuvor geherrscht hatte.

Ein weiteres kommt hinzu: Die meisten Leser werden, wenigstens unterschwellig, an jenen für Naturgottheiten geltenden Gleichheitsanspruch denken, demzufolge die Identitätsstufe 4 der Nymphe und die Identitätsstufe 1 des Quellwassers nur zwei Aspekte einer Identität „Cyane“ seien. So entsteht ein paradox anmutender Gedanke: Cyane wird zu Cyane.

Die Metamorphose der Nymphe hat indes noch eine weitere Funktion, wie der Fortgang der Erzählung zeigt. Der Leser erfährt, daß Ceres endlich, nachdem sie die ganze Welt durchsucht hatte, wiederum Sizilien betrat, um auch dort nach ihrer Tochter zu forschen. Und so

venit et ad Cyanen; ea ni mutata fuisset,
omnia narrasset, sed et os et lingua volenti
dicere non aderant, nec qua loqueretur habebat. (465—467)

Die Verse machen deutlich, daß Cyane trotz ihrer Verwandlung kein unbelebtes Element ist, denn sie nimmt weiter am Geschehen teil: Gern hätte sie der suchenden Mutter alles erzählt, hätte sie nicht durch ihre Metamorphose die Sprechfähigkeit eingebüßt. Wenigstens jedoch gestattet

---

[468] Nur so ist die Szene v. 465—470 sinnvoll. Läge es in der Macht Cyanes, sich von IS 3 zu einer anthropomorphen Gottheit rückzuverwandeln, so hätte sie von dieser Möglichkeit zweifelsohne Gebrauch gemacht, als Ceres, deren Interessen sie vertritt, an den Teich kommt (465). HAEGES Spekulation (262) läßt den Kontext außer Acht; für die Zwecke des Dichters war IS 4 nach v. 437 einfach untauglich. Man kann eben, wie im nächsten Kapitel kontrastiv gezeigt werden soll, die Verwandlungen von Alpheus und Cyane trotz all ihrer Ähnlichkeiten nicht schlechterdings für typologisch gleichartig erklären.

[469] Diesen Terminus übernehme ich von H. HAEGE, der sich freilich eine Definition erspart hat. So wenig der Begriff ästhetisch befriedigt, vermag er doch einen häufigen Sachverhalt eindeutig und einfach zu benennen.

ihr die — nunmehr ausschließliche — elementare Gestalt, den der Mutter bekannten Gürtel Proserpinas auf der Oberfläche zu zeigen (468—470). Das ist zugleich die letzte Handlung der Cyane. Ovid erwähnt sie fernerhin nicht mehr.

In der Erzählung der Verse 465—470 wird also präzisiert, was bis zum Vers 437, der das Ende des Verwandlungsvorgangs markiert, kaum zu vermuten, zumindest aber in der Schwebe geblieben war: Das Leben der zerronnenen Najade ist nur insoweit beschränkt, als sie solcher Äußerungen, für die es spezieller menschlicher Körperteile bedarf, nicht mehr fähig ist. Sie kann nicht mehr sprechen, wohl aber heben und zeigen. Ihre Existenz endet nicht, wie so häufig in den Metamorphosen, im Stofflichen, sondern setzt sich auf einer anderen Identitätsstufe fort[470].

Damit zeichnet sich eine weitere raffinierte Aufgabe der seltsamen Verwandlung ab. Der Wechsel von Grundanschauungen, der Tausch von Identitätsstufen — vom Dichter allenthalben nach Belieben gehandhabt, wo es galt, Naturgottheiten darzustellen — erhält hier — und das darf, wiederum mit Ausnahme allein des ovidischen Alpheus, als einmalig gelten — eine ausdrückliche Begründung, eben durch die Metamorphose.

Was sonst als selbstverständliche Lizenz in Anspruch genommen wird, hier ließ es sich „rational" erklären. Zusammen mit dem Überraschungseffekt, daß der aufgelösten Nymphe hinfort doch noch nach Kräften mitzuwirken beschieden ist, vermag die seriös entwickelte Argumentation (465—467) vor dem Hintergrund einer Unbekümmertheit, die, wie zahlreiche Stellen dartun, für unseren Dichter geradezu kennzeichnend ist[471], eher zu erheitern als zu belehren. Es entsteht der Eindruck, Ovid habe seine Leser durch eine neue Spielart, die einer Naturgottheit innewohnende Vielgestaltigkeit — und damit zugleich: Widersprüchlichkeit — virtuos zu nutzen, unterhalten wollen.

Mit dieser Wertung des Gestaltwandels, dem die „in sich" zerfließende Najade unterworfen wird, sind wir bereits zu der Frage gelangt, welche Motive den Dichter zur Darstellung der sonderbaren Metamorphose geführt haben mögen. Über Ovids ebenso elegante wie ungewöhnliche

---

[470] Hier gewinnt der oben S. 19—20 geäußerte Vorbehalt Bedeutung: Die ISS können nur Näherungswerte geben, gewisse Varianten der S. 18—19 beschriebenen Grundformen kommen vor. Im Falle der verwandelten Cyane stimmen alle Details gut zu IS 3, nur der Sprechfähigkeit — andernorts als für IS 3 selbstverständlich dargestellt oder doch mindestens nicht geleugnet — ist diese Naturgottheit ausdrücklich beraubt. Man mag von einer „IS 3 mit Tendenz zur IS 2" sprechen. Die Grundanschauung für die Szene v. 465—470 ist in jedem Fall integrativ.

[471] Vgl. bes. die Kapitel 1—7 des 1. Abschnitts. — Hierher gehört auch die Beobachtung E. Doblhofers (Ovidius urbanus 226—227), Ovid habe durch den vorgeblichen Kausalzusammenhang v. 433—434 *(nam brevis in gelidas membris exilibus undas / transitus est)* seine eigene Verwandlungstechnik ironisiert.

Begründung des Wechsels zu integrativer Sicht war soeben zu handeln. Hierin wie in dem witzigen Effekt, daß die Zerronnene unverdrossen Anteil am Geschehen nehmen darf, werden wir die Absicht des Autors erkennen dürfen.

Des weiteren haben kompositorische Gründe sicherlich eine wesentliche Rolle gespielt. Zunächst bedurfte die recht lange Erzählung vom Raub der Proserpina (5.341—661), die Ovid besonders am Herzen gelegen haben muß, da er sie in den Fasti noch einmal und ähnlich ausführlich dargestellt hat (F. 4.417—620)[472], einiger Verwandlungen, weil der Stoff selbst ja keine enthält. Die Metamorphose der Arethusa ist ebenso gezwungen hinzugezogen wie die der Sirenen und des Lyncus ziemlich unorganisch eingefügt bzw. angeflickt ist[473]. So mag Cyane dem Dichter willkommen gewesen sein, eine neue Verwandlung einzuführen und gleichzeitig der Haupthandlung zu dienen, indem sie dem göttlichen Räuber entgegentrat, ebenso wie Arethusa als teils unterirdisch fließendes Gewässer zusätzlich die Aufgabe übernehmen konnte, der Mutter den Aufenthalt ihrer Tochter zu verraten.

Die Verwandlung selbst motiviert dadurch, daß sie Cyanes Fähigkeit zur Mitteilung auf die Geste des Zeigens beschränkt, den Zorn der unzureichend unterrichteten Ceres, der seinerseits den Auftritt Arethusas möglich macht; damit ist die reizvolle Erzählung von der elischen Nymphe und dem Alpheus vorbereitet. Cyanes Verstummen wiederum war erforderlich, um die wissende, mittlerweile jedoch verflüssigte Najade von ihrer Informationspflicht zu entbinden und stattdessen die Kollegin Arethusa sich entsprechend in Szene setzen zu lassen.

Endlich hat das Paradoxon, daß die Gottheit eines Gewässers zum eigenen Wasser, also zu sich selbst auf einer anderen Identitätsstufe, wird, Ovid sicher besonders gereizt. Konnte er seinem aufgeklärten Publikum so doch wieder die Absurdität geläufiger Vorstellungen über Naturgottheiten, verpackt in der rührenden Geschichte von der sensiblen Nymphe, deren Weltflucht in der Selbstauflösung symbolischen Ausdruck fand, durch geistreiche Konsequenz nahebringen.

22) Alpheus — Ov. M. 5.587—638

Die Verwandlung des Alpheus weist zu der der Cyane weitgehende Parallelen auf: Auch er wird zum eigenen Element; für die Ereignisse vor der Metamorphose ist wiederum analytische Darstellungsweise anzuneh-

[472] Übrigens auch dort ohne kompositorische Notwendigkeit, wie R. HEINZE OeE 308 zeigt.
[473] Das hat R. HEINZE OeE 308 gut ausgeführt.

nen; wie bei Cyane erscheint das Verwandlungsprodukt auf Identitätsstufe 3; endlich vollzieht sich der Gestaltwandel des Flußgottes für den Leser ähnlich überraschend wie der körperliche Schwund jener mutigen Najade, die dem mächtigen Entführer Proserpinas hatte Einhalt gebieten wollen.

Andererseits fallen einige gewichtige Unterschiede zwischen den beiden Erzählungen ins Auge: Des Alpheus Metamorphose ist durch die sexuelle Gier, die der Gott an den Tag legt, motiviert, wird willentlich von ihm selbst vollzogen, hat als zeitlich limitierte Maßnahme zu gelten und erfolgt geradezu blitzartig; anders Cyanes Wandel: allmählich geschehend, von herber Endgültigkeit, schicksalsverhängt und in der Verletzlichkeit der zarten Quellgöttin, die von einem starken Gott rücksichtslos mißachtet und verdrängt wird, gründend. Trotz bedeutender Übereinstimmungen kann also von einer Gleichartigkeit der beiden Metamorphosen nicht die Rede sein.

Sinn und Witz der Verwandlung erschließen sich nur im Gesamtzusammenhang der Alpheus-Episode, die vom Dichter planvoll auf Steigerung hin angelegt ist: Die Vorgänge finden in der Metamorphose ihren Höhepunkt. Somit scheint es sinnvoll, den Handlungsablauf kurz nachzuzeichnen und dabei auf die dynamische Entwicklung des Geschehens zu achten. Berichterstatterin, zugleich von den referierten Ereignissen seinerzeit unmittelbar Betroffene, ist die Nymphe Arethusa.

Zunächst lenkt Ovid, wie er es gern tut, wenn er eine Naturgottheit ausführlicher darzustellen gedenkt, die Aufmerksamkeit seiner Leser auf das Element[474]. — Erschöpft von drückender Hitze und müde von der Jagd (586), mithin für eine Gelegenheit, sich zu erfrischen, dankbar, trifft Arethusa auf ein Wasser, das mit allen Annehmlichkeiten lockt, die sie nur wünschen kann:

> *invenio sine vertice aquas, sine murmure euntes*
> *perspicuas ad humum, per quas numerabilis alte*
> *calculus omnis erat, quas tu vix ire putares.* (587—589)

Zudem weiß der Fluß sich durch willkommenen Schatten, den der Schilf- und Pappelbewuchs seiner Ufer bietet (590—591), zu empfehlen. Arethusa

---

[474] So verfährt Ovid bei Tellus (M. 2.272—275), Achelous (M. 8.549—550), dem Gießbach (Am. 3.6.1—8, s. o. Kapitel 2), Peneus (M. 1.568—573), dem zweiten Teil der Darstellung des Inachus (M. 1.639—641), Sol (M. 4.192—208; IS 3), Tmolus (M. 11.150—152), Acis (M. 13.890—892), Salmacis (M. 4.297—301), Numicius (M. 14.598—599). — Grundsätzliches zur Funktion der Naturkulisse als „Bedeutung tragendes Kompositionselement“ (73) für die Gesamtstruktur einer Erzählung in A. M. Bettens Ausführungen über Ovids Wasserlandschaften (70—90 und bes. die Zusammenfassung 100—102; zu Alpheus dort S. 86).

wird zur Annäherung verführt. Arglos steigt die Jägerin immer tiefer ins kühlende Naß (592—593), entkleidet sich schließlich (593—594) und beginnt, recht unbefangen zu baden (595—596). Ihr Wohlbefinden bleibt so lange ungetrübt, bis sie ein verdächtiges Geräusch[475] aus der Tiefe hört:

nescio quod medio sensi sub gurgite murmur. (597)

Verschreckt erklimmt Arethusa das nächstgelegene Ufer (598). Zwar muß sie die Hast ihrer Flucht mit Nacktheit bezahlen — allzu fern liegt ihr Kleid —, doch hat sie die Gefahr, die junge Mädchen im Umgang mit Flüssen stets zu gewärtigen haben, richtig eingeschätzt: *flumina senserunt ipsa quid esset amor.* Nunmehr verständliche Laute aus rauher Kehle geben den Beweis:

‚quo properas, Arethusa?' suis Alpheus ab undis,
‚quo properas?' iterum rauco mihi dixerat ore. (599—600)

Im nächsten Augenblick sieht man den Gott, der die Nymphe seinen Wünschen bereits ausgeliefert wähnte, sich voll lüsternen Elans an die Fersen der Flüchtenden heften:

sicut eram, fugio sine vestibus: altera vestes
ripa meas habuit. tanto magis instat et ardet,
et, quia nuda fui, sum visa paratior illi. (601—603)

Es schließt sich eine Verfolgungsjagd an, die den beiden Beteiligten kaum vorstellbare Leistungen abverlangt: Ein großer Teil der nördlichen Peloponnes wird durchlaufen (607—609), wobei Arethusa weder weglose Wildnis (613) noch kräfteraubende Bergstrecken (612—613) meidet[476].

---

[475] „Das häufig erwähnte *murmur* des fließenden Wassers (V 587) trifft sich hier mit der Vorstellung von den undeutlichen Worten des aus der Tiefe sprechenden Gottes". (Bömer zu v. 597). Der Hinweis auf *murmur* in Vers 587 ist nicht ohne Bedeutung. Die Kennzeichen des Flusses und die Eigenschaften der Gottheit sind nämlich vergleichbar eng aufeinander bezogen, wie das bei Salmacis und deren Teich zu beobachten war. So steht die Ruhe des Wassers (*sine vertice aquas* 587) der erotischen Wallung des Gottes gegenüber, *sine murmure euntes* (587) findet seine Entsprechung im *medio sub gurgite murmur* (597) / *rauco ore* (600), und das inaktive *quas tu vix ire putares* (589) wird der begehrliche Verfolger durch seine Langlaufqualitäten übertrumpfen. Die Parallelen sind also jeweils ins Negative gewendet, das Element täuscht über die ganz andersartige Verfassung des lauernden Gottes hinweg, es ist dessen Erfüllungsgehilfe.

[476] „Es gibt nur wenig Beispiele, die die willkürliche Großzügigkeit, mit der Ovid geographische Angaben behandelt ..., so gut charakterisieren wie die folgenden Verse. Genau genommen beschreiben sie einen wirren Zickzack-Kurs in Luftlinie von über 200 km mit Höhenunterschieden von über 2000 m". (F. Bömer zu v. 607). „Hier wird in einem einzigen Rennen die ganze innere Peloponnes abgelaufen. Wäre die Nymphe für unsere Vorstellung ein Wesen mit göttlichen Überkräften, so wäre diese Leistung ein Wunder und eben darum kein Wunder ...; da wir sie aber nur als eine Jägerin von durchaus menschlichem Wuchs kennen, dürfen wir uns die Landschaft entweder überhaupt nicht vorstellen — obgleich der geographische Zusammenhang der erwähnten Punkte dazu auffordert — oder wir müssen sie entsprechend verkleinern, wenn uns das Mißverhältnis der Entfernungen zu menschlichen Fähigkeiten nicht empfindlich stören soll". (W.-H. Friedrich WdF 371).

Doch so eindrucksvoll die Probe auch ist, welche die passionierte Jägerin (578—579) von ihrer erstaunlichen körperlichen Ausdauer gibt, die Kräfte des wollüstigen Gottes sind noch zäher (610—611): Schon sieht die Nymphe den langen Schatten ihres Verfolgers bedrohlich nahen (614—615), der Hall seiner Schritte ist hörbar (616) und sein Atem zu fühlen (616 bis 617). Hilfe kann nur mehr von außen kommen. Arethusa bittet ihre göttliche Patronin Diana um Schutz (618—620), und diese birgt das verängstigte Mädchen in einer Wolke (621—622).

Die atemlos forthastende Handlung wird nun für eine kurze Weile retardiert. Ovid läßt seine Erzählerin eine Szene ausmalen, die von schwüler Unheimlichkeit getränkt ist[477]: hier, in seinem Versteck zitternd, das gehetzte Mädchen, das vor Furcht nicht die geringste Bewegung wagt (626—629); dort, in unmittelbarer Nähe brünstig forschend, der sinnliche Flußgott, der nicht vom Orte des Geschehens weicht, weil er keine Spuren sieht und daher hofft, der nackten Nymphe noch habhaft zu werden (630—631).

In raschem Wechsel wiederum eilen die abschließenden Ereignisse am Betrachter vorbei. Zunächst Arethusas Verwandlung: Ihr bricht kalter Angstschweiß aus (632), und in kürzester Zeit (635) ist sie ganz zu Wasser geworden (633—636). Man möchte meinen, des Alpheus Verlangen sei damit die Grundlage entzogen, doch was nun folgt, belehrt auf wundersame Weise eines Besseren. Der liebestolle Gott gibt sein Ziel nämlich mitnichten auf, vielmehr zieht er alle Register, mit denen die Großzügigkeit des Dichters seine Flußgottnatur ausgestattet hat:

> ... *sed enim cognoscit amatas*
> *amnis aquas positoque viri, quod sumpserat, ore*
> *vertitur in proprias, ut se mihi misceat, undas.* (636—638)

Diana muß ein zweites Mal hilfreich eingreifen, um Arethusa vor der zügellosen Begehrlichkeit des hartnäckigen Freiers, der der aufgelösten Nymphe nun gleichfalls in flüssiger Form nachstellt[478], zu schützen. Die

---

[477] Arethusas Lage nach dem Schrecken der Verfolgung schön nachempfunden von L. P. Wilkinson 176—177: "Then the contrasting terror of having to keep motionless, of hearing the pursuer searching round the cloak of mist, vividly conveyed by the simile of the hare lurking in a brake, seeing the threatening muzzles of the hounds and not daring to stir."

[478] *os* ist hier als *pars pro toto* („Gestalt"; Parallelstellen bei Bömer zu v. 637) zu fassen. — Die Zeitangabe *sumpserat* bringt eine Schwierigkeit in die Interpretation der einleitenden Szene (587—596). Man könnte daran denken, daß Alpheus zunächst auf IS 3 erscheine und in dem Augenblick, als Arethusas Flucht ihn ebenfalls zum Verlassen des Flußbetts zwinge, „*vir*" (IS 5) werde (Deutung der Gesamterzählung: IS 3 — IS 5 — IS 3). Demgegenüber ist freilich zu beachten, daß empfindungsfähiges Wasser (IS 3), da es engsten Kontakt mit dem Körper der Badenden hätte, Lustgefühle verspüren müßte: eine für Ovid ganz unbrauchbare Konsequenz aus IS 3. Mir scheint, *sumpserat* solle lediglich den zentralen Sachverhalt verdeutlichen,

Vereinigung wird dadurch verhindert, daß der Boden sich spaltet und Arethusa in sich aufnimmt. Jäh endet hier die Handlung, von Alpheus ist nach v. 638 überhaupt nicht mehr die Rede.

Durch die vorstehende Paraphrase wird deutlich, daß vor allem ein Moment der Erzählung Farbe und Dynamik gibt. Es ist dies die ungeschminkte Triebhaftigkeit des Elementarwesens Alpheus; ihr steht als notwendiger Gegenpol das Selbstwertgefühl der Nymphe, die nicht geneigt ist, sich als Freiwild ländlicher Gottheiten mißbrauchen zu lassen, zur Seite. Das Aufeinanderprallen jener einander widerstreitenden Interessen sowie ein rascher Wechsel der Handlungsstationen verleihen der Erzählung eine ungewöhnliche Spannung, die Ovid bis zum Ende Schritt für Schritt zu steigern vermag.

Mit dieser Spannungskurve untrennbar verbunden ist der Einsatz verschiedener Identitätsstufen der handelnden Naturgottheit. Arethusas Bericht macht den Leser zunächst mit der Naturerscheinung Alpheus, einem ruhigen, klaren, einladenden Fluß (= Identitätsstufe 1/2)[479], vertraut. Doch bald läßt sich ein dumpfes Dröhnen aus dem Wasser vernehmen, der Gott gedenkt zum Vollzug zu schreiten. Plötzlich wird klar, daß die Badende längst schon das Wohlgefallen eines interessierten Beobachters (= Identitätsstufe 4) gefunden hat und daß — der Rolle des Sees in der Salmacis-Erzählung vergleichbar — der mit Verhaltenheit und Stille lockende Fluß seinem abwartenden, lauernden, lüsternen Gott zu Diensten steht (= analytische Sehweise: Identitätsstufe 4 neben Identitätsstufe 2). Die Nymphe spürt, daß die Aktivität des Flusses ihr gilt, flieht aus dem Wasser, hört sich gerufen und läuft so schnell sie kann. Alpheus, durch die Nacktheit der Verfolgten gestachelt, eilt ihr über phantastische Distanzen nach und läßt sein Element dabei weit hinter sich: Für diese Phase dürfen wir dem Gott Identitätsstufe 5 zuweisen[480]. Als die Geliebte ihm schließlich zu Füßen fließt, zögert er keinen Augenblick, auf dem

daß diesem Flußgott das Privileg alternierenden Gestaltwechsels (nämlich zwischen den mit Bewußtsein begabten ISS 3 und 4/5: *undae — vir*; *ponere — sumere*) zukommt. Die Vermutung, das Verbum verweise auf eine konkrete Handlungsstation in unserer Episode zurück, ist jedenfalls nicht zwingend. Es bleibt somit sinnvoller, den Anfangsversen analytische Sicht zuzubilligen und das Wasser als hilfreich werbendes Medium (in dieser Funktion dem Teich der Salmacis entsprechend), in welchem der Gott wohnt und auf ein Opfer lauert, zu interpretieren (Deutung der Gesamterzählung: IS 4 verborgen in und unterstützt durch IS 2 — IS 5 — IS 3).

[479] Noch ist der Leser über das besondere Verhältnis zwischen Element und Gott nicht unterrichtet. Wenn später deutlich geworden ist, daß das Wasser dem Verlangen des Gottes assistiert, wird man statt IS 1, die zunächst gültig schien, IS 2 ansetzen.

[480] Immerhin sind bis zum v. 607 genannten Cyllene-Gebirge allein wenigstens 60 Kilometer zurückzulegen. Das ist mythisch zwar möglich (vgl. die wichtigen Bemerkungen von F. Bömer und W.-H. Friedrich oben in Anm. 476), ändert aber an der Tatsache einer auffallend weiten Entfernung vom Fluß Alpheus nichts.

Umweg der ihm möglichen Verwandlung doch noch die erhofften Freuden zu erreichen. Hier ist das Wasser des Alpheus ganz offenkundig erotischer Empfindung fähig, so daß die krönende Schlußszene unserer Episode von Identitätsstufe 3 getragen wird.

Was die Grundpositionen, die der Darstellung zugrunde liegen, anlangt, so hat sich erwiesen, daß die ganze Erzählung (bis v. 636/637) aus analytischer Sicht heraus gestaltet ist: Der Gott lebt in seinem Element, er kann es verlassen und außerhalb handeln. Erst durch die Metamorphose des Alpheus wird diese Betrachtungsweise für die Momentaufnahme zweier kurzer Verse (637—638) zugunsten integrativer Anschauung abgelöst.

Das Einzigartige der betrachteten Transformation liegt in zweierlei: Erstens finden wir in ihr neben dem Gestaltwandel der Cyane die einzige Stelle, wo eine Naturgottheit sich ins eigene Element verwandelt. Identitätsstufenwechsel sind häufig; doch nur in den genannten beiden Fällen wird ein solcher Wechsel ausdrücklich als Metamorphose deklariert.

Zweitens wird hier eine ganz singuläre Art, über Identitätsstufen zu verfügen, präsentiert. Während sonst die Wahl der jeweiligen Seinsform dem Willen des Autors vorbehalten bleibt, wird sie an unserer Stelle dem Gutdünken des Gottes anheimgestellt; die Freiheit des Autors, eine Naturgottheit wechselweise auf ihm passenden Identitätsstufen vorzuführen, geht in der betrachteten Episode an die Naturgottheit selbst: Alpheus persönlich entscheidet über die existentielle Beschaffenheit, die ihm gerade genehm ist.

Vor diesem Hintergrund erscheint Alpheus geradezu als eine Art Gegenpol zu anderen Flußgöttern, etwa Achelous. Hatte Ovid bei diesem häufige perspektivische Verlagerungen und Änderungen der Erscheinungsweise kommentarlos als Selbstverständlichkeiten vermittelt, erläutert er den Identitätsstufenwechsel des Alpheus durch ein eigens erwähntes Motiv, welches er im Wollen — und das bedeutet hier: in den schlüpfrigen Wunschvorstellungen — des göttlichen Lüstlings ansiedelt. Entscheidend ist eben, wie die Identitätsstufen einander ablösen, welche Begleitumstände dabei obwalten; denn das angestrebte Handlungsziel ist recht gleichartig: Es macht kaum einen Unterschied, ob nun der zornige Achelous oder der gierige Alpheus für den nächsten Erzählschritt von Identitätsstufe 4 auf Identitätsstufe 3 versetzt werden soll.

Wenn nunmehr abschließend der Versuch zu unternehmen ist, die Gründe namhaft zu machen, welche der Dichter dafür gehabt haben mag, den Flußgott sich in sein eigenes Element verwandeln zu lassen, sei zunächst auf kompositorische Erwägungen hingewiesen. Die Metamorphose hat dadurch eine wichtige Funktion im Kontext, daß sie Arethusas unterirdischen Abfluß mit all seinen Folgen für die Rahmenhandlung motiviert. Ferner wird das Streben, dem Arethusa widerfahrenen Geschick eine entsprechende Reaktion des Alpheus an die Seite zu stellen, Ovids Gedanken gefördert haben, des Gottes Gestaltwechsel als Metamorphose zu geben.

Sodann galt es, allerhand Pikantes durch eine besondere Pointe zu krönen. Arethusas Bericht hatte ja bereits reichlich in erotischen Motiven geschwelgt, als da waren: der Fluß als Mädchenfalle; das Entkleiden der Nymphe; ihre ungehemmten Badefreuden; die Annäherung des geilen Gottes von unten; die Verfolgung der Nackten; des Gottes dreiste Überwachung von Wolke und Umkreis. Dem fügt sich die spontane Verwandlung des zähen Nymphenjägers bestens ein. Vor allem ist hier jedoch die von Ovid gezielt herausgearbeitete erotische Steigerung bis zur letzten, unerwarteten Konsequenz einzuberechnen[481]: Zunächst — als Lockmittel — der verführerisch einladende Fluß mit seinem verborgen lauernden Gott; dann der naturhaft zudringliche und hemmungslos zielstrebige Mann, dessen Verlangen schon unerfüllbar geworden scheint, bis er kurzentschlossen zum erotisch fühlenden Wasser wird, das zur Vereinigung mit der verwandelten Schönen drängt.

Des weiteren ist der Reiz, der für einen Wortartisten wie Ovid darin lag, die Ambivalenz eines delikaten Wortes durchzuspielen, nicht gering zu veranschlagen. Gefördert durch das griechische μιγῆναι, das häufig in der übertragenen sexuellen Bedeutung erscheint[482], kann auch *misceri* — der reflexive Gebrauch *se miscere* ist nur eine formale Variante[483] — seit Vergil entsprechend *translate* verwendet werden[484]. Damit stand dem Dichter ein Ausdruck zur Verfügung, der hervorragend geeignet war, sowohl der Absicht (erotischer *terminus*) als auch dem körperlichen Vermögen (eigentlicher Gebrauch) der integrativ verstandenen Gottheit gerecht zu werden; das schon mehrfach bei Darstellungen der Identitätsstufe 3 beobachtete Bestreben, die inhaltliche Synthese des anthropopsychen und des hydromorphen Vorstellungsbereichs verbal mitzuvollziehen, tritt an unserer Stelle deutlich hervor.

---

[481] Diese Steigerung geht, wie gezeigt, Hand in Hand mit der Konzentration auf die tragenden ISS (IS 2 — IS 4 — IS 5 — IS 3).

[482] Allein in H. Ebelings Lexicon Homericum zähle ich unter „II) *translate*, a) *de concubitu*" auf S. 1103 bis 1104 knapp 40 Belege.

[483] Zu bedenken ist, daß *ut mihi misceatur* im daktylischen Hexameter nicht hätte verwendet werden können; zudem entspricht das aktive *ut se mihi misceat* dem entschlossenen Drängen des rührigen Gottes wesentlich besser, als die mediale Fügung es könnte.

[484] Stellenangaben, die auf einer sorgfältigen Sichtung des TLL-Materials beruhen, bei F. Bömer zu v. 638.

Für den Sonderfall der betrachteten Metamorphose, in dem Identitätsstufe 3 durch einen Willensakt des Gottes (= Identitätsstufe 5) ins Leben gerufen wird, vermittelt die Wortwahl *(ut se mihi misceat)* zugleich den Schein der Kontinuität: der begehrlich drängende Gott vor der Transformation sei dasselbe Wesen wie das hernach der Najade gierig entgegenwallende Wasser; wie Identitätsstufe 5 und Identitätsstufe 3 nur als verschiedene Stufen einer Identität „Alpheus" gälten, so sei auch das Ziel der Naturgottheit, „*se Arethusae miscere*", an jedem Punkt der Erzählung das gleiche.

Als weiteres Moment ist Ovids Freude am Experimentieren zu nennen, an der Reflexion darüber, welche Eigenschaften und Fähigkeiten einem Flußgott eignen könnten, welche Folgerungen dessen besondere Natur erlaube, ohne daß die mythische Legitimität dabei preisgegeben werden müsse. Wenn Flußgötter üblicherweise verwandlungsfähig sind, so mag der Dichter gefragt haben, sollte dann nicht das zugehörige Wasser ein ganz naheliegendes Verwandlungsprodukt sein? Diese Überlegung führt an unserer Stelle, an der das Wasser auf Identitätsstufe 3 gedacht wird, zwangsläufig zu jener einmaligen Kontamination von Grundanschauungen. Es sei daran erinnert, daß Grundanschauungen normalerweise Ausschließlichkeit beanspruchen; zwar können sie einander, wie die oben im Abschnitt II B 1 untersuchten Textstellen zeigen, innerhalb einer Episode ablösen, doch gilt für den jeweiligen Handlungsschritt eben nur genau eine Betrachtungsweise. Die Metamorphose des Alpheus hingegen läßt beide Grundpositionen an einem Vorgang teilhaben: Analytisch geschildert ist die Situation, in welcher der Gott den Entschluß zur Verwandlung faßt, integrativ der knapp vereitelte Zusammenfluß mit Arethusa.

Im übrigen mag die oben bei Cyane ausgeführte Lust am Paradoxen auch bei der Darstellung des Alpheus eine Rolle gespielt haben. Manches hierzu ist bereits in die vorstehenden Darlegungen eingeflossen. Es mag daher genügen, abschließend auf zwei Aspekte hinzuweisen.

Wie zuvor gezeigt, hebt der sprachliche Ausdruck, welcher das Ziel der Transformation *(ut se mihi misceat)* zu umreißen hat, zwar auf kontinuierliche Identität des handelnden Subjekts ab, doch wird der Leser den Träger des Verwandlungswillens (Identitätsstufe 5) sachlich nicht mit dem erfolglos operierenden Wasser (Identitätsstufe 3) gleichsetzen können. Zwischen sprachlichem Ausdruck und außersprachlicher Wirklichkeit entsteht somit ein Widerspruch, den der Kenner ob der Brillanz der ambivalent schillernden Formulierung goutieren wird.

Ein anderer paradoxer Effekt ergäbe sich, wenn — was als verhältnismäßig wahrscheinlich gelten darf — die Metamorphose in einiger Entfernung vom Fluß Alpheus geschähe[485]. In diesem Fall kann der Betrachter zwei elementare Alphei registrieren: den andernorts fließenden regulären Strom, dessen Lauf durch die Natur bestimmt ist, sowie das spontane Verwandlungsprodukt, das sexueller Gier seine Entstehung verdankt. Übrigens wäre angesichts der möglichen zwei elementaren Identitäten des Alpheus allenfalls für diese Stelle ernsthaft zu überlegen, ob der vielgenannte Begriff der „Ich-Spaltung", versieht man ihn mit dem Zusatz „lokal", ein hilfreiches Instrument sein kann, um die paradoxe Situation, die bei der Verwandlung des rührigen Flußgottes entsteht, angemessen zu beschreiben.

Ergänzende Stellenangaben zum 4. Abschnitt

Die Metamorphosen von Cyane und Alpheus sind in ihrer Art einzig. Die gesamte antike Literatur, jedenfalls soweit sie für diese Arbeit zu durchmustern war, kennt nichts Vergleichbares.

5. Abschnitt:

Die Handlungen eines Gottes haben unmittelbare Rückwirkungen auf eine niedrigere Identitätsstufe

Für die in diesem Abschnitt erfaßten Fälle ist kennzeichnend, daß ein Gott von einer Handlung, die seine Menschengestalt voraussetzt, betroffen wird. Um die Wirkung, die jenes Geschehen auf die Naturgottheit übt, zu veranschaulichen, zieht der Dichter jedoch die Identitätsstufe 3 — ausnahmsweise auch IS 1 — heran. Kurz gesagt: Einer analytisch geschilderten Aktion folgt eine (in aller Regel) integrativ dargestellte Reaktion.

23) Sol Ov. M. 4.192—203

Nirgends sonst werden die Folgen, die einer integrativ betrachteten Naturgottheit aus einem Ereignis, das ihre Menschengestalt voraussetzt,

---

[485] Eine eindeutige Klärung ist allerdings nicht möglich. Die Ortsangabe Elis könnte zwar ein Indiz scheinen; die Stadt läge in deutlicher Entfernung vom Alpheus, während die Landschaft sich bis zu ihm erstreckt (die beiden Akteure hätten dann einen Bogen beschrieben und befänden sich nun wieder am Ausgangspunkt Alpheus). Andererseits muß jedoch die zuletzt genannte Station Elis (608) keineswegs das Ende der Jagd markieren, da die Verse 612—613 eine Fortsetzung des Laufes beschreiben könnten (aber wiederum nicht müssen, da auch eine allgemein charakterisierende Variation der konkreten Angaben in v. 607—608 denkbar wäre). Man sieht, wie sinnlos es angesichts des vagen Textes ist, den Ort der Verwandlung bestimmen zu wollen. So bleibt lediglich die Vermutung, daß Ovid eine erneute Annäherung an den Fluß (rein geographisch verstanden, IS 1) durch ein besonderes Wortspiel kenntlich gemacht hätte. Der ursprüngliche Flußlauf (= Ausgangspunkt der Verfolgung) aber wird nicht einmal mehr andeutungsweise einbezogen.

erwachsen, so ausführlich geschildert wie im Falle des verliebten Sol. Was andernorts in ein Bild, einen Gedanken, einen Satz gedrängt wird, erscheint hier breit und nicht ohne Behagen ausgemalt. Reizvoll war die Liebesaffäre des Sonnengottes für einen Dichter wie Ovid ganz gewiß, gab sie doch Gelegenheit, die wahrhaft spektakulären Auswirkungen einer nicht alltäglichen Leidenschaft en détail am Auge einer amüsierten Leserschaft vorüberziehen zu lassen.

Ovids Kette funkelnder Pointen gründet in der Einzigartigkeit des Individuums Sol, welches eben dann, wenn es auf Identitätsstufe 3 erscheint, mit Eigentümlichkeiten aufwartet, wie sie kein anderer Liebhaber in sich vereinigt. So setzt man vom Tagesgestirn gemeinhin feurige Hitze voraus, nimmt an, daß es alles sehe, sein Licht die ganze beschienene Welt erfasse, es sowohl einem festen Tagesrhythmus unterliege als auch durch die Jahreszeiten beeinflußt werde, und weiß endlich, daß es sich zuzeiten verfinstern kann. Antworten auf die Frage, wie solche Eigenschaften sich wohl bewähren, wenn das Element Sonne menschlich zu fühlen vermag, hat Ovid in dem vorliegenden Psychogramm M. 4.192—203 detailliert durchgespielt.

Es dürfte statthaft sein anzunehmen, daß der anthropomorphe Gott (Identitätsstufe 4/5) sich verliebt hat und Identitätsstufe 3 nur zu dem Zweck bemüht wird, die veränderte innere Disposition der Gottheit aus einer ungewöhnlichen Perspektive zu beleuchten. Zwar wird die Vorgeschichte — der Verrat des Sonnengottes und die Bestrafung durch die bloßgestellte Göttin der Liebe — nur angedeutet, doch wird man jene Ereignisse (169—192), das Aufkeimen der Leidenschaft zu Leucothoe wie auch die zahlreichen älteren Liebschaften (204—208) kaum einer Gottheit von elementarem Äußerem zuweisen wollen. Diese Deutung scheint um so berechtigter, als Sol im Folgenden (214—233) tatsächlich in Menschengestalt auftritt und der Geliebten seine nächtliche Aufwartung macht (s. o. Kap. 7, S. 157—159).

Doch nun zur integrativ geschilderten Passage v. 192—203! Zunächst fühlt der Dichter sich zu der sorgenvollen Frage bewogen, welchen Nutzen denn der Gott nun, da sein inneres Gleichgewicht durch Venus' Wirken nachhaltig gestört sei, von all seiner Pracht habe (192—193) [486]. Die Leser brauchen auf die Antwort nicht zu warten, denn sogleich macht Ovid sich genüßlich daran, den kläglichen Gemütszustand des an seine Himmelsbahn Gebannten möglichst gewissenhaft zu referieren und zu kommentieren:

---

[486] Das bekannte Motiv der Nutzlosigkeit göttlicher Würde in bestimmten kritischen Situationen, vgl. oben Anm. 335.

nempe, tuis omnes qui terras ignibus uris,
ureris igne novo, quique omnia cernere debes,
Leucothoen spectas et virgine figis in una,
quos mundo debes, oculos. modo surgis Eoo
temperius caelo, modo serius incidis undis
spectandique mora brumales porrigis horas. (194—199)

Doch nicht genug damit, daß Gluten neuer Art hervorbrechen, die Lichtstrahlen eine recht eigenwillige Richtung nehmen und die natürliche Zeit der gewohnten Ordnung entgleitet:

deficis interdum, vitiumque in lumina mentis
transit, et obscurus mortalia pectora terres.
nec, tibi quod lunae terris propioris imago
obstiterit, palles: facit hunc amor iste colorem. (200—203)

Sucht man diese Aussagen zu gliedern, so wird deutlich, daß sechs einzelne Bilder ausmalen sollen, in welchen Punkten die Beschaffenheit sowie das Verhalten des Sonnengottes vom erfahrungsmäßigen Aussehen und Lauf des Gestirns abweicht. Bei den ersten drei Beobachtungen wird jeweils der Normalfall ausdrücklich der Veränderung gegenübergestellt, für die Fälle 4) bis 6) bleibt er als selbstverständlich unerwähnt. Alle Bilder sollen nacheinander kurz auf die sprachlichen und gedanklichen Mittel hin, denen sie ihre komische Wirkung verdanken, untersucht werden.

1) Als erstes wird die natürliche Funktion der Sonne *(terras ignibus urere)* vom gegenwärtigen Zustand des Gottes *(igne novo uri)* abgehoben. Beide Wörter vermögen in eigentlicher Verwendung einen physikalischen Vorgang (das Brennen der Sonnenglut) zu bezeichnen, sie sind aber gleichermaßen für metaphorischen Gebrauch (das Brennen der Liebesglut) geeignet. Abgewandelt ist nur das *genus verbi*, so daß aus dem Handelnden ein Betroffener wird; ferner kommt das Attribut *novus* hinzu. Nun ist der *ignis novus* zwar qualitativ von jenem *ignis*, der die Erde erwärmt, verschieden, doch der Gleichklang (*ignis* : *ignis* statt z. B. *flammae* : *amor*) suggeriert eine Doppelung der Glut, und eben darauf beruht — neben dem Rollentausch zwischen Subjekt und Objekt — die Wirkung der Stelle: Er, der alltäglich sein Feuer erdwärts richtet, ist nun selber Ziel eines Feuers, der gewohnten Wärmequelle hat sich eine ungewohnte zweite gesellt[487].

---

[487] Man mag F. Bömer (zu v. 194) darin beipflichten, daß „die rhetorische Paronomasie ... *igne solis uri — igne amoris uri* ... ein gelungenes und typisches Ovidianum" sei; bei Haupt-Ehwald freilich ist diese Einschätzung, auch wenn Bömer sie ihnen in den Mund legt, weder so noch in anderer Form zu lesen.
Eine ähnliche Konfrontation von eigentlicher und metaphorischer Bedeutung des Wortes *ignis* — „Weltbrand" gegenüber „Blitz" — begegnet, wie Bömer anmerkt, M. 2.280—281:

2) und 3) Diese beiden Punkte gehören inhaltlich zusammen. In chiastischer Form wird hier die Beobachtung, daß das Augenmerk Solis sich nur mehr auf das eine Mädchen Leucothoe richte, von Gedanken über die Allsichtigkeit des Gottes gerahmt. Dabei ist bemerkenswert, daß beide Aussagen über den Regelfall *(omnia cernere debes, mundo oculos debes)* die Pflicht *(debes)* hervorkehren. Hält man eine Stelle wie M. 2.385 *(officiumque negat mundo)* daneben, wird deutlich, daß die Aufgabe des Gottes, seine Augen überall auf der Welt ruhen zu lassen, aus schlicht irdischer Perspektive als seine Funktion, das Tageslicht zu verbreiten, beschrieben werden müßte. Angesichts der schönen Leucothoe richtet Sol mithin sein Licht recht einseitig aus.

4) und 5) Auch die Abweichungen vom normalen Zeitgefüge sind eng miteinander verknüpft: Wir erfahren, daß Sol zu früh aufgehe und seinen Untergang zu verzögern wisse; er dehne gar die Länge der kurzen Wintertage[488]. Der übertriebene Diensteifer des *auctor lucis* (257—258) wirkt darum so erheiternd, weil der Gott frank Minnedienst übt: Eine zarte menschliche Empfindung vermag die Gesetze kosmischer Ordnung zu verzerrens Lange Tage und sonnige Winter spiegeln also das Gefühlsleben eine integrativ geschauten Gottes, dem in dieser Gestalt keine andere Wahl bleibt, als die Regungen seines Innern in entwaffnender Offenheit einer staunenden Welt darzubieten.

6) Am ausführlichsten geht Ovid auf die Verfärbung des Sonnengesichts ein; vier Zeilen werden ihr gewidmet. Da *pallor* als ein untrügliches Zeichen dafür gelten kann, daß jemand von Liebeskummer gepackt ist[489], sind wiederholte Glanzlosigkeit und Verdunkelung des göttlichen Gestirns leicht erklärt: Liebe läßt den Lichtgott bleichen, sein Antlitz zeigt einen psychosomatischen Reflex.

Als frivol müssen Ovids Zeitgenossen jedoch die Kommentare empfunden haben, mit denen der Dichter den Zustand seines Gottes bedenkt (200 bis

---

liceat periturae viribus ignis / igne perire tuo; allerdings geht Bömer fehl, wenn er diese Äußerung „ebenfalls in Worten an den Sonnengott" findet: Tellus wendet sich vielmehr eindeutig an Iuppiter (cf. e. g. 2.291 *frater*, 294 *caeli tui*). — Ferner sei auf M. 2.220 (mit A. M. Bettens Ausführungen S. 35—36; vgl. auch ihre Anm. 91) und M. 2.313 hingewiesen.

Zur Art der Paradoxie vgl. unten Anm. 554.

488 Der Gedanke ist freilich nicht neu; eine frühere Stelle, die ähnlich hübsch ist wie unsere, den Gott allerdings auf IS 4/5 zeigt, habe ich bei Kallimachos notiert. Dort (Callim. Dian. 170—182) führt der Dichter aus, er möchte seine Rinder nicht zum Pflügen vermieten, wenn die Nymphen von Brauron Reigen tanzen, weil Helios dann bewundernd seinen Wagen anhalte und der Tag somit verlängert werde; die Kräfte der Tiere würden unter solchen Umständen übermäßig beansprucht (s. F. Bornmanns Kommentar zu v. 175—182). Allgemein zu mythischen Wirrnissen der Sonnentätigkeit: Bömer zu v. 197—198 und bes. Bornmann zu Call. Dian. 182.

489 Ov. AA 1.729 *palleat omnis amans*; Einzelheiten dazu in den Kommentaren von P. Brandt und A. S. Hollis. — Vgl. auch unten Anm. 512.

203). So werden die Sonnenfinsternisse mit ärztlichem Sachverstand diagnostiziert: Jener dunkelnde Teint sei als körperliches Abbild der seelischen Labilität des Liebeskranken zu verstehen (*vitium ... in lumina mentis / transit* 200—201). Furchtsame zittern also vor einer Nichtigkeit[490]: den allzu menschlichen Schwächen eines Gottes, der, aller Welt ein Schauspiel, hilflos seiner Liebe ausgeliefert ist (*obscurus mortalia pectora terres* 201). Schließlich setzt Ovid gar die Miene des Naturforschers auf, indem er astronomische Gründe ausscheidet: Sicher sei keine natürliche Sonnenfinsternis schuld, wenn die lichte Pracht sich trübe (202—203). Wissenschaftliche Ernsthaftigkeit, an die lockere Atmosphäre dieser kosmischen Komödie herangetragen, kann aber kaum anders denn als Ironie gewertet werden. Die Majestät eines bedeutenden Gottes wird hier schonungslos ausgehöhlt, die Konzeption des fühlenden Elements Sonne der Lächerlichkeit preisgegeben.

Gründe für die von ovidischem Esprit funkelnde Darstellung scheinen bereits in der Interpretation der einzelnen Bilder, die der Dichter von dem seelisch siechen Gott malt, auf. Ein äußerer Zwang, der etwa im Inhalt der Erzählung selbst oder in der Verknüpfung zweier Szenen läge, ist jedenfalls nicht erkennbar. Die witzigen Einfälle tragen ihr Lebensrecht offenkundig in sich.

Ein wichtiges Motiv liegt in der dominanten Stellung, die Ovid der Liebe zumißt. Der Dichter weitet die Bedeutung des Vorgangs in weltumspannende Dimensionen. Dadurch wird das Geschehen gewissermaßen „entpersönlicht", die ganze Oikumene nimmt teil, und das Gewicht der Liebe, die all dies verursacht hat, steigt entsprechend. Venus' Rache hat astronomische Umwälzungen zur Folge: Gewohnte Ordnungen werden zerstört, Naturgesetze aufgelöst, Angst breitet sich aus. Insofern fügt sich die betrachtete Episode genau in Ovids Intentionen, Cupido und Venus sind die eigentlichen Herrscher in der Götterwelt, weil sie die Macht verkörpern, der auch die Götter stets von neuem unterliegen, eine Macht, die stark genug ist, den Weltenlauf zu verändern[491].

---

[490] Die Angst, welche sich bei Sonnen- und Mondfinsternissen unter einfachen Leuten auszubreiten pflegte, kommt in der bekannten Schilderung Cic. Rep. 1.23—25 anschaulich zum Ausdruck.

[491] Zur Liebe als einem zentralen Motiv ovidischer Dichtung s. u. Anm. 547. — A. S. ANDERSONS Anregung (Multiple Change, bes. S. 7—9), den Begriff „Metamorphose" auf psychische Veränderungen auszudehnen ("passion's power to transform gods and men" 7), ist, auch wenn Bedenken grundsätzlicher Art gegen eine solche Weiterung sprechen, für unsere Stelle insofern erwägenswert, als sich neben dem Empfinden des göttlichen Gestirns auch dessen äußere Gestalt — und zwar so stark, *ut obscurus mortalia pectora terreat* — wandelt. Es ist hier mithin nicht ganz richtig, daß "the transformation works first psychically, then physically" (S. 7): Schon die „erste Metamorphose" (192—203) betrifft Seele und Körper gleichermaßen.

Ein zweites Motiv ist darin zu sehen, daß sich dem Dichter, wenn er die in Identitätsstufe 3 enthaltenen Vorstellungen nutzte, die Möglichkeit auftat, sehr attraktive Komplikationen zu beschreiben. Auf diese Weise ließen sich einige astronomische Absonderlichkeiten entwickeln, in denen letztlich das Streben nach Schilderung von Sachverhalten, die der Erfahrung widersprechen, zutage tritt. Für paradox wird der nüchtern urteilende Leser die Aussagen halten, daß die Sonne von Glut gequält wird und daß ihre Allsichtigkeit sich auf einen einzigen Blickwinkel verengt[492]. Ähnlich befremdend wirkt es, wenn erotisches Sehnen die Nacht zum Tag und den Winter zum Sommer macht und wenn eine Sonnenfinsternis psychische Ursachen haben kann.

Ferner wäre denkbar, daß eine gewisse Freude am Experimentieren die Gestaltung unserer Szene beeinflußt hat. So mag Ovid bewußt der Frage nachgegangen sein, wie Sol sich verhalten müßte, wenn man gleichermaßen die Eigenschaften des Gestirns Sonne sowie das Verhalten eines Liebhabers veranschlagt und diese beiden Momente im Sinne integrativer Grundanschauung als mentale und elementare Züge miteinander koppelt. Die einzelnen Vorstellungen waren also ernst zu nehmen und konsequent auf die epische Situation (192: *laedit amore pari*) zu übertragen. Bei diesem Verfahren konnte es dann nicht ausbleiben, daß physisches und psychisches Leben in der oben geschilderten Weise miteinander in Konflikt gerieten.

Als letztes Motiv ist Frivolität zu nennen, der Reiz, Komödie auf Kosten des Sol zu spielen. Kaum etwas, was seiner Geltung abträglich ist, bleibt dem Gott erspart, alle seine großartigen Eigenschaften geraten hier ins Jämmerliche. Die größte Erniedrigung erfährt Sol aber dadurch, daß der Dichter ihn, die *lux inmensi publica mundi* (2.35), auf Identitätsstufe 3 bannt: So ist der Sonnengott gezwungen, die eigene Affäre in aller Öffentlichkeit vorzuspielen und dabei seine intimsten Empfindungen zu prostituieren.

24) Sol — Ov. M. 2.329—332, 381—388

Integrativer Sehweise ist auch die Schilderung verpflichtet, die den Sonnengott in seinem Schmerz nach dem Absturz und Begräbnis Phaethons zeigt. Der Vater habe sein Gesicht verhüllt, und es sei ein sonnenloser Tag vergangen; nur der Weltbrand habe eine völlige Finsternis verhindert:

---

[492] Diese Pointen wurzeln vor allem im Rhetorischen (semantische Spiele mit *ignis* : *ignis* und *omnia cernere* : *spectare*); mit der Sorgfalt des Naturforschers soll man ihnen nicht nachspüren; fragt man dennoch, was der *ignis novus* physikalisch bedeute oder wie es vorstellbar sei, daß das Sonnenlicht, statt auf dem Erdenrund zu haften, nur mehr auf Leucothoe falle, ergibt sich ein groteskes, aller Wahrscheinlichkeit entbehrendes und damit als paradox empfundenes Bild (Feuer im Feuer, Strahlenkonzentration auf die Geliebte).

nam pater obductos luctu miserabilis aegro
condiderat vultus: et si modo credimus, unum
isse diem sine sole ferunt; incendia lumen
praebebant, aliquisque malo fuit usus in illo. (329—332)

Ovid führt den Gott auf Identitätsstufe 3 vor: Sol verhüllt, einem üblichen Trauergestus folgend, sein Sonnengesicht *(obductos)*, welches infolgedessen nicht mehr allgemein sichtbar ist *(condidit)*[493]. Es liegt nahe, die verschleiernde Bedeckung ähnlich elementar wie das Antlitz zu fassen, also etwa an Wolken zu denken[494]. Der anschließende Gedanke schildert die Folgen, die der Welt aus jener Verhüllung erwachsen: Wie durch ein Wunder[495] habe der Sonnenschein für einen Tag ausgesetzt[496]. Eben dieser Sachverhalt vermag die Auffassung, daß Sol in der betrachteten Szene integrativ dargestellt werde, wesentlich zu stützen: Das anthropopsyche Moment der Trauer verbindet sich in aller wünschenswerten Deutlichkeit mit dem heliomorphen des verdunkelten Tagesgestirns.

Da die ursächliche Verbindung zwischen dem Verhüllungsmotiv und dem Ausbleiben des Sonnenlichts für die Interpretation der Szene v. 329—332 von besonderer Bedeutung ist, soll gleich auf eine denkbare Gegenposition eingegangen werden. So könnte man gegen unsere integrative Deutung einwenden, die Aussage ‚*unum isse diem sine sole ferunt*' sei darin begründet, daß Phaethon mit der Sonne jenes Unglückstages, die der Gott eigenhändig in Form von *radii* — also offenbar einem Strahlenkranz — auf das Haupt seines Sohnes gesetzt habe (2.124), abgestürzt sei, was auf Erden den katastrophalen Brand und am Himmel Finsternis verursacht habe; der bekümmerte Vater erscheine anthropomorph, seine Trauer ziehe keinerlei kosmische Folgen nach sich.

Es ist nicht zu bestreiten, der der Sturz des jugendlichen Wagenlenkers ein weiteres, an sich völlig ausreichendes Motiv für den Schwund des Tageslichts gibt. Dies ist indes nur die Folge einer anderen, grundsätzlichen

---

[493] Die Handlung ist, wie F. Bömer zu v. 329 richtig ausführt, als ‚*vultus obduxit et condidit*' zu fassen. Dabei hat *condidit* gegenüber *obduxit* eine resultative Nuance, beide Verben beleuchten im Grunde denselben Vorgang (deutsch etwa: „er hüllte bergend sein Haupt"). — *nam* ist „rein anknüpfend" (Bömer zu v. 329 mit Parallelstellen; man könnte M. 11.150, wo gleichfalls der Blick auf eine Naturgottheit gelenkt wird, hinzufügen). — *luctu aegro* gehört als Ablativus causae zu *miserabilis* (Bömer zu v. 329); es ist daher abwegig, eine semantische Brücke zwischen *obducere* und *luctu* zu schlagen; Bömers Belege für die Junktur *dolor* (o. ä.) *obductus („vernarbt, vergessen, verjährt")* dienen nicht dem Verständnis unserer Stelle.

[494] An einer vergleichbaren Stelle (M. 11.572: Lucifer trauert ebenfalls um einen Sohn; s. Kap. 25) ist dieses Bild ausgeführt: *densis texit sua nubibus ora.*

[495] „*si modo credimus*" drückt einen Vorbehalt gegenüber der folgenden Aussage, die recht wunderbar scheint, aus. Grundsätzliches zu solchen Parenthesen, durch die der Dichter sich von allzu Staunenswertem distanziert, bei Bömer Komm. zu M. 3.106.

[496] *sine sole* zielt — ohne Bezug zum Mythos — lediglich auf die Naturerscheinung (IS 1).

Doppelung: Ovid arbeitet mit zwei unterschiedlichen Konzeptionen des Phänomens „Sonne“. Die erste Sonne ist mit Phaethon auf die Reise gegangen, wurde von Sol persönlich übergeben (2.124) und hat schließlich, nachdem der Knabe an der Lenkung der *portantes lumina currus* (388) gescheitert war, die Welt in Flammen gesetzt. Die zweite Sonne wird durch Sol selbst repräsentiert, sofern dieser nämlich auf einer niedrigeren, d. h. nicht-anthropomorphen Identitätsstufe gedacht wird, und ist in der Szene v. 381—385 zweifelsfrei handelndes Subjekt.

Da also im Rahmen der Phaethon-Erzählung zwei Vorstellungen von der Lichtquelle Sonne nebeneinander verwendet werden, hat man für unsere Stelle zunächst von zwei gleichermaßen legitimierten Interpretationsmöglichkeiten auszugehen. Von der integrativen Deutung des Geschehens war oben bereits zu handeln. Sie wirft keinerlei inhaltliche Probleme auf.

Setzt man den Fall, die Katastrophe des mit den Sonnenstrahlen bekränzten Phaethon sei Grund für den sonnenlosen Tag, von dem die Verse 330—331 zu berichten wissen, so verdient die skeptische Zwischenbemerkung ‚*si modo credimus*‘, die mit jener Aussage verflochten ist, besondere Aufmerksamkeit. Es kann nämlich gewiß nicht als erstaunlich, wunderbar oder kaum glaublich angesehen werden, daß Phaethons Sonne — eben der Strahlenkranz aus 2.124 — nicht mehr verfügbar ist und somit auch nicht scheinen kann. Auf diesen Umstand durch ‚*si modo credimus*‘ hinzuweisen wäre unangemessen, eine Selbstverständlichkeit mit der Aura des Außergewöhnlichen zu umgeben witzlos.

Anders, wenn man dem Sonnengott Identitätsstufe 3 zuweist. Bedenkt man, daß selbst die elementaren *vultus Solis*, eben weil sie ‚*vultus*‘ sind, mit Menschenmaß gemessen werden, müssen die gewaltigen Auswirkungen des Verhüllungsaktes, der ja die ganze Welt in Dunkelheit taucht, in der Tat als Wunder gelten. Die integrative Sicht bewährt sich also auch in diesem Punkt. Wenn man zudem veranschlagt, daß die Aussagen v. 329—330 und v. 330—331 direkt aufeinander folgen, scheint es noch weniger haltbar, die naheliegende und sinnvolle gedankliche Verbindung beider in Abrede zu stellen: Ovid hebt offenkundig auf die erstaunlichen Konsequenzen ab, die sich ergeben, sobald man Sol zu einer integrativen Existenz verhilft[497].

Innerhalb der Sagen um die Unglücksfahrt des Phaethon ist Sol jedoch noch ein zweiter Auftritt zugedacht. Wiederum erscheint die Gottheit auf

---

[497] Somit ist es zwar richtig, daß Phaethons Unfall die Welt um ihre Sonne gebracht hat. Doch diese Sonne wird an unserer Textstelle zugunsten der zweiten (IS 3 Solis) verdrängt: Ein Verfahren, das dem des ISS-Wechsels in bemerkenswerter Weise entspricht. Wenn nämlich der voreilig schwörende Vater (IS 5) vom fühlenden Himmelskörper (IS 3) abgelöst wird, ist jener vergessen und nur dieser gilt. Motive, die ihre Schuldigkeit getan haben, pflegt Ovid hintanzustellen und durch attraktive neue Ideen zu ersetzen, wobei er sich in zahlreichen Fällen keineswegs bemüht zeigt, Widersprüche zu glätten (vgl. auch unten S. 247—248 mit Anm. 545).

Identitätsstufe 3, diesmal freilich ist die Deutung von vornherein zweifels frei. Nachdem der Dichter Clymenes Gram gestreift und bei der Ver wandlung der Heliaden sowie des Cygnus etwas ausführlicher verweilt hat lenkt er den Blick seiner Leser auf eine Sonnenfinsternis[498], welche in ihre äußeren Zügen an die *defectio Solis* M. 4.200—203 gemahnt (s. o. Kap. 23) dabei aber ganz andersartig motiviert ist:

> *squalidus interea genitor Phaethontis et expers*
> *ipse sui decoris, quali, cum deficit, orbe*
> *esse solet, lucemque odit seque ipse diemque*
> *datque animum in luctus et luctibus adicit iram*
> *officiumque negat mundo. . . .* (381—385

Hier führt der Kummer des Gottes zur Trübung der Sonnenscheibe. Da Trauerverhalten der vorigen Szene (329—332) wird somit motivisch variiert, dem Thema einer mittelbaren Verhüllung des solaren Antlitze folgt nunmehr das eines unmittelbaren psychosomatischen Reflexes.

Für die folgenden Verse 383 bzw. 385—400, die vom Überdruß des Sonnen gottes an seinem Amt, seiner Weigerung, den Dienst aufzunehmen, de Bitten aller Götter und dem Einschreiten Iuppiters erzählen, bedient Ovid sich wieder der anthropomorphen Konzeption des Sol[499]. Wie in den Szenen M. 4.200—203 und M. 2.329—332 wird das Geschehen nur dort von integrativer Grundanschauung bestimmt, wo es galt, den jeweiligen Gemütszustand der Gottheit anschaulich und einprägsam zu beschreiben.

Eine Prüfung der sinntragenden Ausdrücke führt auf Identitätsstufe 3 als für die Verse 381—385 gültige Gestalt des Sol: *squalidus* bezeichnet schmutzige Glanzlosigkeit und fügt sich somit gut dem Zweck, die Trübung des Himmelskörpers zu charakterisieren; außerdem weist das Wort, da es dem Bereich der Trauer zugehört[500], auf menschliches Empfinden; *expers sui decoris* gibt den Verlust strahlender Helle wieder[501]; *deficit* endlich ver-

[498] Der Vergleich *quali, cum deficit, orbe esse solet* läuft natürlich auf eine Sonnenfinsternis der M. 4.200—203 beschriebenen Art hinaus. — Zur Gestalt des Textes siehe unten Anm. 502.

[499] Die Versammlung der Olympier ließ dem Dichter kaum eine andere Wahl. — Einzelheiten darüber, wie Ovid die ISS des Sol gegeneinander tauscht, oben in Kap. 7. Ob IS 5 schon v. 383 oder erst v. 385 anzusetzen ist, läßt sich nicht mit Sicherheit entscheiden.

[500] Vgl. Haupt-Ehwald und Bömer zu v. 381.

[501] F. Bömer hält *decus* für den glänzenden Wagen des Gottes (Komm. zu v. 382) und bringt damit ohne Not einen Fremdkörper in die Reihe *squalidus* — Sonnenfinsternis. Solch ein stören- der Bruch ist indes vermeidbar, wenn man schlicht die Ausgangsbedeutung „Zier, Pracht" für unsere Stelle anerkennt; das Äußere des Sol würde dann folgendermaßen umrissen sein: 1) in trübem „Schwarz" (wie ein Trauernder); 2) ohne den gewohnten (d. h. ihm sonst eigenen: *sui* strahlenden Glanz; 3) verdunkelt wie bei einer Bedeckung durch den Mond. — Alle diese Attribute zielen, von verschiedenen Aspekten ausgehend, auf die Beschaffenheit der Sonnen- oberfläche, die nach integrativer Grundanschauung der Teint des göttlichen Antlitzes ist.

leicht die Färbung des Sonnengesichts mit der Dunkelheit des durch einen hysikalischen Verfinsterungsvorgang überschatteten Tagesgestirns[502]. Die andelnde Gottheit ist elementar gestaltet: Heliomorphe Züge treffen mit nthropopsychem Fühlen zusammen[503].

a dem weiteren Handlungszusammenhang kaum spezielle poetische ründe für die in diesem Kapitel behandelte Darstellung des Sol zu entehmen sind, wird man sich mit einem Motiv allgemeinerer Natur bescheiden müssen. Offenbar hat Ovid Gefallen daran gehabt, seine Leserchaft durch die Vielgestaltigkeit des Sonnengottes zu verblüffen und leichzeitig, wie in so manchem anderen Fall, durch das Zusammenstellen eterogener Vorstellungselemente der reichen erzählerischen Palette seines edichts einen leicht komischen Grundton zu unterlegen[504].

5) *Lucifer* — Ov. M. 11.570—572, 270—273

m Falle des Lucifer scheint es einerseits, als könne man die seelische egung des Vaters, der den jammervollen Tod seines Sohnes betrauert, n der Veränderung seines Antlitzes ablesen, andererseits jedoch begegnet wiederum das im voranstehenden Kapitel 24 behandelte Verüllungsmotiv. Als Ceyx nach einem dramatisch ausgestalteten Schiff-

---

[502] A. S. ANDERSON beschreitet mit seiner Textgestaltung neue Wege, indem er die gewöhnche, mit größeren Schwierigkeiten (s. BÖMER zu v. 382) behaftete Schreibung *qualis* und *orbem* urch eine grammatisch und inhaltlich befriedigende Lösung *(quali . . . orbe)* ersetzt. Dabei verigt *orbe* über beste handschriftliche Autorität, während andererseits einhellig *qualis* überliefert t. Der Fehler könnte mechanischer Natur sein (Endung des unmittelbar vorher stehenden *ecoris*), doch ist es auch denkbar, daß ein früher Schreiber, dem unzureichend verstandenen Inalt folgend, meinte, den nominativischen Attributen *squalidus* und *expers* müsse mit *qualis* ein leichartiges drittes folgen, und so den als solchen nicht erkannten Ablativus qualitatis in der bsicht, den Text zu bessern, zerstörte.

[503] Die Reihe *lucem — se — diem*, die aufzählt, was der Gottheit nunmehr zuwider ist *(odit* 383*)*, ringt eine hübsche sprachliche Pointe, die aber nicht so sehr, wie F. BÖMER zu v. 383 (Ovid ebe es, die Götter mit ihrem eigenen Wesen zu konfrontieren) meint, in der Aussage *lucem odit* ründet als vielmehr in ‚*se*'. Ovid reiht eng verwandte, weitgehend gegeneinander austauscharе Begriffe aneinander, so daß *se* in ein Objekt *solem* aufzulösen wäre. Der göttliche Akteur mindestens auf IS 3, vielleicht auf IS 5 zu denken, s. o. Anm. 499) meint also weniger sich, den önig der Sonnenburg, der sich von Phaethon hatte übertölpeln lassen (IS 5), sondern vor llem die Naturerscheinung Sonne (IS 1), die in Form der Strahlenkrone über den Himmel zu hren zu den Obliegenheiten des Sonnengottes gehört. Die Abneigung des Sol betrifft somit ntscheidende Kennzeichen seines Arbeitsbereichs *(lux, sol, dies)*. ‚*se*' ist demzufolge in erster inie uneigentliche Benennung nach dem Muster jener Fälle, die oben S. 52—55 abgehandelt ind. Daneben ist natürlich auch die eigentliche Bedeutung (*Solem* = die eigene göttliche Peron) denkbar, so daß die Stelle ambivalenten Charakter trägt.

[504] Die Fähigkeit des Sonnengottes, bleich zu werden, wird M. 15.785—786 zum Ausdruck chlimmer Vorzeichen vor Caesars Ermordung noch einmal bemüht, ebenso die des Planeten ucifer M. 15.789—790.

bruch in den Fluten umgekommen ist, reagiert der göttliche Stern auf da familiäre Unglück so:

> *Lucifer obscurus nec quem cognoscere posses*
> *illa luce fuit, quoniamque excedere caelo*
> *non licuit, densis texit sua nubibus ora.* (570—572

Dadurch, daß der ertrunkene Ceyx ausdrücklich als von Lucifer ab stammend dargestellt wird, ist das menschliche Äußere des Gottes (Identi tätsstufe 5) in den Rahmen der Erzählung einbezogen. Für die kurz Szene freilich, die das Trauerverhalten Lucifers wiedergibt, erscheint diese in Gestalt seines mit Fühlen begabten Elements (Identitätsstufe 3), desse Scheibe so geschildert wird, als sei sie das Haupt des Gottes. Allerding kann dabei nicht mit Sicherheit entschieden werden, ob der durch *obscuru* umrissene Zustand tatsächlich auf einen psychosomatischen Reflex zielt Vorbehalte sind insofern angebracht, als die nachfolgende — und durch den Wolkenschleier zweifelsfreie — Verhüllung des göttlichen Gesicht auch explikativ zu *obscurus* aufgefaßt werden kann.

Eindeutig hingegen ist eine andere Stelle, die ausführt, wie ein vormal strahlendes Antlitz durch seelische Erschütterung gezeichnet wird. Lucife habe, so erfahren wir v. 271—272, seinen leuchtenden Teint an Ceyx ver erbt *(patrium . . . nitorem ore ferens Ceyx)*[505]; damals jedoch, als Peleus a seinen Hof in Trachin gestoßen sei, habe Gram um den Verlust de Bruders jenen Glanz entstellt:

> *. . . illo qui tempore maestus*
> *dissimilisque sui fratrem lugebat ademptum.* (272—273

Während die Vorstellung, das elementare Sternengesicht widerspiegele di nnere Bewegung der Gottheit, bei Lucifer selber durch das erwähnt Verhüllungsmotiv überlagert war, zeichnet sich der entsprechende seelisch Reflex — freilich auf die Gesichtszüge des sterblichen Sohnes reduziert — im Antlitz des Ceyx klar ab.

26) Aurora Ov. Am. 1.1

In seiner Elegie an die Morgenröte[506] klagt Ovid darüber, daß es vie zeitiger hell wird, als das einem Liebhaber wie ihm recht sein kann. Au

[505] G. M. H. Murphy (zu v. 271) paraphrasiert *nitor* mit "shining brightness" und fährt fort "When Peleus arrives, Ceyx' resplendence is uncharacteristically overcast *(‚dissimilisque sui'*, 273*)* in mourning for his brother." — Haupt-Ehwald (zu v. 271) halten *nitor* hingegen mi Hinweis auf 1.552 für „glänzende Schönheit": eine semantische Weiterung, die zwar möglich gerade an unserer Stelle aber viel weniger sinnvoll ist als die eigentliche Benennung. Vgl. auc oben S. 158 mit Anm. 363 (zu M. 4.231 und 233).

[506] Eine wertvolle Interpretation der Elegie, mit vielen wichtigen Beobachtungen, auf die in Rahmen dieser Arbeit nicht eingegangen werden kann, findet sich bei H. Fränkel 12—1

eine Fülle schonungsloser Vorhaltungen hin, in denen der Galan das ungerechte Gebaren, dessen Aurora sich gegenüber Liebenden schuldig mache, angeprangert und es seinerseits auf erotische Unausgefülltheit der Göttin zurückgeführt hat, errötet Aurora (47), und es tagt (48).

Zahlreiche Einzelheiten zeigen deutlich, daß der Dichter sich an die anthropomorphe Göttin wendet. Diese wird in den Versen 2 und 10 sowie — besonders hübsch — im Distichon v. 29—30[507] als Wagenlenkerin apostrophiert; v. 3 und 31 wird ihrer Rolle als Mutter gedacht; die Gattin des Tithonus ist Gegenstand der Verse 35—38 und 41—42; als Liebhaberin schließlich erscheint sie v. 39—40.

Allerdings ist diese Betrachtungsweise nicht durchgehend gültig. So dürfte kaum an die menschengestaltige Göttin zu denken sein, wenn gesagt wird, Iuppiter habe zwei Nächte miteinander verschmolzen, *ne te tam saepe videret* (45). Der Interpret muß wählen: Er kann in der Formulierung einen Wechsel zur Identitätsstufe 3 sehen, hat jedoch gleichermaßen mit einer uneigentlichen Benennung nach Abschnitt I B 1.2 c zu rechnen. Integrativer Grundanschauung scheint jedenfalls dieses Distichon verpflichtet:

optavi quotiens ne nox tibi cedere vellet,
ne fugerent vultus sidera mota tuos! (27—28)

Solch ein kurzes Aufleuchten integrativen Sehens vermag freilich nichts an dem eindeutigen, bestimmenden Übergewicht der Identitätsstufe 4 zu ändern.

Die Gültigkeit der analytischen Grundposition währt indes nur bis zu eben dem Augenblick, da die Wirkung der temperamentvollen Rede des Liebhabers am Morgenhimmel sichtbar wird:

iurgia finieram. scires audisse: rubebat,
nec tamen adsueto tardius orta dies. (47—48)

Der Bereich der Göttin zeigt deren Reaktion. Ovid bringt das naturgesetzliche kosmische Phänomen *aurora* in ursächlichen Zusammenhang mit

---

(dort auch zu hellenistischen Epigrammen, die Ovids Gedicht beeinflußt haben könnten). — Zu vergleichen ist auch A. G. Elliott, der die "elegant and witty *suasoria* to Aurora to delay her coming" in ihrem Aufbau und ihrer Gedankenführung vornehmlich unter dem Gesichtspunkt *suasoria* verfolgt.

507 H. Fränkel 191 Anm. 54 analysiert die Wunschvorstellungen des Liebenden und schließt: „So wendet Ovid spielerisch auf das mythologische Symbol des Wagens die mechanistischen Theorien an, die man erfunden hatte, um die Mythologie zu ersetzen und zu widerlegen".
Die gewiß erheiternde Wirkung der Verse 27—30 auf Ovids Publikum charakterisiert A. G. Elliott so: "With delicious humor, Ovid recounts how in his fantasies he has wished for misfortune to befall Aurora — either an astronomical rebellion or a celestial traffic accident. The vision of Aurora's chariot liable to the same hazards which must have plagued Roman ones — broken axles and horses stuck in the mud (cloud mud, of course) — is delightful."

der Göttin Aurora, die wegen der peinlichen Vorwürfe, die sie hören muß, rot wird: Eine ungemein elegante und witzige Verbindung, die zur Synthese der extremen Identitätsstufen im Schlußbild v. 47 führt: Aurora ist die fühlende Morgenröte[508].

27) Aurora Ov. M. 13.576—622

Auch das Bleichen des Morgenrots hat Ovid benutzt, um einem seelischen Reflex der Göttin darin Ausdruck zu geben. Aurora hat den Tod ihres Sohnes Memnon ansehen müssen:

> *vidit, et ille color, quo matutina rubescunt*
> *tempora, palluerat, latuitque in nubibus aether*[509]. (581—582)

Der Verfärbungsvorgang des Gesichtes unter der Schockwirkung des schrecklichen Erlebnisses wird auf die Identitätsstufe des fühlenden Elements übertragen und damit für alle Welt am Morgenhimmel sichtbar. Abermals integriert die Reaktionsphase der Handlung die Identitätsstufen.

Wichtig ist wiederum, daß für Aurora auch in dieser Episode grundsätzlich eine anthropomorphe Seinsform — hier IS 5 — gilt: Ihre Rolle als Mutter des Memnon, besonders aber der Gang zu Iuppiter, vor dem sie *crine soluto, sicut erat* (584—585) erscheint, lassen eine andere Deutung nicht zu. Diese Grundposition wird von zwei Ausnahmen durchbrochen: Für die Szenen, welche die psychosomatischen Auswirkungen, die das Unglück auf Aurora übt, zu veranschaulichen haben, und nur für sie, ersetzt Ovid das Bild der menschengestaltigen Göttin durch das der göttlichen Himmelserscheinung (Identitätsstufe 3).

---

[508] Zum desillusionierenden Gedichtschluß bemerkt H. FRÄNKEL S. 16: „Der letzte Vers gibt in trockenen, nüchternen Worten die Zerstörung eines schönen, aber unvernünftigen Traumes zu". Er weist (S. 17—18) zu Recht auf den „Gegensatz zwischen dem mechanischen Verlauf des Naturgeschehens einerseits und der mythologischen Naturerklärung und der Sage andererseits" hin (vgl. HARDER-MARG zu v. 47: „Kontrast zwischen Wunschillusion und unerbittlich fortschreitender Wirklichkeit"). Wichtig ist in diesem Zusammenhang auch FRÄNKELS Feststellung, Ovid sei von dem Problem der Realität und dem Problem der verschiedenen Ebenen der Realität während aller seiner Schaffensperioden verfolgt worden (S. 18). —
Vgl. meine oben Anm. 317 gegebene Interpretation zu Ovids Handhabung der ISS im betrachteten Distichon.

[509] Ich ziehe es vor, das *-que* nicht als explikativ aufzufassen. Zuerst wird das Morgenrot bleich, dann setzt Verhüllung durch Wolken ein. Wollte man *palluerat* als durch Wolkenbildung bedingt verstehen, würde das psychosomatische Motiv von einem „meteorologischen" überlagert bzw. zu dessen Gunsten ganz verdrängt. In dieser Reduktion auf nur ein Handlungsmoment — die Verhüllung des Hauptes — sehe ich eine Verarmung der m. E. näherliegenden Intention des Dichters, die unmittelbare Reaktion als physischen Reflex, dem dann die Trauergeste folgt, darzustellen.

Nachdem der Dichter v. 583—599 Aurora erfolgreich bei Iuppiter hatte vorstellig werden lassen und die Verse 600—619 von den Kämpfen, welche die neuerstandenen Vögel zu Ehren des Getöteten führen, zu berichten wußten, wird im Schlußbild, wie schon zu Beginn (581—582), der Horizont vom Persönlichen ins Weltumspannende geweitet: Ovid deutet den Tau aitiologisch als die Tränen, die Aurora noch heute um Memnon vergieße:

luctibus est Aurora suis intenta piasque
nunc quoque dat lacrimas et toto rorat in orbe[510]. (621—622)

Die Parallelisierung von *ros* und *lacrimae* setzt folgende Betrachtung voraus: Tau ist mit dem Morgenrot zeitlich verbunden; infolge der Ausnahmslosigkeit dieser Verbindung läßt sich auch an ein ursächliches Verhältnis denken, nach dem dann die Morgenröte den Tau hervorbringt. Damit sind die Identitätsstufen vergleichbarer Tätigkeiten fähig: Wie Aurora weint, so kann *aurora* tauen. Die Göttin reagiert als sich ihrer selbst bewußte Naturerscheinung[511].

28) Inachus Ov. Am. 3.6.25

Vom Inachus weiß Ovid Am. 3.6.25 zu berichten, er sei vor Verlangen nach der Nymphe Melie bleich dahergeflossen. Die mögliche trübe Färbung des Wassers wird benutzt, um durch sie die seelische Verfassung des Flußgottes sichtbar werden zu lassen[512]:

Inachus in Melie Bithynide pallidus isse
dicitur et gelidis incaluisse vadis. (25—26)

Davon, daß zwischen v. 25 und v. 26 ein Wechsel der Grundposition sehr wahrscheinlich ist, war bereits (s. o. Kap. 12, S. 184—185) ebenso die Rede wie von der Ambivalenz des *incaluisse*, dem als hauptsächlichem Sinnträger des Verses 26 besondere Bedeutung zukommt. Eine ähnliche Doppeldeutigkeit kennzeichnet den Vers 25: Sowohl das Prädikat als auch

---

510 Das *et* ist hier natürlich als erklärend zu verstehen.

511 In dieser poetischen Deutung darf man eine Weiterentwicklung der schon mehrfach genannten — und integrativer Darstellungsweise willkommenen — Körperteil-Metaphorik sehen.

512 Die Farbbezeichnung *pallidus* muß als *terminus technicus* für die Gesichtsfarbe zumindest solcher Liebender gelten, die sich Ovids Devise *palleat omnis amans* AA 1.729 zu eigen machen; das folgende Distichon AA 1.731—732 gibt übrigens zwei Belege für *pallidus in (aliqua puella)* in der Bedeutung „bleich vor Liebe zu jemandem"; ganz ähnlich Prop. 3.8.28. — Weitere Stellenangaben (das Motiv ist seit Sappho nachweisbar) bei P. Brandt (Komm. zu AA 1.729 und 731 sowie zu Am. 3.6.25) und A. S. Hollis (Komm. zu AA 1.729 und 731). — Vgl. auch den *pallor eroticus* des Sonnengottes (M. 4.203; s. o. Kap. 23).

dessen Zustandsattribut sind geeignet, einen anthropomorphen Gott oder das fühlende Element Inachus zu beschreiben.

Eine eindeutige Entscheidung darüber, welche Identitätsstufe gültig sei, läßt sich nicht treffen. Es ist sehr wahrscheinlich — insonderheit, wenn man den unbestimmten Charakter der Aussage v. 26 veranschlagt —, daß der Dichter gerade darauf abzielt, zwei vom Sinn her mögliche Inhalte in eine Form zu gießen. Freilich wird der Leser in *isse* wohl eher das Fließen des Wassers als ein zielloses Einherstolzieren des Gottes erkennen wollen[513], so daß sich ein leichtes Übergewicht zugunsten integrativer Deutung der Stelle abzeichnet.

Bedenkt man die offenbar bewußt herausgearbeitete Ambivalenz, die dieser Vers mit so manchem anderen der Elegie Am. 3.6 gemein hat (vgl. die Kap. 2 und 12), ist es auf jeden Fall statthaft, in dem verliebten Inachus einen Schicksalsgenossen jener Gestirnsgottheiten zu sehen, deren elementare Gesichter bevorzugt dazu ausersehen scheinen, auf ihrer Oberfläche psychosomatische Reflexe zu zeigen (vgl. Kap. 23—27). Der Gott reagiert in Gestalt des fühlenden Stromes, das Wasser färbt sich fahl und gibt ein sicheres Indiz für des Inachus Leidenschaft.

29) Sagaritis Ov. F. 4.229—232

In Sagaritis begegnet uns die einzige Hamadryade, deren Identitätsstufe innerhalb einer Szene — möglicherweise (s. u.) — wechselt. Dieser Wechsel geschieht in der für den 5. Abschnitt kennzeichnenden Art: Eine Gottheit handelt als anthropomorphes Wesen; Ereignisse, die sich aus jener Handlung ergeben, setzen dann jedoch elementare Gestalt voraus. Allerdings kann im vorliegenden Fall das dendromorphe Äußere der Hamadryade — und damit zugleich die integrative Betrachtungsweise — für den zweiten Handlungsschritt nicht eindeutig erwiesen werden, eine abweichende Auffassung ist also legitim.

Ovid läßt sich im 4. Buch der Fasti von der Muse Erato darüber unterrichten, wie Attis sein Keuschheitsgelübde gegenüber Cybele gebrochen und sie mit einer Nymphe, Sagaritis, betrogen habe:

fallit et in nympha Sagaritide desinit esse,
quod fuit; hinc poenas exigit ira deae. (229—230)

[513] F. Bömer Komm. zu M. 3.568 bemerkt, daß *ire* „seit Lucr. VI 531 von Flüssen häufig ausgesagt" werde. — Für Ovid ließen sich u. a. die folgenden Stellen anführen: M. 1.111, 2.456, 3.568, 3.571, 5.587, 5.589, 15.278. Andererseits kommt *ire* ohne Angabe der Richtung oder des Zieles (Siebelis-Polle: „einhergehen, wandeln") bei Ovid zwar vor (M. 2.725 wäre mit unserer Stelle vergleichbar), wird aber als die gesuchtere Bedeutung zu gelten haben.

Um die Rache der enttäuschten *dea turrigera* (224) darzustellen, wird nun die Möglichkeit genutzt, die Identitätsstufe der Hamadryade[514] zu wechseln:

> *naida vulneribus succidit in arbore factis,*
> *illa perit: fatum naidos arbor erat.* (231—232)

War zunächst die Mädchengestalt der Sagaritis vorauszusetzen — andernfalls hätte Attis sich ja kaum in verfänglicher Weise mit ihr einlassen können —, so wird die Nymphe nun als belebter Baum bestraft. Dessen Fall bedeutet ihren Tod.

Neben der Interpretation des Geschehens, nach welcher die Vernichtungsszene (v. 231—232) aus integrativer Sicht heraus gestaltet ist, bleibt freilich auch die analytische Grundposition denkbar: Dadurch daß das Holz (Identitätsstufe 1) umgehauen werde, müsse auch die Hamadryade (Identitätsstufe 5) vergehen. Element und Gottheit seien durch ein sympathetisches Verhältnis miteinander verbunden[515].

So wird man für gewiß halten dürfen, daß die Geliebte des Attis v. 229—230 auf Identitätsstufe 5 zu denken ist. Soll aber entschieden werden, in welcher Gestalt Sagaritis den Tod leidet, ist eine verbindliche Auskunft nicht möglich. Die kurze, auf nur ein Distichon beschränkte Schilderung gestattet es einerseits, einen Wechsel der Identitätsstufe anzunehmen, so daß der fühlende Baum (Identitätsstufe 3) die Verführungskünste der Nymphe zu büßen hat; andererseits läßt der Wortlaut aber auch analytische Anschauung, derzufolge dem Liebesbund (Identitätsstufe 5) ein Angriff auf die Naturerscheinung (Identitätsstufe 1), durch den gleichzeitig deren Gottheit (Identitätsstufe 5) getroffen wird, folgt, als denkbar erscheinen[516].

---

[514] Zur Sorglosigkeit bei der Sonderung von Nymphenklassen, deren Unterschiede in der Literatur recht häufig verschwimmen, s. H. HERTER, Nymphai 1541.53—67. — Ovid nennt seine Hamadryade hier *nais*.

[515] Eine sehr nützliche Übersicht zum Problem der „Vorstellung von einem sympathetischen Zusammenhange der Nymphe mit einem Baum" (1541.48—49) gibt H. HERTER, Nymphai 1541.36—1542.43.

[516] Auf jene Stellen, an denen Ovid das Verhalten sonstiger Gottheiten durch Folgen in deren Bereich illustriert, kann im Rahmen dieser Untersuchung nur am Rande hingewiesen werden. So gedeihen je nach der Stimmung der zuständigen Göttinnen Saat und Blüten oder liegen darnieder: Mit der Freude der Ceres stellt sich auch wieder reiche Ernte ein (F. 4.617—618; Wiederaufnahme der Observationspflicht); als Flora sich darüber grämt, beim Opfer übergangen worden zu sein (F. 5.312—314), welken die Blumen (317—318), Unbilden des Wetters vernichten die Blüten (321—324) — ihr Ärger führt zur Passivität, unter der die Welt der Blüten zu leiden hat (Vernachlässigung des *officium*).
Außer solchen psychisch motivierten Veränderungen im Wirkungsbereich von Gottheiten kommen Fälle vor, in denen die körperliche Präsenz des Gottes das ihm zugeordnete Element beeinflußt; als Beispiel sei Am. 3.10 genannt: Da überdurchschnittliche Ernteerfolge an die Gegenwart der Ceres gebunden sind, hat der einseitige Aufenthalt der verliebten Göttin lokal be-

30) Nocturnus, Sol Plaut. Amph. 270—284

Unter den nicht eben zahlreichen Vorgängern Ovids, die sich gleich ihm des Verfahrens bedient haben, eine Naturgottheit, deren Menschengestalt für einen vorausgehenden Handlungsschritt ausdrücklich erwähnt oder mindestens zu erschließen war, sodann auf eine niedrigere Identitätsstufe zu stellen, soll zunächst Plautus genannt sein. In dessen Komödie Amphitruo zieht der Sklave Sosia recht eigenwillige Schlüsse aus dem offenkundigen Stillstand des nächtlichen Himmels. Seine dreisten Mutmaßungen über den Wandel kosmischer Gottheiten entsprechen insofern der Art, in welcher Ovid von Sol, Lucifer und Aurora zu berichten weiß, als auch hier elementare Besonderheiten durch humanes Verhalten erklärt werden. Allerdings weichen beide Dichter in wesentlichen Punkten voneinander ab.

Plautus läßt den Sklaven des Amphitruo in jener verdoppelten Nacht, da Iuppiter bei Alcumena weilt, das Firmament beobachten. Sosia staunt darüber, daß die Himmelsdrehung augenscheinlich ausgesetzt habe:

certe edepol, si quicquamst aliud quod credam aut certo sciam,
credo ego hac noctu Nocturnum obdormivisse ebrium. (271—272)

Denn kein Sternbild rege sich vom Fleck, auch der Mond stehe wie angebannt (273—276). So lang sei ihm nicht einmal eine gewisse Nacht geworden, während derer man ihn durch Auspeitschen bestraft habe (279 bis 281). Dem Sonnengott müsse Außerordentliches widerfahren sein, da er seiner Pflicht nicht walte:

credo edepol equidem dormire Solem atque adpotum probe ;
mira sunt nisi invitavit sese in cena plusculum. (282—283)

Nocturnus, in dem wir wohl, G. WISSOWAS Vermutung folgend, Summanus, den Gott des nächtlichen Himmels[517], zu erkennen haben[518], wird

schränkte segensreiche Auswirkungen, ansonsten jedoch verheerende Folgen. — Vgl. F. PFISTER, Epiphanie 319.41—65.
Ein Sonderproblem ist in der seit Homer zahlreich belegbaren Vorstellung zu sehen, olympische Götter — namentlich Iuppiter — bewegten durch ein Nicken den gesamten Bereich, der ihnen unterstellt ist (bekannteste Stellen bei Ovid: M. 8.603*—604* Neptunus, M. 8.780—781 Ceres, F. 2.489—490 Iuppiter). Einzelheiten können hier nicht verfolgt werden. —
Zu Naturgottheiten, bei denen eine Konfrontation von Identitätsstufen nicht anzunehmen ist, die aber in ganz ähnlicher Weise reagieren wie die in den Kapiteln 23—29 behandelten Götter, s. o. Kapitel II A 2.

[517] G. WISSOWA RuK 135 hält es für denkbar, daß der von Plautus an unserer Stelle Amph. 272 erwähnte Gott der Nacht, Nocturnus, ursprünglich mit Summanus identisch sei; über diesen bemerkt WISSOWA ibid.: „Es hat sich also von dem Himmelsgotte Iuppiter, von dem man sich zunächst alle Blitze ausgehend dachte, ein besonderer Gott des nächtlichen Himmels und der nächtlichen Blitze losgelöst".

[518] Die Schwierigkeit einer befriedigenden Erklärung dieser obskuren Gottheit hat W. B. SEDGWICK in seinem Kommentar z. St. gut herausgearbeitet: "... elsewhere found only in

hier ebenso wie Sol scherzhaft bezichtigt, er habe übermäßig gezecht[519] und schlafe nun seinen Rausch aus[520].

Die kurze Szene aus dem Amphitruo lehrt einige bedeutende Unterschiede zu den vergleichbaren Darstellungen Ovids. Zum einen ist die äußere Form andersartig: Plautus gibt die monologische Spekulation eines seiner Akteure. Die Gattung sorgt von vornherein für den subjektiven Charakter der Aussage; mithin entfahren dermaßen bedenkliche Unterstellungen wie v. 271—272 und 282—283 nicht der Person des Dichters, sondern der des Sklaven, jener Komödienfigur also, die für solche respektlosen Gedankenspiele prädestiniert ist, ja von der man ein gewisses Maß an Frivolität geradezu erwartet. Während Plautus den Forderungen seines literarischen Genus mit dem Witz über Nocturnus und Sol nachkommt, handelt Ovid der Gattung Epos, die im Sinne R. Heinzes würdige Darstellung des Göttlichen heischt[521], gerade zuwider, wenn er etwa die Hilflosigkeit des sich vor Liebe verzehrenden Sonnengottes von allen Seiten beleuchtet und mit naturkundlichem Scharfsinn analysiert (M. 4.192—203).

Der zweite Unterschied betrifft die Identitätsstufen. Unsere Stelle schildert nicht die psychosomatische Reaktion einer Naturgottheit, an integrative Grundanschauung ist im gegebenen Zusammenhang wohl kaum gedacht. Sosias Bemerkungen zielen vielmehr auf die Saumseligkeit der zuständigen Götter. Im Falle des Sol wird ein Grund für das Ausbleiben der Naturerscheinung — hier dürfte Identitätsstufe 1 prävalent sein — gesucht und im feucht-fröhlichen Verhalten des anthropomorphen Gottes (Identitätsstufe 4/5) gefunden.

Drittens schließlich weichen die beiden Dichter in der Art, in welcher sie den jeweiligen Wechsel der Identitätsstufe motivieren, voneinander ab.

---

inscriptions . . ., still unexplained. We want a specific god of night; Vesper-Lucifer is ruled out by l. 275. Nyctelius = Bacchus (Ov. M. 4.15, . . .) is not specifically a night-god: we are left with Summanus (Wissowa's suggestion, RuK 135) — derived from sub mane, who fits well enough, while we do not know enough about him to rule him out."

[519] *se invitare* ist mit Lewis + Short als "to treat one's self, drink one's own health" (Sedgwick: "done himself proud"), deutsch etwa „sich gütlich tun, es sich gut gehen lassen", zu verstehen.

[520] Hübsch die aufbrausende Reaktion des lauschenden Mercurius: „*aïn vero, verbero? deos esse tui similis putas?*" (284). Zweifellos schätzt der Gott den Sosia richtig ein: Der Sklave nimmt Präferenzen seines Milieus zum Maßstab für die Götterwelt. Allerdings — und darin liegt die Ironie jenes Verses 284 — trifft Sosia mit seinem Witz die moralische Substanzlosigkeit der göttlichen „Oberen" nur zu genau: Die höchst bedenkliche Rolle, die Mercurius selber spielt, indem er über die ihrerseits noch zweifelhaftere Unternehmung seines Vaters *(optumo!*; 278*)* wacht, spricht für sich.

[521] R. Heinze OeE 315—322 und 382—385; S. 315 bemerkt er: „In den Metamorphosen ist Ovid sichtlich bestrebt, die Götter, soweit und sooft es sein Stoff irgend gestattet, mit einer Majestät zu bekleiden, wie sie nach seinem Stilgefühl der Würde epischer Dichtung zukommt; Virgil ist dabei sein Führer gewesen".

Ovids kosmische Naturgottheiten ändern ihr gewohntes Aussehen[522], weil sie verliebt, verlegen oder von Kummer gezeichnet sind. Der plautinische Sosia hingegen begründet den Umstand, daß Sol nicht erscheint, mit dessen übermäßigem Alkoholgenuß. Dabei ist ein Punkt besonders aufschlußreich: Trunkenheit als ein Beweggrund, aus dem heraus lokale Götter handeln, ist für Ovid offenkundig ohne Reiz gewesen; seine Interessen sind anderen Bereichen zugewandt. Der Dichter aus Sulmo gestattet seinen Naturgottheiten jedenfalls nicht, berauschenden Getränken zuzusprechen, obwohl sich manch eine witzige Pointe namentlich für wassergebundene Götter hätte herausarbeiten lassen[523]. Er begibt sich damit eines Mittels, lässige Gestirne, ungebärdige Flüsse, schwankende Bäume durch das Fehlverhalten der zugehörigen anthropomorphen Wesen sinnfällig zu erklären.

Trotz aller dieser Divergenzen stimmen Plautus und Ovid doch im gedanklichen Grundmuster ihrer Argumentation überein: Ein Abweichen vom normalen Zustand kosmischer Erscheinungen — zuweilen aber auch, wie etwa bei Aurora, der normale Zustand selbst — wird zum Anlaß genommen, eine unerwartete, witzige Erklärung, die als naturwissenschaftliche Erkenntnis verbrämt wird, zu präsentieren. Jeweils führt der menschengestaltige Gott die begründende Handlung aus, deren Konsequenzen sich dann in Farbe oder Bewegung — bei Plautus das negative Extrem: Bewegungsunfähigkeit — des Elements (Identitätsstufe 1—3) abzeichnen[524].

31) Trivia Cat. 66.5—6

Was Catull in seiner Nachdichtung der kallimacheischen „Locke der Berenike" von Luna-Trivia zu berichten weiß[525], entspricht insofern den Ausführungen, die Plautus seinem Sosia über die Gottheiten, welche für

---

[522] Aurora macht insofern eine Ausnahme, als bei ihr die reguläre Naturerscheinung, ohne daß diese sich verändern müßte, als psychosomatischer Reflex gedeutet werden kann (so das Erröten Am. 1.13.47 und die Tränen M. 13.621—622; vgl. Kap. 26 und 27).

[523] Das einzige Beispiel für eine trunkene Naturgottheit, welches ich neben Plaut. Amph. 272 und 282—283 zu nennen weiß, ist der χείμαρρος des Antiphilos von Byzanz, A. P. 9.277. Auf dieses Epigramm bin ich bereits oben in Anm. 319 eingegangen.

[524] Solcherart Witz, welcher Naturerscheinungen in der Weise „rational" erklärt, daß er auf einen anthropomorph handelnden und wie ein Mensch fühlenden Gott als Urheber zurückgreift, mag wesentlich verbreiteter gewesen sein, als der trümmerhafte Überlieferungszustand namentlich der Komödie uns das heute vermuten läßt. Ein frühes Beispiel läßt sich immerhin anführen: Bei Aristophanes, Nubes 367—373, deutet der einfältige Strepsiades das Phänomen des Regens dahin, daß Zeus durch ein Sieb uriniere (ὕε Ζεύς Hom. Il. 12.25); wichtige Bemerkungen zu dieser Szene wie allgemein zu „wissenschaftlichen" Erklärungen als einer „ergiebige(n) Quelle für den Witz des Aristophanes" bei H.-J. Newiger 60—62.

[525] Die Verse der Vorlage, die Catulls Distichon v. 5—6 entsprächen, sind leider nicht auf uns gekommen.

das Nachtdunkel und für den hellen Tag zuständig sind, in den Mund legt, als auch bei der Mondgöttin eine körperliche Bewegung im Mittelpunkt des Interesses steht und die beteiligten Identitätsstufen wahrscheinlich ganz ähnlich zu deuten sind wie im vorangegangenen Kapitel 30. Freilich ist die Interpretation des Distichons mit erheblichen Unsicherheiten behaftet, die sich besonders aus der Kürze der Darstellung ergeben.

Dies ist der Zusammenhang: Der alexandrinische Hofastronom Konon durchmustert den Himmel (1—6); er verfolgt Auf- und Untergänge der Sternbilder (2), erforscht Sonnenfinsternisse (3), bestimmt die Sichtbarkeitsdauer von Gestirnen (4) und befaßt sich mit dem Phänomen des Neumondes bzw. der Mondfinsternis (übergeordnetes Prädikat: *comperit* 2):

> *ut Triviam furtim sub Latmia saxa relegans*
> *dulcis amor gyro devocet aerio.* (5—6)

Bei dieser Tätigkeit, so versichert die Locke, habe der Sternenkundige auch sie gefunden (7—8).

Innerhalb der Auflistung von Forschungsgebieten Konons fällt unserem Distichon v. 5—6 die Aufgabe zu, den vorausgehenden, in ihrer Wortwahl strenger sachlich ausgerichteten Versen durch mythologische *variatio* einen gefälligen Abschluß zu geben[526]. Diese Funktion rückt den inhaltlichen Wert dessen, was Catull die Locke über Lunas Verhalten sagen läßt, in die Nähe der Allegorie, des vorwiegend verbalen Spiels. Es läßt sich somit nicht sicher entscheiden, ob der Dichter oder seine Leser überhaupt an eine höhere Identitätsstufe gedacht haben, die neben dem Element Mond in das v. 5—6 angedeutete Geschehen verwoben sei.

Andererseits läßt sich auch kein geeignetes Argument nennen, das die Interpretation, derzufolge Trivias Handeln diesem 5. Abschnitt zuzuordnen sei, zu widerlegen vermöchte. Man wird also annehmen dürfen, daß wie bei Plautus die Fähigkeit zur Bewegung, die einer himmelsgebundenen Naturerscheinung eignet, auf die anthropomorphe Gottheit hin gedeutet wird: Weil Liebe von der Göttin Besitz ergriffen hat, entzieht die Mondscheibe sich der allgemeinen Sichtbarkeit, schwindet der Himmelskörper von seiner Bahn.

Diese Auffassung erhält durch die konkrete Liebesgeschichte, auf welche die *Latmia saxa* (v. 5) anspielen, eine willkommene Stütze; Identitätsstufe 5 findet damit geradezu zwangsläufig Eingang in unser Distichon: Luna besucht ihren Geliebten Endymion, der dort in einer Höhle schläft. Es

---

[526] C. J. Fordyce z. St. spricht von "a romantic periphrasis for the occultation of the Moon." Literarische Vorbilder zu unserer Stelle führt W. Kroll in seinem Kommentar an.

scheint somit sinnvoll, eine Konfrontation der polaren Identitätsstufen anzusetzen: Das Element Mond (Identitätsstufe 1), ein Beobachtungsgegenstand des Astronomen Konon, stiehlt sich vom Himmel und weist dadurch auf das Verlangen der sehnsüchtigen Göttin (Identitätsstufe 5), die sich ins Latmus-Gebirge gezogen fühlt[527].

Wenngleich einerseits, wie soeben gezeigt, gute Gründe dafür sprechen, unsere Stelle in die Reihe der *exempla* des 5. Abschnitts aufzunehmen, sollte andererseits die knappe Wiedergabe des Geschehens und der offenkundige Zweck, nüchterne astronomische Daten ins Poetische umzusetzen, vor der Versuchung bewahren, die Überlegungen zur Gestalt der Trivia für allgemein maßgeblich zu erklären. Catulls Leserschaft entnahm dem Distichon v. 5—6 wohl nicht wesentlich mehr als eben den Tatbestand „Mondfinsternis", wie ihn zu formulieren einem *poeta doctus* geziemen mochte. Berechnendes Raffinement und zielbewußtes Spiel mit Identitätsstufen, das für Ovid und Plautus bezeichnend war, hat bei den Versen des Veronesers kaum Pate gestanden. Als gelehrter Schmuck gedacht, lassen sie allzu weitreichende Schlüsse nur um den Preis relativer Unverbindlichkeit zu.

32) Achelous Prop. 2.34.33—34

Achelous war das erste Kapitel des Teils II B, der die Konfrontation von Identitätsstufen behandelt, gewidmet, ihm soll auch die letzte Untersuchung gelten. Properz' kurze Notiz — sie umfaßt nur ein Distichon — entspricht ganz der von Ovid gepflegten Art, den seelischen Zustand einer Naturgottheit anschaulich wiederzugeben: Der Dichter zeichnet das Gefühl des Gottes aus integrativer Grundanschauung heraus, er stellt gewissermaßen eine Momentaufnahme her, mit der er dem Leser Identitätsstufe 3 zeigt. Daneben ist jedoch die Menschengestalt desselben Gottes vorausgesetzt, bald ausdrücklich erwähnt, bald aus begleitenden Hinweisen mehr oder minder verläßlich zu erschließen.

Große epische und tragische Stoffe, so läßt Properz uns in seiner Elegie 2.34 wissen, taugten einem Manne, der verliebt sei, wenig:

> *nam cursus licet Aetoli referas Acheloi,*
> *fluxerit ut magno fractus amore liquor, | . . .* (33—34)

Um vergleichbare Themen sei es nicht anders bestellt: Frohsinn, nicht Gelehrsamkeit zähle in der Liebe.

---

527 Durch diesen konkreten mythischen Zug (Besuch Endymions) wird IS 3, die sich ansonsten als weitere Interpretationsmöglichkeit anböte, unwahrscheinlich.

In diesem Distichon erfahren wir also, wie amouröse Leidenschaft sich auf eine hydromorphe Identitätsstufe des Achelous ausgewirkt habe. Anders als bei Ovid wird das Gefühl der Gottheit nicht dadurch offenbar, daß die elementare Oberfläche sich verfärbt (vgl. oben Kap. 23—28); vielmehr zeugt die Kraftlosigkeit, mit der die Strömung sich dahinschleppt, vom erotischen Verlangen des Aetolers: Der liebeskranke Fluß hat die natürliche Energie eines gesunden Stromes verloren.

Indes erfordert die Überlieferungslage ein klärendes Wort über den Text, der dieser Interpretation zugrunde liegt. Für v. 33 ist nämlich *rursus* besser bezeugt als *cursus*, und in v. 34 spricht der handschriftliche Befund für *factus* statt für *fractus*. Während die Lesart in v. 33 unsere Deutung nicht berührt[528], ist auf *fractus* als einen wesentlichen Sinnträger des in v. 34 formulierten Gedankens näher einzugehen.

---

[528] Für die Problematik, mit der diese Untersuchung sich zu beschäftigen hat, ist folgender Sachverhalt entscheidend: Achelous hat in den bekannten Gestalten — ausgehend von der anthropomorphen des Gottes und ohne Berücksichtigung hydromorpher Seinsformen (vgl. dazu oben Kap. 1) — gegen Hercules gekämpft, wird aber von Properz integrativ in der seelischen und körperlichen Verfassung nach jenem Mißerfolg geschildert. Dagegen fällt kaum ins Gewicht, ob man 1) „du magst (immer) von neuem erzählen, wie das Wasser des ätolischen Achelous ... floß" oder 2) „du magst vom Lauf des ätolischen Achelous erzählen, wie (nämlich) sein Wasser ... dahinfloß" versteht. *rursus* wird von den meisten Handschriften geboten (O), *cursus* ist in *codices deteriores* zu finden (ς) (vgl. die kritischen Ausgaben).
Für die Herstellung des Textes ist zu bedenken: 1) *rursus* scheint sowohl in der Bedeutung „wieder, von neuem, nochmals" als auch in adversativem Sinne („andrerseits, dagegen, umgekehrt") durchaus entbehrlich bzw. störend (ähnlich bereits K. Lachmanns Urteil 1816: *rursus ... quocumque modo accipiatur ineptum est*), es ist zudem mit einer erheblichen Sperrung *(Aetoli Acheloi / liquor)*, die durch das Enjambement besonders stark ins Auge fällt, verbunden; 2) *cursus* als nähere Bestimmung des Vorgangs „*fluere*" finden sich ganz entsprechend Ov. M. 9.17 *(dominum me cernis aquarum / cursibus obliquis inter tua regna fluentem)*, worauf schon Lachmann hingewiesen hat: Ovid könnte für seinen Achelous die unverdorbene Lesart der properzischen Elegie vor sich gehabt haben; ferner dürften die geschlossenen Zeilen *(cursus Aetoli Acheloi* 33, *liquor magno amore fractus* 34*)* zugunsten der *cursus* sprechen.
Was die Textgestaltung anlangt, *grammatici certant et adhuc sub iudice lis est*. Ein Blick auf die heute meistbenutzten und am bequemsten zugänglichen Ausgaben mag das verdeutlichen. Für *rursus* haben sich entschieden: Richmond (1928), Butler-Barber (1933), Bonazzi (1951), Barber (1953), Enk (1962)*, Paganelli (3. Aufl. 1964) und Helm (1965)**. Dagegen ist *cursus* abgedruckt bei: Kuinoel (1805), Lachmann (1816), Hertzberg (1844/1845), Baehrens (1880), Rothstein (1920), Hosius (1932), Schuster (1954), Schuster-Dornseiff (1958) und D'Arbela (1964).
Weitere Textvarianten wie das neben *nam* in v. 33 schwach bezeugte *non* oder Heinsius' Konjektur *luxerit* (neben *flexerit*) statt *fluxerit* (beides von Ch. Th. Kuinoel verteidigt; zu *luxerit* nimmt schon G. A. B. Hertzberg in seinem 1845 erschienenen Kommentar umsichtig Stellung) werden in den modernen Ausgaben zu Recht nicht mehr berücksichtigt.

* Mit einer Kritik an M. Schuster, die leider nicht begründet wird.
** In seiner Übersetzung „magst du auch neu Acheloos' Lauf in Ätolien schildern, wie nur von Liebe gequält sich seine Welle bewegt" haben die *cursus* dann aber doch Heimatrecht erhalten.

Zunächst zum mehrheitlich überlieferten *factus*[529]: Wollte man es belassen wäre von der folgenden Fügung auszugehen: *liquor magno amore factu fluxerit* — ein unverständlicher Gedanke, der das Wasser durch Leidenschaft entstanden sein ließe. Die Stelle kann jedoch problemlos geheil werden, wenn man eine leichte Verschreibung annimmt[530]. Ganz offenkundig verdankt die törichte Lesart *factus* einem ursprünglichen und zuden sehr sinnvollen *fractus* ihre Existenz.

Die raffinierte Wortwahl des Dichters wird augenfällig, wenn man bedenkt welche Aspekte *fractus* in sich vereint: Erstens ist es *terminus* für die Beruhigung vordem aufgebrachten Wassers[531], vermag aber, zweitens, auch moralisches Zerbrechen zu bezeichnen[532]; der Ausdruck birgt somit zwe

---

[529] Die Tradition bietet: *factus* O : *fractus* ς, Heinsius : *tactus* Heinsius.
Von den in Anm. 528 angeführten Herausgebern hat sich freilich nur G. Bonazzi getraut, da aus der handschriftlichen Überlieferung als dominant hervorgegangene *factus* in den Text zu setzen. Folgerichtig deutet er in seiner Übersetzung das Geschehen v. 33—34 als Metamorphose des Gottes (welche dann den beiden im 4. Abschnitt behandelten Fällen ähnlich wäre vgl. Kap. 21 und 22): „Chè se tu ricantassi come abbia fluito Acheloo d'Etolia fatto da grande amor liquore". Der Kommentar scheint dagegen einen anderen Weg einzuschlagen: „*factu liquor*, haec est vera lectio, congruenter cum fabula. Non est causa cur varietur ‚*fractus*' ve ‚*tractus*'. Achelous, procus Deianirae, ad patrem puellae se conferebat nunc sub forma tauri nunc sinuosi serpentis, nunc hominis ore taurino et ex suo mento rivi scatentis aquae fluebant Sophocles Trach. 9 eqs.". Diese Auffassung wäre als Wiedergabe des Bildes, welches die sophokleische Deianeira von der dritten Gestalt ihres unheimlichen Freiers malt, immerhin denkbar. ἄλλοτ' ἀνδρείῳ κύτει / βούπρῳρος: ἐκ δὲ δασκίου γενειάδος / κρουνοὶ διερραίνοντο κρηναίου ποτοῦ (Soph. Trach. 12—14). Allerdings will die ursächliche Verknüpfung in Bonazzis Properztext (das Wasser rinnt aus Achelous' Bart, weil der Gott verliebt ist) nicht ganz befriedigen (man müßte schon die Gedankenfolge „Liebe — daher Auftritt in jenen drei Gestalten — die dritte Gestalt mit triefendem Bart versehen, da Wasser das Element des Gottes ist" ansetzen). An eine Verwandlung in Wasser, von der sonst nirgends berichtet wird, mag ich nicht glauben, so daß ich mich Hertzbergs Urteil anschließe: „*factus* recipiendum ducas, quasi Achelous deus antea, tum demum amoris flammis velut quidam lapis liquefactus in fluminis naturam mutatus sit. Fabulosum sane facinus, et quod, si unquam narratum esset, loquax Metamorphoseon scriptor profecto non tacuisset" (Komm. z. St. = Bd. 3, 1845).

[530] So verfahren außer Bonazzi (1951) alle in Anm. 528 genannten Herausgeber. Dabei folgen Heinsius' glatter, inhaltlich problemloser Lesart *tactus* die *editores* Baehrens (1880), Hosius (1932) und D'Arbela (1964). Die überwiegende Zahl kritischer Ausgaben hat aber *fractus* (vgl. auch Lachmanns Bemerkung z. St.): Kuinoel (1805), Lachmann (1816), Hertzberg (1844/1845, mit ausführlichem Kommentar), Rothstein (1920), Richmond (1928), Butler-Barber (1933), Barber (1953), Schuster (1954), Schuster-Dornseiff (1958), Enk (1962), Paganelli (1964), Helm (1965).

[531] TLL VI. 1244.74—1245.2 unter der Rubrik „A. *de rebus maxime corporeis*, 2. *de fluctibus sim.*, c. *de fluctibus domandis, pacandis, molliendis*".
M. Rothstein sieht *fractus* lediglich physisch und muß daher „durch das Hineinspielen dieses erotischen Gedankens unleugbar eine gewisse Unklarheit" feststellen, die in Wahrheit seiner eigenen Einseitigkeit anzulasten ist.

[532] Unsere Stelle ist im TLL VI. 1249.64 unter „*de animantibus, maxime de hominibus*, 2. *spectat ad animum*" eingereiht: Der psychischen Seite ist damit Rechnung getragen, während der Vorstellungsbereich, den *liquor* und *fluxerit* vertreten, so nicht angemessen berücksichtigt wird. — Vgl. Prop. 3.21.33 *seu moriar, fato, non turpi fractus amore*, Ov. Am. 2.18.4 *et tener ausuros grandia frangit Amor*.

Komponenten in sich, deren Zusammentreffen integrativer Sicht eigen ist; physische und psychische Verfassung des Achelous sind in einer Weise miteinander gekoppelt, der Ovid sich so meisterhaft zu bedienen verstand, wenn es galt, eine Naturgottheit auf Identitätsstufe 3 darzustellen[533]. Properz steht seinem jüngeren Zunftgenossen hier um nichts nach.

Dieser pointierten Ambivalenz gesellt sich gar noch ein dritter Aspekt. Es ist nämlich durchaus denkbar, daß Properz durch seine Wortwahl auch an den Verlust des Hornes, das dem Gott im Kampf um Deianira von Hercules ausgebrochen worden war, hat erinnern wollen. Die Möglichkeit jedenfalls, daß ein antiker Leser von dem Tatbestand ‚*liquor fractus*' auf den allbekannten Mythos vom ‚*cornu fractum*' rückgeschlossen habe, liegt keineswegs so fern, wie es dem modernen Betrachter beim ersten Hinsehen scheinen mag. In den Stierhörnern sah man sowohl ein Symbol elementarer Kraft als auch die bildliche Umsetzung gekrümmter Flußläufe[534], so daß *liquor* und *cornu* durch ihr unmittelbares, enges Vergleichsverhältnis wechselseitige Assoziationen zu begünstigen vermochten. Der Begriff *frangere* zumal fordert durch seine eigentliche Bedeutung den Gedanken an jenes im Turnier verstümmelte Horn geradezu heraus.

Somit ist deutlich geworden, daß auch Properz mit unterschiedlichen Identitätsstufen arbeitet. Er setzt Identitätsstufe 5 voraus, wenn er auf die unglückliche Liebesgeschichte um Deianira, die zu freien der Flußgott ein Horn einbüßte, anspielt, nutzt jedoch in unserem Distichon (v. 33—34), welches die physischen Folgen jener Ereignisse ausmalen soll, Identitätsstufe 3 als die passendste Erscheinungsform der Naturgottheit. Dabei fällt

---

[533] An folgende Stellen sei erinnert: *rubebat* (Am. 1.13.47), *pallidus isse* (Am. 3.6.25), *occuluit caput* (M. 2.255), *subsedit* (M. 2.277), *vulnera fero* (M. 2.286—287), *ureris* (M. 4.195), *spectas* (M. 4.196), *palles* (M. 4.203), *caput attollo* (M. 5.503), *se mihi misceat* (M. 5.638), *intumui* (M. 8.583), *excepi* (M. 8.595).
Den ambivalenten Charakter des *fractus* (Prop. 2.34.34) hat G. A. B. Hertzberg (1845) erkannt und weitgehend überzeugend (reiches Belegmaterial!) erklärt. Seiner exegetischen Leistung zeigt kein moderner Kommentar sich ebenbürtig; nur P. J. Enk geht kurz auf das Bedeutungsspektrum von *fractus* ein (den Gedanken, *magno amore* als Metonymie für *Hercules vehementer amans* — schon Ch. Th. Kuinoel hatte so interpretiert — zu fassen, mag man für problematisch halten; der eine oder andere Leser könnte diese Assoziation aber durchaus gehabt haben).
Eine alternative Deutung des Distichons auf IS 1/2 (Naturerscheinung), sympathetisch mit IS 4/5 (anthropomorphe Gottheit) verbunden, ist angesichts des sprachlichen Befundes zu *fractus* sowie der formalen Verschränkung des elementaren Aspekts *(fractus liquor)* mit dem sensitiven *(amore fractus)* abzulehnen.

[534] Das erhellt z. B. aus Servius A. 8.77: „*flumina ideo cum cornibus pinguntur, sive quod mugitum boum imitatur murmur undarum, sive quod plerumque in cornuum similitudinem curvatas cernimus ripas*". Ebenso Tib. Donatus zu Verg. A. 8.77: „*corniger ideo, quia nonnumquam flumina scissa in partis tamquam in cornua dividuntur*". Eine gute Übersicht bei P. T. Eden zu Verg. A. 8.77. — Vgl. auch oben Anm. 46.

dem Partizip *fractus* eine Schlüsselrolle zu: Es beleuchtet gleichermaßen die Minderung der Wasserkraft wie die Niedergeschlagenheit des Gottes, weist aber auch auf das berühmte Kräftemessen, über das bereits oben im 1. Kapitel zu handeln war: den Kampf des Hercules gegen seinen Rivalen Achelous.

Ergänzende Stellenangaben zum 5. Abschnitt

Ov. M. 8.583—587: Achelous reagiert als bewußt wirkende Naturkraft auf die Mißachtung seiner Gottheit (zu der vergleichbaren Szene M. 8.595—610 s. o. S. 111—114); s. Kap. 1.

Ov. M. 1.584: (als zweite Interpretationsmöglichkeit): Der elementare Inachus (IS 3) weint um seine Tochter; s. Kap. 4.

Auch die Stelle Ov. Her. 18.59—78 ließe sich dem motivischen Feld des 5. Abschnitts zuordnen, s. o. S. 53.

Als Sonderfälle sind die Verwandlungen, mit welchen Cyane und Alpheus auf ihr jeweiliges Geschick reagieren, nur sehr bedingt vergleichbar (s. Kap. 21 und 22).

Abschließende Bemerkungen zu II B

Die voranstehenden Kapitel, die der Konfrontation von Identitätsstufen gewidmet waren, haben eine Fülle verschiedener Spielarten im Gebrauch von Vorstellungsformen und Grundpositionen und darüberhinaus mannigfache Nebenmotive sichtbar werden lassen. Versucht man einen resümierenden Rückblick, kann dabei notgedrungen nur ein Teil der zahlreichen Einzelbeobachtungen in knappen Umrissen aufscheinen. Darum seien Benutzer, die rasche Information suchen, an dieser Stelle auch auf den Überblick (s. u. Anhang III) hingewiesen.

Ein buntes Bild teils unvermuteter, teils allmählich angebahnter Wechsel von Identitätsstufen boten die im *1. Abschnitt* zusammengetragenen Textstellen. Ovid steht hier mit seinen vielgestaltigen Schilderungen quantitativ weit an der Spitze. Immerhin ergaben sich zwei aufschlußreiche Vergleichsmöglichkeiten zu früherer Dichtung, da sowohl Kallimachos als auch Vergil die Lizenz, Naturgottheiten in einem Handlungszusammenhang nach Belieben von unterschiedlichen Grundpositionen aus darzustellen, genutzt haben. Ihre Götterszenen vermochten auch ein bezeichnendes Licht auf qualitative Besonderheiten Ovids zu werfen.

Dem Sulmonenser am nächsten steht hier ohne Frage Kallimachos. Namentlich die Art, in der die Insel Delos (Kap. 8) agiert, nimmt so manche Ovidiana vorweg: einen gewissen Hang zu grotesker Überzeichnung[535] etwa, zur Vermenschlichung des Geschehens[536], zum Widersprüchlichen[537], Unerwarteten. Auffällige motivische Gemeinsamkeiten zeigte der Peneios (Kap. 9) auf. Bei beiden Dichtern werden vorgegebene Ausdrucksformeln und Vorstellungsweisen weiterentwickelt, folgerichtig zu Ende gedacht und in effektvolle Aktion umgesetzt[538]; beiden ist der jeweils folgende Handlungsschritt angelegener als eine denkbare Stimmigkeit innerhalb größerer Werkteile[539]; und bei beiden hat man eine ähnlich oberflächliche Religiosität[540] und eine von warmem Humor bestimmte Grundhaltung zu vermuten[541].

Ganz anders ist es um den vergilischen Thybris (Kap. 10) bestellt. Zwar treten auch im Epos des Mantuaners analytische und integrative Grundanschauung in Gegensatz zueinander, doch sind die Übergänge weit entfernt von jener oft willkürlichen Sprunghaftigkeit und den bisweilen grellen Dissonanzen, mit denen Ovid die Identitätsstufen seiner wandelbaren Akteure wechselweise ersetzt. Vergils konfrontatives Verfahren schließt zwei Erzählebenen ein: Für die rahmende Epiphanie wählt der

---

535 H. Herter, Kallimachos 451.27—28, spricht von des Dichters „Humor, der sich zur Burleske wie zur Groteske steigern kann".

536 Zur Vermenschlichung und Verbürgerlichung der Götter s. E. Howald 70—72.

537 Dazu B. Snell, Die Entdeckung des Geistes 359: Kallimachos benutze „sein weites Wissen weniger, um seine Hörer zu belehren, als um sie zu unterhalten oder gar Verwirrung in ihren Köpfen zu stiften. Statt des allgemein Bekannten bringt er die seltene Variante, die überrascht, und treibt allerlei Spiel und Schabernack, Verstecken und Rätselraten. Vor allem ist sein Witz wach, Dinge zu verbinden, die ursprünglich nichts miteinander zu tun hatten".

538 Das haben E. Howald und E. Staiger auf S. 100—101 ihrer geschmackvollen kleinen Ausgabe (Zürich 1955) gut herausgearbeitet; vgl. daneben E. Howald 73; grundlegend über Kallimachos' Verhältnis zum homerischen Hymnus handelt U. v. Wilamowitz IuH 440—462; vgl. auch oben Anm. 375.
Hierher gehört ferner „die Freude, das, was man früher einmal groß und ernst genommen hat, von seiner menschlichen Seite zu sehen" (B. Snell, Die Entdeckung des Geistes 362); Kallimachos überträgt „heroische Szenen des Epos in ein niedrigeres, alltägliches Milieu" (H. Herter, Kallimachos 448.27—34 mit 451.18—22); Überliefertem werden neue Seiten abgewonnen (H. Herter, Kallimachos 450.68—451.25; E. Howald 77).

539 Kallimachos ist — wie Ovid — um Widersprüche nicht ernstlich besorgt: H. Herter, Kallimachos 446.56—68.

540 Dazu vgl. die Bemerkungen bei U. v. Wilamowitz GdH II 312—313; H. Herter, Kallimachos 451.35—52; O. Kern III 102—108. Siehe auch die Arbeit von H. Staehelin, der mystische Züge im Glauben des Kallimachos findet (s. bes. seine Seiten 65—69); leider geht Staehelin gerade auf den Delos-Hymnus nicht näher ein, da er ihn für wenig ergiebig hält (S. 17—18).

541 Vielleicht darf man auch in der starken Neigung beider Dichter, Teile von Naturerscheinungen als Körperteile zu deuten (Körperteil-Metaphorik; vgl. oben Anm. 12), einen verbindenden Zug erkennen. Freilich bedürfte diese Benennungsweise grundsätzlich einer systematischen Einzeluntersuchung, die verschiedene Dichter einzubeziehen und deren Vorgehen miteinander zu vergleichen hätte. Für Kallimachos sei auf die übersichtliche Zusammenstellung von F. Lapp 15 (unter „de tropis: 1. de translatione, a) partes corporis) hingewiesen (allerdings sucht man dort Del. 54 und 114 vergeblich).

Dichter analytische Darstellung; sie gilt fortab uneingeschränkt; integrative Sehweise ist den Charakterisierungen sowie späteren Szenen vorbehalten. Durch diese Verteilung der Identitätsstufen wird der Eindruck eines Bruchs gemieden, wie er bei Ovid des öfteren entsteht, wenn nämlich der Autor die Rolle des Handelnden schroff von einer Identitätsstufe auf die andere übergehen läßt.

Die Unterschiede zwischen den Naturgottheiten beider Dichter wurzeln jedoch noch tiefer: Wo ovidische Götter sich durch Unmittelbarkeit und Nähe auszeichnen, herrscht bei ihrem Kollegen feierliche Distanz[542]. Vergils Flußgott strahlt Würde aus, seine Epiphanie ist ein erhabener Augenblick; als Traumerscheinung bleibt er vollends profanem Alltag entrückt. Ein ganz andersartiger künstlerischer Wille[543], gewiß aber auch eine stark von Ovid abweichende Haltung gegenüber der Sphäre des Religiösen[544] werden hier faßbar.

Im 2. *Abschnitt* waren Episoden zu durchmustern, die eine Gottheit in unmittelbarem körperlichem Kontakt zu ihrem Element zeigten. Ovids Darstellungen boten manch komisches Bild, so das des Berggottes Tmolus (Kap. 11), der eine nahegelegene Sitzgelegenheit findet, oder die Galerie verliebter Flußgottheiten (Kap. 12), die ihre Liebesglut erfolglos im heimatlichen Bezirk zu löschen trachten. Paradoxa spielten in den behandelten Passagen eine wichtige Rolle (Kap. 11—13). Andere Stellen wiederum (Kap. 14 und 15) erwiesen sich als neutrale Oppositionen polarer Identitätsstufen; dort wurden die latenten Konfliktmöglichkeiten nicht ausgeschöpft.

Wenig Auffälliges haftet in der Regel jenen Szenen an, die einem Gott die Fähigkeit zugestehen, sein Element zu eigenem Frommen zu lenken. Allgemein gilt analytische Grundanschauung. Ovidische Raffinesse blitzte lediglich bei der Beschreibung der Nymphe Salmacis und ihres Teiches

---

542 Siehe dazu oben bes. die Seiten 170 und 176—178 sowie Anm. 385 und 401.

543 Wichtige Bemerkungen zur Art ovidischer *aemulatio* im Hinblick auf Vergil findet man bei R. LAMACCHIA („egli lo imita, ma imitandolo lo interpreta" 329) (bes. S.) 329—330; vgl. ferner F. BÖMER WdF 173—202, H. DILLER WdF 337—339, B. OTIS 99—100, E. LEFÈVRE 60, E. J. BERNBECK 21, S. DÖPP *passim* (Zusammenfassung S. 143—144); immer noch unentbehrlich A. ZINGERLE II 48—121 (s. dort bes. S. 49).

544 Dazu grundsätzlich C. BAILEY 29—59. — Wichtig — besonders als Kontrast zu ovidischem Kunstwollen — W. FAUTHS Beurteilung des religiösen Gehalts der Aeneis; er geht speziell auf die niederen Gottheiten ein: „Die Aeneis ist von der Grundkonzeption her gleichsam aufgeladen mit Numinosität. Alles ist voll von Göttern — sichtbaren und unsichtbaren. Aber im Gegensatz zu der homerischen Szene fehlt ihnen die vermenschlichende Unbefangenheit des Mitspielens auf gleicher Ebene; es fehlt ihrem Erscheinen und Handeln jeder Anflug von Beliebigkeit oder Willkür. Sie markieren vielmehr jeweils fatale Durchblicke in die höhere Dimension weltgeschichtlicher Wirklichkeit". (S. 73—74).

(Kap. 16) auf. Die beiden Vergil-Stellen, die diesem *3. Abschnitt* zuzuordnen waren (Kap. 19 und 20), bestätigten das Ergebnis der Gegenüberstellung im 1. Abschnitt: Vergil scheint um Milderung möglicher Anstöße, um Harmonisierung der Sehweisen bemüht; er verwischt die Konturen von Identitätsstufen (Nilus, Kap. 20) und stellt das Grandiose (Cyrene, Kap. 19) in den Vordergrund.

Innerhalb des *4. Abschnitts* ist Ovid ohne Konkurrenz. Soweit wir urteilen können, hat kein Dichter vor ihm je das Paradoxon gewagt, eine analytisch betrachtete Naturgottheit kraft Metamorphose auf Identitätsstufe 3 zu degradieren. Diese Kontamination von Grundpositionen (Kap. 21 und 22) macht die Darstellungen der Cyane und des Alpheus zu einzigartigen und damit zugleich ungemein reizvollen Perlen ovidischer Erzählkunst.

Zehn Beispiele dafür, wie Dichter Abweichungen vom regulären Aussehen oder Verhalten einer Naturerscheinung als Reaktion auf vorausgegangene Taten oder Erlebnisse der anthropomorphen Gottheit gedeutet haben, wurden im *5. Abschnitt* vereint. Wiederum entfallen die weitaus meisten — nämlich sieben — *exempla* auf Ovid. Er benutzt in sechs Fällen Identitätsstufe 3, um psychosomatische Reflexe zu veranschaulichen; als Gründe für die Veränderungen an der jeweiligen elementaren Oberfläche werden angeführt: Liebe (Kap. 23 und 28), Trauer (Kap. 24, 25 und 27) sowie Verlegenheit (Kap. 26). An den übrigen Stellen dienen niedrige Identitätsstufen (1 bis 3) dazu, sonstige Verhaltensweisen zu schildern (Saumseligkeit, Verlassen der gewohnten Bahn, geminderte Kraft; als Sonderfall: physische Vernichtung); Plautus gibt als Motiv Trunkenheit (Kap. 30), Catull und Properz nennen Liebe (Kap. 31 und 32). Im Vergleich zu seinen Vorgängern schildert Ovid die jeweiligen Situationen oft wesentlich ausführlicher. Neben Properz münzt nur er die lebendige Anschaulichkeit von Identitätsstufe 3 aus, und nur bei ihm stößt man auf regelrechte Salven brillanter Pointen (Kap. 23 und 26).

Fassen wir nun noch einmal die Motive zusammen, die Ovid hauptsächlich bestimmt haben mögen, Identitätsstufen in so mannigfaltiger Weise und so viel häufiger, als offenbar je ein Dichter vor ihm es tat, nebeneinander und gegeneinander zu stellen. Oft waren es Erwägungen, die sich aus dem Kontext ergaben: Elegante Verbindungen, bequeme Überleitungen, auch geeignete Motivierungen wurden durch einen Wechsel der Identitätsstufe möglich. Alternierender Einsatz von Seinsformen der Naturgottheiten gestattete weitere kompositorische Vorteile, etwa bei Charakterisierungen (Achelous, Sol) oder wenn es galt, inhaltliche Spannungskurven nachzuzeichnen (Inachus, Alpheus). Zugleich hat Ovid eine denkbare Stimmigkeit innerhalb des größeren Erzählzusammenhangs zugunsten der effektvollen Einzelszene hintangestellt[545].

---

[545] Siehe vor allem F. Bömer WdF 189. — Man muß bei der Bewertung von Unstimmigkeiten behutsam vorgehen. Mangelnde Exaktheit hat den Alten oft geradezu als dichterische Eigenart gegolten (s. W. Kroll, Studien 280—307; für Ovid s. bes. die Seiten 297—299; dort erfährt man Näheres über seine Unbekümmertheit gegenüber der Geographie). Aufschlußreich ist in diesem Zusammenhang die Tatsache, daß sich bei Ovid einerseits zwar zahlreiche Anachronismen finden (s. G. Lafaye, Les métamorphoses d'Ovide et leurs modèles grecs 110—111, G. K. Galinsky 85 sowie M. v. Albrecht Epos 133—134), er aber andererseits, wie W. Ludwig zeigt, wiederholt auch darum bemüht ist, chronologische Unstimmigkeiten zu beseitigen oder mindestens zu kaschieren (s. Ludwig 39, 41—42, 55; daneben 60 und 63). Angesichts dieser mehr äußerlichen Daten geltenden Sorgfalt müssen Unstimmigkeiten im Bereich des Inhaltlichen um so stärker ins Gewicht fallen. So erweisen sich bei Ovid bestimmte Sachverhalte, Anschauungen, sogar Werturteile als durchaus wandelbar und den Erfordernissen der jeweiligen Szene angepaßt. Das sei exemplarisch anhand einiger Stellen illustriert:

Der Augenblick, in dem Rhea Silvia Mutter wird, zeigt uns, wie das Tempelbild der Vesta seine Augen verdeckt (F. 3.45—46). Sicher hat es Ovid gereizt, die Geburt durch die Priesterin der Jungfräulichkeit der Göttin gegenüberzustellen. Ähnliches lesen wir M. 10.696 *(sacra retorserunt oculos)* bei einem Liebesakt im Tempel, und überhaupt werden Schändungen von oder in Tempeln und Altären bei Ovid bemerkenswert häufig erwähnt (ich nenne, ohne auf die Passagen näher eingehen zu können, Am. 1.7.17—18, Her. 7.115, M. 4.798—800, M. 5.36—37, M. 5.56—58, M. 5.100—106, M. 7.603—604, M. 9.164, M. 10. 224—228, M. 10.689—696, M. 12.245—251, M. 12.258—262, M. 12.266—270, M. 12.271—273, M. 13.409—410, F. 3.45—48, Ib. 283—284). — Anders F. 6.295. Hier will der Dichter zeigen, daß die Reinheit der Vesta und ihrer Dienerinnen aus der Flammennatur der Göttin zu verstehen ist (291—294); insofern gebe es, so führt er aus, auch kein Tempelbild der Vesta.

M. 6.703—710 raubt Boreas die Königstochter Orithyia. Damit wird er seiner stürmischen Natur, wie er selbst sie 687—690 beschreibt, gerecht. — Dieser Version widerspricht das, was Paris Her. 16.345—346 an Helena schreibt: Im Namen des Aquilo sei Orithyia von den Thrakern geraubt worden. Paris will zeigen, daß Entführungen von Frauen nicht notwendigerweise Kriege nach sich ziehen. Das Argument wird um so einleuchtender, je größer die Übereinstimmung mit der eigenen Briefsituation ist. Gegen einen alleinverantwortlichen Gott hätten die Athener nicht einschreiten können, wohl aber gegen die ausführenden Thraker. Daß sie es nicht taten, bestätigt Paris' These und trägt dazu bei, Helena von der Gefahrlosigkeit des eigenen Raubes zu überzeugen.

Boreas erklärt in dem Monolog, in dem er, verbittert über die Zurückweisung am athenischen Hofe, sich auf seine wilde Windnatur besinnt, Donner und Blitz als Folgen des Zusammenpralls mit seinen Brüdern (M. 6.693—696). Sein Wesen gewinnt durch die gewaltigen kosmischen Effekte an Schrecklichkeit, gerät aber strenggenommen ebenso in Gegensatz zu Iuppiters Funktionen (M. 2.304—313) wie seine Schilderung davon, wie er Erdbeben erzeuge (M. 6.697 bis 699), zu der des Neptunus (M. 1.283—284).

Für die Zeit des Saliertanzes im März gilt Ovids Empfehlung an Bräute, nicht zu heiraten (F. 3.393—394). Die Waffen haben ein ungünstiges *omen*, sie wollen Auseinandersetzung:

arma movent pugnas, pugna est aliena maritis. (F. 3.395)

In ganz anderem Zusammenhang behauptet Ovid aber das Gegenteil. Er rät (AA 2.145—160), der Freundin freundliche und schmeichelnde Worte zu schenken; Streitsucht gehöre in die Ehe, nicht in das Liebesverhältnis mit einer Hetäre:

hoc decet uxores, dos est uxoria lites. (AA 2.155)

Den Männern erzählt Ovid AA 1.645—646, die Frauen pflegten zu betrügen. Es sei darum nur billig, daß man ihnen Gleiches mit Gleichem vergelte. Im dritten, an die Frauen gerichteten Buch liest sich der Gedanke freilich so:

saepe viri fallunt, tenerae non saepe puellae
paucaque, si quaeras, crimina fraudis habent. (AA 3.31—32)

Gewiß sind auch die besonderen künstlerischen Interessen Ovids von entscheidendem Einfluß auf seine Handhabung von Identitätsstufen und

---

Braune Körperfarbe, die auf sportliche Betätigung schließen lasse, empfiehlt Ovid seinen männlichen Lesern AA 1.513. An anderer Stelle aber (AA 1.729—738) wird der Rat erteilt, sich um bleichen Teint zu bemühen; gebräunt möge sein, wer seinem Beruf in der Hitze des Tages nachgehe, der Liebhaber solle durch Blässe und Magerkeit Zeugnis von durchwachten Nächten ablegen.

Daß Götter nicht weinen dürfen, erfährt man M. 2.621—622 und F. 4.521 als eine feststehende Tatsache. Apollo kann an jener Stelle darum im Schmerz nur stöhnen. Andernorts gilt das aber nicht: Galatea vermag M. 13.745 vor Tränen nicht weiterzusprechen, obwohl sie v. 747 ausdrücklich als *dea* bezeichnet wird; Aurora und Thetis haben ihre Söhne beweint (Am. 3.9.1), und von Venus wird zumindest die Fähigkeit zu weinen vorausgesetzt (Am. 3.9.45—46); gleiches wird man aus Iunos Äußerung M. 4.426 schließen dürfen; Nymphen weinen M. 2.238—239 und M. 13.689 um vertrocknete Gewässer; hinzukommen die in den Kapiteln II A 2, II B 4 und II B 27 behandelten Naturgottheiten (vgl. H. H. Huxley 387).

Die Beurteilung des Mordes an Agamemnon schwankt in der Ars amatoria zwischen zwei Extremen. AA 1.333—334 zeigt Agamemnon als Opfer der verruchten Klytaimnestra. An dieser Stelle geht es Ovid darum, die Schrankenlosigkeit weiblicher Leidenschaft darzulegen und „die Frau in ihrer Unbeherrschtheit, die zum offenen Angriff übergeht" (F. W. Lenz, Komm. z. St.), vorzuführen. Dagegen erscheint Agamemnon AA 2.408 als Schuldiger *(male peccantem)*. Er hat seine Frau durch seine trojanischen Affairen, besonders aber durch die als Sklavin mitgeführte Kassandra, offen provoziert. Wer erotische Seitensprünge nicht besser zu vertuschen weiß, muß entsprechende Reaktionen eben in Kauf nehmen.

Um zu illustrieren, daß eine kurze Trennung die Leidenschaft des Mädchens zu steigern vermag, man die Geliebte aber niemals zu lange alleine lassen dürfe, führt Ovid das Beispiel des Menelaos an, der es genau falsch gemacht habe. Seine lange Abwesenheit, die Gegenwart des Paris und Helenas verständliche Furcht vor einsamen Nächten haben den Ehebruch geradezu erzwungen (AA 2.359—372; ähnlich RA 773—774). Helena ist ausdrücklich von jeder Schuld freigesprochen (371). Als eines von wenigen Beispielen ungetreuer Frauen (AA 3.9—14) muß Helenas Verhalten dagegen AA 3.11—12 herhalten. Hier beschuldigt Menelaos seine Gattin zu Recht.

Penelope dient auch dem Ovid als Muster der Gattentreue (AA 3.15, T. 1.6.22, T. 5.14.35—36, P. 3.1.107—108). Das hindert ihn aber nicht, Am. 1.8.47—48 die Kupplerin ausführen zu lassen, Penelope habe die Freier aus raffinierter Berechnung heraus bewogen, den Bogen zu spannen: Sie habe deren Lendenkraft erproben wollen. Am. 3.4.23—24 wird als Grund dafür, daß Penelope trotz so vieler Freier und ohne Wächter unberührt blieb, angeführt, daß der Reiz des Abenteuers, der alles Bewachte und Verwehrte nun einmal umgebe, gefehlt habe: Auch dies in krassem Gegensatz zu der aus sich selbst heraus standhaften liebenden Gattin.

Zwar weist Cupido M. 10.311—312 die Schuld an Myrrhas verbotener Liebe weit von sich, und Ovid selbst macht v. 313—314 eine der Furien für jene Leidenschaft verantwortlich, trotzdem sagt er M. 10.524 über Myrrhas Sohn Adonis, daß der seine Mutter an Venus räche.

Schließlich sei noch der Widerspruch zwischen Amor als *pacis amator* (RA 20), der

desidiam puer ille sequi solet; odit agentes (RA 149)

(ähnlich RA 143) — hier soll auf die Schädlichkeit des Müßiggangs für jene, die sich von der Liebe befreien wollen, hingewiesen werden —, und dem Feldherrn Amor, dem der Liebhaber als Soldat dient (Am. 2.9.3 und oft, vgl. A. Spies *passim*) und unter dem an *desidia* nicht zu denken ist (Am. 1.9.46), erwähnt.

Es scheint, daß des Dichters Inkonsequenz bei der Vermittlung von Dingen, für die man Einheitlichkeit erwartet, grundsätzlicher Art und nicht auf die Darstellung von Naturgottheiten beschränkt ist. Ovid hat, vor der Wahl, Geschlossenheit von Ideen, Überzeugungen und Werturteilen darzubieten oder auf deren Kosten geschliffene, pointenreiche Gedanken vorzutragen, eine starke Neigung gezeigt, sich für das letzte zu entscheiden. (W. Kraus WdF 120 spricht von der „Verwegenheit, mit der Ovid alles dem Gesichtspunkt der rhetorischen Wirkung unter-

Grundpositionen gewesen. Die innere Welt des Menschen, Psychologie[546] und Erotik[547], stehen hier im Mittelpunkt. Daneben wird man das Metamorphosenthema selbst nicht gering veranschlagen dürfen; allenthalben weist der Dichter die Dauer im Wandel, das Fortleben von Einzelzügen auf[548]; in diesem Zusammenhang lag das Identitätsproblem, das mit Natur-

---

ordnet, deren er sich sicher weiß".) Das Problem bedürfte einer systematischen Untersuchung. Dabei wäre auch zu prüfen, inwieweit andere Dichter (die Elegiker böten sich zum Vergleich an) einmal geschilderte Szenen oder einmal geäußerte Gedanken andernorts ganz unterschiedlich und im Widerspruch zur ersten Stelle (je nach Erfordernis des jeweiligen Kontextes) wiedergegeben haben.

[546] Zu Ovids Beschäftigung mit psychischen Vorgängen, mit dem inneren Ringen um moralisch vertretbare Entscheidungen, siehe V. Pöschl ACO II 303—305 (er erkennt „un fortissimo interesse psicologico": 303); R. Crahay ACO I 103 (er präzisiert die inneren Konflikte ovidischer Helden: „Sans doute la peinture de conflits intérieurs ne suffit-elle pas à caractériser notre poète. Ce qui est proprement ovidien, c'est le balancement interminable du personnage entre deux pôles de la sensibilité. Les commentateurs ont depuis longtemps souligné le goût d'Ovide pour la peinture d'âmes divisées et surtout pour les monologues dialectiques placés généralement dans la bouche d'héroïnes qui vont accomplir quelque forfait".); K. Büchner WdF 384 (Ovid verwandle seine Quellen „ganz mit dem Interesse für die innere moralische Welt der Menschen"); E. Doblhofer, Ovidius urbanus 231 („psychologische Vertiefungen bekannter Sagenzüge"); M. v. Albrecht Epos 127—129 (er stellt eine Verbindung zwischen Metamorphosenthema und dem psychologischen Interesse des Dichters her: „Natur wird als Produkt und Folge menschlichen Verhaltens verstehbar".: 129).

[547] Nach dem Urteil E. Martinis steht „der Liebe Lust und Leid" ausschließlich oder doch wenigstens zu einem großen Teil im Mittelpunkt ovidischen Schaffens vor der Exilierung (S. 74). Ähnlich L. P. Wilkinsons Urteil: "Love is the chief theme of the Metamorphoses." (S. 206). Unter Ovids Händen, bemerkt F. Altheim II 257 ein wenig überzeichnend, ergreife ein Prozeß der Erotisierung alles, dessen er habhaft werde. F. Bömer WdF 180 beschreibt es als ein Darstellungsziel Ovids, „die Allmacht des Eros gegenüber allen anderen Mächten der Erde darzutun". Wie vollständig den Dichter „das menschliche Urphänomen der Liebe" bereits in seiner Studienzeit beherrschte, zeigt F. Stoessl, Ovid 3—5, zu den bekannten Ausführungen des älteren Seneca (Rhet. Contr. 2.2). W. Kraus WdF 117 sieht das erotische und familiäre Leben im Mittelpunkt des Interesses von Ovid. Der „Triumph Amors über die ganze Welt" wird in den Metamorphosen, wie W. Ludwig 35 und 57 zeigt, durch drei Auftritte des Cupido markiert (im 2. Großteil bezwinge der Liebesgott den stolzen Apollo, im 5. dehne er sein Reich bis in die Unterwelt aus, im 8. gelinge ihm der Sieg über Venus selbst). Gerade die häufigen Schilderungen des inneren Zustands Verliebter in den Metamorphosen haben A. S. Anderson (Multiple Change, *passim*) den — meines Bedünkens wenig glücklichen — Versuch wagen lassen, den Begriff „Verwandlung" wesentlich über die Grenzen, die ihm gemeinhin zugewiesen werden (vgl. hierzu die wichtigen Bemerkungen H. Herters, Verwandlung und Persönlichkeit 186—187), hinaus zu erweitern (s. bes. Andersons Beispiele Apollo 6, Sol 7, Semele 9, Pyramus und Thisbe 10, Procris und Cephalus 10, Medea 14, Scylla 15, Byblis 16, Myrrha 16).

Wichtige Aspekte ovidischer Humanität im erotischen Bereich — vor allem auf die kühne Erweiterung des Begriffs *virtus* sei hingewiesen — hat A. W. J. Holeman, Ovidianum 341—355, aufgezeigt.

[548] Grundlegend hierzu sind die Ausführungen H. Dörries (Wandlung und Dauer, *passim*). W. Ludwig hat die „Theorie von der Dauer des Wesentlichen", wie Dörrie 99 sie nennt, in einen größeren Zusammenhang gestellt. Er weist darauf hin, daß Ovid es unternommen habe, die Metamorphosendichtung mit der Konzeption eines Weltgedichts zu verbinden: „Bei der Darstellung des Weltprozesses kam es ihm immer wieder darauf an, sowohl den ständigen Wechsel, als auch — und vielleicht noch mehr — das Dauernde im Wechsel, zu zeigen. In jeder Ver-

gottheiten verknüpft ist, zweifellos nahe[549]; es lockte durch unterschiedliche Seinsformen, die doch alle genau eine Identität zu repräsentieren beanspruchen.
Ferner muß Ovids Verhältnis zur Religion bedacht werden. So schwierig das Problem als solches auch ist[550], als sicher muß immerhin gelten, daß die mythische Götterwelt gern in den Bereich des Komischen gezogen wird[551].

---

wandlungssage aber trat dieses Doppelmoment in gleichnishafter Verdichtung in Erscheinung. Die gewandelten Wesen bewahren in ihrer neuen Existenz auch etwas von ihrem früheren Geartetsein und reichen als Zeugen der Vergangenheit bis in die Gegenwart, wobei Spiel und Ernst sich in ihnen vermischen". (Ludwig 86).

549 Darauf macht bereits F. J. Miller 532 aufmerksam, wenn er nach einem Hinweis auf die zahlreichen Verwandlungen von Menschen in Bäume bemerkt: "With all these stories in mind, it was easy for Ovid to tell the story reversed, of trees, not changed to persons, but endowed like persons with power of locomotion and with appreciation of the beauty of Orpheus' music."

550 Das Problem kann an dieser Stelle nur angedeutet werden. Zwar scheinen zahlreiche Belege den Unglauben Ovids dem Mythos gegenüber augenfällig zu machen (vgl. bes. H. Fränkels Zusammenstellung S. 194 Anm. 65). Genauerer Prüfung halten sie jedoch nicht stand. Darum sei hier nachdrücklich auf die mangelnde direkte Beweiskraft der meisten dieser Stellen hingewiesen, da sie oft zu vorbehaltlos und ohne Würdigung des Zusammenhangs (s. o. Anm. 545) als überzeugende Belege dargeboten und akzeptiert werden. Ihr Wert liegt aber in der Regel erst im Rückschluß: Weil Ovid so viele Gedanken durch zweifelnde oder leugnende Formulierungen illustriert hat, und weil ferner zahlreiche andere Stellen mit der Unglaubwürdigkeit von Mythos und Götterwelt operieren, indem sie diese profanieren und in allzu menschliche Sphären ziehen, darf man folgern, daß Ovid ungläubig war, daß er zu Religion und Sagenüberlieferung der Vorväter kein ernsthaftes Verhältnis hatte.
Eingehendere Untersuchungen zu dieser Problematik findet man vor allem bei G. Lafaye, Les métamorphoses d'Ovide et leurs modèles grecs 96—114 (mit den wichtigen Hinweisen M. v. Albrechts auf S. XI*—XII* des Nachdrucks 1971); H. Fränkel 98—101 (mit 270: „Er war ein Agnostiker, praktizierte jedoch eine milde, herkömmliche Frömmigkeit . . . Aber er glaubte inbrünstig an den Menschen und an die Kunst".); W.-H. Friedrich WdF 377—379 (Ehrfurchtslosigkeit gegenüber den Göttern sei in der antiken Kunst von vornherein angelegt gewesen; sie gelange bei Ovid „zu ihrem elegantesten und allerdings unbedenklichsten Ausdruck": 378; Ovids Adressaten seien über den Anthropomorphismus längst hinaus, sie verehrten — wenn überhaupt — in den zahlreichen Göttern nur Emanationen eines als Ganzen unfaßbaren Göttlichen: 379); E. Zinn WdF 26—27 (Ovid habe über Wert und Unwert der Göttersagen nicht anders gedacht als jeder andere gebildete und aufgeklärte Zeitgenosse; er bekunde „nicht nur jenen Überdruß am Längstgewohnten, jene Ablehnung des weithin Trivialisierten . . . Vielmehr nimmt er mit Vergnügen geeignete Anlässe wahr, um die Nichtigkeit und Wesenlosigkeit mythischer Erzählungen geradezu herausfordernd anzuprangern oder dem Amüsement preiszugeben".); E. Doblhofer, Ovidius urbanus 223—227 („schöpferische Selbstironie" 224); R. Schilling, Ovidianum 549—554 (Ovids tieferer Glaube habe der Musa gegolten: eine Auffassung, die der von H. Fränkel 100—101 vorgetragenen sehr nahekommt).

551 Schon A. Rohde 15, Anm. 17, hat auf Stellen aufmerksam gemacht, „quae valde a maiestate aliena sunt". — Vgl. ferner F. Altheims Kapitel „Der Fall Ovid" (II 254—262). Altheim weist darin in anschaulicher Weise und mit reichem Material nach, daß gerade die nationalrömischen Fasti, was die Behandlung der Götter betrifft, kaum geeignet waren, ein ernsthaftreligiöses Gegenstück zu den *carmina amatoria* darzustellen und so ihren Dichter vom Vorwurf der bewußten oder unbewußten Opposition gegen die religiöse Erneuerung des Augustus zu befreien. — Wichtig sind außerdem die Bemerkungen L. P. Wilkinsons 190—203 (197: "sheer comedy, in the spirit of the Amores"; ebendort der Hinweis auf Quint. 10.188) sowie B. Otis'

Von der Würde vergilischer Gottheiten sind Ovids unsterbliche Akteure oft um Welten getrennt[552].

Schließlich sei an die Vorliebe unseres Dichters für Paradoxie[553], für die Schilderung alles dessen, was der Erwartung, Erfahrung, Norm widerspricht, hingewiesen. Ovids Meisterschaft in der effektvollen Verwendung ambivalenten Wortmaterials[554] muß hier gleichrangig neben seine be-

---

Kapitel "The Divine Comedy" (91—127; bes. schön wird 102—104 am Beispiel Apollos "the incongruity of the god and the lover" gezeigt). — Siehe auch die Anmerkungen 550 und 552.

[552] Ovid zieht seine Götter gern in die Sphäre des Alltäglichen: L. P. Wilkinson 194—195, V. Pöschl ACO II 304 („intenzione di mostrare il piccolo nel mondo del grande, l'umano nel mondo del mito e della favola, e il contrasto tra la mitologia e la vita di tutti i giorni"), W. Kraus WdF 117—118, V. Pöschl Ovidianum 507—513 (treffliche Bemerkungen zu Ovids Respektlosigkeit, seiner Ironie sowie zum Verfahren mythischer Aktualisierung, dargelegt anhand der Lycaon-Episode). In seinen Göttern mischen sich übernatürliche (göttliche) Züge mit allzu Menschlichem: R. Crahay ACO I 95—99, E. Doblhofer (Ovidius urbanus 84—87; der Autor spricht von „Ichspaltung" in Gott und Mensch: der Gott werde vermenschlicht und mit seiner Göttlichkeit konfrontiert; berechtigte Kritik an der Terminologie jetzt bei H. Herter, Verwandlung und Persönlichkeit 199), B. Otis 121—127 (behandelt den Widerspruch *maiestas* : *amor*), E. J. Bernbeck 83 (stellt eine Mischung zweier unverträglicher Welten, des Bereichs göttlicher Erhabenheit und menschlicher Bedingtheit, fest), C. P. Segal (Narrative Art 331, 334—335), G. K. Galinsky 162—173 (er geht noch einen Schritt weiter, wenn er S. 162 über Ovids verliebte Götter bemerkt: "Rather, Ovid often makes them act as subhumans so that they lose the maiestas which they still could retain in the Homeric epics despite their human behavior. It is this less than human behavior and associations that often creates the humorous effect.").

[553] Auch an dieser Stelle müssen einige knappe Literaturhinweise genügen. — Die beste Übersicht über ovidische Paradoxien findet man bei E. J. Bernbeck 109—116. Daneben sind vor allem zu vergleichen: H. Diller WdF 334—336 sowie 339, R. Crahay ACO I 92, W. Kraus WdF 116—118 und 158—159 (betont den Einfluß der Rhetorik), E. Lefèvre 64—69 (bei Ovid überschreite „die starke Vorliebe zur Paradoxie das konventionelle Maß bei weitem": 64), C. P. Segal (Narrative Art 331: "a sparkling juxtaposition of incongruities"), H.-D. Voigtländer 197—202 (Stilmoment des Gegensatzes), M. v. Albrecht Epos 132—133 und 150—151 (mit grundsätzlichen Gedanken zu einem erzählerischen „Realismus", den Ovid paradoxerweise gerade aus den „unrealistischen" Prämissen und Spielregeln des mythischen Stoffes entfalte: 133).
Zu den überraschenden Wendungen im erzählerischen Zusammenhang vgl. ferner W. Ludwig 11 („. . . der Reiz scheint eben der zu sein, daß hier alles möglich ist".) sowie Th. Döschers Beobachtung, daß Ovid es liebt, die Identität einer Person schrittweise aufzuhellen (s. auch Bernbeck 44—49); vgl. dazu für die Naturgottheiten oben Anm. 474.
Über Ovids Handhabung der Identität seiner Akteure s. vor allem H. Fränkel 270 (heute in der Form nicht mehr akzeptiert), H.-D. Voigtländer *(passim)* und H. Herter, Verwandlung und Persönlichkeit (er lehnt es ab, den Dichter auf eine bestimmte Theorie oder gleichmäßige Methode festzulegen: 210).

[554] Etwa, wenn ein für einen bestimmten Lebensbereich typischer Ausdruck auf einen anderen Bereich (auch in äußerlich veränderter Form, z. B. als Antonym) übertragen wird: AA 1.83—84, 85—86, 87—88, 165—166. Meist verfährt der Dichter so, daß er ein Wort in unterschiedlicher (meist eigentlicher und metaphorischer) Bedeutung wiederholt. Einige Beispiele mögen solche Konfrontationen von Sinnebenen illustrieren. Wir fassen hier, wie bei vielen Darstellungen von Naturgottheiten, das Streben Ovids, die gegebene Einheit einer Sache oder eines Sachverhalts aufzulösen, ihr verschiedene Aspekte abzugewinnen und über den trüglichen Gleichklang Paradoxien herauszuarbeiten.

merkenswerte Fähigkeit gestellt werden, gegebene Sachverhalte und Vorstellungsformen konsequent so zu nutzen und weiterzuentwickeln, daß witzige Pointen[555], komische Szenen oder auch groteske Bilder entstehen.

Unser Urteil über die Originalität ovidischer Naturgottheiten muß zwangsläufig durch den mißlichen Umstand relativiert werden, daß die lückenhafte Überlieferung namentlich der alexandrinischen Poesie uns durchaus auch Texte, die wichtige Aufschlüsse über frühere Darstellungsformen der hier behandelten Göttergruppe gebracht hätten, vorenthalten könnte. Das nachprüfbare Material jedenfalls läßt die Bilanz unserer Untersuchung ganz eindeutig ausfallen: Die Konfrontation von Identitätsstufen innerhalb eines Handlungsablaufs hat als dasjenige Feld zu gelten, auf dem Ovid — in wesentlich stärkerem Maße als etwa bei uneigentlichen Benennungen (s. I. Teil B) oder beim Gebrauch nur einer Vorstellungsform (s. II. Teil A) — durch Motivreichtum wie durch häufigen Gebrauch weit über alle älteren Dichter hinausgegangen ist.

AA 1.244 *et venus in vinis ignis* (Glut der Liebesleidenschaft) *in igne* (Glut durch Weingenuß) *fuit* (ganz entsprechend Her. 16.232); RA 170 *quaelibet huic curae* (Beschäftigung mit Landwirtschaft) *cedere cura* („Liebe", „Liebeskummer") *potest*; T. 1.4.28 bittet Ovid die Götter des Meeres um Rettung, *si modo, qui periit,* (Vernichtung der bürgerlichen Existenz), *non periisse* (physisch) *potest* (fast wörtlich P. 4.12.44 wiederkehrend); P. 3.9.21 *scribentem iuvat ipse labor* (die Anstrengung von der produktiven, fesselnden, positiven Seite gesehen) *minuitque laborem* (die Anstrengung von der handwerklichen, lästigen, wenig reizvollen, negativen Seite gesehen; vgl. v. 20 *longi laboris onus* „das Feilen"); M. 10.339 (Myrrha reflektiert:) *nunc quia iam meus* (mein Vater, mein Angehöriger) *est, non est meus* (mein Geliebter); F. 1.217 *in pretio* (Wertschätzung allgemein, nicht auf materielle Objekte beschränkt) *pretium* (der Preis, für den man etwas kauft, als Gradmesser des Prestiges bestimmter Schichten einer Wohlstandsgesellschaft) *nunc est.*

Weitere Stellen: AA 2.406 (*praeda* bezeichnet den Gegenstand und einen Vorgang), M. 1.720 (*lumen* als Sonnenlicht, Sehkraft und als Auge), M. 3.291 der *Stygius torrens* sei *timor et deus ille deorum* (ein *numen*, das man achten muß, eine übergeordnete Instanz; dagegen die Götter im traditionell-mythischen Sinne; Iuppiter spricht!), M. 3.415 (*sitis* körperlich und psychisch; Hinweis durch *altera*), M. 10.252 (*ars* als Ergebnis künstlerischer Tätigkeit und als individuelle Leistung, „Können"), M. 12.621 (*arma* als Kampfpreis und als Symbol der streitbaren Leidenschaft, fast schon metonymisch für „Kampf, Wettkampf"), M. 13.386 (*invictus* „in der Schlacht, vom Feinde nicht besiegt" gegenüber übertragenem *vicit* „bewältigen, bezwingen"), T. 1.11.12 (*cura* als poetische Betätigung und als Furcht vor stürmischer See; die richtige Lesart haben wir zweifelsfrei aus CIL 6.2.9632 gewonnen, vgl. die Parallelen in Owens kritischem Apparat), T. 4.3.65 (*ignes* sind Iuppiters Blitze und der Weltbrand), P. 3.1.7 (*pax* phraseologisch „Verlaub" und Antonym zu Krieg).

Schließlich sei noch auf die Häufigkeit zeugmatischer Verbindungen (s. bes. J.-M. Frécauts umsichtige Behandlung dieses vielschichtigen Problems in: Une figure de style chère à Ovide) hingewiesen; sie repräsentieren eine ähnliche Verknappung des Ausdrucks, wie sie namentlich auf dem Felde der Göttermetonymien, aber auch bei plötzlichem Wechsel der Identitätsstufe in einem Handlungsablauf, immer wieder anzutreffen war.

[555] Zur Art des Humors, dem die zahlreichen witzigen Wendungen im Werke Ovids entstammen, siehe vor allem H. Fränkel 268 und 272, E. Doblhofer 80 (ovidischer Witz, „der milde spöttelt, aber nie grob verletzend wird — eben urban bleibt") sowie M. v. Albrecht WdF 420 und *passim*.

Die wandelbaren, vermenschlichten, einer sozialen Ordnung eingefügten, in die Sphäre des allzu Staunenswerten, Grotesken und oft gar des Lächerlichen gezogenen Naturgottheiten sind in ihrer Vielgestaltigkeit, unmittelbaren Nähe und von urbanem Humor gezeichneten Wesensart legitime Kinder ovidischen Geistes, so lebendig, so hintergründig, so voller Überraschungen und so wenig konventionell wie der Dichter selbst.

ANHANG I

Zur Häufigkeit direkter uneigentlicher Benennungen

Da die Verwendung direkter uneigentlicher Benennungen von mehr marginalem Interesse ist, scheint mir ein Abdruck des gesamten Stellenmaterials im Rahmen der vorliegenden Arbeit nicht gerechtfertigt. Andererseits gebietet philologischer Brauch, zumindest an einem Beispiel die Verläßlichkeit des beabsichtigten Vorgehens für den Benutzer nachprüfbar zu machen. Während ich mich also durchweg darauf beschränke, die Häufigkeit der verwendeten Ausdrücke in Zahlen zu nennen, sind für außersprachlich gemeintes „Feuer" die einzelnen Belegstellen *exempli gratia* aufgelistet.

Die folgende Erhebung ist nicht durch Auswertung der Autorenindices entstanden: Mit einer eigenen Durchmusterung der Texte habe ich sicherzustellen getrachtet, daß die Angaben auf modernen Editionen basieren. Vor allem aber sollte der jeweilige Kontext auf die genaue Bedeutung des Ausdrucks sowie auf Besonderheiten in seinem Umfeld hin untersucht werden (dazu s .u.).

Abweichende Lesarten können nicht notiert werden (z. B. Ov. M. 14.467 *dextras* neben *flammas*); ich entscheide nach Maßgabe der benutzten Ausgaben (Hor.: Klingner, Verg.: Mynors, Ov.: Anderson bzw. Bömer). Nur ganz sporadisch mußte ich von diesem Prinzip abweichen; so glaube ich entgegen Anderson, der Ov. M. 14.534 *igne* schreibt, an Verdunkelung eines ursprünglichen *transtra*, und M. 15.871 muß es (gegen *ignes* der meisten Hss. und bei Anderson) *ignis* heißen (vgl. den Singular der parallelen Glieder; die Verschreibung *e:i* gehört zu den häufigsten Überlieferungsfehlern). Belege aus Versgruppen, die wie Verg. A. 2.567—588 in ihrer Echtheit umstritten sind, werden mitgezählt (hier: Verg. A. 2.569 und 2.581), wenn der Herausgeber sie im Text belassen hat.

Pluralformen, die im Regelfall ohne erkennbare Bedeutungsdifferenz zum Singular häufig verwendet werden, führe ich als eigenes Lemma. Gelegentlich vorkommende Pluralia mit Mehrzahlbedeutung (so z. B. Ov. M. 7.610 und 613, wo allenthalben in der Stadt angelegte Feuer gemeint sind) bleiben unter dem Plural-Lemma eingereiht.

Für jeden Begriff waren semantische Grenzen abzustecken, durch die einige übertragene Bedeutungen ausgeschlossen werden sollten. Ich habe mich bemüht, diese Festlegungen nach dem Gesichtspunkt vorzunehmen, ob die betreffende Bedeutung auch metonymisch benannt wird. Derartige semantische Präzisierungen sollen jedem der Begriffe, die im Folgenden zu untersuchen sind, in Kurzfassung vorangestellt werden.

Trotz gelegentlich sehr schwieriger Detailentscheidungen, die, wenn jemand sich die Mühe machte, seinerseits das Wortmaterial genau zu sichten, bei ihm z. T. anders ausfallen mögen, dürften die vorgelegten Zahlen doch recht verläßlich über die Tendenzen zu metonymischem Ausdruck informieren: Alle

Wahrscheinlichkeit spricht dafür, daß abweichende Auffassungen einzelner Stellen letztlich zu konvergierenden Gesamtergebnissen führen. Ovids Neigung zu direkter uneigentlicher Benennung wird jedenfalls hinreichend deutlich bestimmt werden können.

Schließlich habe ich mich bemüht, einem nicht unwesentlichen Umstand wenigstens am Rande Rechnung zu tragen. Die außersprachliche Wirklichkeit, die der Dichter schildert, kann nämlich für Metonymien in unterschiedlichem Maße — zuweilen kaum oder gar überhaupt nicht — geeignet sein. So darf man annehmen, daß uneigentliche Benennungen gemieden werden, wenn die Stelle durch sie mißdeutig würde oder sich ein grotesker Nebensinn ergäbe. Die bei entsprechender Auflistung notwendige Gradation reduziere ich der Übersichtlichkeit halber auf zwei Stufen (sie werden als Zusatzinformation bei den Einzelkolumnen angeführt, ansonsten weggelassen): Auf diese Weise wird deutlich, an welchen Stellen es sich für den Autor mehr oder minder verbot, zur Metonymie zu greifen. Ich verwende ein Ausrufungszeichen dort, wo uneigentliche Benennung zu störenden Wirkungen führt, und zwei, wo der Kontext eine solche Wortwahl praktisch unmöglich macht.

Beispiele:

Wenn Tellus Iuppiter eindringlich mahnt, von der verbrennenden Welt zu retten, was noch zu retten sei (*quos si vitiaverit ignis* Ov. M. 2.293 oder *eripe flammis* . . . 2.299), ist metonymischer Ausdruck unangebracht („!"), da die Nennung einer dritten Gottheit neben den beiden bereits handelnden einen Mißton in den Zusammenhang brächte: Vulcanus oder Mulciber wäre in diesen Versen nicht so zwanglos als „Feuer" zu begreifen wie an neutraleren Stellen.

Die zweite Stufe („!!") setze ich an, wenn der Inhalt uneigentliche Benennung ausschließt; so wäre *Asopida luserit ignis* Ov. M. 6.113 völlig irreführend, stünde Vulcanus im Text als die Gestalt, derer Iuppiter sich bedient habe, um Aegina zu täuschen. Ganz unmöglich sind Metonymien dort, wo der betreffende Gott selber als handelndes Subjekt erscheint (z. B. Ov. F. 6.635) oder wo Definitionen einer der beteiligten Identitätsstufen gegeben werden (z. B. Ov. F. 6.291 *nec tu aliud Vestam quam vivam intellege flammam*).

Beispiel für die Zitierweise: *flammae* 23 (4 !, 1 !!) bedeutet, daß das Wort nach meiner Zählung 23mal im genannten Werk vorkommt, davon an 4 Stellen, die eine Vermeidung metonymischen Ausdrucks nahelegen, sowie an einer Stelle, die uneigentliche Benennung — jedenfalls nach meiner Erfahrung — nicht gestattet.

1. *Feuer*

Nicht berücksichtigt wurden die Bedeutungen:

Blitz; Asche; Hitze (Ov. M. 1.417 *ignis solis*); Liebesglut (so wohl auch Verg. A. 8.389); Gier (Ov. M. 8.846 *flamma gulae*); Leuchtkraft eines Gestirns (Verg. G. 1.427); Gestirn; Feuerfarbe; Feuer in jemandes Augen (Ov. M. 1.498, 3.33, 8.284, 15.674); inneres Feuer in Lebewesen, sofern wahrscheinlich nicht physikalisch vorgestellt; Krankheit (Verg. G. 3.566 *sacer ignis*); im Innern zerstörende Kraft (Ov. M. 9.202); Fackel, wenn die Vorstellung „Leuchtgerät" vorherrscht.

Dagegen wurden folgende Verwendungen einbezogen:

Herdfeuer (da nur lokal spezifiziert); *fax* und *faces*, wenn durch Synekdoche besonders der Inhalt „Feuer" gemeint ist; wenn Feuer im Sinne moderner Physik zwar nicht vorliegt, für das Altertum aber gleichwohl die Vorstellung von der elementhaften Natur gewisser Erscheinungen anzunehmen ist, z. B. beim inneren Feuer der Pestkranken (Ov. M. 7.554 und 7.555) oder den Flammen, die aus dem *pectus* des Ebers schlagen; Blitz, wenn bildhaft gebraucht (Ov. M. 8.289 *fulmen* aus des Ebers Rachen); Metaphern, wenn okkasionell (d. h. Bildcharakter noch nicht verblaßt, z. B. Verg. A. 7.320, 10.270, 10.271); Begriffe, die mit Eigennamen verbunden werden (Ov. M. 14.712 *Noricus ignis*).

Durch „TK" weise ich auf textkritische Probleme größeren Gewichtes hin, während mit „(TK)" kleinere Unstimmigkeiten in der Überlieferung (etwa Numerus-Schwankungen) angezeigt werden.

a) eigentliche Benennungen

Gesamt

Hor.: 36; Verg.: 187; Ov.: 217.

Im einzelnen

ignis

Hor. c. + iamb. 7, sat. + epist. 4, gesamt 11.
c. 1.3.28, 1.3.29, 1.4.3, 1.15.36, 1.16.11, 3.4.76, iamb. 14.13; sat. 1.1.39, 1.4.20, 1.5.72, 1.8.44.

Verg. Buc. + G. 18 (3!, 1!!), A. 38 (7!), gesamt 56.
Buc. 6.33, 7.49, 8.81, G. 1.87, 1.131 (!), 1.135, 1.196, 1.234, 1.267, 2.140, 2.303, 2.528 (!), 3.99, 3.378, 4.263, 4.268, 4.330 (!), 4.442 (!!); A. 1.175, 2.210, 2.297 (!), 2.312, 2.505, 2.581 TK, 2.649 (!), 2.705, 2.758, 3.231, 4.200, 4.661, 5.4, 5.641 (!), 5.660, 5.726, 6.742, 6.747, 7.73, 7.281, 7.577, 7.692, 8.255, 8.256, 8.421 (!), 8.430 (!), 8.491, 9.129 (!), 9.153, 9.351, 10.131, 10.566 (!), 11.119, 11.189, 11.194, 11.787, 12.119, 12.576.

Ov. M. 39 (4!, 2!!), F. 28 (8!, 3!!), gesamt 67.
M. 1.53, 1.229, 1.432, 2.119, 2.280 (!), 2.295 (!), 2.379, 2.402 (!), 2.764, 2.810, 3.488, 3.550, 6.113 (!!), 6.456, 7.108, 7.283, 7.326, 7.555, 8.456, 8.477, 8.522 (TK), 8.737 (!!), 8.837, 9.647, 12.277, 12.280, 12.296, 13.408, 13.601, 13.606, 13.802, 14.444, 14.541 (!), 14.712, 15.243, 15.250, 15.348, 15.861, 15.871 (TK); F. 1.106, 1.574, 1.693, 2.564, 2.578, 2.645, 3.143 (!), 3.503 (!!), 3.504 (!), 4.554, 4.556, 4.639, 4.698, 4.785, 4.788, 4.800, 4.803, 4.824, 5.306 (!), 5.506, 5.516, 6.267 (!), 6.297 (!), 6.298 (!), 6.382 (!), 6.456 (!), 6.626 (!!), 6.635 (!!).

ignes

Hor. c. + iamb. 7, sat. + epist. 3, gesamt 10.
c. 1.10.15, 1.37.13, 2.1.7, 3.19.6, 4.12.26, 4.14.24, iamb. 5.82; sat. 2.3.54, 2.3.56, epist. 1.1.46.

Verg. Buc. + G. 3, A. 36 (3!, 3!!), gesamt 39.
G. 1.291, 2.432, 4.379; A. 1.525, 1.743, 2.276, 2.502, 2.566, 2.624, 2.664, 2.686, 3.149, 3.406, 4.676, 5.743, 6.246, 7.296, 7.320 (!), 7.786, 8.199 (!!), 8.267 (!), 8.304, 8.375 (!!), 8.403 (!!), 8.410 (!), 8.542, 9.78, 9.145, 9.166, 9.239, 9.522, 9.570, 10.56, 10.177, 10.271, 11.186, 11.209, 12.251, 12.596.

Ov. M. 44 (8!, 1!!), F. 16 (6!), gesamt 60.
M. 1.254 (!), 1.374, 2.84, 2.220, 2.251, 2.271 (!), 2.620 (!), 2.729, 3.698 4.246, 4.403, 4.406, 4.509, 4.509, 4.759, 5.106, 7.427, 8.76, 8.77, 8.461, 8.501 8.512, 8.514, 8.517, 8.641, 9.234, 9.250 (!), 10.7 (!), 12.12, 12.261, 13.384 (!! (TK), 13.583 (!), 13.590 (!), 13.687, 14.109, 14.531, 14.795, 15.248, 15.355 15.574, 15.730 (!); semantischer Plural: 7.610, 7.613, 12.215; F. 1.75, 2.52 (TK), 2.561 (!), 2.651, 2.712, 3.29, 3.421 (!), 3.427 (!), 3.441 (!), 4.37, 4.492 4.705, 4.708, 4.790, 6.439 (!), 6.439 (!).

flamma

Hor. c. + iamb. 4, sat. + epist. 2 (1!), gesamt 6.
c. 1.16.3, 4.2.16, 4.4.43, iamb. 17.33; sat. 1.5.73 (!), 1.5.99.
Verg. Buc. + G. 3 (2!), A. 21, gesamt 24.
G. 3.560, 4.385 (!), 4.409 (!); A. 1.176, 1.673, 2.304, 2.431, 2.632, 2.684 3.580, 4.640 (TK), 5.680, 5.689, 6.6, 6.226, 6.300, 7.74, 7.462, 8.694, 9.536 10.232, 10.270, 11.199, 12.214.
Ov. M. 27 (5!, 2!!), F. 13 (6!, 2!!), gesamt 40.
M. 1.51, 1.230 (!), 2.123 (!), 2.319, 2.325, 3.306 (!), 5.353, 7.160, 7.261 7.554, 8.356, 8.452, 8.515, 9.233, 9.241, 9.253 (!), 9.262 (!!), 10.279 (!) 12.274, 12.551, 14.532 (!!), 15.78, 15.156, 15.343, 15.347, 15.352, 15.441 F. 1.77, 1.109 (!), 3.48 (!), 3.144, 3.428 (!), 4.798, 4.856, 5.365, 6.258 (!!) 6.291 (!!), 6.292 (!), 6.440 (!), 6.440 (!).

flammae

Hor. c. + iamb. 3, sat. + epist. 1, gesamt 4.
c. 4.6.19, 4.11.11, iamb. 5.24; epist. 2.2.186.
Verg. Buc. + G. 4, A. 42 (3!), gesamt 46.
Buc. 8.105, G. 1.85, 1.473, 2.308; A. 1.44, 1.179, 1.213, 1.679, 1.704, 1.727 2.37, 2.173, 2.259, 2.289, 2.337, 2.478, 2.600, 2.633, 2.759, 3.574, 4.567 4.594, 4.605, 4.670, 5.4, 5.526, 5.752, 6.110, 6.218, 6.253 (!), 6.288, 6.550 7.787, 8.282 (TK), 8.432 (!), 9.160 (TK), 10.74, 10.119, 10.409, 10.520, 11.82 11.144, 12.300, 12.573, 12.672, 12.811 (!).
Ov. M. 23 (4!, 1!!), F. 21 (7!, 2!!), gesamt 44.
M. 1.255, 2.2, 2.210, 2.299 (!), 2.380, 2.629 (!), 2.811, 3.374, 6.164 (!), 6.615 7.109, 7.210, 8.462, 8.643, 9.159, 9.161, 9.172, 9.249 (!), 12.295, 13.7, 13.636 14.467 (TK), 15.778 (!!); F. 1.276 (!), 1.525, 1.572 (!!), 1.588 (!), 1.719 2.521, 2.649, 2.653, 3.803, 3.806, 4.77 (!), 4.727, 4.805 (TK), 4.908 (!), 5.305 5.463, 5.507, 6.81 (!!), 6.301 (!), 6.346 (!), 6.455 (!).

incendium

Nur Hor. iamb. 5.66.

incendia

Hor. c. + iamb. —, sat. + epist. 3, gesamt 3.
sat. 1.1.77, epist. 1.18.85, 2.1.121.
Verg. Buc. + G. 1, A. 9, gesamt 10.
G. 2.311; A. 1.566, 2.329, 2.569 (TK), 2.706, 5.680, 8.259, 9.71, 9.77, 10.406
Ov. M. 5 (1!), F. —, gesamt 5.
M. 2.215, 2.331 (!), 13.718, 14.539, 15.350.

sonstige eigentliche Benennungen

acies Volcania	Verg. A. 10.408.
aestus	Verg. A. 2.759.
ardor	Verg. A. 11.786 (!).
calor	Verg. G. 1.89.
caminus	Hor. sat. 2.3.321.
faces	Verg. A. 4.567, 4.604, 4.626, 5.640 (!), 10.77, 12.656.
fulmen	Ov. M. 8.289.
taedae	Verg. Buc. 7.49; A. 9.109 (!).

b) uneigentliche Benennungen

Gesamt

Hor.: 1; Verg.: 6; Ov.: 5.

Im einzelnen

Volcanus

Hor. sat. 1.5.74.
Verg. G. 1.295; A. 2.311, 5.662, 7.77, 9.76.
Ov. M. 7.104, 9.251 (!).

Mulciber

Hor. —
Verg. —
Ov. M. 9.263, 14.533.

Vesta

Hor. —
Verg. G. 4.384 (!).
Ov. F. 6.234.

2. *Wein*

Nicht berücksichtigt werden:
elliptisch genannte Weinsorten (z. B. *Massicum*; dagegen werden Sortenbezeichnungen als Spezifizierung genannten „Weins" aufgenommen, z. B. *Caecubum vinum*); die Gattungsgrenzen überschreitende Qualifizierungen wie *mulsum* oder *vappa*; die Bedeutung Weinpflanze, Rebe; „Weinberg", „Weingefäß" (z. B. *vina* Verg. A. 9.319) u. ä.
Dagegen müssen Metonymien wie *cadus* (Lausberg § 568.2) hier eingereiht werden, da sie „Wein, Rebensaft" meinen.
Im Folgenden sind Werkgruppen durch „+" verbunden, also Hor. c./iamb. + sat./epist., Verg. Buc./G. + A., Ov. M. + F.

a) eigentliche Benennungen

Hor. 42 + 37 = 79

vina	11 (3!)	+ 11 (1!)	= 22
merum	16 (4!)	+ 4	= 20

vinum	6 (1!, 1!!)	+ 13	= 19
uva	4	+ 6	= 10
cadus	3	—	= 3
liquor	1	—	= 1
mustum	—	1	= 1
pocula	—	1	= 1
racemus	1	—	= 1
temetum	—	1	= 1

Dazu: *iocosi munera Liberi* c. 4.15.26; Weinsorten (s. o.): 15 + 13 = 28.

Verg. 23 + 24 = 47

vina	5 (2!)	+ 12 (3!)	= 17
uva	9 (1!)	—	= 9
vinum	—	7	= 7
racemus	4	—	= 4
vindemia	3 (1!!)	—	= 3
merum	—	3 (1!)	= 3
latex	1	—	= 1
latices	—	1	= 1
munera	—	1	= 1
pocula vitea	1	—	= 1

Dazu: *Bacchi Massicus umor* G. 2.143, *Baccheia dona* G. 2.454, *latices Lenaei* G. 3.509—510, *Massica Bacchi munera* G. 3.526—527, *munera dei* A. 1.636 TK (cf. AUSTIN z. St.), *latex Lyaeus* A. 1.686 (!), *Lenaeus honor* A. 4.207 (!).

Ov. 44 + 43 = 87

vina	9 (1!!)	+ 14 (5!, 1!!)	= 23
merum	9 (2!, 2!!)	+ 13 (3!, 1!!)	= 22
vinum	11 (2!, 1TK)	+ 7 (2!)	= 18
uva	10 (2!, 1!!)	+ 3 (2!, 1!!)	= 13
mustum	1	+ 3 (1!)	= 4
racemus	1	+ 1	= 2
carchesia	1	—	= 1
fetus	1	—	= 1
gravidae munera vitis	—	1 (1!)	= 1
latex meri	1	—	= 1
vindemia	—	1 (1!)	= 1

Dazu: *generosi munus Bacchi* M. 4.765, *munus Bacchi* M. 12.578.

b) uneigentliche Benennungen

Hor. 8 + 1 = 9

Liber c. 1.18.7, 4.12.14; sat. 1.4.89.
Lyaeus c. 1.7.22, 3.21.16, iamb. 9.38.
Bacchus c. 2.6.19, 3.16.34.
Euhius c. 2.11. 17.

Wohl keine Metonymie: *Bacchus* c. 1.27.3, *Semelae puer* c. 1.19.2.

Verg. 9 + 5 = 14

Bacchus Buc. 5.69, G. 1.344 (!), 2.191, 2.240, 2.275, 4.102, 4.279, 4.380 (!); A. 1.215, 3.354, 5.77, 7.725, 8.181.

Iacchus Buc. 6.15 (!).

Kaum Metonymie: *nocturni orgia Bacchi* G. 4.521;
unentscheidbar: *Bacchus* G. 2.455—456.

Ov. 3 + 3 = 6

Bacchus M. 6.488, 7.450, 13.639; F. 3.301 TK (*var. lect. vinum*!), 5.264 (!).

Lyaeus F. 5.521 (!).

Ferner sei bemerkt, daß auch für die Bedeutung „Rebe" (also die Weinpflanze in ihrer Gesamtheit) metonymischer Ausdruck nachzuweisen ist. Er begegnet aber nur bei Vergil (Bacchus G. 2.37, 2.113, 2.228, 4.129; Lyaeus G. 2.229), bei dem ich 34 eigentliche Benennungen (*vitis* 28, *palmes* 3, *labrusca*, *pampinus* und *seges* je 1mal; kein Beleg in der Aeneis) 5 uneigentlichen gegenüberstehen finde. Bei Horaz (*vitis* 7+2, *vinea* 2+1, *pampinus* 1—) und Ovid (*vitis* 12+5, *palmes* 4+5, *pampinus* 1—, *vinea* —1) kommt Metonymie nicht vor.

3. *Meer*

Nicht aufgenommen wurden:

geographische Sonderbezeichnungen, sofern nicht mit dem Gattungsbegriff „Meer" verbunden (z. B. Hadria Hor. c. 3.9.23 ausgespart; dagegen *mare Tyrrhenum* Hor. c. 1.11.5 zu *mare* gezählt); Begriffe, die sonst als Synonyma für „Meer" zu gelten haben, wenn sie — ihrer Ausgangsbedeutung gemäß — nur Teile oder gewisse Aspekte des Gesamtphänomens „Meer" bezeichnen (z. B. Hor. c. 1.12.31—32 *minax . . .ponto unda recumbit*, wo *unda* als Teil / besondere Erscheinungsform dem *pontus* als dem Ganzen gegenübergestellt wird; dagegen mußten abundante Wiederholungen, wie sie namentlich für Vergil kennzeichnend sind, berücksichtigt werden, z. B. A. 3.290, 3.385 *(sal + aequor)*, 3.605 *(fluctūs + pontus)*); Wörter allgemeineren Charakters, wenn sie nicht oder nicht vorwiegend „Meer" meinen (z. B. *aqua* Hor. iamb. 5.35); Metaphern (z. B. *curarum / irarum fluctuat aestu* Verg. A. 8.19/4.532; dagegen wurde (seltener) allegorischer Gebrauch einbezogen — z. B. Hor. c. 2.7.16 —, da er ein real denkbares Geschehen ins Bild transponiert).

a) eigentliche Benennungen

Hor. 90 + 35 = 125

1. *mare*	38 (1!, 1!!)	+ 21	= 59
2. *aequor*	10 (1!)	+ 3	= 13
3. *fluctūs*	7 (1!)	+ 2	= 9
4. *aequora*	7 (1!)	+ 1	= 8
5. *undae*	5	+ 3	= 8
6. *altum*	2	+ 3	= 5
7. *freta*	4	+ 1	= 5
8. *unda*	4	+ 1	= 5
9. *pontus*	4 (1!)	—	= 4
10. *pelagus*	2	—	= 2

11. *fretum*	1 (1!)	—	= 1
12. *liquor*	1	—	= 1
13. *maris aequora*	1	—	= 1
14. *profundum*	1	—	= 1
15. *salum*	1	—	= 1
16. *umor*	1	—	= 1
17. *vada*	1	—	= 1

Verg. 74 + 391 = 465

1. *undae*	8 (2!, 1!!)	+ 49 (12!, 3!!, 1TK)	= 57
2. *mare*	11 (1!, 1!!)	+ 45 (8!, 5!!)	= 56
3. *pelagus*	4	+ 41 (7!, 5!!)	= 45
4. *aequor*	8 (2!)	+ 33 (7!, 5!!)	= 41
5. *aequora*	3	+ 38 (7!, 4!!, 1TK)	= 41
6. *pontus*	6 (2!)	+ 29 (6!, 2!!)	= 35
7. *fluctūs*	5 (1!)	+ 28 (5!, 2!!)	= 33
8. *unda*	6 (1!, 1!!)	+ 18 (2!, 1!!)	= 24
9. *altum*	4	+ 16 (3!, 1!!)	= 20
10. *fluctus*	4	+ 15	= 19
11. *maria*	1 (1!)	+ 14 (2!, 1!!)	= 15
12. *gurges*	3 (1!, 1!!)	+ 11 (2!, 1!!)	= 14
13. *freta*	5	+ 8 (1!)	= 13
14. *vada*	—	10 (1!!)	= 10
15. *aestus*	1	+ 7	= 8
16. *sal*	—	6	= 6
17. *alta*	—	4	= 4
18. *aqua*	—	4	= 4
19. *marmor*	1	+ 3	= 4
20. *caerula*	—	2	= 2
21. *salum*	—	2	= 2
22. *fundus*	—	1	= 1
23. *imber*	—	1	= 1
24. *profundum*	—	1	= 1
25. *ros*	1	—	= 1
26. *rores*	1	—	= 1
27. *vadum*	—	1	= 1

Kompositionen:

maris aequor	—	+ 2 (1!)	= 2
aequora ponti	1	—	= 1
pelagi alta	—	1 (1!)	= 1
arva Neptunia	—	1	= 1
freta ponti	1	—	= 1

Ov. 408 + 86 = 494

1. *aequor*	54 (8!, 7!!, 1TK)	+ 11 (1!, 1!!)	= 65
2. *undae*	49 (10!, 4!!, 1TK)	+ 12 (4!, 1!!, 1TK)	= 61
3. *mare*	42 (5!, 4!!, 1TK)	+ 8 (3!, 1TK)	= 50
4. *pontus*	44 (11!, 3!!, 2TK)	+ 5 (3!)	= 49
5. *aequora*	41 (13!, 1!!)	+ 4 (2!)	= 45

6. *aquae*	22 (2!, 5!!)	+ 17 (5!, 2!!, 1TK)	= 39
7. *unda*	28 (1!, 2!!)	+ 2 (1!)	= 30
8. *fretum*	23 (3!, 1!!)	+ 2 (1!)	= 25
9. *freta*	20 (4!)	+ 4 (1!)	= 24
10. *fluctūs*	21 (1!, 3!!)	+ 3	= 24
11. *pelagus*	16 (2!, 9!!)	+ 1 (1!!)	= 17
12. *aqua*	8 (1!!)	+ 5 (2!)	= 13
13. *profundum*	10 (2!, 3!!)	—	= 10
14. *gurges*	8 (2!)	—	= 8
15. *fluctus*	4	+ 1	= 5
16. *aestus*	3	—	= 3
17. *altum*	—	1	= 1
18. *alta*	—	1	= 1
19. *lymphae*	1	—	= 1
20. *stagna*	—	1 (1!)	= 1
21. *umor*	1	—	= 1
22. *vada*	—	1	= 1
Kompositionen:			
aequoreae aquae	1	+ 5 (1!)	= 6
aequoreae undae	1 (1!!)	+ 1	= 2
aequoris undae	2 (1!)	—	= 2
aquae pelagi	1 (1!)	—	= 1
aequora ponti	1	—	= 1
fluctus aequorei	1	—	= 1
liquidae paludes	1 (1!)	—	= 1
aequoris unda	1	—	= 1
unda freti	—	1	= 1
gurgitis unda	1	—	= 1
maris unda	1	—	= 1
maris undae	1	—	= 1
pelagi undae	1	—	= 1

b) uneigentliche Benennungen

Hor. 4 + 2 = 6

Oceanus c. 1.3.22 — „Oceanus, sonst das die Oikumene umfließende Meer, ist hier ungewöhnlich für das „Meer“ insgesamt gesagt“. (Kiessling-Heinze).

Oceanus c. 1.35.32 — *O. ruber* „Rotes Meer“ und benachbarte Gewässer (s. Nisbet-Hubbard z. St.).

Neptunus iamb. 7.3 — *campis atque Neptuno super* habe der Bürgerkrieg seinen Blutzoll gefordert.

Neptunus iamb. 17.55 — *N. hibernus* schlägt gegen Felsen.

Neptunus epist. 1.11.10 — *Neptunum procul e terra spectare furentem* — aus sicherer Distanz aufs brausende Meer schauen; es geht um die Reize des kleinen Küstenortes Lebedos; göttliche Epiphanie ist abwegig, der Gedanke erinnert vielmehr an Lucr. 2.1—4 (so auch Kiessling-Heinze z. St.).

Neptunus a. p. 64 — *receptus terra N.* — eine Hafenanlage, die ein Stück des Meeres ins Festland einbezieht.

Wegen ihrer Sonderbedeutung können als Metonymie für „Meer“ nicht anerkannt werden:

Oceanus c. 4.5.40 — Zeitangabe: Abend — *cum sol Oceano subest.*
Oceanus c. 4.14.48 — „Weltmeer“ an Britanniens Küste; in einer Aufzählung entferntester Gegenden, die alle Augustus untertan seien.
Oceanus iamb. 16.41 — *O. circumvagus*, wo auch die *arva beata* und die *divites insulae* lokalisiert werden.

Verg. 4 — = 4

Thetis Buc. 4.32 — *temptare Thetim ratibus.*
Nereus Buc. 6.35 — mir scheint die Formulierung der Infinitivkonstruktion *discludere Nerea ponto* dem Prinzip der Variatio zu dienen; Silenus führt aus, „wie das Land fest zu werden, (dabei) Meer von Meer / ein Meer vom andern zu trennen und feste Formen anzunehmen begann“.
Doris Buc. 10.5 — diese Benennung paßt sich der Anrede an Arethusa an, gedacht ist aber an Quell bzw. Meer; der periphrastische Acc. *suam undam* ist kein Argument für eine Personifikation; im übrigen würde das Attribut *amara* in jedem Falle auf eine Metonymie (s. Abschnitt 1.3) führen.
Neptunus G. 4.387 — wahrscheinlich Metonymie, obgleich die Vielzahl handelnder bzw. erwähnter Götter auch die Nennung des Meeresgottes sinnvoll erscheinen läßt; andererseits wird dem hohen Stil der Szene durch andere uneigentliche Benennungen entsprochen: 380 *Maeonii carchesia Bacchi*, 384 *ardentem perfundit Vestam.*

Dazu (nicht eindeutig): *Nerei stagna* A. 10.764—765, als ein Weg des Riesen Orion, wie der Weg vom Gebirge 766—767; daher weniger ans Sternbild und dessen Aufgangsort zu denken.

Semantisch abseits (aber eindeutig metonymisch): *Neptunus* G. 4.29; gemeint ist dort das Süßwasser eines Sees, in den die Bienen durch Wind fallen können.

Wohl zur Bezeichnung der homerischen Vorstellung vom erdumfließenden Strom (Grenzmeer) dienen die folgenden Nennungen des *Oceanus*: G. 2.122 Ortsangabe für die Lage Indiens; G. 2.481 = A. 1.745 Ortsangabe für den Sonnenuntergang; A. 1.287 als geographische Grenze des augusteischen Rom; A. 2.250 als Ausgangspunkt für die Nacht; A. 4.129 Ortsangabe für Auroras Aufgang; A. 4.480 Ortsangabe: Äthiopien liegt am Rande des Grenzmeers und am Sonnenuntergang; ganz entsprechend die Genetivkompositionen G. 1.246, G. 3.359, G. 4.233 und A. 8.589.

Ov. 4 + 1 = 5

Nereus M. 1.187 — *N. circumsonat orbem.*
Oceanus M. 9.594 — bildlich: *toto obruor Oceano*; Byblis spricht.
Nereus M. 12.24 — *permanet Aoniis Nereus violentus in undis / bellaque non transfert*; die Auffassung „(rauhe) See“ wird durch zwei Gesichtspunkte sehr wahrscheinlich gemacht, nämlich durch Einführung des am Geschehen interessierten Meergottes und den Rückverweis in v. 36: Neptunus wird v. 26 genannt; er, nicht Nereus, hätte ein Motiv, die Griechen in Aulis zu halten; nach der Opferung Iphigenies ist vom Schwinden der *ira Phoebes* und der *ira maris* (!) — und nicht *Nerei* — die Rede.

Oceanus M. 13.292 — in der Reihe *Oceanum — terras — cum alto sidera caelo* — Sternbilder; Homer, dem Ovid in der gesamten Beschreibung des Schildes des Achilleus recht eng folgt, stützt die Metonymie; Il. 18.483—485: γαῖα — οὐρανός — θάλασσα — ἠέλιος — σελήνη — τείρεα πάντα.

Doris F. 4.678 — *hac Hyades Dorida nocte tenent*; F. Bömer spricht hier zu Recht von Metonymie, doch scheinen mir F. 5.731 und 6.733, die er als Parallelen heranzieht, andersgelagert zu sein.

Zur Allegorie ausgebaut, deshalb nicht hergehörig (vgl. I. Teil, S. 43 mit Anm. 92): F. 5.731 *(Amphitrite)* und 6.733 *(Galatea)*.

Unbestimmt: M. 7.267 (Medea verwendet Sand, *quas Oceani refluum mare lavit*).

Oceanus als semantisch verengter Begriff: M. 15.12 (!) (das Meer im äußersten Westen, das Hercules in Richtung Italien verlassen hat); M. 15.30 (Ort, wo Sol versinkt); M. 15.830 (!) (Iuppiter spricht von Völkern am Rande der Welt); F. 3.415 (östliches Grenzmeer, dem die Sonne entsteigt).

4. *Brot / Getreide / Saat*

Nicht aufgenommen:

spezielle Getreidearten; die Tätigkeit des Aussäens; umfassendere Ausdrücke *(frux* und *fruges)* nur, wenn durch sie besonders der Inhalt „Getreide“ bezeichnet wird. Berücksichtigt werden jedoch (seltene) Umschreibungen (z. B. Hor. c. 1.1.10).

a) eigentliche Benennungen

Hor.	8	+	19	=	27
Verg.*	51 (dazu 1 △)	+	14 (dazu 1 △)	=	65
Ov.*	40 (dazu 4 △)	+	54 (dazu 4 △)	=	94

b) uneigentliche Benennungen

Hor.	2		—	=	2
Verg.*	2	+	3 (dazu 1 ⊙)	=	5
Ov.*	2 (dazu 3 ⊙)	+	9 (davon F. 1.704 viell. alleg.; F. 5.322 textlich unsicher; dazu 1 ⊙)	=	11

5. *Öl / Ölbaum*

Nicht aufgenommen: Salböl; berücksichtigt: Frucht, Baum und Öl.

a) eigentliche Benennungen

Hor.	6	+	15	=	21
Verg.*	25 (dazu 1 △)	+	15	=	40
Ov.*	8 (dazu 1 △)	+	3	=	11

---

* Es bedeuten:

△ = Adjektivkompositionen wie *Cerealia dona, Cereales herbae*

⊙ = Genetivkompositionen (die kaum einmal entscheiden lassen, ob Stoffbezeichnung oder zuständige Gottheit gemeint ist) wie *Cereris fruges, Cereris aristae*

b) uneigentliche Benennungen

Hor.	—		—		
Verg.	—		1	=	1
Ov.*	1		—	=	1

(aber TK!**; dazu 2 ⊙: M. 6.335 *Palladis arbor*, M. 8.664 *bicolor sincerae baca Minervae* — BÖMER nimmt hier doppelte Enallage an; dann wäre *Minerva* zweifelsfrei der Baum, nicht die zugeordnete Gottheit)

6. *Krieg / Kampf*

a) eigentliche Benennungen

Hor.	57	+	44	=	101
Verg.	27	+	350	=	377
Ov.	129	+	76	=	205

b) uneigentliche Benennungen

Hor.	4		—	=	4
Verg.*	2	+	24	=	26
			(dazu 1 ⊙ sowie 2 nicht ganz eindeutige Metonymien)		
Ov.*	13	+	3	=	16
	(dazu 1 ⊙)		(dazu 1 ⊙; wohl keine Metonymie: F. 1.60)		

7. *Liebe*

Unberücksichtigt blieben: Verlangen nach Geld, Ansehen usw., homoerotisches Verlangen, Verbundenheit mit Verwandten, Freunden u. ä.

a) eigentliche Benennungen

Hor.	35	+	28	=	63
Verg.	37	+	43	=	80
Ov.	189	+	33	=	222

b) uneigentliche Benennungen

Hor.	5	+	8	=	13
	(dazu 1×„Liebreiz“)		(dazu 3×„Reiz“)		
Verg.*	7	+	3	=	10
	(dazu 1 ⊙)		(davon 1 ⊙: *Veneris praemia*)		
Ov.	19	+	4	=	23

---

* s. S. 265.
** s. S. 267.

Anlage zu ANHANG I

** Zu M. 13.653: Der Text dieser Stelle ist schwierig. Die Mehrzahl der Handschriften bietet *bacamque Minervae*. Wäre ihre Lesart richtig, bedürfte es einer gewissen Willkür, wollte man *Minerva* metonymisch verstehen. Es sieht indes ganz so aus, als sei hier die *lectio difficilior* — eben *canaeque minervae* — in einen leichter verständlichen Wortlaut „verbessert" worden. In der Tat wirken zwei Momente störend, wenn man *Minerva* beim ersten Hinsehen eigentlich — also als Bezeichnung der Göttin — versteht: Die syntaktische Funktion der von *laticem* abhängigen Genetive wäre unterschiedlich, was ohne Zweifel als Härte zu gelten hätte (Stoffbezeichnung „Flüssigkeit, die aus Wein besteht" und orientierende Bezeichnung „Flüssigkeit, die man Minerva verdankt"); sodann wäre *cana* als Attribut für Minerva absolut singulär (lt. I. B. Carter = Suppl. zu RML überhaupt nicht belegt, nur *flava* kommt vor: 6mal Ov., 1mal Stat. Theb.). Wer die Metonymie also nicht erkennen kann oder will, kommt leicht in Versuchung, den Text als unverständlich anzusehen und zu ändern.
Gründe, die inhaltlich gegen *canaeque minervae* sprächen, gibt es nicht. Die pleonastische Aufspaltung in den Stoff und den ihm zugehörenden Sammelbegriff *latex* steht nicht nur bereits zweifelsfrei im selben Vers *(latex meri = merum)*, sondern ist auch andernorts zu finden *(latex liquoris vitigeni* Lucr. 5.15, *latex absinthi* Lucr. 4.16, *Bacchi Massicus umor* Verg. G. 2.143 oder adjektivisch Verg. A. 1.686, Ov. M. 8.274). Grau ist als Farbe des Ölbaums durch M. 6.81 *(cum bacis fetum canentis olivae)* belegt, und M. 8.275 stehen der Acc. *Palladios latices* und der Dativ *flavae Minervae* einander in aller Deutlichkeit gegenüber: Die inhaltliche Parallelität (Stoffbezeichnung *Palladios* qualifiziert die *latices*) ist ganz augenfällig.
Für *canaeque minervae* und gegen *bacamque Minervae* ließe sich geltend machen, daß die Parallelität zum genannten Wein, der Endprodukt ist — von Trauben ist nicht die Rede —, auch fertiges Öl anstatt der Baumfrucht nahelegt. Die Gabe der Mädchen erspart also die Notwendigkeit der Verarbeitung, was wiederum für Agamemnons Verpflegungsprobleme besonders günstig schien. Schließt man sich dieser Überlegung nicht an, so bleibt in jedem Falle die schwierigere Lesart der metonymischen *Minerva* ein gewichtiges Argument für ihre Ursprünglichkeit.

ANHANG II

Zur Körperteil-Metaphorik

Die folgende Zusammenstellung von Körperteil-Metaphern (s. o. Anm. 12) soll lediglich einen Eindruck von dieser ebenso häufigen wie mannigfaltigen Benennungsmöglichkeit elementar gestalteter Naturgottheiten (Identitätsstufe 1 bis 3) geben. Sie kann einen wünschenswerten, auf dem Wege des literarischen Vergleichs gewonnenen systematischen Index nicht ersetzen und ist weit davon entfernt, einen wie immer modifizierten Anspruch auf Vollständigkeit zu erheben. Astrale Gottheiten bleiben unberücksichtigt. Einige Kallimachos-Stellen habe ich dem Verzeichnis von F. Lapp (dort S. 15) entnommen.

A. *Flüsse*

Körperteil	Träger	prävalente IS	Stelle
caput	Nilus	3	Ov. M. 2.255 (witzige Ambivalenz!)
pectus	*amnis*	1	Ov. M. 3.80
caput	Mysus	1	Ov. M. 15.277
pes	*lympha* (ein Gebirgsbach)	1	Hor. iamb. 16.48
fauces	*flumina*	1	Verg. G. 4.428
caput	Thybris	3	Verg. A. 8.65
pes	Tiberinus	3	Verg. A. 9.125
caput	*amnes*	1	Lucr. 5.270
pes	(Flüsse)	1	Lucr. 5.272
πόδες	Πηνειός	3	Call. Del. 114
πούς	(*prob. de parte Nili capiti opposita*: Lapp)	1	Call. fr. 384.48
κεφαλή	(*de ostio* (!) *fluminis*: Lapp)	1	Call. fr. 43.46

Vergleiche außerdem:

caput	Nilus	2/3/4	Tib. 1.7.24
manus	*amnis*	—?—	Enn. A. 541 W. (Verg. A. 5.241 hilft nicht weiter)
νῶτα	πόντος	1	Call. fr. 228.42
caput	Arethusa	3	Ov. M. 5.503

B. *Berge*

Körperteil	Träger	prävalente IS	Stelle
aures	Tmolus	3	Ov. M. 11.157
coma	Tmolus	3	Ov. M. 11.158
tempora	Tmolus	3	Ov. M. 11.159
ora	Tmolus	3	Ov. M. 11.163
vultus	Tmolus	3	Ov. M. 11.164
(Haar)	*montes*	2	Verg. Buc. 5.63
viscera	Aetna	1	Verg. A. 3.575
caput	Atlas	1	Verg. A. 4.249
umeri	Atlas	1	Verg. A. 4.250
mentum	Atlas	1	Verg. A. 4.250
barba	Atlas	1	Verg. A. 4.251
capita	*mons*	1	Verg. A. 6.360 (zur Bedeutung „*saxa*" s. E. NORDENS Komm. z. St.; dort auch weiteres Material)
χαίτη	Ἑλικών	2/3	Call. Del. 81
(Haar)	ὄρος	1	Call. Dian. 41
καρήατα	Πάγγαιον	1	Call. Del. 134
κάρηνα	ὄρεα	1	Hom. Il. 20.58
πόδες	Ἴδη	1	Hom. Il. 20.59

C. *Inseln*

Körperteil	Träger	prävalente IS	Stelle
πόδες	Δῆλος	3	Call. Del. 54
πόδες	Δῆλος	3	Call. Del. 192
μαστός	νῆσος Παρθενίη (!)	1/2/3	Call. Del. 48 (vgl. LAPP)
πούς	(*de extrema Peloponnesi parte*: LAPP)	1	Call. fr. 384.11
κάρα	Δῆλος	3	h. Hom. Ap. 74

D. *Erde*

Körperteil	Träger	prävalente IS	Stelle
viscera	Tellus	3	Ov. M. 2.274
collum	Tellus	3	Ov. M. 2.275
vultus	Tellus	3	Ov. M. 2.275
manus	Tellus	3	Ov. M. 2.276
frons	Tellus	3	Ov. M. 2.276
fauces	Tellus	3	Ov. M. 2.282
ora	Tellus	3	Ov. M. 2.283 und 284
crines	Tellus	3	Ov. M. 2.283
oculi	Tellus	3	Ov. M. 2.284
os	Tellus	3	Ov. M. 2.303
venae	*terra*	1/2	Ov. M. 6.397 (Prädikat: *perbibit*)

E. *Bäume*

Körperteil	Träger	prävalente IS	Stelle
coma	*silva*	2	Ov. Her. 15.144
comae	*silvae*	2	Ov. AA 3.38
comae	*silva*	2	Ov. RA 606
(Füße)	*hederae*	2	Ov. M. 10.99
comae	*pinus*	2	Ov. M. 10.103
comae	*arbor*	2	Ov. M. 11.47
bracchia	(Apfelbäume)	1	Ov. M. 14.630
(Ohren)	*quercus*	2	Hor. c. 1.12.11
coma	(Baum)	1	Prop. 3.16.28
(Haar)	*silva*	1	Cat. 4.11
coma	*silva*	1	Cat. 4.12
bracchia	*quercus*	1	Cat. 64.105
(Haar)	ἐλαίη	1	Call. Del. 262

ANHANG III

Überblick

ERSTER TEIL

Aufgabe: Analyse der sprachlichen Mittel; sie findet ihre Grenze dort, wo das Gemeinte unbestimmbar bleibt.

A. *Die eigentliche Benennung*

Ein sprachlicher Ausdruck (oder mehrere Synonyma) benennt in fester Zuordnung ein Ding der außersprachlichen Wirklichkeit.

1. Direkte eigentliche Benennungen

Individualnamen der Götter und der ihnen entsprechenden Bereiche; 2 Gruppen:

a) Die Benennung der extremen ISS ist unterschiedlich (Zuordnungsverhältnis Gott : Bereich).
b) Die Benennung aller ISS ist gleich (Naturgottheiten im engeren Sinne).

2. Indirekte eigentliche Benennungen

Antonomasien: Appellativa und Periphrasen.

B. *Die uneigentliche Benennung*

Vertauschung der Benennungen für die extremen ISS; ihr Verständnis ist kontextabhängig; fast nur in einer Richtung praktiziert (Name des Gottes benennt dessen Bereich).

1. *Entlehnung eines Begriffes (Metonymie)*

1.1 Direkte uneigentliche Benennung

Ein sprachlicher Ausdruck	benennt	ein Ding der außersprachlichen Wirklichkeit
Bacchus :||: Euhius, Lenaeus, Iacchus, Lyaeus, Liber	——→	„Bacchus" (der als Erfinder / Stifter des Weines geltende Gott)
vinum, vina :||: *mustum, merum, uva, carchesia, latex*	——→ (– – → von Bacchus)	„Wein" (Getränk aus dem Saft der Weintrauben, durch alkoholische Gärung gewonnen)
vitis, palmes, pampinus, labrusca	——→ (– – → von Bacchus)	„Rebe" (Kulturpflanze)

——→ eigentliche Benennung — — → uneigentliche Benennung

:||: Begriffe, die hier als Synonyma i.w.S. zu gelten haben

Die Art ihrer Verwendung kann einen Beitrag dazu leisten, das Verhältnis eines Autors zur Sphäre des Religiösen näher zu bestimmen; zu untersuchen sind: Wahl ungebräuchlicher/Einführung neuer Göttermetonymien, besonders reichlicher/ sparsamer Gebrauch, Auffälligkeiten in der Art des Gebrauchs; keine wesentlichen Abweichungen Ovids von der Benennungspraxis anderer wichtiger Augusteer (Verg. u. Hor.); dabei Versuch, die Häufigkeitsberechnungen auf eine solidere Grundlage zu stellen (Prinzip relativen Vergleichs, vom benannten Inhalt ausgehend); Ovids normales Verhältnis zur direkten uneigentlichen Benennung; deren mangelnder intellektueller Reiz.

1.2 Indirekte uneigentliche Benennung auf unmittelbarem Wege

Das benennende Wort ist von sich aus im Kontext als uneigentlich anzusehen.

Der (antonomastische) Ausdruck	benennt	ein Ding der außersprachlichen Wirklichkeit
repertor uvae *muneris auctor* *Iove natus*	⟶ (und – – → Getränk „Wein“)	Gott „Bacchus“
(etwa:) *vindemitoris divitiae* *ea, qua aliquis maxime gaudet, res*	⟶	Getränk „Wein“

⟶ eigentliche Benennung — — → uneigentliche Benennung

a) In einfacher Aussage

miscuerat puris auctorem muneris undis

Der sprachliche Ausdruck *muneris auctor* (= der Gott) benennt die außersprachliche Wirklichkeit „Wein“.

b) Bei Aufeinanderfolge zweier Aussagen

arserat; armarat deus idem idemque cremabat.

Der sprachliche Ausdruck *deus idem* (= Vulcanus, der Waffenschmied) wird auch auf die außersprachliche Wirklichkeit „Feuer“ übertragen.

c) In Gesprächssituation

quin etiam docui qua possis arte parari.

Der sprachliche Ausdruck, der in der Anrede enthalten ist (gemeint: Gott Amor), benennt auch den Inhalt *amor* als Gegenstand der Ars amatoria.

1.3 Uneigentliche Benennung mit Hilfe eines Attributs

Ein Attribut kann eine eigentliche Benennung zusätzlich zu einer uneigentlichen machen (Doppelfunktion des Götternamens; direkte und indirekte Benennungen sind betroffen).

a) Einfaches adjektivisches Attribut

frigida caelestum matres Arethusa vocarat.

— *Arethusa*
1) die einladende Gottheit; kontextbestimmte Hauptinformation;
2) (durch *frigida*:) der kalte Quell; durch Attribut vermittelte Nebeninformation.

b) Einfaches substantivisches Attribut

qui totiens merui sub AMORE puellae

— *AMOR*

1) der Feldherr, unter dem der *amans* als Soldat dient;
2) (durch *puellae*:) Liebe zu einem Mädchen; durch Attribut spezifizierte Information.

c) Erweitertes Attribut

duxerat Oceanus quondam Titanida Tethyn,
qui terram liquidis, qua patet, ambit aquis.

— *Oceanus*

1) der göttliche Freier, der Tethys ehelicht;
2) (durch den attributiven Relativsatz:) das erdumfassende Weltmeer.

d) Adverbiale Bestimmung

. . . altera lucem
cum croceis invecta rotis aurora reducet.

— *aurora*

1) Terminbezeichnung („am frühen Morgen des folgenden Tages"); kontextbestimmte Hauptinformation;
2) (durch die Zusatzbestimmung *croceis invecta rotis*:) die im Wagen einherfahrende Göttin; mythologisch-schmückende Nebeninformation.

2. *Entlehnung eines Gedankens (Allegorie)*

Sinnzusammenhänge oder Handlungsabläufe scheinen vordergründig der einen IS zu gelten, meinen aber tatsächlich die andere IS (Hauptgedanke der Ernst-Ebene steht dem Nebengedanken der Spiel-Ebene gegenüber).

Abschließende Bemerkungen zum I. Teil

Vielfalt uneigentlicher Benennungen, kompliziertere Formen werden von Ovid bevorzugt; Motive: intellektueller Reiz (Scheidung von Hauptgedanken und Nebeninformation), Möglichkeit zusätzlicher Mitteilung (Reminiszenzen, Hinweise, poetischer Schmuck), groteske Effekte, Kürze, kompositorische Vorteile, poetische Variation.
Der Begriff der IS sinnvoll auf alle hier untersuchten Gottheiten anwendbar.

ZWEITER TEIL

A. Konzentration auf nur eine Identitätsstufe

1) *Skamandros* Hom. Il. 21.7—384

Bedeutung der Skamandros-Episode als frühester ausführlicher literarischer Darstellung einer Naturgottheit.
Das Geschehen erweist den Fluß als Fühlens, Planens und der Kraftübertragung fähig, doch bleibt er bis v. 211 vorwiegend passiv; seine Motive für aktives Eingreifen: herausforderndes Gebaren des Achilleus, physische Notlage; entscheidende dramatische Steigerung durch des Skamandros Entschluß zu persönlichem

Einsatz, der Wendepunkt dadurch markiert, daß er das Wort ergreift; der Strom charakterisiert sein Ich als einen elementaren Körper; integrative Beschreibung des Skamandros auch in den folgenden Handlungsschilderungen; sein elementares Äußeres (IS 3) tritt besonders in zwei Gleichnissen (Graben- und Kessel-Gleichnis) sinnfällig vor Augen.
Die integrative Interpretation scheint angesichts der Formulierung ἀνέρι εἰσάμενος problematisch: dieser Wortlaut gilt gemeinhin als Beleg für anthropomorphe Epiphanie des Flußgottes — eine Auffassung, bei der freilich der Gesamtcharakter der Erzählung allzu oft außer Acht gelassen wird; berücksichtigt man das Ganze, sind zwei Positionen denkbar: 1. Skamandros sei durchgehend menschengestaltig gedacht, die Sprache stark metonymisch geprägt, 2. IS 4 sei momentane Erscheinung, ansonsten gelte für die Handlung IS 3.
Ein Abwägen der möglichen Deutungen erweist die Überlegenheit integrativer Sicht; die vermeintliche Schwierigkeit des ἀνέρι εἰσάμενος schwindet bei richtigem Bezug; dramaturgische Bedeutung der vokalen Äußerung: es galt, die menschliche Stimme zu betonen; εἰσάμενος ist ein bei Götterepiphanien mehrfach für vokale Ähnlichkeit mit einer Vergleichsperson verwendeter Terminus, hier die verbalen Bemühungen des Flusses qualifizierend.
Die Skamandros-Episode ist das früheste Zeugnis für die durchgehende Darstellung einer Naturgottheit auf IS 3.

2) *Übersicht über den Gebrauch einzelner Identitätsstufen*

IS 1
: zu nüchterner Angabe lokaler Objekte verwendet, der Regelfall, allenthalben überaus häufig, bedarf keiner Belege.

IS 2
: recht oft für poetische Schilderungen (fühlende Natur) herangezogen; die Naturphänomene stehen dabei im Hintergrund und reflektieren durch ihre Anteilnahme ein bedeutenderes Geschehen.

IS 3
: wichtige, die Merkmale bewußter Persönlichkeit in sich schließende Wiedergabeform von Naturgottheiten; Aufmerksamkeit verdienen die Darstellungen
des hilfreichen namenlosen Flusses auf Σχερίη (Hom. Od. 5.441—453),
der eigennützigen Quelle Telphusa (h. Hom. Ap. 244—276 und 375—387),
der besorgten Insel Delos (h. Hom. Ap. 49—90 und 135—139),
der Allmutter Erde (h. Hom. 30 = in Tellurem),
des (obwohl ὑδροειδής!) zeugenden Strymon (Ps.-Eur. Rhes. 346—354),
der streitenden Bäume (Call. Iamb. 4),
der errötenden Luna (Hor. Sat. 1.8),
des staunenden Tiberinus (Verg. A. 9.124—125),
des verschreckten Nilus (Ov. M. 2.254—256),
der sterbenden Eiche (Ov. M. 8.741—779).

IS 4/5
: zuweilen treten anthropomorphe Naturgottheiten in den Handlungsprozeß ein, ohne daß ihr Element in irgendeiner Form berücksichtigt würde.

Oppositionen
: in einigen Schilderungen, für welche die analytische Grundposition gilt, erscheinen Gott und Bereich nebeneinander, doch unterbleibt ein direkter Kontakt.

3) *Tellus* Ov. M. 2.272—303

Vorgegebene Möglichkeiten, Einzelheiten auf und in der integrativ verstandenen Erde als Körperteile zu deuten.

Ovids Tellus mit Bewußtsein und Willen ausgestattet, dabei aber von elementarem Äußeren; der Dichter nennt *viscera*, *collum*, *(omniferi) vultus*, *frons:* all das fügt sich gut zu IS 3; einzig die Erwähnung einer Hand scheint zunächst störend, ist aber kein zwingendes Indiz für IS 4: sie will wahrscheinlich als geomorpher Körperteil, allenfalls als verlebendigendes, nur für den Augenblick aus dem humanen Bereich entliehenes Requisit aufgefaßt werden; weitere Details: *crines*, *oculi*, *ora* vom Brand gezeichnet, *vulnera fero* und *exerceor* im eigentlichen Wortsinn zu verstehen; auch die beschließende Aussage *suum rettulit os in se* ist integrativer Grundanschauung gemäß.

Auseinandersetzung mit zwei Gegenpositionen: 1. es sei analytische Grundanschauung anzunehmen (Bömer): Mißverhältnis zwischen der winzigen anthropomorphen Gestalt und den gewaltigen Folgen ihres Wirkens; Brandverletzungen der Höhlenbewohnerin schlecht motiviert; Interpretation läßt sich nicht konsequent durchhalten; 2. die IS der handelnden Gottheit werde mehrmals gewechselt (Dursteler): Deutung ist auf vordergründige Kriterien gebaut; ohne Not wird ein allzu willkürliches Pendeln zwischen IS 1 und IS 4 vermutet.

Überlegenheit der integrativen Sicht; Ovids Beschreibung kann als grotesk gelten; konsequente Anwendung metaphorischer Denkweisen auf das Objekt Erde; Ovids Neuerungen: er setzt vorhandene Motive in figürliche Aktion um.

B. Konfrontation von Identitätsstufen

1) *Achelous* Ov. M. 8.549—9.100

Nach Einführung des entfesselten Flusses wird das Augenmerk unvermittelt auf den freundlichen Gott gelenkt, der Theseus und dessen Begleiter in sein Haus lädt (IS 1 : IS 4).

Der gastgebende Gott teilt Wissenswertes über den Zustand des Stromes mit; er ist passiver Zuschauer und gegenüber dem Element offenbar machtlos (IS 4 spricht über IS 1).

Auf den Frevel der Echinaden hin hat Achelous sich als bewußt handelnde Naturkraft gerächt (IS 4 referiert über IS 3).

Seiner ins Wasser gestürzten Geliebten Perimele gegenüber hat Achelous ebenfalls als bewußt handelnde Naturkraft eingegriffen (IS 4 erzählt von IS 4 und von IS 3).

Ähnliche Struktur der beiden Aitien; sprachliche Gemeinsamkeiten: ambivalenter Charakter des Wortmaterials, das humaner und elementarer Sphäre gleichermaßen genügt (= Eignung für IS 3).

Abweichende Interpretationsmöglichkeiten (analytische statt integrativer Sicht) der beiden Erzählungen; Hang zu analytischer Betrachtung in der Forschung; Unzulänglichkeiten der analytischen, höhere Wahrscheinlichkeit der integrativen Grundposition.

Weitere Konfrontationen von ISS nur indirekt durch verschiedene Anspielungen bei der Charakterisierung greifbar.

Motive für die Darstellung des Achelous / die Konfrontation der nachgewiesenen ISS: kompositorischer Art, der unterschiedlichen Charakterzeichnung des Gottes (freundlicher, zorniger, machtloser, einfacher, komischer Gott) entsprechend; künstlerische Konsequenz, Freude an Widersprüchlichem.

2) *Amnis harundinibus limosas obsite ripas* Ov. Am. 3.6

Schwierigkeiten durch relativ fließende Übergänge zwischen den gemeinten ISS, besondere Gültigkeit des Prävalenzprinzips; dreigliedriger Aufbau; beherrschende Motive.
Der Erzähler wird auf dem Weg zu seiner Geliebten von einem Fluß aufgehalten; allmähliches Übergewicht zugunsten der IS 3; Einzelheiten zur elementaren Gestalt des *torrens*; dieser sei eigentlich zur Hilfeleistung für Liebende verpflichtet; Katalog verliebter Flußgötter, innerhalb dessen sich langsam eine Dominanz der IS 4 entwickelt: zunächst Wechsel zwischen integrativer und analytischer Grundposition, bis diese sich in der Anien-Episode durchsetzt.
Mögliche Amouren des *torrens*: IS 4; im Schlußteil (85—106) wiederum IS 3 prävalent; Bedeutung und kunstvolle Verknüpfung zusätzlicher Motive: *rusticitas* im erotischen und im sozialen Sinne, Ambivalenz der Namenlosigkeit.
Das Paradoxon von der sich existentiell verflüchtigenden Gottheit; seine Wirkung durch Anwendung von IS 3 auf einen nur für IS 1 sinnvoll vorstellbaren Sachverhalt; der absurde Effekt des v. 96, welcher in der außersprachlichen Wirklichkeit kein Subjekt hat; weitere Belege für existentielle Intervalle des *torrens*: Komik durch konsequente Analyse extremer Geschicke eines Flußgottes.
Die Annahme zweier Erzählebenen: die subjektive Ebene des Erzählers hält sich an IS 3 und ist wahrscheinlich in einer Illusion befangen; die distanziert-objektive Ebene des Außenstehenden vermutet IS 1 und gibt damit eine mögliche Erklärung für das Verhalten des *torrens*; (Hinweis auf eine ähnliche desillusionierende Konfrontation von ISS bei Ov. Am. 1.13).

3) *Treffen der Flüsse bei Peneus* Ov. M. 1.568—582

Peneus zunächst als eindrucksvolle Naturerscheinung beschrieben; Wendung zu IS 4: der Gott bewohne jenes majestätische Flußtal; seine Herrscherstellung mit leicht komischem Unterton geschildert.
Die Flußkollegen des Peneus erscheinen auf IS 5; Ovid gibt ihnen jedoch Attribute, die niedrigeren ISS zukommen, und arbeitet dabei ein Paradoxon zwischen Charakteristik (die Flüsse strömen ins Meer) und gültiger Handlung (die Götter wandern zu ihrem Nachbarn) heraus.

4) *Inachus* Ov. M. 1.583—665

Inachus an zwei Szenen der Io-Geschichte maßgeblich beteiligt;

(1) Er hat sich der Besuchsreise zu Peneus nicht angeschlossen und trauert stattdessen in seiner Höhle um die verlorengeglaubte Tochter (IS 4); die Aussage *fletibus auget aquas* kann auf IS 4 bezogen werden (quantitatives Mißverhältnis zwischen denkbarem Tränenstrom und Wasserhaushalt des Flusses wirkt grotesk), doch ist auch die Annahme eines Wechsels auf IS 3 sinnvoll (Steigen des Wasserstandes als psychosomatischer Vorgang — Weinen — gedeutet).

(2) Io trifft bei ihrer Rückkehr zum Inachus zunächst auf das Element, das aber nur reflektiert und kein eigenes Bewußtsein entwickelt (IS 1); Anzeichen für höhere ISS verstärken sich, bis Inachus in einer rührenden Erkennungsepisode ganz anthropomorph erscheint (IS 4); die Szene kulminiert durch Einsatz der IS 5: Inachus ist vom Fluß gelöst, zu weltweiter Suche fähig und über die schlimme Wahrheit um so furchtbarer enttäuscht, in seinem Gram die eigene Göttlichkeit als Last empfindend; Steigerung der psychischen Bewegung des Gottes durch gezielte Verwendung der ISS, wodurch dessen menschliches Fühlen immer stärker in den Mittelpunkt gerät.

5) *Arethusa* Ov. M. 5.487—508
572—642

Ovid gibt zwei einander ähnliche anthropomorphe Epiphanien der Arethusa: die Göttin taucht jeweils aus ihrem Quell auf.
Daneben integrative Grundanschauung: die Nymphe schildert ihren unterirdischen Lauf, sie stellt sich als mit Empfindung begabtes Gewässer dar; in ähnlicher Weise konzentriert sich die Wiedergabe des Verwandlungsaktes, durch den Arethusa dem lüsternen Alpheus entzogen wird, auf das elementare Äußere der neuerstandenen Najade.
Die Gründe für den ISS-wechsel liegen vor allem im Kompositorischen; der Gesprächssituation war IS 4, der Sagenverknüpfung sowie einigen Nebenmotiven (erotische Steigerung, Zeugenmotiv) IS 3 angemessen.

6) *Versammlung der Flüsse bei Neptunus* Ov. M. 1.276—287

Die kurze Passage verblüfft durch eine große Zahl unmittelbar nebeneinanderstehender unterschiedlicher Vorstellungen; die Befehlsausgabe wird in analytischer Sehweise wiedergegeben, die ISS 1/2, 4 und 5 sind wechselweise prävalent; unvermittelter Umschwung zu IS 3.

7) *Sol* Ov. M. 1.750—2.400
4.169— 270

Vielfalt der Vorstellungsformen bei analytischer Grundposition.
Für die Begegnung mit Phaethon erscheint Sol anthropomorph; daneben könnten gewisse Formulierungen auf niedrigere ISS deuten; die Reaktion auf Phaethons Sturz wird durch IS 3 anschaulich gemacht; Ovid opfert Stimmigkeit im Gesamtkontext zugunsten der effektvollen Einzelszene.
Die Leucothoe-Episode zeigt den Gott zunächst auf IS 3: die Verfärbung des Sonnengesichtes offenbart des Verliebten Leidenschaft; der weitere Handlungsverlauf fordert Menschengestalt des Sol; wieder ruft bewußt ambivalente Ausdrucksweise niedrigere ISS in Erinnerung; weitere Handlungsmomente lassen keine verläßliche Aussage darüber zu, wie Ovid seinen Sonnengott gedacht hat. Ovids Wahl der jeweils brauchbarsten IS; Unklarheiten seiner Schilderung.

8) *Delos* Call. Del. 1— 54
191—326

Delos wird als Amme Apollons vorgestellt, sie ist anthropomorph; die Schilderung der abweisenden Natur der Insel vermittelt wiederum nüchterne materielle

Daten (IS 1); erneuter Wechsel der Vorstellungsform bei Betrachtung der gesellschaftlichen Position und Erwähnung von Empfängen am Hofe des Okeanos; sodann wird IS 3 dominant (Wanderungen, „Füße" als unterer Teil des Inselkörpers), nicht ohne jedoch zwischenzeitlich mit dem Motiv sozialen Kontaktes wiederum eine höhere IS ins Spiel zu bringen.

Nach über 130 Versen tritt Delos wieder in Erscheinung, erneut auf IS 3: elementare Körperlichkeit und Wille sind deutlich faßbar, dazu integrative Ausdrucksweise; nach Apollons Geburt wird Delos völlig anthropomorph gebildet: sie hebt das Kind vom Boden und säugt es.

Häufiger Wechsel der Vorstellungen, dabei klar bestimmbare ISS neben verschwommenen Konturen.

Konsequente Ausgestaltung des Leitmotivs 'Απόλλωνος κουροτρόφος, das konkret mit Leben erfüllt wird; das Weiterdenken vorgegebener Formeln muß ebenso wie die unbefangene Wahl der jeweils günstigsten IS als ein Zug gelten, der Kallimachos und Ovid gemeinsam ist; ähnlich wird auch ein gewisser Hang zum Phantastischen, Paradoxen, Grotesken und Überraschenden erkennbar.

9) *Peneios* Call. Del. 105—152

Peneios zunächst als Flußlauf charakterisiert; Letos Bitte an die Nymphen gründet dagegen auf analytischer Grundanschauung, es wird vorausgesetzt, der Gott könne sein Element regulieren; andererseits geht Leto in ihren Vorwürfen gegen Peneios von integrativer Sicht aus: sie beklagt die reißende Kraft ihres Gegenüber; auch der restlichen Erzählung, einschließlich der Worte des Gottes über die eigene Person, wird IS 3 am ehesten gerecht.

Zwei motivische Gemeinsamkeiten zwischen Kallimachos und Ovid:

(1) Weinen eines Flußgottes; bei Ovid ist der witzige Effekt durch die Formulierung offenbar, ungeachtet interpretatorischer Schwierigkeiten im einzelnen; Kallimachos' Absicht bleibt offen: raffinierte Pointe ebenso möglich wie naive Notiz;

(2) Vergänglichkeit eines Flußgottes; Kallimachos gibt drei Varianten der drohenden Existenzvernichtung (Extraktion, Versiegen, Verschüttung), wobei auch der Topos des Ehrverlustes erscheint; gleicher gedanklicher Ansatz bei beiden Dichtern: Schwund oder Vernichtung der elementaren Grundlage trifft gleichermaßen alle denkbaren höheren ISS; Gründe für Verwendung dieses Motivs unterschiedlich: Kallimachos will vor allem den Mut des Peneios und die schlimme Lage Letos, die solch eines Mutes bedarf, herausarbeiten; Ovid trachtet danach, mit folgerichtig entwickelten Paradoxa zu brillieren und die suspekte Göttlichkeit seines Gelegenheitsflusses zu analysieren.

10) *Thybris* Verg. A. 8.31—89

Bedeutung der Episode als ausführlichste Schilderung, die Vergil von einer Naturgottheit gibt.

Untergliederung der Episode in drei Erzählbereiche: a) Epiphanie — Auftritt (31—35) und Abgang (66—67), b) Beistand — Ankündigung (57—58) und Verwirklichung (86—89), c) Charakterisierung — durch ihn selbst (62—65) und durch Aeneas (71—78); die Interpretation folgt dieser Gliederung.

a) Distanz durch die Traumsituation; analytische Grundanschauung: der Gott (IS 4) wird durch ein exaktes Appellativum benannt *(deus ipse loci)*, er entsteigt seinem Fluß und birgt sich dort später wieder, sein anthropomorphes Äußeres wird beschrieben.

b) Des Gottes Ankündigung v. 57—58 scheint noch von der Rollenverteilung IS 4 : IS 1 auszugehen; die Ausführung seines Versprechens (86—89) gibt integrativer Sehweise Raum; diese wiederum relativiert die analytische Deutung anderer Stellen: Periphrasen intransitiver Vorgänge wären möglich.

c) Der redende Gott stellt sich selbst auf IS 3 dar; Aeneas' Gebet an Thybris vereinigt integrative und analytische Betrachtungsweise; typisch römische Vorsicht bei der Nennung des Gottes spiegelt sich auch im Offenhalten der IS.

Vergils Gründe für jenen widersprüchlichen Wechsel von Grundpositionen: 1) seine Religiosität, 2) Bedeutung der Epiphanie des Thybris im Gesamtaufbau des Werkes, 3) nationaler Gefühlswert des Tiber; die Darstellung ist dementsprechend auf Größe und Erhabenheit des Flußgottes angelegt, Thybris erscheint als eine besondere Wesenheit, die durch Macht, Würde und unnahbares Wirken ausgezeichnet ist; epische Lizenz neben stoisch geprägter Anschauung.

Trotz äußerlich ähnlicher Behandlung von Naturgottheiten haben Ovid und Vergil doch ganz andersartige Motive und erzielen sehr unterschiedliche Wirkungen.

11) *Tmolus* Ov. M. 11.150—173

Zunächst (bis v. 156) IS 3 nahegelegt; unvermittelter Wechsel zu IS 4 (v. 157), die ihrerseits ebenso plötzlich durch IS 3 abgelöst wird (v. 157—158).

Das Paradoxon von Tmolus, der auf Tmolus Platz nimmt (157), wirkt durch den Kontrast der rahmenden Schilderung sowie durch die konsequente Nutzung der Möglichkeiten, die analytische Anschauung bietet.

Ein zweites komisches Moment: Tmolus macht seine Ohren von Bäumen frei (157—159); Ovid deutet eine vorgegebene, für IS 3 charakteristische Körperteil-Metaphorik aus.

Das dritte erheiternde Handlungsbild zeigt den Bergwald die Drehung des Hauptes mitvollziehen; der Effekt beruht wieder auf plastischer Darstellung eines auf IS 3 agierenden Berges.

Ovid macht die in den Grundanschauungen enthaltenen Vorstellungen sichtbar; seine Paradoxie ist das Ergebnis äußerlicher Folgerichtigkeit und legitimer Nutzung vorhandener Denkformen; Motive für Ovids Gestaltung der Episode: er will verblüffen und unterhalten.

12) *Inachus*, *Nilus*, *Enipeus* Ov. Am. 3.6.25—26
39—44

Durch die Kürze der Stellen und die Ambivalenz des Wortmaterials wird die Interpretation der Bilder, welche den verliebten Inachus und seinen ägyptischen Kollegen vorführen, erschwert.

Inachus: Das sinntragende *incalescere* als physikalischer und erotischer *terminus*; beide Grundanschauungen sind denkbar, doch gebührt analytischer Sehweise der Vorzug; paradoxer Kontrast zwischen IS 4 und IS 1; Wechsel der Grundposition innerhalb des Distichons v. 25—26.

Nilus: Wiederum könnte man die Gottheit auf IS 3 handeln sehen, doch sprechen die gewichtigeren Gründe für einen menschengestaltigen Gott, der sich im Fluß aufhält; die Pointe beruht auf *flamma* und zielt auf paradoxe Wirkung.

Enipeus: Eindeutig analytische Grundanschauung; Tradition des Motivs, das Wasser könne seinem Gotte lästig werden.

Gründe für die Art, in der die einzelnen *exempla* verliebter Flußgötter dargestellt sind: (1., generell:) Variatio; (2., für Inachus und Nilus:) (a) Verschwimmen der ISS als ein Gestaltungsprinzip in Am. 3.6; (b) die Liebesqual der Götter wird über den Kontrast zum Element veranschaulicht, was wiederum der Rahmenhandlung dient; (c) geistreiches Spiel mit verbalen Pointen und konkreten Handlungsabläufen.

13) *Acis* Ov. M. 13.885—897

Der zerschmetterte Acis wird verwandelt; zunächst nur der entstehende Fluß (IS 1) beschrieben, doch plötzlich taucht der zugehörige Gott (IS 4) empor; dieser führt die Identität „Acis“ fort.

Analytische Grundposition, der Gott steht in seinem Fluß; die Epiphanie des Gottes hat regietechnische Gründe: bequeme Vorführung des Verwandlungsprodukts; die Reihung im Transformationsvorgang kann den Eindruck eines Rationalismus wecken, der dann ironisierend wirkt; Paradoxon durch uneigentliche Benennung: der engere Kontext verlangt die Deutung *amnis* = Flußgott, der weitere Kontext fordert *amnis* = (analytischer Gesamtkomplex) Fluß und Gott.

14) *Thybris* Ov. F. 5.637—662

Thybris erscheint auf Wunsch des Dichters; er taucht aus seinem Fluß auf; Ovid ist offenbar um durchgehende Trennung der ISS bemüht, die analytische Grundanschauung gilt ohne Einschränkung bis zum Schluß; leicht komische Züge in der Rede des Gottes wirken sich auf die Darstellung der beteiligten ISS nicht aus.

15) Νύμφη ἐφυδατίη Apoll. Rhod. 1.1228—1239

Eine Quellnymphe taucht aus ihrem Wasser auf, sieht den schönen Hylas und entrafft ihn in ihr Element.

Streng analytische Grundposition, keinerlei Gedankenspiele um die Identität der Naturgottheit, ISS nur lokal miteinander verbunden.

Schilderung des Apollonios durch Wiedergabe des Unheimlichen, das Nachtstimmung und Naturgewalt ausstrahlen, reizvoll.

16) *Salmacis* Ov. M. 4.285—388

Erzählung von Salmacis als ausführlichste Darstellung einer Gottheit, die der Unterstützung durch ihr Element sicher sein kann, wichtig; Fränkels Verdienst um die Interpretation der Episode.

Uneingeschränkte Gültigkeit der analytischen Grundposition, die beteiligten ISS (5 und 2) bleiben strikt getrennt; Besonderheit dabei: auffällige Parallelisierung in der Beschreibung von Nymphe und Teich, die aber nicht als Identität mißdeutet werden darf.
Die motivischen Verbindungen zwischen IS 5 und IS 2: (a) beide erscheinen als sehr gepflegt; (b) für beide werden ausdrücklich unmilitärische Züge herausgearbeitet; (c) beiden wird ein hoher Grad an ästhetischem bzw. sinnlichem Reiz attestiert.
Daneben wird geschildert, wie die Nymphe in Beziehung zu ihrem See tritt: er erleichtert und bereichert ihr Alltagsleben, doch vor allem kann er ihr als unverfänglich scheinendes Lockmittel dienen.
Gründe, IS 5 neben IS 2 anzusetzen; die parallelen Züge der ISS sind Ausdruck des besonderen Nahverhältnisses von Gottheit und Element; von der potentiellen Identität der ISS macht die Salmacis-Erzählung keinen Gebrauch.
Ovids Motive: Beachtung des Handlungsziels, Reiz, den See als erotische Falle einer geradlinig-lüsternen Nymphe zu schildern, Variation des Identitätsproblems bei Naturgottheiten.

17) *Cephisus, Numicius* Ov. M. 3.342—344
F. 3.647—654
M. 14.598—604

Die Kürze der drei untersuchten Stellen erlaubt es, jeweils auch integrative Grundanschauung in Betracht zu ziehen, doch finden sich in allen Fällen Indizien, die empfehlen, der Rollenverteilung IS 4 : IS 2 den Vorzug zu geben.
Cephisus bemächtigt sich mit Hilfe seines Flusses der Nymphe Liriope; Anna Perenna wird von dem verliebten Numicius in dessen Bereich gezogen; Numicius läßt auf Weisung Venus' seinen Fluß den toten Helden Aeneas reinigen.

18) *Naides Ausoniae* Ov. M. 14.785—795

Quellnymphen kommen einer Bitte der Venus nach, indem sie Bewegung und Temperatur des Wassers in geeigneter Weise regulieren; analytische Grundposition, ansonsten nichts Auffälliges in der Behandlung der ISS.

19) *Cyrene* Verg. G. 4.359—362

Besonderheiten in der Erzählung von Cyrene: 1) keine Identitätsproblematik im eigentlichen Sinne, die Nymphe sorgt vielmehr dafür, daß das Wasser des Peneos ihrem Willen gemäß den Aristaeus in die Tiefe des Wasserreiches transportiert; 2) großartige Schau des gesamten natürlichen Wasserreservoirs des Festlandes in seinem unterirdischen Ursprung; 3) gemeinsamer Aufenthalt mit verschiedenartigen anderen Nymphen.
Cyrenes Fähigkeit, das Flußwasser unmittelbar beeinflussen zu können, gibt der Episode ihren Platz in diesem Abschnitt.

20) *Nilus* Verg. A. 8.711—713

Als Bildbeschreibung hat die Stelle ihren besonderen Charakter; ihre Kürze, Unklarheiten im sprachlichen Ausdruck; durch Ambivalenzen und ἓν διὰ δυοῖν wird verhindert, daß sich vor den Augen des Lesers ein plastisches Bild des Nilus abzeichnet; integrative Deutung ist möglich; allerdings sprechen überzeugendere Argumente für eine Prävalenz der analytischen Grundposition; Vergil hat die Unbestimmtheit in seiner Darstellung offenbar bewußt angestrebt.

21) *Cyane* Ov. M. 5.409—470

Cyane bis zur vollständigen Verwandlung (437) analytisch geschildert; ihr mutiger Einsatz zugunsten der geraubten Proserpina; der Mißerfolg ihrer Aktion läßt die Najade in Tränen zerfließen, sie wird zum eigenen See.

Einmaligkeit der Metamorphose: 1) eine Gottheit wird verwandelt, und zwar unfreiwillig sowie auf Dauer; 2) schon vor der Transformation war Cyane mit der neuen Gestalt (= dem Wasser) als ihrem Lebens- und Herrschaftsbereich eng verbunden; 3) singuläre Rollenverteilung von ISS innerhalb eines Handlungszusammenhangs; 4) dem Vorgang als solchem wohnt ein paradoxer Gedanke inne.

Cyanes erneuter Auftritt (465—470) bringt eine Überraschung: man erfährt, die Verwandelte sei nicht zu unbelebter Materie geworden, sie bestehe vielmehr auf (einer modifizierten) IS 3 fort; die Metamorphose soll also den Wechsel von IS 4 auf IS 3 ausdrücklich motivieren; Ovids rationale Attitüde rückt angesichts seines sonstigen Verfahrens in die Nähe des Komischen.

Ovids Motive für die seltsame Metamorphose: 1) Bemühen, den Übergang zu integrativer Anschauung elegant und witzig zu gestalten; 2) kompositorische Gründe: der Dichter bedurfte einiger Verwandlungen, da die Haupthandlung keine enthält, zudem konnte Cyane wesentliche Funktionen im weiteren Kontext übernehmen, was aber nur bei Identitätsstufenwechsel möglich war; 3) Paradoxon: die Gottheit wird zu „sich selbst" auf einer anderen IS.

22) *Alpheus* Ov. M. 5.587—638

Ähnlichkeiten mit der Verwandlung Cyanes, Unterschiede; die Metamorphose ist als Höhepunkt einer spannungsreichen Erzählung zu verstehen: der Fluß (IS 1/2) verführt Arethusa zum Bad — Stimme des Gottes (IS 4) aus der Tiefe — phantastische Verfolgung, Alpheus (IS 5) droht zu obsiegen — Hilfe durch Diana — der Gott belauert die Wolke — Transformation der verängstigten Nymphe — sofortige Reaktion des Flußgottes, der sich *in proprias undas* verwandelt (IS 3) — Diana greift wiederum ein, Arethusa wird dem Zugriff der liebestollen Naturgottheit entzogen.

Dynamik der Erzählung durch gegensätzliche Zeichnung der Beteiligten: triebhafte Begehrlichkeit des Flußgottes, erotische Abstinenz der Jüngerin Dianas, sowie durch rasche Abfolge der Handlungsschritte; damit verbunden Steigerung der ISS, bis in der überraschenden Schlußszene (637—638) IS 3 erscheint; entsprechend gilt durchgehend analytische Grundanschauung, die in v. 637—638 unvermittelt durch integrative Sicht ersetzt wird.

Das Neuartige dieser Metamorphose: 1) nur Alpheus und Cyane verwandeln sich ins eigene Element; 2) die Transformation = der Identitätsstufenwechsel erscheint als Willensakt des Gottes, wohingegen der Autor in allen anderen Fällen (gutes Beispiel: Achelous) die ISS ohne Erläuterung einander ablösen läßt.

Gründe für die sonderbare Verwandlung: 1) kompositorischer Art: Arethusas Abfluß nach Sizilien motiviert, Parallelität zu deren Metamorphose; 2) erotische Steigerung bis zur letzten, unerwarteten Konsequenz; 3) Reiz und Funktion der ambivalenten Wendung *se miscere*: bestens tauglich für IS 3, den Eindruck von Kontinuität vermittelnd; 4) Reflexion über denkbare Eigenschaften und Möglichkeiten eines Flußgottes (hier: Wasser als Verwandlungsprodukt), was zu jener einmaligen Koppelung von Grundpositionen führt; 5) Freude am Paradoxon: Verhältnis IS 5 : IS 3 in der Schlußszene, wahrscheinlich zwei elementare Alphei.

23) *Sol* Ov. M. 4.192—203

Ausführlichste Darstellung einer Gottheit, deren Reaktion auf eine Handlung, die IS 4/5 erforderte, integrativ beschrieben wird; Eigentümlichkeiten des Elements, die geeignet waren, zu einer detaillierten Schilderung auf IS 3 zu verlocken; es gibt gute Gründe dafür, die Erscheinungsform des Sol in der Vorgeschichte zu der betrachteten Szene für anthropomorph zu erachten.

Ovid unterrichtet in 6 einzelnen Bildern über Beschaffenheit und Verhalten der Gottheit: 1) der gewohnten Sonnenglut gesellt sich die innere Glut des Liebhabers, 2) und 3) die Allsichtigkeit des Gottes wird auf das eine Mädchen reduziert, das Sonnenlicht konzentriert sich auf Leucothoe, 4) und 5) der natürliche Zeitrhythmus wird verwirrt, weil Sol sich ein übermäßig langes Verweilen am Himmel gönnt, 6) das Bleichen des Sonnengesichts zeigt den Zustand des verliebten Gottes an und ist ein psychosomatischer Reflex; Spekulationen über eine natürliche Sonnenfinsternis wird in ironisierender Weise gewehrt; frivole Töne bei der Kommentierung jenes Bildes.

Motive für Ovids breite integrative Beschreibung des Sol: (a) Gewicht der Liebe als beherrschender Macht herausstreichen, (b) widersprüchliche Sachverhalte entwickeln, (c) Freude am Experiment, an konsequenter Handhabung gegebener Vorstellungen, (d) Frivolität, Komödie auf Kosten des Gottes.

24) *Sol* Ov. M. 2.329—332
381—388

Der trauernde Sol verhüllt sein Haupt, was zur Folge hat, daß die Sonne nicht mehr scheint; in der Sonnenscheibe wird das Gesicht der Gottheit erkannt; Verbindung heliomorpher und anthropopsycher Elemente, Sol auf IS 3 handelnd.

Mögliche Gegenposition: die Sonnenlosigkeit sei nicht Folge der Verhüllung, sondern resultiere aus Phaethons Unglückssturz; in der Tat ist Phaethon mit der Sonne über den Himmel gefahren; Ovid läßt aber zwei Vorstellungen von „Sonne“ nebeneinander zu: einen Strahlenkranz, von Sol an Phaethon übergeben, und die elementaren ISS (1—3) der Gottheit Sol; die Sonne des Phaethon fügt sich schlecht in den Zusammenhang; beste Stimmigkeit hingegen, wenn man von einer integrativen Sonnengottheit ausgeht.

In einer zweiten Szene hat der Kummer des Gottes einen unmittelbaren psychosomatischen Reflex zur Folge, der sich auf dem Sonnengesicht abzeichnet; wieder gilt integrative Grundanschauung; Motive für die Darstellungsweise: Ovids Streben nach Witz und Abwechslung.

25) *Lucifer* Ov. M. 11.570—572
270—273

Lucifers Antlitz zeigt den Schmerz um seinen Sohn Ceyx: die Planetenscheibe dunkelt, und Wolken verhüllen das göttliche Haupt; allerdings wird die Eindeutigkeit des psychosomatischen Reflexes durch das Verhüllungsmotiv gemindert.

Das Dunkeln eines sternenhellen Gesichts als Zeichen seelischen Kummers begegnet indes bei Lucifers Sohn Ceyx.

26) *Aurora* Ov. Am. 1.13

Der Liebhaber geht mit der unerwünscht früh erscheinenden Göttin Aurora hart ins Gericht und bewirkt dadurch die kosmische Schamröte *aurora*; trotz gelegentlicher Anspielungen auf IS 3 eindeutiges Übergewicht zugunsten der IS 4: die Schwächen der anthropomorphen Göttin werden bloßgestellt; um Auroras Reaktion zu zeigen, wechselt Ovid zu integrativer Grundanschauung.

27) *Aurora* Ov. M. 13.576—622

Der Schmerz, den Aurora über den Tod ihres Sohnes Memnon empfindet, malt sich am Himmel ab; IS 3 nur für zwei Szenen verwendet, die das Gefühl der Göttin sichtbar machen sollen, sonst ist, wie die Haupthandlung zeigt, von IS 5 auszugehen; die Schlußverse erklären den Tau zu Tränen Auroras um Memnon.

28) *Inachus* Ov. Am. 3.6.25

Inachus wird als infolge seiner Liebe bleich geschildert; die sinntragenden Wörter des Verses sind ambivalent, die Doppeldeutigkeit scheint gewollt; Zulässigkeit der Deutung, daß Inachus integrativ dargestellt ist.

29) *Sagaritis* Ov. F. 4.229—232

Die Hamadryade Sagaritis (IS 5) verführt den Attis, woraufhin Cybele — einer möglichen Deutung zufolge — den göttlichen Baum (IS 3) strafend fällt; der Text gestattet zwei Interpretationen: 1) Wechsel der IS — der belebte Baum (IS 3) geht zugrunde, 2) keine Veränderung der analytischen Grundposition — die Vernichtung des Baumes (IS 1) läßt auch die Nymphe (IS 5) sterben (sympathetische Verbindung der ISS).

30) *Nocturnus, Sol* Plaut. Amph. 270—284

Angesichts der Bewegungslosigkeit des Himmels und des Ausbleibens der Sonne argwöhnt Sosia, die Götter Nocturnus und Sol seien infolge Trunkenheit nicht fähig, ihren Dienst auszuüben.

Unterschiede gegenüber Ovids Darstellung kosmischer Gottheiten: 1) die Frivolität ist subjektiv gefärbt und darf als gattungsgemäß gelten, während Ovids Komik im Epos mutwilliger ist; 2) bei Plautus wird auf das Verhalten der Naturerscheinung abgehoben, IS 1 ist prävalent, wohingegen Ovid zu IS 3 greift; 3) Wechsel der IS (Sosia schließt von IS 1 auf IS 4/5) durch Weinseligkeit motiviert — es fällt auf, daß Ovid dieses Motiv für seine Naturgottheiten nie verwendet.

Gemeinsamer Ausgangspunkt: kosmische Erscheinungen werden dadurch „rational" erklärt, daß man auf den anthropomorphen Gott als Urheber zurückgreift; (Hinweis auf ein gleiches Verfahren des Aristophanes).

31) *Trivia* Cat. 66.5—6

Trivia verläßt aus Liebe ihre Position am Himmel; Deutung unsicher; Funktion des Distichons: mythologische Einkleidung einer nüchternen astronomischen Tatsache; die Interpretation, nach der die verliebte Göttin (IS 5) die Unsichtbarkeit des Mondes (IS 1) bewirke, wird durch einen konkreten Hinweis auf die Endymion-Sage gestützt: Auswirkung der Liebe am Element veranschaulicht; Kürze und Zweck der Schilderung sind indes geeignet, die Verbindlichkeit dieser Auffassung zu relativieren.

32) *Achelous* Prop. 2.34.33—34

Achelous fließt mit verminderter Kraft *(ut liquor fractus fluxerit)* und gibt so Zeugnis von seiner unerfüllten Liebe *(magno amore fractus)*; in v. 34 ist *fractus* an Stelle des fehlerhaften *factus* zu lesen; durch die Wortwahl *fractus* wird erreicht, daß drei für den Zusammenhang sinnvolle Bedeutungsbereiche gleichermaßen vernehmlich sind: 1) der physische Aspekt *(undae fractae)*, 2) der psychische Aspekt *(animus fractus)* — das Zusammentreffen beider weist auf IS 3 —, 3) (assoziativ) der mythische Aspekt *(cornu fractum)* — er deutet auf die Werbung um Deianira und damit auf IS 5; IS 5 für die Vorgeschichte zu dem integrativ gesehenen Bild, das Properz v. 33—34 vom Achelous zeichnet, vorausgesetzt.

LITERATUR

TEXTAUSGABEN

Hier werden nur diejenigen Ausgaben angeführt, die meinen Untersuchungen zugrundeliegen. Einzig bei Ovid füge ich einige weitere Editionen hinzu, sofern sie im Text häufiger zu zitieren waren. Was hier fehlt, wird *suo loco* genannt. Siehe auch die Rubrik „Kommentare“!

Ovid

Am., MF, AA, RA:	E. J. Kenney, Oxford 1968
Am.:	F. Munari, Firenze 1970
Her.:	H. Dörrie, Berlin und New York 1971
M.:	W. S. Anderson, Leipzig 1977
	G. Lafaye, (3 Bd.e) Paris 1969—72
	H. Magnus, Berlin 1914
F.:	F. Bömer, Heidelberg 1957
T., Ib., P., Hal.:	S. G. Owen, Oxford 1915 (Nachdr. 1969)
T., P.:	W. Willige und G. Luck, Zürich u. Stuttgart 1963

Frühere Autoren

Horaz:	F. Klingner, Leipzig 1970
Vergil:	R. A. B. Mynors, Oxford 1969
Properz:	E. A. Barber, Oxford 1953
Tibull:	J. P. Postgate, Oxford 1915
Catull:	R. A. B. Mynors, Oxford 1958
Lucrez:	C. Bailey, Oxford 1922
Plautus:	W. M. Lindsay, (2 Bd.e) Oxford 1904 u. 1905
Remains of Old Latin:	E. H. Warmington, (Bd. 1 u. 2) London 1967 (für Naevius und Ennius)
Theokrit:	A. S. F. Gow, (2 Bd.e, m. Komm.) Oxford 1952
Apollonios Rhodios:	R. C. Seaton, London 1967
Kallimachos:	R. Pfeiffer, (2 Bd.e) Oxford 1949 u. 1953
Euripides:	G. Murray, (Bd. 3) Oxford 1954
Sophokles:	A. C. Pearson, Oxford 1928
Aischylos:	D. Page, Oxford 1972
Homer:	D. B. Monro und T. W. Allen, Oxford 1920 (Ilias, 2 Bd.e), 1917—19 (Odyssee, 2 Bd.e), 1912 (hymni)

Antike Kommentatoren

Servius:	G. Thilo und H. Hagen, (3 Bd.e) Leipzig 1881—1887 (Nachdruck 1961)
Tib. Donatus:	H. Georgii, (2 Bd.e) Leipzig 1905—06 (Nachdr. 1969)

ÜBERSETZUNGEN

Ov. M.: E. Rösch, München 1968
H. Breitenbach, Zürich und Stuttgart 1964
Verg. A.: R. Durand (Text) und A. Bellessort (Übers.) Paris 1952
J. Götte, München 1979
Hom. Il.: H. Rupé, München 1970

KOMMENTARE

Ov. Am.: P. Brandt, Leipzig 1911
F. W. Lenz, Berlin 1965
R. Harder und W. Marg, München 1968
Ov. AA.: P. Brandt, Leipzig 1902
F. W. Lenz, Berlin 1969
A. S. Hollis, Oxford 1977 (zu Buch I)
Ov. M.: M. Haupt, J. Müller, O. Korn, W. Ehwald, (2 Bd.e) korrigiert und bibliographisch ergänzt von M. v. Albrecht, Zürich und Dublin 1966
F. Bömer, Heidelberg (seit 1969; bislang liegen 5 Bände, die Bücher I bis XI behandelnd, vor)
A. G. Lee, Cambridge 1964 (zu Buch I)
W. S. Anderson, University of Oklahoma 1977 (zu Buch VI bis X)
A. S. Hollis, Oxford 1970 (zu Buch VIII)
G. M. H. Murphy, Oxford 1972 (zu Buch XI)
Ov. F.: F. Bömer, Heidelberg 1958
J. G. Frazer, (Bd. 2—5) London 1929 (Nachdr. 1973)
Verg. G.: J. Conington und H. Nettleship (Bd. 1), Nachdruck Hildesheim 1963
W. Richter, München 1957
Verg. A.: J. Conington und H. Nettleship (Bd. 2 und 3), Nachdruck Hildesheim 1963
R. G. Austin, Oxford 1971 (zu Buch I)
A. S. Pease, Harvard Univ. 1935 (zu Buch IV)
R. G. Austin, Oxford 1973 (zu Buch IV)
E. Norden, Darmstadt 1970 (zu Buch VI)
C. J. Fordyce, Oxford 1977 (zu Buch VII—VIII)
Ph. Wagner, Leipzig 1850 (zu Buch VII—IX)
Th. Ladewig, Berlin 1859 (zu Buch VII—XII)
R. D. Williams, Oxford 1974 (zu Buch V)
P. T. Eden, Leiden 1975 (zu Buch VIII)
K. W. Gransden, Cambridge 1976 (zu Buch VIII)
Hor.: A. Kiessling und R. Heinze, Dublin-Zürich 1968 (Oden/Epoden), 1977 (Satiren), 1970 (Briefe)
R. G. M. Nisbet und M. Hubbard, Oxford 1975 (zu c. I) und 1978 (zu c. II)
Tib.: K. F. Smith, Darmstadt 1971

Prop.: M. ROTHSTEIN, Dublin und Zürich 1966
R. HELM, Berlin 1965
Cat.: C. J. FORDYCE, Oxford 1978
W. KROLL, Stuttgart 1980
Plaut. Amph.: W. B. SEDGWICK, Manchester 1960
Call.: F. BORNMANN, Firenze 1968
Hom. Il.: K. F. AMEIS, C. HENTZE, P. CAUER, Nachdruck 1964
W. LEAF, London 1902 (Bd. 2) (Nachdruck 1960)

SONSTIGE HILFSMITTEL

C. T. LEWIS und C. SHORT, A Latin Dictionary, Oxford 1969
H. G. LIDDELL, R. SCOTT, H. S. JONES, A Greek-English Lexicon, Oxford 1968
H. EBELING, Lexicon Homericum, Leipzig 1880—85
R. KÜHNER und C. STEGMANN, Ausführliche Grammatik der lateinischen Sprache (2. Teil: Satzlehre, 2 Bd.e), Darmstadt 1971
J. SIEBELIS und F. POLLE, Wörterbuch zu Ovids Metamorphosen, Leipzig 1893 (Nachdruck 1969)
R. J. DEFERRARI, M. I. BARRY und M. R. P. MCGUIRE, A Concordance of Ovid, Washington 1939

SEKUNDÄRLITERATUR

Im Folgenden werden einige Schriften, die für unsere Thematik von geringer Bedeutung sind, nicht verzeichnet. Über sie ist jeweils an Ort und Stelle die nötige Auskunft gegeben.
Titel werden oft in Kurzform zitiert. Die Abbreviaturen entsprechen dabei meist den von F. BÖMER für seine Kommentare gewählten Kürzeln. Seitenangaben schließen in der Regel unmittelbar an den Namen des Autors bzw. den Titel des Werkes an.

Sammelbände: ACO = Atti del Convegno internazionale ovidiano Sulmona 1958, (2 Bd.e) Rom 1959
Ovidiana = Ovidiana, Recherches sur Ovide, publiées par N. I. HERESCU, Paris 1958
Ovidianum = Acta Conventus omnium gentium Ovidianis studiis fovendis Tomis 1972 habiti N. BARBU E. DOBROIU M. NASTA curantibus, Bukarest 1976
WdF = Ovid. Wege der Forschung XCII, herausgegeben von M. v. ALBRECHT und E. ZINN, Darmstadt 1968

Handbücher: RE = Realencyclopädie der classischen Altertumswissenschaft (PAULY-WISSOWA), seit 1893
RML = W. H. ROSCHER, Lexikon der griechischen und römischen Mythologie, seit 1884
TLL = Thesaurus linguae Latinae

ALBRECHT, Michael von: Die Erzählung von Io bei Ovid und Valerius Flaccus; WüJbb 3.1977.139—148
— Nachwort zum Kommentar von M. HAUPT und R. EHWALD, Bd. 1 S. 485—493 (zitiert: „Komm.“)
— Ovids Humor und die Einheit der Metamorphosen (1963); WdF 405—437
— Ovids „Metamorphosen“; in: Das römische Epos, hrsg. von Erich BURCK, Darmstadt 1979, 120—153 (zitiert: „Epos“)

ALTHEIM, Franz: Römische Religionsgeschichte, (2 Bd.e) Baden-Baden 1951/1953
ANDERSON, William Scovil: Multiple Change in the Metamorphoses; TAPhA 94.1963, 1—27

BAILEY, Cyril: Religion in Virgil, Oxford 1935
BERNBECK, Ernst Jürgen: Beobachtungen zur Darstellungsart in Ovids Metamorphosen, München 1967
BETTEN, Anne Marie: Naturbilder in Ovids Metamorphosen, Diss. Erlangen-Nürnberg 1968
BÖMER, Franz: Ovid und die Sprache Vergils (1959); WdF 173—202
BÜCHNER, Karl: Ovids Metamorphosen (1957); WdF 384—392
— P. Vergilius Maro; RE 2. R. VIII. 2, 1265.1—1486.68

CAUER, Paul: Grundfragen der Homerkritik, 3. Aufl. 1. Hälfte, Leipzig 1921
CRAHAY, Roland: La vision poétique d'Ovide et l'esthétique baroque; ACO I 91—110

DEUBNER, Ludwig: Personifikationen abstrakter Begriffe; RML III 2068.34—2169.31
DILLER, Hans: Die dichterische Eigenart in Ovids Metamorphosen (1934); WdF 322—339
DOBLHOFER, Ernst: Ovidius urbanus. Eine Studie zum Humor in Ovids Metamorphosen; Philologus 104.1960, 63—91 und 223—235
DÖPP, Siegmar: Virgilischer Einfluß im Werk Ovids, Diss. München 1969
DÖRRIE, Heinrich: Wandlung und Dauer. Ovids Metamorphosen und Poseidonios' Lehre von der Substanz; AU Reihe IV Heft 2 (1959) 95—116
DÖSCHER, Thorsten: Ovidius narrans. Studien zur Erzählkunst Ovids in den Metamorphosen, Diss. Heidelberg 1971
DONINI, Vido: In Ovidi Amor. III 6 adnotationes; Latinitas XVII 1969, 210—222
DUE, Otto Steen: Changing Forms, Copenhagen 1974
DURSTELER, Karl: Die Doppelfassungen in Ovids Metamorphosen, Hamburg 1940

EHNMARK, Erland: The Idea of God in Homer, Diss. Uppsala 1935
EITREM, S.: Gaia; RE VII, 467.25—479.65
ELLIOTT, Alison G.: Amores 1.13. Ovid's Art; CJ 69.1973, 127—132
EMONDS, Hilarius: Zweite Auflage im Altertum. Kulturgeschichtliche Studien zur Überlieferung der antiken Literatur, Leipzig 1941
ENK, Petrus Johannes: Metamorphoses Ovidii duplici recensione servatae sint necne quaeritur; Ovidiana 324—346

FAUTH, Wolfgang: Funktion und Erscheinung niederer Gottheiten in Vergils Aeneis; Gymn. 78.1971, 54—75
FRÄNKEL, Hermann: Noten zu den Argonautica des Apollonius, München 1968
— Ovid. Ein Dichter zwischen zwei Welten, Darmstadt 1970 (= von Karl Nicolai besorgte Übersetzung des Originals: Ovid. A Poet between Two Worlds, Berkeley and Los Angeles 1945); meist ohne Titel zitiert!
FRÉCAUT, Jean-Marc: L'esprit et l'humour chez Ovide, Grenoble 1972
— Une figure de style chère à Ovide: le zeugma ou attelage; Latomus 28.1969, 28—41
FREUNDT, Mechthild: Das Rührende in den Metamorphosen. Interpretative Untersuchung eines Phänomens und seine Bedeutung für die Beurteilung Ovids, Diss. Münster 1973
FRIEDRICH, Wolf-Hartmut: Der Kosmos Ovids (1953); WdF 362—383

GALINSKY, Gotthard Karl: Ovid's Metamorphoses. An Introduction to the Basic Aspects, Oxford 1975
GERBER, Adolf: Naturpersonification in Poesie und Kunst der Alten; 13. Suppl. zu Fleckeisens Jahrbüchern für classische Philologie 1883, 241—317
GROSS, August Otto: De metonymiis sermonis Latini a deorum nominibus petitis, Diss. Halle 1921

HAEGE, Hansjörg: Terminologie und Typologie des Verwandlungsvorgangs in den Metamorphosen Ovids, Diss. Tübingen 1976
HAMDORF, Friedrich Wilhelm: Griechische Kultpersonifikationen der vorhellenistischen Zeit, Mainz 1964

HEDÉN, Erik: Homerische Götterstudien, Diss. Uppsala 1912
HEINZE, Richard: Die Augusteische Kultur, 3. Aufl. Darmstadt 1960
— Ovids elegische Erzählung (1919); in: Vom Geist des Römertums, Ausgewählte Aufsätze, herausgegeben von Erich Burck, Darmstadt 1972
— Virgils epische Technik, (Nachdruck der 3. Aufl. 1915) Darmstadt 1976
HERTER, Hans: Dämonismus und Begrifflichkeit im Frühgriechentum; Lexis 3.1953, 226—235
— Kallimachos; RE Suppl. V, 386.29—452.64
— Nymphai; RE XVII, 1527.61—1581.34
— Ovids Verhältnis zur bildenden Kunst (am Beispiel der Sonnenburg illustriert); Ovidiana 49—74
— Verwandlung und Persönlichkeit in Ovids Metamorphosen; Kulturwissenschaften. Festgabe für Wilhelm Perpeet zum 65. Geburtstag. Bonn 1980, 185—228
HOLEMAN, A. W. J.: Femina virtus! — Some New Thoughts on the Conflict between Augustus and Ovid; Ovidianum 341—355
HOWALD, Ernst: Der Dichter Kallimachos von Kyrene, Erlenbach-Zürich 1943
HUXLEY, H. H.: Some Observations on the Gods in Roman Poetry; HibJ 54.1955/56, 384—391

JESSEN, O.: Helios; RE VIII.1, 58.1—93.22

KENNEY, E. J.: The Style of the Metamorphoses; in: Ovid, edited by J. W. Binns, London und Boston 1973, 116—153
KERÉNYI, Karl: Antike Religion, Wiesbaden 1978
— Arethusa. Über Menschengestalt und mythologische Idee (1941); in: Humanistische Seelenforschung, Darmstadt 1966, 203—219
KERN, Otto: Die Religion der Griechen, (3 Bd.e) Berlin 1926 (I), 1935 (II), 1938 (III)
KOCH, Carl: Religio. Studien zu Kult und Glauben der Römer, Nürnberg 1960
KRAUS, Walther: Ovidius Naso (1966); WdF 67—166
KROLL, Wilhelm: Die Kultur der ciceronischen Zeit, Leipzig 1933 (Nachdruck 1975)
— Studien zum Verständnis der römischen Literatur, Stuttgart 1924 (Nachdruck 1964)
KRUSE: Lokalgötter; RE XIII.1, 1110.20—1134.12
KUHNERT, Ernst: Gaia; RML I.2, 1566.3—1584.32
KULLMANN, Wolfgang: Das Wirken der Götter in der Ilias. Untersuchungen zur Frage der Entstehung des homerischen Götterapparates, Berlin 1956

LAFAYE, Georges: Les Métamorphoses d'Ovide et leurs modèles grecs, Paris 1904 (Nachdruck 1971)
LAMACCHIA, Rosa: Ovidio interprete di Virgilio; Maia 12.1960, 310—330
LAPP, Friedrich: De Callimachi Cyrenaei tropis et figuris, Diss. Bonn 1965
LATTE, Kurt: Römische Religionsgeschichte, München 1967
LAUSBERG, Heinrich: Handbuch der literarischen Rhetorik, (2 Bd.e) München 1973
LEE, A. G.: The Authorship of the Nux; Ovidiana 457—471
LEFÈVRE, Eckard: Die Bedeutung des Paradoxen in der römischen Literatur der frühen Kaiserzeit; Poetica 3.1970, 59—82
LEHNERDT: Flußgötter; RML I.2, 1487.10—1496.15
LEO, Friedrich: Ausgewählte Kleine Schriften, herausgegeben von Eduard Fraenkel, Rom 1960
LESKY, Albin: Geschichte der griechischen Literatur, Bern und München 1971
LIND, L. R.: Roman Religion and Ethical Thought: Abstraction and Personification; CJ 69. 1973, 108—119
LUDWIG, Walther: Struktur und Einheit der Metamorphosen Ovids, Berlin 1965

MAGNUS, Hugo: Ovids Metamorphosen in doppelter Fassung?; Hermes 40.1905, 191—239
MARTINI, Edgar: Einleitung zu Ovid, Brünn-Prag-Leipzig-Wien 1933 (Nachdruck 1970)
MATZ, Friedrich: Die Naturpersonifikationen in der griechischen Kunst, Diss. Göttingen 1913
MENDNER, Siegfried: Der Text der Metamorphosen Ovids, Diss. Köln 1939
MILLER, Frank J.: Some Features of Ovid's Style: I. Personification of Abstractions; CJ 11. 1915—16, 516—534

Nägelsbach, Carl Friedrich von: Homerische Theologie, (2. Aufl.) Nürnberg 1861
Nestle, Wilhelm: Die griechische Religiosität in ihren Grundzügen und Hauptvertretern von Homer bis Proklos, Berlin und Leipzig 1930 (Bd. I) und 1933 (Bd. II)
Newiger, Hans-Joachim: Metapher und Allegorie. Studien zu Aristophanes, München 1957
Nilsson, Martin P.: Geschichte der griechischen Religion, (2 Bd.e) München 1967 (I) und 1974 (II)
– Kultische Personifikationen. Ein Nachtrag zu meiner Geschichte der griechischen Religion; Eranos 50.1952, 31—40

Ogilvie, Robert Maxwell: The Romans and their Gods in the Age of Augustus, London 1969
Otis, Brooks: Ovid as an Epic Poet, Cambridge 1966
Otto, Walter Friedrich: Der Dichter und die alten Götter, Frankfurt am Main 1942
– Die altgriechische Gottesidee (1926); in: Die Gestalt und das Sein. Gesammelte Abhandlungen über den Mythos und seine Bedeutung für die Menschheit, Darmstadt 1975, 115—136
– Die Götter Griechenlands, Bonn 1929 (3. Aufl. 1947)
– Rom und Griechenland (1951); in: Das Wort der Antike, Stuttgart 1962, 334—347
– Die Sprache als Mythos (1959); in: Mythos und Welt, Stuttgart 1962, 279—290
– Vergil (1931); in: Die Gestalt und das Sein. Gesammelte Abhandlungen über den Mythos und seine Bedeutung für die Menschheit, Darmstadt 1975, 339—364

Patroni, Giovanni: Rileggendo le „Metamorfosi"; Athenaeum n. s. VII.1929, 145—172 und 289—315
Pettazzoni, Raffaele: Essays on the History of Religions (transl. by H. J. Rose), Leiden 1954
Pfister, Friedrich: Epiphanie; RE Suppl. IV, 277.11—323.38
— Numen; RE XVII.2, 1273.1—1291.58
Pöschl, Viktor: L'arte narrativa di Ovidio nelle „Metamorfosi"; ACO II 295—305
— Der Katalog der Bäume in Ovids Metamorphosen (1960); WdF 393—404
— De Lycaone Ovidiano; Ovidianum 507—513
Pötscher, Walter: Numen; Gymn. 66.1959, 353—374
— Das Person-Bereichdenken in der frühgriechischen Periode; WS 72.1959, 5—25
— Vergil und die göttlichen Mächte, Hildesheim 1977
Pohlenz, Max: Die Stoa. Geschichte einer geistigen Bewegung, (2 Bd.e) 3. Aufl. Göttingen 1964
Porzig, Walter: Das Wunder der Sprache, (5. Aufl.) München 1971
Preller, Ludwig: Griechische Mythologie. Bd. 1: Theogonie und Götter, 4. Aufl. bearbeitet von Carl Robert, Berlin 1894

Radke, Gerhard: Das Wirken der römischen Götter; Gymn. 77.1970, 23—46
Rapp: Helios; RML I.2, 1993.64—2026.4
Reitzenstein, Erich: Das neue Kunstwollen in den Amores Ovids (1935); WdF 206—232
Rohde, Alfred: De Ovidi arte epica capita duo, Berlin 1929 (nachgedruckt im Anhang zu G. Lafaye 1971)

Segal, Charles Paul: Landscape in Ovid's Metamorphoses, Wiesbaden 1969
— Narrative Art in the Metamorphoses; CJ 66.1971, 331—337
Snell, Bruno: Die Entdeckung des Geistes. Studien zur Entstehung des europäischen Denkens bei den Griechen, Hamburg 1955
— Der Aufbau der Sprache, 3. Aufl. o. J. (1. Aufl. Hamburg 1952)
Spies, Alfons: Militat omnis amans. Ein Beitrag zur Bildersprache der antiken Erotik, Diss. Tübingen 1930
Schachermeyr, Fritz: Poseidon und die Entstehung des griechischen Götterglaubens, Bern und München 1950
Schauenburg, Konrad: Helios. Archäologisch-mythologische Studien über den antiken Sonnengott, Berlin 1955
Schilling, Robert: De Nasonis interiore religione; Ovidianum 549—554
Scholz, Udo W.: Eine Vergil-Szene im Lichte der Forschung (Aen. 4.238 ff.); WüJbb 1.1975, 125—136

SCHULTZ, Otto: Die Ortsgottheiten in der griechischen und römischen Kunst (= Berline Studien für classische Philologie und Archäologie, Bd. 8), 1889 (Nachdruck 1975)
STAEHELIN, Heinrich: Die Religion des Kallimachos, Diss. Zürich 1934
STOESSL, Franz: Ovid — Dichter und Mensch, Berlin 1959
— Personifikationen; RE XIX.1, 1042.63—1058.41
STROUX, Johannes: Ovids Metamorphosen und ihre Behandlung in der Schule (1919); Wd 315—321

TRÄNKLE, Hermann: Elegisches in Ovids Metamorphosen; Hermes 91.1963

USENER, Hermann: Götternamen. Versuch einer Lehre von der religiösen Begriffsbildun (1896), 3. Aufl. Frankfurt am Main 1948

VOIGTLÄNDER, Hanns-Dieter: Die Idee der Ich-Spaltung und der Stil der „Metamorphosen" Ovids; in: Festschrift für Harald Patzer, Wiesbaden 1975, 193—208
VOLLGRAFF, Wilhelm: Nikander und Ovid, (I. Teil) Groningen 1909

WASER, Otto: Flußgötter; RE VI.2, 2774.18—2815.49
WEINREICH, Otto: Senecas Apocolocyntosis, Berlin 1923
WILAMOWITZ-MOELLENDORFF, Ulrich von: Euripides Herakles (3 Bd.e), Darmstadt 1974 (I und 1969 (II und III)
— Der Glaube der Hellenen (2 Bd.e), Darmstadt 1973 (zitiert: „GdH")
— Hellenistische Dichtung in der Zeit des Kallimachos (2 Bd.e), Berlin 1924 (Nachdruck 1962 (zitiert: „HD")
— Die Ilias und Homer (1916), 2. Aufl. Berlin 1920 (zitiert: „IuH")
WILHELM, Friedrich: Zu Ovid Am. 3.6; Philol. Wochenschr. 53.1933, 141—144 und 169—17
WILKINSON, Lancelot Patrick: Ovid Recalled, Cambridge 1955 (Nachdruck 1974)
WISSOWA, Georg: Religion und Kultus der Römer, 2. Aufl. München 1912 (Nachdruck 1971
WLOSOK, Antonie: Römischer Religions- und Gottesbegriff in heidnischer und christliche Zeit; AuA 16.1970, 39—53

ZELLER, Eduard: Die Philosophie der Griechen, Teil III, Abteilung 1, herausgegeben von Eduard Wellmann (= 5. Aufl. 1923), Nachdruck Hildesheim 1963
ZINGERLE, Anton: Ovidius und sein Verhältnis zu den Vorgängern und gleichzeitigen römischen Dichtern (3 Hefte, Innsbruck 1869 I und 1871 II und III), Nachdruck Hildesheim 196
ZINN, Ernst: Worte zum Gedächtnis Ovids, gesprochen bei der Zweitausendjahrfeier 195 (1967); WdF 3—39
ZWIERLEIN, Otto: Das Waltharius-Epos und seine lateinischen Vorbilder; AuA 16.1970, 15 bis 184
— Versinterpolationen und Korruptelen in den Tragödien Senecas; WüJbb 2.1976, 181—21

INDEX LOCORUM

Das folgende Verzeichnis soll Auskunft über alle Stellen antiker Literatur geben, die in dieser Arbeit erwähnt bzw. eingehender behandelt worden sind, sofern sie direkt zur Interpretation der Darstellung von Naturgottheiten beitragen. Passagen, welche das Verständnis der genannten Göttergruppe nur mittelbar fördern (so z. B. das umfangreiche auf den Seiten 248 bis 253 zusammengetragene Material), sind hier ebensowenig aufgenommen wie die Belegstellen aus Anhang I (S. 255—267). Schließlich erhalten Einzelverse, die innerhalb eines eigenen Kapitels oder größeren Abschnitts besprochen werden, in diesem Index kein eigenes Lemma. Nennungen außerhalb des Kapitels sind hingegen aufgelistet.

Zitierweise: Grundsätzlich wird die Seite angegeben; durch A. angeschlossene Zahlen weisen darauf hin, daß die gesuchte Stelle in einer Anmerkung erscheint. Seiten werden durch ein Semikolon voneinander geschieden, ein Komma trennt Anmerkungen, die sich auf derselben Seite befinden.
Im Rahmen eines eigenen Kapitels interpretierte Passagen sind durch **Fettdruck** hervorgehoben.
Antike Verse oder Versgruppen, die eng aufeinander folgen und auf einer gemeinsamen Seite behandelt werden, stehen zumeist in einer Reihe.

Beispiele: Der Vers Ov. M. 2.303 ist auf Seite 181, und zwar in der Anmerkung 410, erwähnt. Auch auf den Seiten 194 sowie 269 finden sich Aussagen über diesen Vers. Vor allem aber sollte der Benutzer Einblick in das S. **92—105** abgedruckte Kapitel nehmen, das der gesamten von v. 303 beschlossenen Episode v. **272 bis 303** gewidmet ist.
Die Angabe 154 A. 352, 353 informiert darüber, daß die gesuchte Stelle sowohl in Anm. 352 als auch in Anm. 353 — beide stehen auf S. 154 — erscheint.
Das Lemma Verg. Buc. 7.31—32, 35—36 bedeutet: Beide Versgruppen sind auf einer Seite (hier: 55) erläutert.